# FREDERICK FORSYTH

# DE HONDEN VAN DE OORLOG

A.W. Bruna Uitgevers B.V. Utrecht

*Oorspronkelijke titel*
The Dogs of War

*Vertaling*
J.F. Niessen-Hossele


*Omslagontwerp*
Studio Eckhardt/Pidoux

ISBN 90 229 7841 9
NUGI 331

Zestiende druk, februari 1997

# DE HONDEN VAN DE OORLOG

*Van dezelfde auteur*

De dag van de Jakhals
Geheim dossier Odessa
Het Vierde Protocol
Het alternatief van de duivel
De verrader
De Vuist van God
Icoon

*In de Zwarte Beertjes*

Er zijn geen slangen in Ierland
De onderhandelaar

Cry 'Havoc' and let slip the dogs of war.
*William Shakespeare*

That . . . be not told of my death,
Or made to grieve on account of me,
And that I be not buried in consecrated ground,
And that no sexton be asked to toll the bell,
And that nobody is wished to see my dead body,
And that no mourners walk behind me at my funeral,
And that no flowers be planted on my grave,
And that no man remember me,
To this I put my name.
*Thomas Hardy*

# Proloog

Er waren die nacht geen sterren boven de landingsbaan in de rimboe en ook geen maan; alleen de Westafrikaanse duisternis, die als warm vochtig fluweel de verspreid staande groepjes omhulde. Het wolkendek kwam bijna tot de toppen van de irokobomen en de wachtende mannen hoopten, dat het daar nog wat bleef hangen om ze tegen de bommenwerpers te beschermen.

Aan het eind van de startbaan draaide de oude, gammele DC-4, die zojuist was binnengegleden bij lichten, die alleen de laatste vijftien seconden van de landing aanbleven, om en ronkte blindelings naar de met palmbladeren bedekte hutten.

Een Federaal gevechtsvliegtuig MIG-17, waarschijnlijk bestuurd door een van de zes Oostduitse piloten, die de laatste drie maanden uitgezonden waren om de Egyptenaren te vervangen, die er een afschuwelijke hekel aan hadden om 's nachts te vliegen, dreunde door de lucht naar het westen. Het was onzichtbaar boven de wolkenlaag, zoals ook de startbaan voor het oog van de piloot verborgen bleef. Hij keek uit naar het verraderlijke schijnsel van landingslichten die aanfloepten om een landend vliegtuig binnen te loodsen, maar de lichten waren uit.

De piloot van de taxiënde DC-4, die het gieren van de straaljager boven hem niet kon horen, deed zijn eigen lampen aan om te zien waar hij heen ging en uit de duisternis schreeuwde een stem overbodig: 'Doe het licht uit!' Het ging alweer uit toen de piloot zich georiënteerd had en het gevechtsvliegtuig boven hem was al kilometers ver weg. In het zuiden klonk artilleriegerommel, waar het front tenslotte in elkaar was gestort, toen mannen die al twee maanden geen eten of kogels meer hadden gekregen, hun geweren weggooiden en het veilige oerwoud in waren gevlucht.

De piloot van de DC-4 zette zijn toestel stil op dertig meter van de Super Constellation, die al op het platform stond, zette de motoren af en stapte uit op het beton. Er kwam een Afrikaan op hem af gerend en ze voerden een gedempt gesprek. Ze liepen samen door de duisternis naar een groter groepje mannen, dat als een donkere vlek tegen de duisternis van het palmbos afstak. De groep week uiteen toen het tweetal van de landingsbaan eraan kwam, totdat de blanke man die de DC-4 had binnengevlogen, van aangezicht tot aangezicht tegen over de man in het midden stond. De blanke man had hem nog nooit gezien, maar hij had wel van hem gehoord en zelfs in het donker, flauwtjes verlicht door een paar sigaretten, herkende hij de man voor wie hij gekomen was.

De piloot droeg geen pet, daarom boog hij even het hoofd in plaats van te salueren. Dat had hij nog nooit gedaan, tegen een zwarte en hij had niet kunnen verklaren waarom hij het deed.

'Mijn naam is kapitein Van Cleef,' zei hij in het Engels, dat hij op zijn Afrikaans uitsprak.

De Afrikaan knikte als antwoord, waarbij zijn ruige, zwarte baard over de voorzijde van zijn gestreepte camouflage-uniform streek.

'Het is een gevaarlijke nacht om te vliegen, kapitein Van Cleef,' merkte hij droogjes op, 'en een beetje laat om nog meer voorraden te brengen.'

Hij sprak langzaam met een diepe stem en hij had meer het accent van een Engelse kostschoolman, die hij ook was, dan van een Afrikaan. Van Cleef voelde zich ongemakkelijk en opnieuw, zoals honderden malen tijdens zijn vlucht vanaf de kust door de wolkenbanken, vroeg hij zich af waarom hij gekomen was.

'Ik heb geen voorraden meegebracht, generaal. Die waren op.'

Alweer een precedent geschapen. Hij had zich plechtig voorgenomen geen 'generaal' tegen die man te zeggen, tegen een Kaffer. Maar ze hadden gelijk, de andere huurpiloten in de hotelbar in Libreville, die hem ontmoet hadden. Deze was anders.

'Waarom bent u dan gekomen?' vroeg de generaal zacht. 'Voor de kinderen soms? Er zit hier een stelletje kinderen, die de nonnen graag naar een veilig oord willen laten vliegen, maar er komen vanavond geen Caritas-toestellen meer.'

Van Cleef schudde zijn hoofd en besefte toen, dat niemand dat gebaar kon zien. Hij was met zijn figuur verlegen, en blij dat de duisternis het verborg. De lijfwachten om hem heen omklemden hun machinegeweren en staarden naar hem.

'Nee. Ik kwam u ophalen. Als u tenminste mee wilt gaan.'

Er viel een lange stilte. Hij voelde, dat de Afrikaan hem door de duisternis aanstaarde en ving af en toe het oplichtende oogwit op als een van de volgelingen zijn sigaret omhoog hief.

'Juist. Heeft uw regering u opdracht gegeven om vanavond hier te komen?'

'Nee,' zei Van Cleef. 'Dat heb ik zelf bedacht.'

Er viel weer een lange stilte. Het bebaarde hoofd een eindje van hem af knikte langzaam met wat begrip of verbijstering had kunnen zijn.

'Ik ben u heel erg dankbaar,' zei de stem. 'Het moet een hele tocht geweest zijn, maar ik heb mijn eigen vervoer, de Constellation. Ik hoop tenminste dat hij me in ballingschap kan brengen.'

Van Cleef voelde zich opgelucht. Hij had er geen flauw idee van wat de politieke gevolgen waren geweest als hij met de generaal in zijn gevolg naar Libreville terug was gevlogen.

'Ik wacht wel tot u opgestegen en weg bent,' zei hij en knikte weer. Hij had veel zin om hem de hand te drukken maar wist niet of hij dat wel kon doen. Hij kon niet weten dat de Afrikaanse generaal in hetzelfde dilemma zat. Daarom draaide hij zich om en liep naar zijn toestel terug.

Het was een poosje stil in de groep zwarten nadat hij weg was.

'Waarom doet een Zuidafrikaan en nog wel een Afrikaner zoiets?' vroeg er een uit het kabinet aan de generaal. Tanden flitsten toen de leider van de groep heel even glimlachte.

'Ik denk niet dat we dat ooit begrijpen,' zei hij.

Verderop op het platform, eveneens in de beschutting van een palmbosje, zaten vijf mannen in een landrover en keken naar de vage gestalten die zich uit het bos naar het vliegtuig begaven. De leider zat naast de Afrikaanse chauffeur en ze rookten alle vijf onafgebroken.

'Dat zal het Zuidafrikaanse vliegtuig zijn,' zei de leider en draaide zich om naar de vier andere blanken, die achter hem in de landrover in elkaar gedoken zaten. 'Janni, ga eens aan de piloot vragen of hij plaats voor ons inruimt.'

Een lange, broodmagere, hoekige man klom uit de achterkant van het voertuig. Net als de anderen was hij van top tot teen in een overwegend groen oerwoudcamouflage-uniform gekleed, met bruine strepen erdoor. Hij had groene canvas laarzen aan zijn voeten waar de broekspijpen ingestopt waren. Aan zijn riem hingen een veldfles en een lang dolkmes, drie patroontassen voor de FAL-karabijn over zijn schouder, alle drie leeg. Toen hij om de voorzijde van de landrover liep, riep de leider hem weer.

'Laat die FAL maar hier,' zei hij, met uitgestoken arm om de karabijn aan te pakken, 'en je doet je best, hè Janni? Want als we niet in die kist wegkomen, worden we over een paar dagen in mootjes gehakt.'

De man die Janni heette knikte, trok de baret op zijn hoofd recht en slenterde naar de DC-4. Kapitein Van Cleef hoorde de rubberzolen niet die van achteren kwamen.

'*Naand, meneer.*'

Van Cleef draaide zich bij het horen van het Afrikaans met een ruk om en monsterde de gestalte en de lengte van de man naast hem. Zelfs in het donker kon hij nog het zwart-met-witte motief van de schedel met de gekruiste beenderen op de linkerschouder van de man onderscheiden. Hij knikte behoedzaam.

'*Naand. Jy Afrikaans*?'

De lange man knikte. 'Jan Dupree,' zei hij en stak zijn hand uit.

'Kobus Van Cleef,' zei de vlieger met een handdruk.

'*Waar gaan-jy nou*?' vroeg Dupree.

'Naar Libreville. Zodra ze klaar zijn met laden. En jij?'

Janni Dupree grijnsde.

'Ik zit een beetje in het nauw, ik en mijn kameraden. Als de Federalen ons vinden, zijn we er geweest. Kun je ons meenemen?'

'Met hoevelen zijn jullie?' vroeg Van Cleef.

'Bij elkaar met z'n vijven.'

Omdat hij zelf ook een huurling was, al was het van de lucht, aarzelde Van Cleef niet. Vogelvrijen hebben elkaar af en toe nodig.

'Goed, ga maar aan boord. Maar wel opschieten. Zodra die Connie weg is, gaan wij ook meteen.'

Dupree knikte als dank en liep op een sukkeldrafje naar de landrover terug. De vier andere blanken stonden om de motorkap bij elkaar.

'Het is in orde, maar we moeten wel instappen,' zei de Zuidafrikaan tegen ze.

'Goed, gooi de wapens maar in de achterbak, dan gaan we,' zei de groepsleider. Terwijl de geweren en de munitietassen achter in het voertuig ploften, boog hij zich naar de zwarte officier met de rang van tweede luitenant, die aan het stuurwiel zat.

'Nou, dag Patrick,' zei hij. 'Het is afgelopen, helaas. Neem de landrover mee en laat hem maar ergens staan. Begraaf de wapens en zet er een teken bij. Trek je uniform uit en verdwijn in het oerwoud. Begrepen?'

De luitenant, die een jaar geleden nog rekruut was met de rang van gewoon soldaat, en bevorderd was omdat hij zo goed kon vechten en niet omdat hij met mes en vork at, knikte somber terwijl hij de instructies aanhoorde.

'Dag meneer.'

De vier andere huurlingen riepen hem gedag en liepen naar de DC-4 toe.

De leider stond op het punt hen te volgen, toen twee nonnen uit de duisternis van het bos achter het parkeerplatform zenuwachtig naar hem toe liepen.

'Majoor.'

De huurling draaide zich om en herkende in de eerste van hen een zuster, die hij maanden geleden had ontmoet, toen het gevecht in de zone woedde waar ze een ziekenhuis had en hij gedwongen was geweest het hele complex te evacueren.

'Zuster Mary Joseph? Wat doet u hier?'

De bejaarde Ierse non begon ernstig te praten, terwijl ze hem aan de besmeurde uniformmouw van zijn jasje vasthield. Hij knikte.

'Ik zal het proberen, dat is het enige wat ik kan doen,' zei hij, toen ze uitgesproken was.

Hij liep over het platform naar de plek, waar de Zuidafrikaanse piloot onder de vleugel van zijn DC-4 stond en een waarnemer had de twee huurlingen een paar minuten in gesprek kunnen zien. Tenslotte kwam de man in uniform bij de wachtende nonnen terug.

'Hij vindt het goed, maar u moet wel opschieten, zuster. Hij wil zo gauw mogelijk met zijn kist opstijgen.'

'God zegene u,' zei de gedaante in het witte kleed en gaf gehaast orders aan haar metgezellin. Deze rende naar de achterkant van het vliegtuig en begon de korte trap naar de passagiersdeur op te klimmen. De andere snelde terug naar de schaduw van een bosje palmen achter het parkeer-platform, waar al gauw een rij mannen uitkwam. Ze droegen elk een bundeltje in de armen. Toen ze bij de DC-4 kwamen, werden de bundeltjes naar de wachtende non boven aan de trap doorgegeven. Achter haar zag de tweede piloot, hoe ze de eerste drie naast elkaar in het begin van een rij in de romp van het vliegtuig legde, waarna hij nors begon te helpen, de bundeltjes uit de uitgestrekte handen onder de staart van het vliegtuig aanpakte en ze doorgaf naar binnen.

'God zegene u,' fluisterde de Ierse. Uit een van de bundeltjes viel een kwak groene vloeibare uitwerpselen in de mouw van de tweede piloot.

'Godverdomme,' siste hij en ging door met zijn werk.

De alleen gelaten leider van de groep huurlingen keek naar de Super Constellation, waar een rij vluchtelingen, voornamelijk de familieleden van de leiders van het verslagen volk, de achtertrap opklom. In het flauwe licht dat uit de deur van het vliegtuig scheen, viel zijn blik op de man die hij wilde zien. Toen hij naderbij kwam, wilde de man op zijn beurt de trap opgaan, terwijl anderen voorbestemd om achter te blijven en het oerwoud in te gaan om zich te verbergen, wachtten om de trap weg te halen. Een van hen riep tegen de man die op het punt stond de trap op te gaan:

'Meneer, majoor Shannon komt eraan.'

De generaal draaide zich om toen Shannon naderbij kwam en

zelfs op dit tijdstip wist hij nog een grijns op te brengen.
'Zo Shannon, wilt u ook mee?'
Shannon kwam voor hem staan en salueerde. De generaal nam de groet in ontvangst.
'Nee, dank u, generaal. We hebben vervoer naar Libreville. Ik kwam alleen maar even goeiendag zeggen.'
'Ja. Het is een lange strijd geweest. Nu is het afgelopen, vrees ik. Voor een paar jaar in ieder geval. Ik heb er moeite mee te geloven dat mijn volk voorgoed in slavernij voort zal leven. Tussen haakjes, zijn u en uw collega's volgens contract uitbetaald?'
'Ja, dank u, generaal. We zijn helemaal bij,' antwoordde de huurling. De Afrikaan knikte somber.
'Nou, tot ziens dan. En bedankt voor alles wat u hebt kunnen doen.'
De twee mannen gaven elkaar een hand.
'En dan nog iets, generaal,' zei Shannon. 'Ik heb met de jongens de toestand nog eens besproken toen we in de jeep zaten. Als er ooit een tijd komt... enfin, mocht u ons ooit nodig hebben, dan hoeft u maar een seintje te geven, en we komen allemaal. U hoeft ons maar op te bellen. Dat moest ik van de jongens overbrengen.'
De generaal keek hem een tijdlang aan.
'Deze nacht is vol verrassingen,' zei hij langzaam. 'U weet het misschien nog niet, maar de helft van mijn oudste raadslieden en alle rijke raadslieden gaan vannacht de grens over, om zich bij de vijand in de gunst te dringen. De anderen volgen vrijwel allemaal over een maand. Dank u voor uw aanbod, meneer Shannon. Ik zal het in gedachten houden. Nogmaals, tot ziens en veel succes.'
Hij draaide zich om en liep de trap op, het flauw verlichte interieur van de Super Constellation in op het moment dat de eerste van de vier motoren begon te ronken. Shannon deed een stap naar achteren en bracht de man, die anderhalf jaar van zijn diensten gebruik had gemaakt, een laatste groet.
'Veel succes,' zei hij, half tegen zichzelf. 'Dat kun je best gebruiken.'
Hij draaide zich om en liep naar de wachtende DC-4 toe. Toen de deur dicht was, liet Van Cleef het vliegtuig met draaiende motoren op het platform staan, terwijl hij door de duisternis naar de vage omtrek van de Super Connie keek die met de neus omlaag voor zijn kist langs over de startbaan dreunde en tenslotte opsteeg. Geen van beide vliegtuigen had lichten aan, maar vanuit de cockpit van de Douglas onderscheidde de Afrikaner de drie vinnen van de Constellation, die boven de palmbomen in het zuiden in de welkome wolken verdwenen. Daarna pas reed hij de DC-4 met

zijn blèrende lading naar het startpunt.

Er verstreek bijna een uur voor Van Cleef zijn tweede piloot opdroeg het licht in de cabine aan te doen, een uur waarin hij van de ene wolkenbank naar de andere uitweek, de dekking doorbrekend en door lage wolkenvlagen scherend om weer in een andere, dichtere wolkenbank dekking te zoeken, waarbij hij voortdurend trachtte te voorkomen dat hij in de maanverlichte witte velden door een zwervende MIG werd opgemerkt. Pas toen hij wist dat hij een flink eind boven de Golf zat met de kust mijlenver achter zich, mochten de lichten van hem aan.

Achter hem verlichtten ze een naargeestig schouwspel, dat Doré in een sombere bui getekend zou kunnen hebben. Op de vloer van het toestel waren natte, vieze dekens gelegd, waarin een uur tevoren de inhoud verpakt was geweest. Deze inhoud van de bundeltjes lag in rijen aan weerszijden van de laadruimte te spartelen, veertig kleine kinderen, verschrompeld en uitgedroogd en door ondervoeding misvormd. Zuster Mary Joseph stond op van achter de deur van de cabine waar ze gehurkt zat en begon tussen de uitgehongerde, vermagerde schepseltjes door te lopen, die allemaal een pleister op het voorhoofd hadden, vlak onder het haar, dat allang door bloedarmoede roodbruin was geworden. Op de pleister stonden met balpenletters de noodzakelijke gegevens voor het weeshuis bij Libreville. Naam en nummer, maar geen rang. Slachtoffers krijgen geen rang.

In de staart van het vliegtuig knipperden vijf huurlingen tegen het licht en keken naar hun medepassagiers. Ze hadden het de laatste maanden allemaal al zo vaak gezien. Iedereen voelde enige weerzin, maar niemand liet het merken. Je went tenslotte aan alles. In Kongo, Jemen, Katanga, Soedan. Altijd dezelfde geschiedenis, altijd de kinderen. En nooit kon je er iets aan doen. Zo redeneerden ze en drukten hun sigaret uit.

Bij de cabineverlichting konden ze elkaar voor het eerst sinds zonsondergang de vorige avond behoorlijk zien. De uniformen zaten vol vlekken van zweet en rode aarde en de gezichten waren weggetrokken van vermoeidheid. De leider zat met zijn rug tegen de w.c.-deur, de benen languit, waar hij dwars door de vliegtuigromp op de cockpit keek. Carlo Alfred Thomas Shannon, drieëndertig jaar, met blond tot een slordige crewcut kortgeknipt haar. Bijgenaamd Cat Shannon naar zijn voorletters, kwam hij oorspronkelijk uit het graafschap Tyrone in de provincie Ulster. Nadat hij door zijn vader naar een tweederangs Engelse kostschool was gestuurd voor zijn opvoeding, sprak hij niet meer met het afwijkende accent van Noord-Ierland. Na vijf jaar bij de Royal Marines was hij weggegaan om zijn geluk te beproeven in het burgerleven en zes jaar tevoren werkte hij dan ook voor een Londense handelsfirma in Uganda. Op een zonnige ochtend sloeg hij kalm zijn grootboeken dicht, stapte in zijn landrover en reed naar de Kongolese grens in het westen. Een week later gaf hij zich op als huurling bij de Vijfde commandogroep onder Mike Hoare in Stanleyville.

Hij was er getuige van dat Hoare vertrok en John-John Peters de leiding overnam, had met Peters ruzie gemaakt en was naar het noorden gereden om zich in Paulis bij Denard te voegen, was betrokken bij de muiterij in Stanleyville, twee jaar later, en nadat de Fransman met hoofdverwondingen naar Rhodesië was geëvacueerd, was hij met Zwarte Jacques Schramme meegegaan, de Belgische oud-planter die nu huurling was, op de lange mars naar Bukavu en vandaar naar Kigali. Nadat hij door het Rode Kruis was gerepatrieerd, was hij prompt als vrijwilliger naar een andere Afrikaanse oorlog gegaan en had tenslotte het commando van zijn eigen bataljon op zich genomen. Maar te laat om te winnen, altijd te laat om te winnen.

Direct links van hem zat wat men gerust de beste mortierman ten noorden van de Zambesi kon noemen. Grote Jan Dupree was achtentwintig jaar en kwam uit Paarl in de Kaap-provincie, als zoon van de verarmde tak van een hugenotengeslacht, wiens voorouders na de afschaffing van de godsdienstvrijheid in Frankrijk voor de wraak van Mazarin naar Kaap de Goede Hoop waren gevlucht. Zijn mager, scherp gezicht, dat gedomineerd werd door een kromme neus boven een mond met dunne lippen, zag er nog holler uit dan anders en er liepen diepe groeven van uitputting langs zijn beide wangen. De oogleden waren neergeslagen over fletsblauwe ogen en de zandkleurige wenkbrauwen en zijn haar zaten vol vuil en stof. Nadat hij een blik op de kinderen had geworpen die langs het gangpad van het toestel lagen, mompelde hij 'schoften' tegen de wereld van bezitters en bevoorrechten, die hij voor de kwalen van deze planeet verantwoordelijk stelde, en probeerde de slaap te vatten.

Naast hem lag Marc Vlaminck uitgestrekt, die Kleine Marc genoemd werd vanwege zijn enorme omvang. Een Vlaming uit Oostende, was hij op zijn sokken, als hij die aan had, bijna één meter negentig lang en woog honderdvijftien kilo. Sommige mensen dachten dat het vet was, maar dat was niet zo. Hij werd met vrees en beven beschouwd door de politie van Oostende, voornamelijk vreedzame lieden die liever om de problemen heen liepen dan ze op te zoeken, en werd met welwillend oog bekeken door de glazenmakers en timmerlui van die stad om het werk dat hij ze verschafte. Ze zeiden, dat ze konden zien in welke bar Kleine Marc speels was geworden aan het aantal werklieden dat ervoor nodig was om de boel weer op te knappen.

Als wees was hij opgevoed in een instituut, geleid door de paters, die geprobeerd hadden wat gevoel voor respect in de uit zijn krachten gegroeide jongen te slaan, zo dikwijls dat het eindelijk zelfs Marc te gortig was geworden en hij op zijn dertiende een van de met zijn rietje zwaaiende heilige paters met één enkele forse stomp tegen de keien sloeg.

Daarna kwam er een serie tuchthuizen, een opvoedingsgesticht, een portie jeugdgevangenis en een bijna eenparige zucht van verlichting, toen hij zich bij de paratroepen meldde. Hij was een van de vijfhonderd man, die met kolonel Laurent op Stanleyville sprongen om de missionarissen te redden, die het plaatselijke Simba-hoofd, Christophe Gbenye, had gedreigd levend op het marktplein te zullen braden.

Nog geen veertig minuten nadat hij op het vliegveld was beland, had Kleine Marc zijn levensroeping gevonden. Een week later bleef hij zonder verlof weg om te voorkomen, dat hij naar de kazerne in België terug werd gestuurd en nam dienst in het huurlingenleger. Behalve met zijn vuisten en schouders was Kleine Marc bijzonder bedreven met de bazooka, zijn geliefde wapen, waar hij met hetzelfde gemak mee omsprong als een jongen met een katapult.

Die nacht dat hij uit de enclave naar Libreville vloog, was hij net dertig geworden.

Tegenover de Belg zat in de vliegtuigromp Jean-Baptiste Langarotti, verdiept in zijn gebruikelijke bezigheid om de uren van wachten te verdrijven.

Klein en schraal, met een olijfkleurige huid, was hij een Corsicaan, geboren en getogen in de stad Calvi. Op achttienjarige leeftijd was hij door Frankrijk opgeroepen om als een van de honderdduizenden *appelés* in de Algerijnse oorlog te vechten. Halverwege zijn achttien maanden had hij als beroeps getekend en was later overgeplaatst naar de 10de Koloniale Paratroepen, de beruchte rode baretten onder commando van generaal Massu, dat eenvoudig bekend stond onder de naam *les paras*. Hij was eenentwintig, toen er moeilijkheden opdoken en een paar eenheden van het Franse koloniale beroepsleger zich achter de zaak van een eeuwig Frans Algerije schaarde, een zaak die toen voorlopig belichaamd werd in de organisatie van de OAS. Langarotti sloot zich bij de OAS aan, deserteerde en dook na de mislukte staatsgreep van april 1961 onder. Hij werd drie jaar later in Frankrijk, waar hij onder een valse naam woonde, gepakt en bracht vier jaar in de gevangenis door, waar hij in de donkere, zonloze cellen zat weg te kwijnen, eerst in de Santé in Parijs, daarna in Tours en tenslotte in de Île de Ré. Hij was een slechte gevangene en twee bewakers droegen er tot hun dood de merktekens van.

Terwijl hij meermalen half dood werd geslagen wegens aanvallen op bewakers, zat hij zijn volle tijd zonder kwijtschelding uit en kwam er in 1968 uit met maar één angst ter wereld, de angst voor kleine ingesloten ruimten, cellen en holen. Hij had sindsdien allang gezworen er nooit meer naar terug te gaan, al kostte het hem zijn leven om eruit te blijven, en er een stuk of zes met zich mee te nemen, als 'ze' hem ooit weer kwamen halen. Drie maanden na zijn vrijlating was hij op zijn eigen kosten naar Afrika gevlogen, praatte zich een oorlog in en ging als beroepshuurling met Shannon mee. Hij was eenendertig toen hij die avond wegvloog. Sinds hij uit de gevangenis was vrijgelaten, oefende hij regelmatig met het wapen dat hij voor het eerst als jongen op Corsica had leren gebruiken, en waarmee hij zich later in de achterbuurten van Algiers een reputatie had verworven. Om zijn linkerpols droeg hij een brede leren riem, die verdacht veel op het soort riem leek dat ouderwetse barbiers gebruiken om hun scheermes mee te slijpen. Hij was met twee drukknopen vastgemaakt. In vrije ogenblikken haalde hij hem eraf, draaide hem om naar de kant waar geen drukknopen zaten en bond hem om zijn linkervuist. Daar zat de riem toen hij op weg naar Libreville de tijd verdreef. In zijn rechterhand hield hij het mes, met een lemmet van vijftien centimeter lang en een benen handvat, dat hij zo snel kon hanteren dat het alweer in zijn mouw zat voor het slachtoffer besefte dat hij dood was. In regelmatig ritme ging het lemmet over het gespannen leer van de riem en, reeds zo scherp als een scheermes, werd het bij iedere haal nog een tikje scherper. De beweging kalmeerde zijn zenuwen en alle anderen ergerden zich eraan, maar ze klaagden nooit. Zo zouden zij die hem kenden ook nooit ruzie gaan maken met de kleine man met de zachte stem en het droevige glimlachje.

Tussen Langarotti en Shannon in zat de oudste van het gezelschap, de Duitser. Kurt Semmler was veertig en hij was het die vroeger in de enclave het motief van de schedel met de gekruiste beenderen had ontworpen, dat de huurlingen en de door hen opgeleide Afrikaanse soldaten droegen. Hij was het ook, die een sector van acht kilometer van Federale soldaten gezuiverd had, door de frontlinie af te zetten met palen, op elk waarvan het hoofd van een de vorige dag gesneuvelde Federale soldaat zat. Dit was nog een maand daarna de rustigste sector van de veldtocht. In 1930 geboren, was hij in de Hitler-tijd opgegroeid als zoon van een ingenieur uit München, die later bij de Todt-organisatie aan het Russische front was omgekomen.

Op zijn vijftiende jaar had hij, als vurig aanhanger van de Hitlerjugend, zoals trouwens bijna de hele jeugd van het land na twaalf jaar Hitler, het bevel gekregen over een kleine eenheid kinderen, jonger dan hijzelf, en oude mannen van boven de zeventig.

Zijn opdracht was om gewapend met één *Panzerfaust* en drie grendelgeweren de tankcolonnes van generaal George Patton tegen te houden. Dit was vanzelfsprekend mislukt en hij sleet zijn jonge jaren in Beieren onder de Amerikaanse bezetting, waar hij de pest aan had. Hij had ook niet veel op met zijn moeder, die bezeten was van godsdienst en wilde dat hij priester werd. Op zijn zeventiende liep hij weg, stak de Franse grens bij Straatsburg over en meldde zich bij het vreemdelingenlegioen in het wervingskantoor, dat in Straatsburg gevestigd was om weggelopen Duitsers en Belgen op te vangen. Na een jaar in Sidi-bel-Abbès ging hij met het expeditieleger naar Indo-China. Acht jaar later, na Dien Bien Phu, werd hij met een long minder, die door chirurgen in Tourane (Danang) was weggenomen, naar Frankrijk teruggevlogen, zodat hij gelukkig geen getuige kon zijn van de laatste vernedering in Hanoi. Na zijn herstel werd hij in 1958 als sergeant-majoor bij de crème de la crème van het Franse koloniale leger, het 1ste Regiment Étranger Parachutiste, naar Algerije gestuurd. Hij was een van het handjevol mensen, dat reeds tweemaal de totale vernietiging van het 1ste REP overleefd had, eerst van bataljonsterkte en later van regimentsterkte. Hij vereerde slechts twee mannen, kolonel Roger Faulques, die in de oorspronkelijke Compagnie Étrangère Parachutiste zat, toen deze op compagniesterkte de eerste keer vernietigd werd, en commandant Le Bras, een andere veteraan, die nu commandant was van de Garde Republicaine van de Republiek Gabon en deze staat met uraniumrijkdommen voor Frankrijk veiligstelde. Zelfs kolonel Marc Rodin, die vroeger zijn commandant geweest was, had zijn respect verspeeld toen de OAS uiteindelijk in elkaar stortte.

Semmler zat in het 1ste REP, toen dit bij de staatsgreep van Algiers als één man naar de ondergang marcheerde en later door Charles de Gaulle permanent ontbonden werd. Hij was gevolgd waar zijn Franse officieren hem voorgingen, en later, toen hij vlak na de Algerijnse onafhankelijkheid in 1962 in Marseille werd opgepakt, had hij twee jaar in de gevangenis uitgezeten. Zijn vier rijen onderscheidingen hadden hem voor erger behoed. In 1964 voor het eerst sinds twintig jaar in de burgermaatschappij, was een oudcelgenoot met een voorstel bij hem gekomen – of hij mee wilde doen aan een smokkelzaakje in het Middellandse-Zeegebied. Drie jaar lang, behalve het ene jaar waarin hij in een Italiaanse gevangenis zat, smokkelde hij sterke drank, goud, en af en toe wapens van de ene kant van de Middellandse Zee naar de andere. Tenslotte was hij net bezig een kapitaal te verdienen met de Italiaans-Joegoslavische sigarettensmokkel, toen zijn maat zowel de kopers als de verkopers tegelijk oplichtte, Semmler de schuld gaf en er met het geld vandoor ging. Gezocht door een groepje strijdlustige heren, was Semmler overzee naar Spanje gelift en met een stelletje bussen naar Lissabon gereden, waar hij een vriend opzocht die wapenhandelaar was, en had een schip genomen naar de Afrikaanse oorlog, waarover hij in de kranten gelezen had. Shannon had hem op staande voet genomen, want met zestien jaar vechten had hij de meeste ervaring in oorlogvoering in het oerwoud van allemaal. Hij sliep eveneens op die vlucht naar Libreville.

Twee uur voor zonsopgang naderde de DC-4 het vliegveld. Boven het gekrijs van de kinderen uit was een ander geluid te horen, het geluid van iemand die floot. Het was Shannon. Zijn collega's wisten, dat hij altijd floot als hij een actie ging ondernemen of er vandaan kwam. Ze kenden ook de naam van het wijsje, omdat hij ze dat een keer verteld had. Het heette *Spanish Harlem*.

De DC-4 cirkelde tweemaal boven het vliegveld van Libreville, terwijl Van Cleef met de verkeerstoren praatte. Toen het oude vrachtvliegtuig aan het eind van een startbaan stilhield, zwenkte een militaire jeep met twee Franse officieren erin om de neus en ze gaven Van Cleef een teken, dat hij ze over de taxibaan moest volgen.

Ze leidden ze van de hoofdgebouwen af naar een groepje barakken aan het andere eind van de luchthaven, en daar werd de DC-4 beduid te stoppen maar de motoren te laten draaien. In enkele seconden werd er een trap tegen de achterkant van het toestel gezet en van binnen uit duwde de tweede piloot de deur open. Een kepi met daaronder een van afkeer opgetrokken neus vanwege de stank, werd naar binnen gestoken om het interieur te inspecteren. De blik van de Franse officier bleef op de vijf huurlingen rusten en hij wenkte dat ze hem naar het beton moesten volgen. Toen ze op de grond stonden, gebaarde de officier naar de tweede piloot om de deur te sluiten en zonder omslag reed de DC-4 weer het vliegveld rond naar de hoofdgebouwen, waar een ploeg Franse Rode-Kruisverpleegsters en artsen klaarstond om de kinderen in ontvangst te nemen en ze naar de kinderkliniek te brengen. Toen het toestel langs ze zwenkte, zwaaiden de vijf huurlingen als dank naar Van Cleef boven in zijn cockpit en draaiden zich om, om de Franse officier te volgen.

Ze moesten een uur in een van de barakken wachten, ongemakkelijk op rechte houten stoelen gezeten, terwijl allerlei andere jonge Franse soldaten hun neus om de deur staken om *les affreux*, de verschrikkelijken, zoals ze in het Frans werden genoemd, op te nemen. Eindelijk hoorden ze buiten een jeep gierend remmen en het geklap van voeten die in de gang in de houding sprongen. Toen tenslotte de deur openging, was het om een gebruinde, streng uitziende hoofdofficier in kaki tropenuniform, met een kepi met goudgallons op de klep, binnen te laten. Shannon zag de scherpe, flitsende ogen, het staalgrijze kortgeknipte haar onder de kepi, de parachutistenvleugels boven de vijf rijen onderscheidingen gespeld; en bij het zien van Semmler, die stram in de houding sprong, kin omhoog, vijf vingers recht naar beneden wijzend langs wat eens de naad van zijn gevechtsbroek was geweest, hoefde men Shannon niet meer te vertellen wie de bezoeker was: de legendarische Le Bras.

De veteraan van Indo-China en Algerije gaf ze allemaal een hand en bleef wat langer voor Semmler staan.

'*Alors*, Semmler?' zei hij zacht, met een langzame glimlach. 'Nog steeds aan het vechten. Maar niet meer als adjudant. Nu als kapitein, zie ik.'

Semmler was verlegen.

'*Oui mon commandant, pardon, colonel.* Dat is maar tijdelijk.'

Le Bras knikte een paar maal nadenkend. Toen richtte hij zich tot allemaal.

'Ik zal u behoorlijk laten onderbrengen. U zult er ongetwijfeld behoefte aan hebben een bad te nemen, u te scheren en iets te eten. U hebt kennelijk geen andere kleding, deze zal verstrekt worden. U zult helaas voorlopig op uw kamers moeten blijven. Dat is uitsluitend uit voorzorg. Er zijn een heleboel mensen van de pers in de stad en iedere vorm van contact met hen moet vermeden worden. Zodra het mogelijk is zullen wij ervoor zorgen dat u naar Europa terug kunt vliegen.'

Hij had alles gezegd wat hij te zeggen had en zweeg daarom. Hij bracht zijn rechterhand naar de rand van zijn kepi tegen de vijf stokstijve figuren, en vertrok.

Een uur later, na een rit in een gesloten busje en na binnenkomst door de achterdeur, waren de mannen in hun verblijf, de vijf slaapkamers van de bovenverdieping van het Gamba Hotel, een nieuw gebouw dat maar vijfhonderd meter van het luchthavengebouw aan de overkant, en dus kilometers van het centrum van de stad stond. De jonge officier die met ze mee was gegaan zei, dat ze hun maaltijden op dezelfde verdieping zouden gebruiken en dat ze daar tot nader order moesten blijven. Een uur later was hij terug met handdoeken, scheermessen, tandpasta en tandenborstels, zeep en sponzen. Er was al een blad met koffie gekomen en ieder liet zich dankbaar in een vol, dampend, naar zeep geurend bad zinken, het eerste in meer dan zes maanden.

Om twaalf uur kwamen een legerkapper en een korporaal met stapels broeken en hemden, jasjes, onderbroeken en sokken, pyjama's en canvas schoenen. Ze pasten ze aan, zochten uit wat ze wilden hebben en de korporaal vertrok met de artikelen die over waren. De officier was om één uur terug met vier kelners die de lunch droegen en zei, dat ze bij de balkons vandaan moesten blijven. Als ze in hun afzondering lichaamsbeweging wilden nemen, moesten ze dat maar in hun kamers doen. Hij zou die avond terugkomen met een verzameling boeken en tijdschriften, al kon hij niet beloven of het in het Engels of Afrikaans was.

Nadat ze gegeten hadden zoals ze in de afgelopen zes maanden, sinds hun laatste verloftijd van het vechten, niet meer hadden gedaan, lieten de vijf mannen zich in bed rollen en gingen slapen. Terwijl ze op ongewone matrassen tussen ongelooflijke lakens snurkten, steeg Van Cleef met zijn DC-4 in de avondschemering van het beton op, vloog op een kilometer afstand langs de ramen van het Gamba Hotel en zette koers naar het zuiden, naar Caprivi en Johannesburg. Zijn werk was ook achter de rug.

Het kwam erop neer dat de vijf huurlingen vier weken op de bovenverdieping van het hotel zaten, terwijl de belangstelling van de kant van de pers voor hen verflauwde en de verslaggevers allemaal door hun redacteuren werden teruggeroepen, die er geen heil in zagen mensen in een stad vast te houden waar geen nieuws te halen was.

Op een avond kwam onverwacht een Franse kapitein van de staf van commandant Le Bras ze bezoeken. Hij grijnsde breed.

'*Messieurs*, ik heb bericht voor u. U vliegt hier vanavond vandaan, naar Parijs. U bent allemaal geboekt voor de vlucht van Air Afrique om 23.30 uur.'

Onder de vijf mannen, die door hun langdurige opsluiting geen raad meer wisten van verveling, ging een hoeraatje op.

De vlucht naar Parijs duurde tien uur, met onderbrekingen in

Douala en Nice. De volgenden dag tegen tien uur, een februariochtend, stapten ze de ijzige kou van vliegveld Le Bourget in. In de koffiekamer van het vliegveld namen ze afscheid van elkaar. Dupree wilde de bus die naar Orly doorging nemen om daar een enkele-reisbiljet voor de eerstvolgende vlucht met de SAA naar Johannesburg en Kaapstad te kopen. Semmler zou met hem meegaan om naar München terug te keren, althans voor een bezoek. Vlaminck zei, dat hij naar het Gare du Nord ging, om met de eerstvolgende sneltrein naar Brussel met aansluiting naar Oostende te gaan. Langarotti ging naar het Gare de Lyon om de trein naar Marseille te pakken.

'Laten we contact met elkaar houden,' zeiden ze en keken naar Shannon. Hij was hun leider, het was zijn taak om naar werk uit te zien, een volgend contract, een volgende oorlog. Zo zou ook ieder van hen, als hij iets hoorde waar een groep voor nodig was, met iemand van de groep contact willen opnemen en Shannon was de aangewezen persoon.

'Ik blijf nog een poosje in Parijs,' zei Shannon. 'Hier is meer kans op een tussentijds baantje dan in Londen.'

Daarom gaven ze elkaar hun adres, een poste-restante-adres of een bar, waar de barkeeper een boodschap doorgaf of een brief bewaarde, tot de geadresseerde langskwam om iets te drinken. En daarna namen ze afscheid en ging ieder zijns weegs.

De veiligheidsmaatregelen die hun vlucht uit Afrika omringden, waren waterdicht geweest, want er stond niemand van de pers te wachten. Maar er had toch iemand van hun aankomst gehoord en hij wachtte Shannon op, toen de groepsleider, nadat de anderen vertrokken waren, uit het luchthavengebouw kwam.

'Shannon.'

De naam werd op zijn Frans uitgesproken en de stem klonk niet al te vriendelijk. Shannon draaide zich om en zijn ogen versmalden een fractie, toen hij tien meter van zich af de gestalte zag staan. Het was een zwaargebouwde man met een neerhangende snor. Hij droeg een dikke jas tegen de winterkou en liep naar voren, totdat de twee mannen op een halve meter afstand tegen over elkaar stonden. Te oordelen naar de manier waarop ze elkaar opnamen, waren ze bepaald niet dol op elkaar.

'Zo, Roux,' zei Shannon.

'Weer terug, zie ik.'

'Ja, we zijn terug.'

De Fransman zei smalend: 'En jullie hebben verloren.'

'We hadden niet veel keus,' zei Shannon.

'Als ik je een raad mag geven, vriend,' snauwde Roux, 'ga je naar je eigen land terug. Blijf niet hier. Dat zou onverstandig zijn. Dit is mijn stad. Als er hier een contract te vinden is, ben ik de eerste die het hoort en dan sluit ik het af. En ik zoek de mensen uit die eraan meedoen.'

Als antwoord liep Shannon naar de eerste taxi die bij het trottoir stond te wachten en gooide zijn tas achterin. Roux liep hem achterna en hij had rode vlekken in zijn gezicht van woede.

'Luister naar me, Shannon, ik waarschuw je . . .'

De Ier draaide zich om en keek hem aan.

'Nee, Roux, jij luistert naar mij. Ik blijf in Parijs zolang ik dat wil. Je hebt in Kongo nog nooit indruk op mij gemaakt en dat doe je nu ook niet. Dus je kunt opvliegen.'

Terwijl de taxi wegreed staarde Roux hem boos na. Hij mopperde in zichzelf toen hij naar zijn eigen auto op het parkeerterrein toe liep.

Hij zette het contact aan, schakelde en bleef enkele ogenblikken door de voorruit zitten staren.

'Ik vermoord die ellendeling nog eens,' mompelde hij in zichzelf, maar die gedachte vermocht hem nauwelijks beter te stemmen.

# Deel een

# De Kristalberg

# I

Jack Mulrooney verschoof zijn zware gewicht op het veldbed onder het muskietennet en zag hoe de duisternis boven de bomen in het oosten langzaam lichter begon te worden. Het was een flauw vervagen, voldoende om de bomen te onderscheiden die hoog om de open plek stonden. Hij trok aan zijn sigaret en vervloekte de oerwildernis die hem omringde, en zoals oude Afrika-rotten vroeg hij zich voor de zoveelste maal af, waarom hij eigenlijk naar dat walgelijke werelddeel terug was gegaan.

Had hij echt getracht het te analyseren, dan zou hij hebben bekend, dat hij nergens anders kon leven, zeker niet in Londen en zelfs niet in Engeland. Hij kon niet tegen de steden, de regels en voorschriften, de belastingen en de kou. Zoals alle oude rotten hield hij de ene keer van Afrika en verafschuwde hij het de andere keer, maar hij gaf toe, dat het de laatste kwart eeuw in zijn bloed was gaan zitten, tegelijk met de malaria, de whisky en de miljoenen insektesteken en -beten.

Hij was in 1945 op vijfentwintigjarige leeftijd uit Engeland gekomen, waar hij vijf jaar als monteur in de Royal Air Force had gezeten, een deel van de tijd in Takoradi, waar hij in kisten verpakte Spitfires in elkaar had gezet, die langs een omweg naar Oost-Afrika en het Midden-Oosten werden gevlogen. Dat was zijn eerste kennismaking met Afrika en na de demobilisatie had hij zijn gratificatie opgestreken, in december 1945 afscheid genomen van een ijzig, gerantsoeneerd Londen en een schip naar Afrika genomen. Iemand had hem verteld dat je in Afrika kapitalen kon verdienen.

Hij had geen kapitalen gevonden, maar nadat hij door het werelddeel had gezworven, had hij zich op het Benueplateau, honderdtwintig kilometer vanaf Jos in Nigeria, een kleine tinconcessie verworven. Zolang er onrust in Malakka heerste, waren de prijzen goed geweest en tin was duur. Hij had aan de zijde van zijn Tiv-arbeiders gewerkt en in de Engelse club, waar de koloniale dames de laatste dagen van het imperium verdeden met roddelen, zeiden ze dat hij een 'inboorling' was geworden en dat het meer dan schande was. De waarheid was, dat Mulrooney in wezen de voorkeur gaf aan de Afrikaanse levenswijze. Hij hield van het oerwoud, hij was gesteld op de Afrikanen, die zich er niets van schenen aan te trekken dat hij vloekte en tierde en ze soms sloeg zodat ze harder werkten. Hij ging ook palmwijn met ze zitten drinken en bestudeerde de stamgebruiken. Hij bevoogdde ze niet. Zijn tinconcessie liep in 1960 omstreeks de datum van onafhankelijkheid af en hij ging als ploegbaas werken voor een maatschappij, die in de buurt een grotere en meer efficiënte concessie exploiteerde onder de naam Manson Consolidated, en toen die concessie in 1962 ook uitgeput was, werd hij als stafemployé aangesteld.

Op zijn vijftigste was hij nog een grote, zware kerel, potig en sterk als een os. Hij had enorme handen, die beschadigd en geschramd waren van het jarenlang werken in de mijnen. Hij woelde met de ene door zijn ruige, grijze haar en drukte met de andere de sigaret uit in de vochtige, rode aarde onder het veldbed. Het was nu lichter, het zou dadelijk ochtend zijn. Hij hoorde aan de overkant van de open plek zijn kok op een beginnend vuurtje blazen.

Mulrooney noemde zich mijningenieur, hoewel hij noch een graad als mijnbouwkundige, noch als ingenieur had. Hij had voor allebei een cursus gevolgd en eraan toegevoegd, wat geen enkele universiteit ooit kon leren – vijfentwintig jaar harde ervaring. Hij had goud gedolven in de Rand en koper bij Ndola; naar kostbaar water geboord in Somaliland, naar diamanten gewroet in Sierra Leone. Hij kon intuïtief een onveilige mijnschacht aanwijzen en de aanwezigheid van een ertslaag ruiken. Dat beweerde hij tenminste, en nadat hij zo 's avonds in de krottenwijk zijn gebruikelijke twintig flessen bier had ingenomen, was er niemand die hem tegensprak. In werkelijkheid was hij een van de laatste, oude prospectors. Hij wist, dat ManCon, zoals de maatschappij afgekort heette, hem de kleine karweitjes liet doen, diep in het oerwoud, het woeste binnenland dat kilometers van de beschaving verwijderd lag en toch geïnspecteerd moest worden, maar het beviel hem best zo. Hij werkte het liefst alleen; dat was zíjn leven.

Het laatste karwei had dan ook zeker aan deze voorwaarden voldaan. Drie maanden lang had hij de heuvels aan de voet van de keten verkend, die de Kristalbergen heetten, in het achterland van de republiek Zangaro, een kleine enclave aan de kust van West-Afrika.

Ze hadden hem verteld, dat hij zijn inspectie moest toespitsen om de Kristalberg zelf. De keten van grote heuvels, ronde bulten die zes- tot negenhonderd meter omhoogrezen, liep in een rij van de ene kant van de republiek naar de andere, evenwijdig met de kust en zestig kilometer er vanaf. De keten scheidde de kustvlakte van het achterland. Er was maar één opening in de keten en daardoorheen liep de enige weg naar het binnenland en dat was een smalle, onverharde weg, 's zomers zo hard gebakken als beton, 's winters een moeras. Achter de bergen behoorden de inheemsen tot de Vindoe-stam, die bijna nog de ontwikkeling van het stenen tijdperk hadden; alleen waren hun werktuigen van hout. Hij was in heel wat woeste streken geweest maar volgens hem had hij nog nooit zoiets achterlijks gezien als de binnenlanden van Zangaro.

Aan de buitenkant van de bergketen lag de afzonderlijke berg, waaraan de rest zijn naam had te danken. Het was nog niet eens de hoogste. Veertig jaar geleden was een eenzame missionaris tot de heuvels in het binnenland doorgedrongen en naar het zuiden afgeslagen, nadat hij het gat in de keten gevolgd was. Na dertig kilometer zag hij een heuvel die apart van de andere stond. Het had de vorige nacht geregend, een zware stortbui, een van de vele die de streek gedurende vijf drijfnatte maanden de jaarlijkse regenval van 750 centimeter bezorgde. Toen de priester opkeek, zag hij dat de berg leek te schitteren in de ochtendzon en hij noemde hem de Kristalberg. Hij schreef dit in zijn dagboek op. Twee dagen later werd hij doodgeknuppeld en opgegeten. Het dagboek, dat in een inlands dorpje als fetisj werd gebruikt, werd een jaar later door een patrouille koloniale soldaten gevonden. De soldaten deden hun plicht en vernietigden het dorp, waarna ze naar de kust terugkeerden en het dagboek aan de missiepost overhandigden. Zo leefde de naam die de priester aan de berg gegeven had voort, zelfs als er niets anders wat hij voor een ondankbare wereld gedaan had, in herinnering bleef. Later gaf men dezelfde naam aan de hele bergketen.

Wat de man in het ochtendlicht gezien had was geen kristal, maar een stortvloed van stroompjes, veroorzaakt door het water van de nachtelijke regen die in watervallen van de bergen kwam. De regen kwam ook in watervallen van de andere bergen, maar het gezicht daarop werd onttrokken door de dichte oerwoudvegetatie, die ze van ver af gezien allemaal als een dikke groene deken bedekte en die een dampende hel bleek te zijn als men erin doordrong. Dat die ene met duizend stroompjes glinsterde, kwam doordat de begroeiing op de flanken van deze heuvel aanzienlijk dunner was. Het was nooit bij hem opgekomen, net zomin als bij de andere twaalf blanken die het ooit gezien hadden, zich af te vragen waarom.

Nadat hij drie maanden had geleefd in de dampende hel van het oerwoud, dat de Kristalberg omringde, wist Mulrooney hoe het kwam.

Hij was begonnen met om de hele berg heen te lopen en had ontdekt, dat er een duidelijke kloof was tussen de flank aan de zeezijde en de rest van de keten, waardoor de Kristalberg oostelijk van de hoofdketen apart kwam te staan. Omdat hij lager was dan de hoogste pieken aan de zeezijde, was hij van de andere kant onzichtbaar. Hij viel ook op geen enkele andere manier op, behalve dat er meer stroompjes op een kilometer helling van afstroomden dan op de andere heuvels in het noorden en zuiden.

Mulrooney telde ze allemaal, zowel op de Kristalberg als op de andere. Er was geen twijfel aan. Het water liep na de regen van de andere bergen af, maar er werd een heleboel water in de bodem opgezogen. Om de andere bergen lag zes meter bovengrond over de rotsstructuur eronder; om de Kristalberg vrijwel niets. Hij liet zijn inheemse arbeiders, ter plaatse geworven Vindoes, een serie gaten boren met de aardboor die hij bij zich had en bevestigde het verschil in diepte van de bovengrond op twintig plaatsen. Van daaruit ging hij onderzoeken hoe dat kwam.

Miljoenen jaren lang was de aarde gevormd door ontbinding van het gesteente en door met de wind meegevoerd stof, en hoewel er met iedere regenval iets van de hellingen was afgeslepen, meegevoerd in de beekjes en van de beekjes naar de rivieren en vandaar naar de ondiepe dichtgeslibde wijde riviermond, was er ook wat aarde achtergebleven, opgesloten in kleine spleten, met rust gelaten door het stromende water, dat in de zachte steen gaten had geboord. En deze gaten waren afvoergreppels geworden, zodat een deel van de regen van de berg afstroomde, zijn eigen kanalen zocht en ze steeds dieper uitsleet, en sommige waren in de berg verzonken, zodat daardoor ook een deel van de bovengrond intact bleef. Zo was de aardlaag steeds verder opgebouwd en iedere honderd of duizend jaar wat dikker geworden. De vogels en de wind hadden zaden aangevoerd, die in de met aarde gevulde spleten terechtkwamen en daar gingen groeien, en hun wortels droegen ertoe bij dat de aarde op de berghellingen werd vastgehouden. Toen Mulrooney de heuvels zag, was er genoeg vruchtbare aarde om machtige bomen en dooreengestrengelde klimplanten te voeden die de hellingen en toppen van alle bergen bedekten. Allemaal op één na.

Op deze ene berg kon het water geen geulen graven die beekjes werden en het kon ook niet in de bergwand zakken, zeker niet op de steilste wand die naar het oosten lag, naar het achterland toe. Hier had de aarde zich in holten verzameld en in die holten waren bosjes struiken, gras en varens gekomen. Van de ene kuil naar de andere had de plantengroei zich naar elkaar uitgestrekt en hadden klimplanten en ranken zich in een dun scherm over kale stukken rots met elkaar verstrengeld, regelmatig schoongespoeld door het vallende water van het regenseizoen. Het waren deze stukken glinsterend water tussen het groen, die de missionaris gezien had voor hij stierf. De reden van de verandering was heel eenvoudig; de apart staande berg was van een ander gesteente dan de hoofdketen, een oeroud gesteente zo hard als graniet, vergeleken met de zachte, jongere rotsen van de grote bergketen.

Mulrooney had zijn rondgang om de berg voltooid en stelde dit onherroepelijk vast. Hij deed er veertien dagen over en constateerde tevens dat er niet minder dan zeventig stroompjes van de Kristalberg afliepen. Die kwamen vrijwel allemaal uit in drie grote beken, die naar het oosten toe uit de eronder liggende heuvels de dieper gelegen vallei instroomden. Hij merkte nog iets op. Langs de oevers van de beken die van deze berg afkwamen, verschilde de kleur van de bodem, evenals de begroeiing. Sommige planten leken niet beïnvloed te zijn, andere ontbraken geheel, hoewel ze op de andere bergen en naast de andere beken wel groeiden. In het algemeen was de begroeiing langs de beken die van de Kristalberg stroomden dunner dan langs de andere. Dit kon niet verklaard worden door gebrek aan grond, want die was er in overvloed.

Dus er was iets anders met die aarde aan de hand, iets dat de plantengroei langs de oevers van de beken beknotte.

Mulrooney begon de zeventig stroompjes die zijn belangstelling hadden gewekt in kaart te brengen, die hij onderweg tekende. Hij nam ook monsters van het zand en het grind langs de beddingen van de beken, beginnend met het oppervlaktegrind en dan dieper naar de harde onderlaag.

Hij nam iedere keer twee emmers vol grind, die hij op een dekzeil leeggooide, waarna hij er een kegel van maakte die hij in vieren deelde. Dit is een methode om monsters te nemen. Hij stapelde het grind op tot een kegel, verdeelde hem dan met een schopje in vieren, nam de twee tegenover elkaar liggende kwarten naar keuze, vermengde deze weer met elkaar en maakte een nieuwe kegel. Daarna deelde hij deze in vieren en zo ging hij verder tot hij een dwarsdoorsnede van het monster had met een gewicht van een tot anderhalve kilo. Nadat het gedroogd was ging dit in een met polytheen gevoerde canvas zak, die dichtgemaakt en zorgvuldig van een etiket werd voorzien. Na een maand had hij 750 kilo zand en grind in zeshonderd zakken uit de bedding van de zeventig stroompjes. Vervolgens begon hij aan de berg zelf.

Hij geloofde nu al, dat zijn zakken grind bij onderzoek in het laboratorium hoeveelheden aangeslibd tin zou blijken te bevatten, in tienduizenden jaren van de berg afgespoelde minuscule deeltjes, als bewijs dat er cassiteriet of tinerts in de Kristalberg lag opgeslagen.

Hij verdeelde de bergwanden in secties om zo te trachten de oorsprongen van de stroompjes en de rotswanden die ze in de natte moesson voedden op te sporen. Aan het eind van de week wist hij, dat er in de rots geen hoofdader van tin lag, maar vermoedde wat geologen een verspreide ertslaag noemen. Overal waren tekenen van mineralisatie. Onder de kruipende ranken van begroeiing trof hij rotswanden aan, doorschoten met strepen, aders van een centimeter breed, als de adertjes in de neus van een dronkaard, van melkwitte kwarts, waarmee meters en meters kale rotswand doorregen waren.

Alles wat hij om zich heen zag wees op tin. Hij maakte nog eens driemaal achter elkaar een rondgang om de berg en zijn waarnemingen bevestigden dat er een verspreide ertslaag zat, de overal aanwezige witte strepen in de donkergrijze rots. Met hamer en beitel hakte hij gaten diep in de rots en deze vertoonden steeds hetzelfde beeld. Soms dacht hij dat hij donkere vlekken in het kwarts zag, die de aanwezigheid van tin bevestigden.

Toen begon hij in ernst te bikken terwijl hij zijn vorderingen onderweg markeerde. Hij nam monsters van de zuiver witte kwartsstrepen en voor alle zekerheid nam hij ook monsters van het gesteente dat tussen de aders in lag. Drie maanden nadat hij het oerwoud in het oosten van de bergen was binnengedrongen, was hij klaar. Hij had nog eens 750 kilo stenen om mee naar de kust terug te nemen. De hele anderhalve ton stenen en aangeslibde monsters was, om de drie dagen een gedeelte, van zijn werkkamp, waar hij nu op de dageraad lag te wachten, naar het hoofdkamp overgebracht en in kegelvormige hopen onder zeildoek opgestapeld.

Na de koffie en het ontbijt zouden de dragers, met wie hij de vorige dag over de voorwaarden onderhandeld had, uit het dorp komen om zijn buit naar het pad te dragen dat een weg moest voorstellen, en dat het achterland met de kust verbond. Daar stond in een dorpje aan de weg, zijn tweetons vrachtwagen, die nu niet reed omdat het sleuteltje en de rotor in zijn rugzak zaten. Als de inlanders hem niet kapot hadden geslagen zou hij nog wel lopen. Hij had het dorpshoofd genoeg betaald om er oog op te houden. Met zijn monsters aan boord van de vrachtwagen en twintig dragers die vooruit liepen om het wankelende voertuig tegen de weghellingen op en uit de greppels te trekken, was hij over drie dagen terug in de hoofdstad. Na een telegram naar Londen zou hij een aantal dagen moeten wachten tot het gecharterde schip van de maatschappij kwam om hem op te halen. Hij had liever de hoofdweg langs de kust naar het noorden genomen en de extra honderdzestig kilometer naar de naburige republiek gereden, waar een behoorlijk vliegveld was, en zijn monsters naar huis gestuurd. Maar in de overeenkomst tussen ManCon en de Zangarese regering was afgesproken, dat hij ze mee naar de hoofdstad zou nemen.

Jack Mulrooney hees zich uit zijn krib, rukte het net opzij en brulde tegen zijn kok: 'Zeg, Dingaling, waar is mijn koffie verdomme?'

De Vindoe-kok, die er behalve het woord 'koffie' niets van verstond, grijnsde naast het vuurtje en wuifde vrolijk. Mulrooney beende over de open plek naar de canvas wasemmer en begon te krabben toen de muskieten op zijn bezwete lijf neerstreken.

'Rotland,' mopperde hij, terwijl hij water in zijn gezicht plensde. Maar hij was die ochtend tevreden. Hij was ervan overtuigd, dat hij zoveel aangeslibd tin als tinhoudend gesteente had gevonden. De vraag was alleen hoeveel tin per ton stenen. Bij de prijs van tin, die ongeveer 3300 dollar per ton bedroeg, was het aan de analisten en mijneconomen om uit te rekenen of de hoeveelheid tin per ton steen lonend was om een mijnkamp op te zetten, met de ingewikkelde machinerie en ploegen arbeiders, nog afgezien van een verbeterde verbinding met de kust door middel van een smalspoortrein, die uit de grond moest worden gestampt. En het was waarlijk een godvergeten, ontoegankelijk oord. Zoals gewoonlijk zou alles worden nagegaan en op grond van guldens, kwartjes en dubbeltjes worden aangepakt of afgewimpeld. Zo ging het nu eenmaal in de wereld. Hij sloeg weer een mug van zijn bovenarm en trok zijn T-shirt aan.

Zes dagen later hing Jack Mulrooney over de reling van een kleine, door zijn maatschappij gecharterde kustvaarder en spuwde over de zijkant terwijl de kust van Zangaro weggleed.

'De rotschoften,' foeterde hij boos. Hij had een serie blauwe plekken op zijn borst en rug en een rauwe schaafwond op zijn ene wang, het resultaat van zwaaiende geweerkolven toen de troepen het hotel hadden overvallen.

Het had hem twee dagen gekost om zijn monsters van diep uit het oerwoud naar het pad te brengen en nog een dag en een nacht van schelden en zweten, om de vrachtwagen over de aarden weg vol kuilen en goten van het binnenland naar de kust te slepen. In het natte jaargetijde zou hij het nooit gehaald hebben, en nu, in de droge moesson die nog een maand duurde, schokte de Mercedes bijna kapot op de moddergeulen, zo hard als beton. Drie dagen tevoren had hij de Vindoe-arbeiders betaald en weggestuurd en was hij met de krakende vrachtwagen over het laatste eind naar de betonnen weg gesukkeld, die slechts twintig kilometer van de hoofdstad af begon. Van daaruit was het nog een uur naar de stad met het hotel.

Nu was 'hotel' niet het juiste woord. Sinds de onafhankelijkheid was er van het grootste hotel van de stad niet veel meer overgebleven dan een logeergelegenheid, maar er was een parkeerterrein en hier had hij de vrachtwagen neergezet en afgesloten, en vervolgens zijn telegram verzonden, net op het nippertje. Zes uur nadat hij het verstuurd had, brak de hel los en werden de haven, het vliegveld en alle andere verbindingen op last van de president gesloten.

Het eerste wat hij ervan merkte was dat er een troep soldaten, die er uitzagen als zwervers, hun geweer bij de loop rondzwaaiend het hotel binnenstormden en de kamers begonnen te plunderen. Het had geen zin om te vragen wat ze kwamen doen, want ze schreeuwden alleen maar terug in een koeterwaals dat hem niets zei, hoewel hij het Vindoe-dialect meende te herkennen, dat hij zijn arbeiders de laatste drie maanden had horen bezigen.

Mulrooney, ook niet gek, had twee klappen van geweerkolven opgelopen en vervolgens met een vuist gezwaaid. Door die slag vloog de dichtstbijzijnde soldaat ruggelings halverwege de hotelcorridor, en was de rest van de troep razend geworden. Het was slechts bij de gratie gods dat er geen schoten vielen, maar ook dank zij het feit dat de soldaten hun geweer liever als knuppel gebruikten dan ingewikkelde technische zaken te zoeken zoals trekkers en veiligheidspallen.

Ze hadden hem naar de dichtstbijzijnde politiekazerne gesleept, waar ze eerst tegen hem geschreeuwd hadden en hem daarna twee dagen in een onderaardse cel aan zijn lot overgelaten. Hij had zonder dat hij het wist geluk gehad. Een Zwitserse zakenman, een van de zeldzame bezoekers van de republiek, was van zijn vertrek getuige geweest en had voor zijn leven gevreesd. De man had contact opgenomen met de Zwitserse ambassade, een van de slechts zes Europese en Noordamerikaanse ambassades in de stad, en die hadden weer contact opgenomen met ManCon, waarvan ze de naam van de zakenman hadden vernomen, die op zijn beurt Mulrooneys bezittingen doorzocht had.

Twee dagen later was de opgeroepen kustvaarder van een eind verder op de kust aangekomen en had de Zwitserse consul over de vrijlating van Mulrooney onderhandeld. Ongetwijfeld was er een losgeld betaald en ongetwijfeld zou ManCon de rekening voldoen. Jack Mulrooney had nog steeds de pest in. Bij zijn vrijlating vond hij zijn vrachtwagen opengebroken en zijn monsters over het hele parkeerterrein verspreid. De stenen waren allemaal gemerkt en konden weer bij elkaar gezocht worden, maar het zand, grind en de afgebeitelde snippers waren door elkaar geraakt. Gelukkig was van alle gescheurde zakjes, in totaal een stuk of vijftig, de helft van de inhoud intact gebleven, daarom had hij ze weer dichtgebonden en mee naar de boot genomen. Zelfs hier hadden de douanelieden, de politie en de soldaten het schip van vóor- tot achtersteven doorzocht, tegen de bemanning geschreeuwd en getierd en dat alles zonder te zeggen wat ze zochten.

De doodsbenauwde ambtenaar van het Zwitserse consulaat, die Mulrooney weer van de kazerne naar zijn hotel bracht, vertelde dat er geruchten liepen over een aanslag op de president en dat de troepen een verdwenen hoge officier zochten, die daar verantwoordelijk voor zou zijn.

Vier dagen nadat hij uit de haven van Clarence was vertrokken, kwam Jack Mulrooney, die nog steeds zijn steenmonsters koesterde, aan boord van een chartervliegtuig in Luton in Engeland aan. Een vrachtwagen had zijn monsters meegenomen om ze in Watford te laten analyseren, en na controle door een arts van de maatschappij had hij toestemming gekregen om zijn drie weken verlof te nemen. Hij was bij zijn zuster in Dulwich gaan logeren en na een week wist hij geen raad van verveling.

Op de kop af drie weken later leunde sir James Manson, commandeur in de orde van het Britse Imperium, voorzitter van de Raad van beheer en directeur van Manson Consolidated Mining Company Limited, achteruit in zijn leren fauteuil in de kantoorsuite op het dak van de tiende verdieping van het Londense hoofdkantoor van zijn maatschappij, wierp nogmaals een blik op het rapport dat voor hem lag en fluisterde: 'Jezus Christus.' Niemand gaf antwoord.

Hij stond op van achter het brede bureau, liep de kamer door naar het brede raam op het zuiden en keek neer op de Londense City die zich daar uitstrekte, de twee en een halve vierkante kilometer in het midden van de oude hoofdstad en het hart van een financieel rijk, dat ongeacht de lasterpraatjes nog steeds wereldomvattend was. Voor sommige rondrennende torren in het donkergrijs met bolhoeden op, was het misschien alleen maar een plaats om te werken, saai en vervelend, zijn tol eisend van een man, zijn jeugd, zijn mannelijke jaren, zijn middelbare leeftijd, tot het pensioen erop volgde. Voor anderen, jong en vol hoop, was het een plaats vol mogelijkheden, waar verdienste en hard werken beloond werden met de prijs van vooruitgang en zekerheid. Voor romantische zielen was het ongetwijfeld de verblijfplaats van de firma's van de grote kooplieden-avonturiers, voor een zakelijk mens de grootste markt ter wereld en voor een linkse vakbondsleider een plaats, waar rijke, bevoorrechte lieden, die niets uitvoerden, een luxueus leventje leidden. James Manson was een cynicus en een realist. Hij wist wat de City wel was; het was niets anders dan een wildernis en daarin was hij een van de panters.

Een geboren roofdier, besefte hij niettemin al vroeg dat er bepaalde regels waren, die in het openbaar in ere gehouden en privé in snippers gescheurd moesten worden; dat er net als in de politiek maar één gebod was, het elfde: 'Gij zult niet betrapt worden'. Door aan de eerste eis te voldoen, was hij een maand geleden bij de lintjesregen van nieuwjaar tot commandeur benoemd. Dit op voorstel van de conservatieve partij (zogenaamd voor aan de industrie verleende diensten, maar in werkelijkheid voor geheime bijdragen aan de verkiezingskas van de partij) en door de regering-Wilson geaccepteerd, vanwege zijn steun aan hun beleid in Nigeria. En door aan de tweede eis te voldoen, had hij zijn vermogen verworven en bezat hij nu vijfentwintig procent van de aandelen in zijn eigen mijnonderneming, zodat hij met zijn kantoor op de dakverdieping vele malen miljonair was.

Hij was eenenzestig jaar oud, klein van stuk, agressief, gebouwd als een tank, van een onverzettelijke kracht en een schurkachtigheid, die vrouwen aantrekkelijk vonden en concurrenten vreesden. Hij was gewiekst genoeg om te doen alsof hij de gevestigde orde van het zakelijke en politieke leven zowel van de City als van het Rijk eerbiedigde, al was hij zich ervan bewust dat het op beide gebieden wemelde van lieden, die achter de publieke schijn over lijken gingen. Hij had er een paar in zijn Raad van beheer opgenomen, waaronder de twee oud-ministers uit vroegere conservatieve regeringen. Ze waren geen van beiden afkerig van een dik aanvullend honorarium boven hun salaris, betaalbaar op de Cayman-eilanden of de Bahama-eilanden. Hij wist dat één van hen in zijn privé-leven niets liever deed, dan een stuk of drie, vier in het leer geklede hoeren aan tafel te bedienen, waarbij hij zelf was uitgedost als een dienster met schortje, mutsje en een brede glimlach. Manson beschouwde de beide mannen voor hem van groot nut, want ze hadden zeer veel invloed en uitstekende relaties, en werden niet gehinderd door eerlijkheid. Bij het grote publiek stonden de twee mannen als vooraanstaande hoge ambtenaren bekend. Aldus was James Manson iemand van aanzien binnen de in de City gestelde regels, regels die niets maar dan ook niets met de rest van de mensheid te maken hadden.

Dat was niet altijd zo geweest en daardoor kwam het dat zij, die in zijn verleden doken, voortdurend op blinde muren stuitten. Er was over zijn eerste levensjaren heel weinig bekend en hij was wel zo wijs het zo te laten. Hij gaf voor, dat hij de zoon van een Rhodesische treinmachinist was en niet ver van de uitgebreide kopermijnen van Ndola in Noord-Rhodesië, thans Zambia, was opgegroeid. Hij liet zelfs doorschemeren, dat hij als jongen begonnen was met in de mijn te werken en later zijn eerste kapitaal met koper had verdiend. Maar nooit hóe hij het had verdiend.

In werkelijkheid was hij al heel vroeg uit de mijnen weggetrokken, voordat hij twintig was en begrepen had, dat de mannen die onder de grond tussen het geraas van machines hun leven waagden, nooit geld zouden verdienen, geen grof geld tenminste. Dat lag boven de grond en nog niet eens in het beheren van mijnen. Als jongen had hij zich toegelegd op financiën, het omgaan en manipuleren met geld, en zijn avondstudie had hem geleerd, dat er met aandelen kopen in een week meer winst gemaakt werd dan een mijnwerker in zijn hele leven verdiende.

Hij was begonnen in de Rand als zwendelaar in aandelen, had op zijn tijd een paar clandestiene diamanten verkwanseld, verspreidde een paar geruchten die de gokkers in hun zak deed tasten en verkocht een paar uitgeputte mijnconcessies aan lichtgelovige lieden. Daar was het eerste kapitaal vandaan gekomen. Vlak na de Tweede Wereldoorlog zat hij op zijn vijfendertigste jaar in Londen met de juiste relaties voor een naar koper snakkend Engeland, dat trachtte zijn industrieën weer op gang te krijgen, en in 1948 had hij zijn eigen mijnmaatschappij opgericht. Deze was in het midden van de vijftiger jaren een open N.V. geworden en had in vijftien jaar wereldomvattende belangen ontwikkeld. Hij was een van de eersten, die zag hoe door toedoen van Harold Macmillan een andere wind door Afrika ging waaien, toen voor de zwarte republieken onafhankelijkheid in het verschiet kwam, en hij nam de moeite om met bijna alle op macht beluste Afrikaanse politici kennis te maken, terwijl de meeste zakenlieden in de City nog over de onafhankelijkheid van de vroegere koloniën zaten te treuren.

Toen hij de nieuwe mannen leerde kennen, waren ze aan elkaar gewaagd. Zij doorzagen zijn mooie verhalen en hij doorzag hun zogenaamde bezorgdheid voor hun zwarte landgenoten. Ze wisten wat hij verlangde en hij wist wat zij verlangden. Daarom spekte hij hun Zwitserse bankrekeningen en zij gaven Manson Consolidated mijnconcessies tegen prijzen ver beneden de werkelijke waarde. ManCon voer er wel bij.

James Manson had daarnaast ook nog een aantal winsten gemaakt, de laatste keer met de aandelen van de nikkelmijnmaatschappij Poseidon in Australië. Toen de aandelen Poseidon eind zomer 1969 op vier shilling stonden, had hij het gerucht vernomen dat een inspectieploeg in het binnenland van Australië iets gevonden zou hebben op een strook land, waarvan de exploitatierechten in het bezit van Poseidon waren. Hij had een gokje gewaagd en een flinke smak geld betaald om stiekem van tevoren de eerste rapporten die uit het binnenland kwamen te kunnen inzien. In die rapporten stond dat er nikkel zat en niet zo weinig ook. Nu was er geen tekort aan nikkel op de wereldmarkt, maar daar lieten de gokkers zich niet door weerhouden en zij waren het die de aandelenkoersen omhoog joegen, niet de beleggers.

Hij nam contact op met zijn Zwitserse bank, een instelling die zo discreet was, dat het enige waarmee ze haar aanwezigheid aan de wereld bekendmaakte een klein gouden naamplaatje was ter grootte van een visitekaartje, dat naast een zware eiken deur in een kleine straat in Zürich in de muur zat. In Zwitserland zijn geen effectenmakelaars, de banken verzorgen alle beleggingen. Manson gaf dr. Martin Steinhofer, het hoofd van de afdeling Beleggingen van de Zwingli Bank, opdracht om voor zijn rekening 5000 aandelen Poseidon te kopen. De Zwitserse bankier stelde zich uit naam van Zwingli in verbinding met de vooraanstaande Londense firma Joseph Sebag & Co., en plaatste de order. Poseidon stond op vijf shilling per aandeel toen de transactie gesloten werd.

De storm brak eind september los, toen de omvang van de Australische nikkellaag bekend werd. De aandelen begonnen te stijgen en met hulp van gunstige geruchten ging de opwaartse spiraal over in een levendige vraag. Sir James Manson was van plan geweest te gaan verkopen als ze op £ 50 per aandeel gekomen waren, maar de stijging was zo enorm dat hij ze vasthield. Tenslotte schatte hij, dat de hoogste koers £ 115 zou zijn en gaf dr. Steinhofer opdracht om bij £ 100 per aandeel te gaan verkopen. Dit deed de discrete Zwitserse bankier en hij had de hele partij weggedaan tegen een gemiddelde van £ 103 per aandeel. In feite werd de hoogste koers op £ 120 per aandeel bereikt, voor het gezonde verstand de overhand kreeg en de aandelen op £ 10 terug zakten. Manson maakte zich over die extra £ 20 niet druk, want hij wist dat de tijd om te verkopen even onder de hoogste koers lag, als er nog kopers in overvloed zijn. Nadat alle onkosten betaald waren, incasseerde hij een slordige £ 500 000, die nog steeds bij de Zwinglibank stond.

Het is een Brits onderdaan en ingezetene toevallig wettelijk niet toegestaan een buitenlandse bankrekening te hebben zonder de schatkist op de hoogte te stellen, evenmin als in zestig dagen een winst van een half miljoen pond sterling te maken zonder vermogensaanwasbelasting te betalen. Maar dr. Steinhofer was een Zwitsers ingezetene en dr. Steinhofer hield zijn mond wel. Daar waren de Zwitserse banken voor.

Op die middag van half februari slenterde sir James Manson weer naar zijn bureau, ging in de dure leren stoel achter het bureau zitten en wierp nog eens een blik op het rapport dat op het vloeiblad lag. Het was in een met lak verzegelde grote envelop gekomen en alleen voor zijn ogen bestemd. Het was onderaan getekend door dr. Gordon Chalmers, het hoofd van ManCons afdeling Studie, Onderzoek, Geocartografie en Monsteranalyse, die buiten Londen lag. Het was het verslag van de analist over proeven uitgevoerd met de monsters, die klaarblijkelijk door iemand, Mulrooney genaamd, drie weken geleden uit een oord dat Zangaro heette waren meegebracht.

Dr. Chalmers verspilde geen woorden. De samenvatting van het verslag was kort en ter zake. Mulrooney had een berg of heuvel gevonden waarvan de top ongeveer 1600 meter boven het grondoppervlak lag, met aan de voet een doorsnede van ongeveer 1000 meter. Hij stond iets apart van een keten van zulke bergen in het achterland van Zangaro. De heuvel bevatte een wijd verspreide mineraallaag, die zich kennelijk in gelijkmatig voorkomende hoeveelheden door de hele rots heen bevond, die van het type stollingsgesteente was en miljoenen jaren ouder dan het zandsteen van de omringende bergen.

Mulrooney had ontelbare kwartsstrepen aangetroffen die overal voorkwamen en de aanwezigheid van tin daarop gebaseerd. Hij was teruggekomen met monsters van het kwarts, van het omliggende gesteente en van grind uit de beddingen van de beken die om de berg heen liepen. Maar het was het gesteente eromheen dat van belang was. Herhaalde en afwisselende proeven toonden aan, dat dit gesteente en de grindmonsters kleine hoeveelheden nikkel van slechte kwaliteit bevatten. Ze bevatten eveneens opmerkelijke hoeveelheden platina. Het kwam voor in alle monsters en was vrij gelijkmatig verdeeld. Het rijkste gesteente aan platina dat in deze wereld bekend stond was dat in de Rustenbergmijnen in Zuid-Afrika, waar concentraties voorkwamen van wel 0,25 troois ons*

* Troois ons = 31,1 gram.

per ton steen. De gemiddelde concentratie in de monsters van Mulrooney was 0,81. 'Inmiddels verblijf ik met de meeste hoogachting, uw ...'

Sir James Manson wist net zo goed als iedereen in de mijnbouw, dat platina het op twee na kostbaarste metaal ter wereld was en op een marktprijs van 130 dollar per troois ons stond, zoals hij daar nu in zijn stoel zat. Hij was zich er ook van bewust, dat het bij de groeiende honger in de wereld naar dit spul de eerstvolgende drie jaar tot minstens 150 dollar per troois ons zou stijgen, en binnen vijf jaar waarschijnlijk tot 200 dollar. Het was niet waarschijnlijk dat het nog eens tot de recordprijs in 1968 van 300 dollar zou stijgen, omdat dat belachelijk was.

Hij maakte een paar rekensommetjes op een kladblok. Tweehonderd miljoen kubieke meter steen van twee en een halve ton per kubieke meter was vijfhonderd miljoen ton. Zelfs bij een half troois ons per ton steen was dat al tweehonderdvijftig miljoen troois ons. Als de onthulling van een nieuwe wereldbron de prijs eens deed dalen tot negentig dollar per troois ons, en zelfs als de ontoegankelijkheid van de vindplaats de kosten op vijftig dollar per troois ons bracht om het eruit te halen en te zuiveren, betekende dat nog altijd ...

Sir James Manson leunde weer achterover in zijn stoel en floot zachtjes.

'Jezus Christus. Een berg van tien miljard dollar.'

# 2

Platina is een metaal, en zoals alle metalen heeft het zijn prijs. De prijs wordt in wezen bepaald door twee factoren. Dit zijn de onmisbaarheid van het metaal bij bepaalde produktiemethoden, die de wereldindustrieën wilden toepassen, en de schaarste van het materiaal. Platina is zeer zeldzaam. De totale wereldproduktie per jaar is, buiten de opgeslagen voorraden die door de producenten geheim worden gehouden, ruim anderhalf miljoen troois ons.

Het leeuweaandeel hiervan, waarschijnlijk meer dan vijfennegentig procent, komt uit drie bronnen: Zuid-Afrika, Canada en Rusland. Rusland is zoals gewoonlijk het lid van de groep dat niet meedoet. De producenten zouden graag de wereldprijs vrij gelijkmatig willen houden, om planning op lange termijn mogelijk te maken, voor investering in nieuwe machines en voor de ontwikkeling van nieuwe mijnen, in het vertrouwen dat niet plotseling de bodem uit de markt valt wanneer er onverwacht een grote voorraad opgeslagen platina aan de markt komt. De Russen, die onbekende hoeveelheden in voorraad houden en in staat zijn grote hoeveelheden op de markt te brengen wanneer ze maar willen, houden zoveel ze kunnen de zaak in spanning.

Van de anderhalf miljoen troois ons die jaarlijks op de wereldmarkt wordt gebracht zijn er ongeveer 350 000 afkomstig van Rusland, zodat het Russische aandeel tussen de drieëntwintig en vierentwintig procent van de markt is, waardoor het van een grote mate van invloed verzekerd kan zijn. De Russische produktie wordt verhandeld via Soyuss Prom Export. Canada brengt jaarlijks zo'n 200 000 troois ons aan de markt, de totale produktie die uit de nikkelmijnen van International Nickel komt, en vrijwel de hele aanvoer wordt elk jaar door de Engelhardt Industries in de Verenigde Staten opgekocht. Maar mocht de Amerikaanse behoefte aan platina plotseling sterk stijgen, dan is Canada wellicht niet in staat de extra hoeveelheid te leveren.

De derde bron is Zuid-Afrika, dat bijna 950 000 per jaar produceert en de markt beheerst. Behalve de Impalamijnen, die net open waren gegaan toen sir James Manson de wereldpositie van platina zat te overwegen en sindsdien van grote betekenis zijn geworden, zijn de platinareuzen de Rustenbergmijnen, die meer dan de helft van de wereldproduktie voor hun rekening nemen. Deze zijn eigendom van Johannesburg Consolidated, die zo'n grote portie van de aandelen hebben, dat uitsluitend zij het beheer over de mijnen voeren. De wereldraffinaderijen en de wereldhandel van de produktie van de Rustenbergmijnen was en is in handen van de in Londen gevestigde firma Johnson-Matthey.

Dat wist James Manson zo goed als ieder ander. Hoewel hij niet in platina deed toen het rapport van Chalmer op zijn bureau belandde, kende hij de situatie net zo goed als een hersenchirurg weet hoe een hart werkt. Hij wist eveneens, waarom de baas van Engelhardt Industries in Amerika, de markante Charlie Engelhardt, bij de bevolking beter bekend als de eigenaar van het legendarische renpaard Nijinsky, zich zelfs toen al inkocht in de Zuidafrikaanse platina. Dat kwam, omdat Amerika veel meer nodig zou hebben dan Canada tegen het midden van de zeventiger jaren zou kunnen leveren. Daar was Manson van overtuigd.

En de reden waarom het Amerikaanse verbruik van platina in de tweede helft van de jaren zeventig beslist zou stijgen en zelfs driemaal zo hoog worden, lag in een stukje metaal dat bekend staat als de automobieluitlaat.

Aan het eind van de jaren zestig was het Amerikaanse smogprobleem begonnen een nationaal vraagstuk te worden. Woorden als 'luchtvervuiling', 'ecologie', 'het milieu', waar tien jaar geleden nog nooit iemand van gehoord had, lagen op de lip van iedere politicus en het was de nieuwste mode geworden om zich daar bezorgd over te maken. De druk op de wetgeving om de vervuiling in te perken, te controleren en vervolgens te verminderen, nam gestadig toe en dank zij de heer Ralph Nader werd de auto doelwit nummer een. Manson was ervan overtuigd, dat deze neiging in het begin van de jaren zeventig steeds sterker werd en dat tegen 1975 of uiterlijk 1976 iedere Amerikaanse auto ingevolge de wet voorzien zou zijn van een apparaat om de uitlaatgassen van schadelijke bestanddelen te ontdoen. Hij vermoedde ook dat steden als Tokio, Madrid en Rome vroeg of laat zouden volgen. Maar Californië was wel de grootste afnemer.

Auto-uitlaatgassen bestaan uit drie bestanddelen, die alle drie onschadelijk kunnen worden gemaakt, twee door middel van een chemisch proces, oxydatie, en het derde door een ander proces, reductie. Voor het reductieproces is een stof nodig, een katalysator, en het oxydatieproces komt tot stand hetzij door de gassen bij zeer hoge temperatuur in surpluslucht, hetzij bij lage temperatuur, zoals in een auto-uitlaat, te verbranden. Voor verbranding bij lage temperatuur is eveneens een katalysator nodig, dezelfde als bij het reductieproces. De enige geschikte katalysator die bekend is, heet platina.

Sir James Manson kon nu voor zichzelf twee dingen nagaan. Hoewel men was begonnen te werken – en daar gedurende de hele jaren zeventig mee door zou gaan – aan een controleapparaat voor de auto-uitlaat, dat berustte op een katalysator van een niet-edel metaal, was het niet waarschijnlijk dat iemand voor 1980 met een werkelijke bruikbare uitvinding kwam; daarom zou tien jaar lang een uitlaatcontroleapparaat op basis van een uit platina bestaande katalysator de enige mogelijke oplossing blijven, en voor ieder apparaat was drie gram zuiver platina nodig.

Ten tweede, wanneer er in de Verenigde Staten een wet werd uitgevaardigd, wat volgens hem in 1975 zou moeten gebeuren, waarbij vanaf dat jaar een controleapparaat dat aan de strengste eisen voldeed op alle nieuwe auto's moest worden aangebracht, dan zou er jaarlijks nog eens anderhalf miljoen troois ons platina nodig zijn. Dat stond gelijk aan verdubbeling van de wereldproduktie en de Amerikanen zouden niet weten, waar ze het vandaan moesten halen.

James Manson dacht, dat hij daar wel een idee van had. Ze konden het altijd bij hem kopen. En omdat voor alle uitlaatcontroleapparaten die tien jaar lang werden toegepast platina absoluut onmisbaar zou zijn en de vraag in de wereld het aanbod dan ver overtrof, zou de prijs wel eens heel interessant kunnen worden.

Er was slechts één probleem. Hij moest er beslist op kunnen bouwen, dat hij en niemand anders alle mijnexploitatierechten van de Kristalberg in handen had. De vraag was alleen, hoe?

De normale gang van zaken was dat hij een bezoek bracht aan de republiek waar de berg lag, een onderhoud met de president aanvroeg, hem het inspectierapport liet zien en hem een overeenkomst voorstelde, waarbij ManCon de exploitatierechten verwierf, de regering een winstdelingsclausule vastlegde om de schatkist te spekken en de president regelmatig een flink bedrag op zijn Zwitserse bankrekening uitbetaald kreeg. Dat was de normale gang van zaken.

Maar afgezien van het feit, dat zodra een andere mijnbouwmaatschappij, zodra deze ter ore kwam wat er in de Kristalberg lag, een tegenaanbod voor dezelfde exploitatierechten zou doen, zodat het aandeel van de regering omhoog en dat van Manson omlaag ging, waren er drie partijen, die meer dan alle andere de zaak in handen zouden willen hebben, hetzij om met de produktie te beginnen of deze voorgoed te verhinderen. Dat waren de Zuidafrikanen, de Canadezen en vooral de Russen. Want door de verschijning op de wereldmarkt van een nieuwe, zeer omvangrijke bron van produktie, werd het Sovjet-aandeel van de markt een te verwaarlozen factor, waardoor ze op het terrein van de platina van hun macht, invloed en vermogen om geld te verdienen werd beroofd.

Manson herinnerde zich vaag wel eens van de naam Zangaro te hebben gehoord, maar het was zo'n duister oord, dat hij er eigenlijk niets van af wist. Hij moest dan ook in de eerste plaats zorgen er meer over te weten te komen. Hij leunde naar voren en drukte op de knop van de intercom.

'Juffrouw Cooke, wilt u even hier komen.'

Hij noemde haar al die zeven jaar dat ze zijn privé-secretaresse was altijd juffrouw Cooke, en ook de tien jaar daarvoor, toen ze een gewone secretaresse was die van de typekamer naar de tiende verdieping was opgeklommen, was het nooit bij iemand opgekomen dat ze wellicht een voornaam had. Die had ze natuurlijk wel, ze heette Marjory. Maar ze scheen nu eenmaal niet het type meisje te zijn om Marjory tegen te zeggen.

Nu hadden er beslist wel eens mannen Marjory tegen haar gezegd, lang geleden, voor de oorlog, toen ze nog een jong meisje was. Misschien hadden ze zelfs geprobeerd haar te versieren en in haar billen te knijpen, vroeger, vijfendertig jaar terug. Maar dat was voorbij. Na vijf jaar oorlog, waarin ze een ambulance door straten vol rokende puinhopen wurmde, trachtend een gardeofficier te vergeten die nooit uit Duinkerken terug was gekomen, en na twintig jaar, waarin ze een jammerende, zieke moeder had verpleegd, een aan het bed gekluisterde tiran die haar tranen als wapen gebruikte, waren de jeugd en de appetijtelijkheid van juffrouw Marjory Cooke versleten. Vierenvijftig jaar oud, efficiënt en streng in haar mantelpak, was haar werk bij ManCon haar levensvervulling, de tiende verdieping haar bestemming en de terrier, die haar keurige flat in de voorstad Chigwell deelde en op haar bed sliep, haar kind en minnaar.

Daarom zei niemand Marjory tegen haar. De jonge bedrijfsleiders noemden haar een verschrompeld appeltje en de secretaresjes 'die ouwe trut'. De overigen, waaronder haar werkgever sir James Manson, van wie ze meer wist dan ze hem of iemand anders ooit zou vertellen, zeiden juffrouw Cooke tegen haar. Ze kwam binnen door de deur in de met beukehout betimmerde wand, die als hij dicht was er net een deel van leek.

'Juffrouw Cooke, het is mij opgevallen dat we in de afgelopen maanden een kleine inspectie – van één man geloof ik – in de republiek Zangaro hebben gehad.'

'Ja, sir James. Dat klopt.'

'O, u weet ervan.'

Natuurlijk wist ze ervan. Juffrouw Cooke vergat nooit iets dat haar bureau gepasseerd was.

'Ja, sir James.'

'Goed. Wilt u dan even voor me opzoeken, wie voor ons die toestemming heeft gekregen om die inspectie uit te voeren.'

'Dat zal wel in het archief zitten, sir James. Ik zal even kijken.'

Ze was tien minuten later terug, nadat ze eerst haar dagagenda voor afspraken, verdeeld in twee kolommen, een met het hoofd persoonsnamen en de andere met het hoofd onderwerpen, geraadpleegd had en het vervolgens bij de personeelsafdeling had nagetrokken.

'Dat is meneer Bryant geweest, sir James.' Ze keek op een kaartje in haar hand. 'Richard Bryant, van Overzeese contracten.'

'Dan heeft hij zeker een rapport overlegd?' vroeg sir James.

'Dat moet hij bij de normale gang van zaken wel gedaan hebben.'

'Wilt u me zijn rapport dan even brengen, juffrouw Cooke?'

Ze was alweer weg en het hoofd van ManCon staarde van achter zijn bureau door de kamer heen naar de middagschemering achter de spiegelglazen ramen, die over de City van Londen viel. De lampen op de middelste verdiepingen gingen aan, op de onderste hadden ze de hele dag al gebrand – maar op de hoogste was er nog genoeg winterdaglicht om bij te kunnen zien. Maar niet om bij te lezen. Sir James Manson knipte de leeslamp op zijn bureau aan, toen juffrouw Cooke terugkwam, het rapport dat hij moest hebben op zijn vloeiblad legde en zich in de wand terugtrok.

Het rapport dat Richard Bryant had ingeleverd, was gedateerd zes maanden geleden en geschreven in de bondige stijl die de firma graag zag. Er stond in, dat hij volgens de instructies van het hoofd van Overzeese contracten naar Clarence, de hoofdstad van Zangaro was gevlogen en daar, na een week van allerlei moeilijkheden in een hotel, een onderhoud met de minister van Natuurlijke Hulpbronnen had weten te verkrijgen. Er hadden drie afzonderlijke gesprekken, uitgesmeerd over zes dagen plaatsgevonden en tenslotte was er een overeenkomst bereikt, dat één vertegenwoordiger van ManCon de republiek in mocht, om in het binnenland achter de Kristalbergen een onderzoek naar mineralen in te stellen. Het te inspecteren gebied was met opzet door de maatschappij vaag gehouden, zodat de inspectieploeg min of meer kon reizen waar men wilde. Na nog meer touwtrekken, waarbij de minister duidelijk werd gemaakt dat hij de gedachte, dat de firma bereid was hem het bedrag aan commissie te betalen dat hij scheen te verwachten, wel uit zijn hoofd kon zetten en dat er geen aanwijzingen van de aanwezigheid van mineralen waren om op af te gaan, was er tussen Bryant en de minister een bedrag overeengekomen. Vanzelfsprekend was het bedrag in het contract iets meer dan de helft van het totaal dat van eigenaar verwisselde, en was het overblijvende saldo op de privé-rekening van de minister gestort.

Dat was alles. De enige aanwijzing over de aard van het land was de vermelding van een corrupte minister. Nou, en, dacht sir James Manson, vandaag de dag kon Bryant net zo goed in Washington zitten. Alleen het gangbare tarief verschilde.

Hij leunde weer voorover naar de intercom.

'Wilt u de heer Bryant vragen of hij even bij me komt, juffrouw Cooke?'

Hij liet de knop omhoog komen en drukte een andere in.

'Martin, wil je even hier komen.'

Martin Thorpe had twee minuten nodig om van zijn kantoor op de negende verdieping te komen. Hij zag er niet bepaald uit als een financieel wonderkind en de beschermeling van iemand die over lijken ging, in een industrie die altijd over lijken was gegaan. Hij leek meer op de aanvoerder van de cricket-ploeg van een goede kostschool, jongensachtig, open en innemend, met donker golvend haar en diepblauwe ogen. De secretaressen vonden hem een fijne jongen en de commissarissen, die de premieaffaires waar ze op gerekend hadden voor hun neus zagen weggekaapt of merkten dat hun firma's in handen kwamen van een stelletje stromannen uit naam van Martin Thorpe, hadden een minder vleiende naam voor hem.

Ondanks zijn uiterlijk was Thorpe nooit op een kostschool geweest en ook geen cricketer, laat staan aanvoerder van de ploeg. Hij wist het verschil niet tussen het gemiddelde aantal slagbeurten en de temperatuur van de omringende lucht, maar hij kon de hele dag door van uur tot uur de schommelingen van de aandelenkoersen van alle dochtermaatschappijen van ManCon onthouden. Negenentwintig jaar oud, had hij ambities en het vaste voornemen ze te verwezenlijken. ManCon en sir James Manson konden wat hem betrof hiertoe de middelen verschaffen, en zijn toewijding hing af van zijn uitzonderlijk hoge salaris, de relaties overal in de City die zijn baan onder Manson hem konden opleveren, en de wetenschap, dat de plaats waar hij nu zat een goede springplank was om uit te kijken naar wat hij 'de grote klap' noemde.

Op het moment dat hij binnenkwam, had sir James het Zangaro-rapport in een la geschoven en lag alleen het rapport van Bryant op zijn vloeiblad.

Hij wierp zijn beschermeling een vriendelijke glimlach toe.
'Martin, ik heb een karweitje voor je dat een beetje tactvol moet gebeuren. Er is haast bij en er kan wel een halve nacht mee gemoeid zijn.'
Het lag niet in de lijn van sir James om te vragen of Thorpe die avond soms afspraken had. Thorpe wist dat, het hoorde bij het hoge salaris.
'Dat is best, sir James. Waar ik mee bezig ben kan ook wel telefonisch afgehandeld worden.'
'Mooi. Kijk eens, ik heb een paar oude rapporten doorgenomen en kwam dit tegen. Zes maanden geleden is een van onze mensen van Overzeese contracten uitgezonden naar een land dat Zangaro heet. Ik weet niet waarom, maar ik ben er benieuwd naar. Die man heeft van die regering toestemming gekregen om met een kleine ploeg van hieruit een inspectie te laten uitvoeren naar mogelijke aanwezigheid van mineralen in nog niet in kaart gebracht land achter de bergketen daar, de Kristalbergen. Wat ik nu wil weten is het volgende: is daar ooit van tevoren of op dat tijdstip of sinds dat bezoek zes maanden geleden, met de Raad over gesproken?'
'Met de Raad?'
'Inderdaad. Is er ooit met de Raad van beheer over gesproken, dat wij met zo'n inspectie bezig waren? Dat wil ik graag weten. Het hoeft niet noodzakelijk op de agenda te staan. Je moet de notulen inzien. En voor het geval het terloops genoemd is onder "wat verder ter tafel komt", moet je de stukken van alle raadsvergaderingen over de laatste twaalf maanden doornemen. Ten tweede moet je nagaan, wie zes maanden geleden de machtiging voor het bezoek van Bryant heeft verleend en waarom, en wie de mijnonderzoeker erheen heeft gestuurd en waarom. De man die de inspectie heeft uitgevoerd heet Mulrooney. Ik wil ook iets over hem weten, dat kun je uit zijn dossier op personeelszaken halen. Duidelijk?'
Thorpe was verbaasd. Dit lag geheel en al buiten zijn lijn.
'Ja, sir James, maar juffrouw Cooke kan dat in de helft van de tijd doen, of het iemand laten doen . . .'
'Ja, dat kan ze ook. Maar ik wil dat jij het doet. Als je een dossier van personeelszaken inkijkt, of documenten van raadsvergaderingen, dan nemen ze aan dat het iets met financiën te maken heeft. Zodoende blijft het vertrouwelijk.'
Er begon Martin Thorpe iets te dagen.
'U bedoelt . . . dat ze daarginds iets gevonden hebben, sir James?
Manson keek uit naar de nu inktzwarte lucht en naar de ver-

blindende zee van lichtjes beneden hem, terwijl de makelaars en handelaars, klerken en kooplieden, bankiers en taxateurs, verzekeraars en speculanten, kopers en verkopers, juristen en in sommige kantoren ongetwijfeld oplichters, die winternamiddag zaten door te werken tot het magische uur van half zes.

'Dat doet er niet toe,' zei hij nors tegen de jongeman achter hem. 'Doe dat nu maar.'

Martin Thorpe grinnikte toen hij door de achterdeur van het kantoor glipte en de trap af naar zijn eigen afdeling ging.

'Doortrapte schoft,' zei hij bij zichzelf op de trap.

Sir James Manson draaide zich om, toen de intercom de stilte in het geluiddichte heiligdom met de dubbele ramen verstoorde.

'Hier is meneer Bryant, sir James.'

Manson liep de kamer door en knipte het grote licht aan toen hij langs de muurschakelaar kwam. Bij zijn bureau aangekomen, drukte hij de knop in.

'Laat hem binnenkomen, juffrouw Cooke.'

Er waren drie redenen, waarom bedrijfsleiders van het middenniveau de kans hadden dat ze in het heiligdom op de tiende verdieping werden ontboden. Ten eerste om instructies in ontvangst te nemen of een verslag uit te brengen, die of dat sir James persoonlijk wilde geven of aanhoren, dat was zakelijk. Ten tweede om zich de mantel laten uitvegen, dat was een hel. Ten derde, als de hoogste chef besloten had de lieve oom voor zijn dierbare ondergeschikten uit te hangen, dat was geruststellend.

Op de drempel stond Richard Bryant, op negenendertigjarige leeftijd een staffunctionaris, die zijn werk goed en bekwaam uitvoerde maar die zijn baan nodig had, en hij begreep heel goed, dat het niet de eerste van de drie redenen kon zijn die hem hierheen voerde. Hij vermoedde de tweede en was enorm opgelucht toen hij zag dat het de derde moest zijn.

Uit het midden van het kantoor kwam sir James met een verwelkomende glimlach naar hem toe.

'Ah, kom binnen Bryant, kom binnen.'

Toen Bryant naar binnen ging, sloot juffrouw Cooke de deur achter hem en ging weer aan haar bureau zitten.

Sir James wees zijn werknemer naar een van de gemakkelijke stoelen, die een flink eind van het bureau af in de zithoek van het ruime kantoor stonden. Bryant, die zich nog steeds afvroeg wat dit allemaal voorstelde, nam de hem aangewezen stoel en liet zich in de geruwd suède kussens zakken. Manson liep naar de muur en deed twee deurtjes open, waarachter een goed voorziene drankkast zichtbaar werd.

'Wil je iets drinken, Bryant? De zon is al onder, geloof ik.'
'Graag meneer, eh . . . whisky alstublieft.'
'Bravo. Mijn favoriete gifdrank. Ik neem er ook een.'
Bryant keek op zijn horloge. Het was kwart voor vijf en de tropische stelregel van een borrel drinken nadat de zon onder is, was nauwelijks van toepassing op Londense wintermiddagen. Maar hij herinnerde zich een kantoorfeestje, waarop sir James de draak had gestoken met sherrydrinkers en dergelijke en de hele avond whisky had gedronken. Het loont de moeite zulke dingen op te merken, peinsde Bryant terwijl zijn baas twee mooie oude kristallen glazen met zijn speciale Glenlivet volschonk. Natuurlijk raakte hij de ijsemmer met geen vinger aan.
'Water? Scheutje soda?' riep hij vanaf de bar. Bryant draaide zijn hoofd om en zag de fles staan.
'Is die éenmaal gedestilleerd, sir James? Nee, dank u, recht op en neer.'
Manson knikte een paar maal goedkeurend en kwam met de glazen. Ze dronken elkaar toe en proefden de whisky. Bryant wachtte nog altijd tot het gesprek begon. Manson merkte het en keek hem aan als een barse oom.
'Je hoeft je geen zorgen te maken dat ik je hier heb laten komen,' begon hij. 'Ik zat juist een stapeltje oude rapporten in de la van mijn bureau door te kijken en kwam dat van jou tegen. Dat moet ik toen gelezen hebben en vergeten het aan juffrouw Cooke te geven om op te bergen . . .'
'Mijn rapport?' vroeg Bryant.
'Hè? Ja ja, dat je toen hebt ingeleverd nadat je uit dat land terug bent gekomen, hoe heet het ook weer? Zangaro? Was het niet zo?'
'O ja meneer, Zangaro. Dat is zes maanden geleden.'
'Ja, precies. Zes maanden, natuurlijk. Ik heb toen ik het overlas gezien, dat je het met die snuiter van een minister niet gemakkelijk hebt gehad.'
Bryant begon zich te ontspannen. Het was warm in de kamer, de stoel zat buitengewoon prettig en de whisky was als een oude vriend. Hij glimlachte bij de herinnering.
'Maar ik heb wel het contract gekregen om het onderzoek te mogen doen.'
'Verdomd goed van je,' prees sir James. Hij glimlachte als bij dierbare herinneringen. 'Dat deed ik vroeger ook altijd, moet je weten. Ik heb heel wat zware karweitjes moeten opknappen om met resultaten thuis te komen. Maar ik ben nooit in West-Afrika geweest, in die tijd niet. Later wel natuurlijk, maar pas nadat dit

alles begonnen is.'

Om 'dit alles' aan te geven wuifde hij met zijn hand naar het luxueuze kantoor.

'Ik verdoe hier tegenwoordig veel te veel tijd met papierenrompslomp,' ging sir James verder. 'Ik benijd jullie jongeren zelfs wel eens, dat jullie er net als vroeger op uit trekken om zaken te doen. Nou, vertel me eens iets over je reis naar Zangaro.'

'Ja, dat ging nog echt zoals vroeger. Toen ik een paar uur in dat land was, verwachtte ik half en half dat er mensen rondliepen met beentjes door hun neus,' zei Bryant.

'Werkelijk? Goeie god. Gevaarlijk land zeker, dat Zangaro?'

Sir James Manson hield zijn hoofd wat achterover in de schaduw en Bryant voelde zich zo op zijn gemak, dat hij niet de gespannen aandacht in de blik zag glinsteren, die in strijd was met de bemoedigende klank van de stem.

'Dat is het zeker, sir James. Het is een geweldige rotzooi en sinds de onafhankelijkheid, vijf jaar geleden, zakken ze hoe langer hoe meer terug naar middeleeuwse toestanden.'

Er viel hem nog iets in, dat hij zijn baas eens terloops tegen een groepje afdelingschefs had horen opmerken.

'Het is een klassiek voorbeeld van de stelling, dat in vele Afrikaanse republieken van vandaag de dag machtsgroepen naar voren zijn gekomen, die hun macht zodanig gebruiken dat men ze niet eens de leiding van een gemeentelijke vuilnisbelt kan toevertrouwen. Het gevolg daarvan is natuurlijk dat het gewone volk slachtoffer is.'

Sir James, ook niet van gisteren als het erop aankwam zijn eigen woorden te herkennen als hij ze weer van iemand anders hoorde, glimlachte, stond op en liep naar het raam, waar hij naar de krioelende straten beneden hem keek.

'En wie heeft daar de touwtjes in handen?' vroeg hij bedaard.

'De president, of liever gezegd, de dictator,' zei Bryant in zijn stoel. Zijn glas was leeg. 'Een man die Jean Kimba heet. Tegen de wens van de koloniale machthebbers in, heeft hij vijf jaar geleden vlak voor de onafhankelijkheid de eerste en enige verkiezingen gewonnen, volgens sommigen door gebruik te maken van terreur en toverkunsten op de kiezers. Ze zijn nogal achterlijk, moet u weten. De meesten wisten niet eens wat stemrecht was. Nu hoeven ze dat niet meer te weten.'

'Een keiharde kerel, zeker, die Kimba?' vroeg sir James.

'Niet zozeer keihard, meneer, hij is gewoon hartstikke gek. Hij lijdt aan hoogmoedswaanzin en waarschijnlijk ook nog aan achtervolgingswaan. Hij regeert helemaal alleen, omringd door een kliekje politieke ja-knikkers. Als ze bij hem uit de gunst raken of op welke wijze dan ook zijn achterdocht wekken, worden ze in de cellen van de oude koloniale politiekazerne gestopt. Er wordt verteld, dat Kimba daar zelf naar toe gaat om toezicht te houden op de folteringen. Er is nog nooit iemand levend uitgekomen.'

'Hm, wat een wereld, Bryant. En ze hebben in de Verenigde Naties evenveel stemmen als Engeland of Amerika. Naar wiens advies luistert hij in de regering?'

'Naar niemand van zijn eigen mensen. Hij hoort natuurlijk wel stemmen. Dat zeggen de paar blanken tenminste, die daar nog gewoon zijn blijven zitten.'

'Stemmen?' vroeg sir James.

'Ja meneer. Hij beweert tegen het volk, dat hij door goddelijke stemmen wordt geleid. Hij zegt dat hij met God spreekt. Dat heeft hij met zoveel woorden tegen het volk en het voltallige corps diplomatique gezegd.'

'O lieve hemel, weer zo een,' zei Manson, die nog steeds peinzend naar de straten beneden keek. 'Soms denk ik wel eens, dat het een vergissing is geweest om de Afrikanen met God in kennis te brengen. De helft van hun leiders schijnt nu op goede voet met hem te staan.'

'Daarnaast regeert hij ook door ze in de ban van de angst te houden. De mensen geloven dat hij over een magische toverkracht, voedoe of iets dergelijks beschikt. Hij zorgt dat ze voortdurend doodsbang voor hem zijn.'

'En wat doen de buitenlandse ambassades?' vroeg de man bij het raam.

'Nou, die houden zich afzijdig, meneer. Het lijkt wel of ze net zo benauwd zijn voor de uitspattingen van deze maniak als de inlanders. Hij is een soort kruising tussen Sjeik Abeid Karume in Zanzibar, Papa Doc Duvalier in Haïti en Sekou Touré in Guinea.'

Sir James wendde zich van het raam af en vroeg met misleidend zachte stem: 'Waarom Sekou Touré?'

'Nou, hij is praktisch gesproken een communist, sir James. De man die hij zijn hele politieke leven werkelijk aanbad, was Lumumba. Daarom staan de Russen er zo sterk. Die hebben een enorme ambassade, voor in zo'n klein landje. Om aan buitenlandse valuta te komen, verkopen ze – nu de plantages allemaal naar de bliksem zijn door wanbeheer – hun produkten hoofdzakelijk aan de Russische treilers die hier komen. Die treilers zijn natuurlijk elektronische-spionageschepen of provianderingsschepen voor onderzeeërs uit de kust, waar ze naar toe varen en die ze van verse spullen voorzien. Ook in dit geval is het geld dat ze met de verkoop verdienen niet voor het volk, het komt op Kimba's bankrekening.'

'Dat klinkt me niet zo erg marxistisch in de oren,' grapte Manson.

Bryant grijnsde breed.

'Geld en omkoperij maken een eind aan het marxisme,' antwoordde hij. 'Zo gaat het altijd.'

'Maar de Russen zijn er sterk, is het niet zo? Invloedrijk? Nog een whisky, Bryant?'

Terwijl Bryant antwoord gaf, schonk het hoofd van ManCon opnieuw twee glazen Glenlivet in.

'Ja, sir James. Kimba begrijpt praktisch niets van zaken die buiten zijn directe ervaring liggen, die hij uitsluitend in zijn eigen land heeft opgedaan en misschien van een paar bezoekjes aan andere Afrikaanse staten in de buurt. Daarom wint hij wel eens advies in als het om buitenlandse aangelegenheden gaat. Daarvoor staan hem drie zwarte adviseurs ten dienste, van zijn eigen stam, twee die in Moskou zijn opgeleid en één die in Peking is opgeleid. Ik heb eens een avond in de hotelbar met een handelsman gesproken, een Fransman. Hij zei, dat de Russische ambassadeur of een van zijn raadslieden vrijwel dagelijks in het paleis zat.'

Bryant bleef nog een minuut of tien, maar Manson had alles wat hij wou weten al gehoord. Om twintig over vijf liet hij Bryant net zo voorkomend uit als hij hem begroet had. Toen de jongere man vertrok, wenkte Manson juffrouw Cooke dat ze binnen moest komen.

'Wij hebben een ingenieur voor mineraalonderzoek in dienst, ene Jack Mulrooney,' zei hij. 'Hij is drie maanden geleden van een tocht van drie maanden in Afrika teruggekomen, waar hij onder primitieve omstandigheden in het oerwoud heeft gewoond, dus hij is misschien nog met verlof. Probeer eens of u hem thuis te pakken kunt krijgen. Ik wil hem graag morgenochtend om tien uur spreken. En ten tweede dr. Gordon Chalmers, de hoofdanalist. U kunt hem wellicht in Watford bereiken, voor hij van het laboratorium vertrekt. Zo niet, bel hem dan thuis op. Ik wil hem morgen om twaalf uur hier hebben. Zeg alle afspraken morgenochtend af en gun me de tijd om met Chalmers een hapje te gaan eten. Bestel maar een tafeltje bij Wilton in Bury Street. Dat is alles, dank u. Ik ga over enkele ogenblikken weg. Laat de wagen over tien minuten voorkomen.'

Toen juffrouw Cooke weg was, drukte Manson een knop van zijn intercom in en mompelde: 'Wil je even bovenkomen, Simon.'

Simon Endean had net zo'n bedrieglijk voorkomen als Martin

Thorpe, maar op een andere manier. Hij had een onberispelijke achtergrond en verborg onder het vernis de moraal van een bandiet uit East End. Met het gepolijste optreden en de meedogenloosheid ging een zekere gewiekstheid gepaard. Hij had iemand als James Manson nodig om te dienen, evenals James Manson op zijn weg naar de top, of in zijn strijd om daar in het grootkapitalisme te blijven, vroeg of laat de diensten van een Simon Endean nodig had.

Endean was van het slag, dat men bij bosjes in de duurste en chicste gokclubs in het Londense West End aantrof, gewetenloze en welbespraakte lieden, die nooit vergaten tegen een miljonair te buigen of een filmsterretje te knijpen, met dit verschil, dat Endeans intelligentie hem een leidende positie bezorgd had als assistent van het hoofd van een zeer machtige gokclub.

In tegenstelling tot Thorpe had hij geen ambities om multimiljonair te worden. Hij vond één miljoen wel genoeg en tot zolang stelde hij zich tevreden met de schaduw van Manson. Hij kon er de zeskamerwoning, de Corvette en de meisjes van betalen. Hij kwam eveneens van de benedenverdieping en kwam via de binnentrap door de met beuken betimmerde deur binnen.

'Sir James?'

'Simon, morgen ga ik lunchen met een knaap die Gordon Chalmers heet. Hij is de belangrijkste geleerde en hoofd van het laboratorium in Watford. Hij zal om twaalf uur hier zijn. Voor die tijd wil ik inlichtingen over hem hebben. Het personeelsdossier natuurlijk, maar alles wat je verder nog kunt vinden, over de man privé, zijn huiselijke omstandigheden, eventuele zwakke plekken en vooral of hij naast zijn salaris om geld verlegen zit. Of hij een politieke overtuiging heeft, de meeste van die wetenschapslui zijn links, hoewel niet allemaal. Je zou vanavond even een praatje kunnen maken met Errington van personeelszaken voor hij weggaat. Neem vanavond het dossier door en laat het voor me liggen, zodat ik het morgenochtend kan inzien. Begin morgen meteen aan zijn huiselijke situatie. Bel me niet later dan kwart voor twaalf op. Duidelijk? Ik weet dat het kort dag is, maar het kan van belang zijn.'

Endean hoorde de instructies aan zonder een spier te vertrekken en borg alles in zijn geheugen. Hij kende het klappen van de zweep; sir James Manson had dikwijls inlichtingen nodig, want hij kwam nooit iemand onder ogen, vriend of vijand, zonder dat hij zich persoonlijk over iemand georiënteerd had, zijn privé-leven inbegrepen. Hij had al verscheidene malen tegenstanders op de knieën gedwongen, doordat hij beter beslagen ten ijs kwam. Endean knikte en vertrok, meteen door naar de afdeling personeelszaken, waar Martin Thorpe toevallig net weg was gegaan. Maar ze kwamen elkaar niet tegen.

Terwijl de Rolls-Royce met chauffeur van ManCon House wegreed, om zijn inzittende naar zijn flat op de derde verdieping van Arlington House achter het Ritz te brengen, waar hem een lang, warm bad en een door het Caprice boven bezorgd diner wachtte, leunde sir James Manson achterover en stak zijn eerste sigaar van die avond op. De chauffeur overhandigde hem een extra editie van de *Evening Standard* en ze waren ter hoogte van het Charing Cross-station, toen zijn oog op een berichtje onder het laatste nieuws viel. Het stond tussen de uitslagen van de paardenrennen. Hij keek er opnieuw naar en las het toen een paar maal over. Hij keek naar buiten naar de maalstroom van het verkeer en de drommen voetgangers, die naar het station schuifelden of door de februarimotregen naar de bussen sjokten, op weg naar hun huis in Edenbridge of Sevenoaks, na weer zo'n opwindende dag in de City.

Terwijl hij zo zat te staren, begon zich een kiem van een idee in zijn gedachten te vormen. Een ander zou erom gelachen en het onmiddellijk van zich af gezet hebben. Sir James was geen ander, hij was een twintigste-eeuwse piraat en daar was hij trots op. De negenpunts kop boven het duistere berichtje in het avondblad had betrekking op een Afrikaanse republiek. Het was niet Zangaro, maar een andere. Van die andere had hij ook nauwelijks gehoord. Hij bezat voor zover bekend geen minerale rijkdommen. De kop luidde:

'WEDEROM STAATSGREEP IN AFRIKAANSE STAAT.'

# 3

Martin Thorpe zat in het aangrenzende kantoor van zijn baas te wachten, toen sir James om vijf over negen binnenkwam, en liep achter hem aan naar binnen.

'Wat heb je gevonden?' vroeg sir James Manson, terwijl hij nog bezig was zijn alpaca overjas uit te trekken en in de ingebouwde klerenkast te hangen. Thorpe sloeg een aantekenboekje open, dat hij uit zijn zak had gehaald en las het resultaat van zijn nasporingen van de vorige avond voor.

'Een jaar geleden hebben we een exploratieploeg gehad in de republiek, die ten noorden en ten oosten van Zangaro ligt. Ze werden vergezeld door een van een Franse firma gehuurd luchtverkenningsvliegtuig. Het te exploreren gebied lag dicht bij en gedeeltelijk langs de grens met Zangaro. Helaas zijn er weinig topografische kaarten van dat gebied en helemaal geen luchtkaarten. Zonder Decca of ander soort baken om kruispeilingen te kunnen doen, heeft de piloot het terrein dat hij aflegde geschat met behulp van de snelheid en de vliegduur.

Op een dag, toen de wind van achteren sterker was dan voorspeld, vloog hij over de hele strook die uit de lucht vastgelegd moest worden heen en weer tot hij tevreden was en keerde naar zijn basis terug. Wat hij niet wist was, dat hij bij iedere etappe met achterwind zestig kilometer over de grens heen Zangaro in was gevlogen. Toen de luchtfilm ontwikkeld was, bleek dat hij een heel stuk buiten het exploratiegebied gefotografeerd had.'

'Wie heeft dat het eerst ontdekt? De Franse maatschappij?' vroeg Manson.

'Nee meneer. Ze hebben de film ontwikkeld en zonder commentaar aan ons overhandigd, overeenkomstig ons contract met hen. Het was de taak van de mensen van onze eigen luchtkarteringsafdeling om de gebieden, die voorkwamen op de foto's die ze hadden, te identificeren. Toen kwamen ze tot de conclusie, dat er aan het eind van het afgelegde gedeelte steeds een strook grond was dat niet tot het exploratiegebied behoorde. Daarom deden ze die foto's weg of legden ze in ieder geval ter zijde. Ze waren erachter gekomen, dat op een deel van de foto's een bergketen voorkwam die niet in ons exploratiegebied kon zijn, omdat er in dat deel van het gebied geen bergen waren.

Toen was er een slimmerik, die de te veel gemaakte foto's nog eens nader bekeek en opmerkte, dat er ergens in het bergachtige gebied, iets ten oosten van de hoofdketen, een verschil was in de dichtheid en soort van plantengroei. Zulke dingen kun je op de grond niet zien, maar op een luchtfoto van vijf kilometer hoogte genomen is het net zo duidelijk als een bierviltje op een biljarttafel.'

'Dat weet ik allemaal wel,' snauwde sir James. 'Ga verder.'

'Neem me niet kwalijk, meneer, maar ik wist het niet. Het was nieuw voor mij. Maar in ieder geval zijn er een stuk of zes foto's naar iemand van de afdeling Fotogeologie gegaan en die heeft door middel van een vergroting eveneens vastgesteld, dat in een heel klein gebied, waaronder een wat kegelvormige kleine heuvel van ongeveer 600 meter hoog, de plantengroei afweek. De twee afdelingen stelden een rapport samen, dat naar het hoofd van de Topografische afdeling ging. Deze stelde vast dat de keten de Kristalbergen en de heuvel de vermoedelijke oorspronkelijke Kristalberg was. Hij stuurde het dossier naar Overzeese contracten en Willoughby, het hoofd van O.C. heeft er Bryant naar toe gestuurd om vergunning te vragen voor exploratie.'

'Dat heeft hij me niet verteld,' zei Manson, die nu achter zijn bureau plaats had genomen.

'Hij heeft een memo gestuurd, sir James. Dat heb ik hier. U was toentertijd in Canada en zou pas na een maand terugkomen. Hij wijst erop, dat de exploratie van dat gebied maar een slag in de lucht was, maar aangezien we een gratis inspectie uit de lucht hadden gekregen en de afdeling Fotogeologie van mening was, dat er een oorzaak voor het verschil in plantengroei moest zijn, konden de kosten verantwoord worden. Willoughby voerde ook aan, dat het goed was om zijn assistent Bryant wat ervaring te laten opdoen door voor het eerst alleen te gaan. Voordien had hij altijd Willoughby vergezeld.'

'Is dat alles?'

'Bijna. Bryant werd van een visum voorzien en is er zes maanden geleden naar toe gegaan. Hij heeft de vergunning gekregen en is drie weken later teruggekomen. Vier maanden geleden stemde de afdeling Grondonderzoek erin toe, om een onbevoegde prospector, tevens landmeter, Jack Mulrooney, van de opgravingen in Ghana terug te roepen en hem naar de Kristalbergen te sturen, mits de kosten laag werden gehouden. Hij is drie weken geleden met anderhalve ton monsters teruggekomen, die sindsdien in het Watford-laboratorium liggen.'

'Niet slecht,' zei sir James na een kort stilzwijgen. 'En is het de leden van de Raad wel eens ter ore gekomen?'

'Nee meneer.' Thorpe was zeer beslist. 'Daarvoor was het veel te onbelangrijk. Ik heb alle Raadsvergaderingen van de laatste twaalf maanden doorgenomen, en alle overlegde stukken, waaronder alle in die zelfde periode aan de leden van de Raad gestuurde memo's en brieven. Het wordt nergens vermeld. Het budget voor de hele zaak zou trouwens toch ergens in de kleine-kasuitgaven verdwenen zijn. En het is niet van de afdeling Projecten afkomstig, omdat die luchtfoto's een cadeautje van de Franse maatschappij en hun maffe navigator waren. Het is van het begin af aan een ad hoc-aangelegenheid geweest en nooit tot de Raadsvergadering doorgedrongen.'

James Manson knikte kennelijk voldaan.

'Goed. En die Mulrooney, is die nogal pienter?'

Als antwoord overlegde Thorpe het dossier van Personeelszaken over Jack Mulrooney.

'Geen diploma's, maar een grote praktijkervaring, meneer. Een oude rot in het vak, een prima werker voor Afrika.'

Manson bladerde het dossier van Mulrooney door, las vluchtig de biografische gegevens en zijn staat van dienst, sinds de man bij de maatschappij was gekomen.

'Ervaring heeft hij zeker,' bromde Manson. 'Je moet die oude Afrika-werkers niet onderschatten. Ik ben zelf bij een mijnkamp in de Rand begonnen, Mulrooney is alleen nooit verder gekomen. Lach er maar niet om, jongeman, dat zijn zeer bruikbare mensen, en ze kunnen heel scherpzinnig zijn.'

Hij stuurde Martin Thorpe weg en mompelde bij zichzelf: 'Laten we eens kijken hoe scherpzinnig Mulrooney kan zijn.'

Hij drukte de knop van de intercom in en zei tegen juffrouw Cooke: 'Is meneer Mulrooney er al, juffrouw Cooke?'

'Ja, sir James, hij zit hier te wachten.'

'Laat hem dan maar binnen.'

Manson was onderweg naar de deur toen zijn werknemer binnengelaten werd. Hij begroette hem hartelijk en nam hem mee naar de stoelen, waar hij de vorige avond met Bryant had gezeten. Voor juffrouw Cooke wegging vroeg hij haar koffie voor hen beiden te brengen. In Mulrooney's dossier stond dat hij altijd koffie dronk.

Jack Mulrooney zag er in de daksuite van een Londens kantoorgebouw even misplaatst uit als Thorpe in het dichte oerwoud zou hebben gedaan. Zijn handen staken een eind uit de mouwen van zijn jasje en hij wist er kennelijk geen raad mee. Zijn grijze haar was met water vastgeplakt en hij had zich bij het scheren gesneden. Het was voor het eerst dat hij kennismaakte met de man die hij 'de ouwe' noemde. Sir James deed alles wat in zijn vermogen lag om hem op zijn gemak te stellen.

Toen juffrouw Cooke met een blad met porseleinen kopjes, bijpassende koffiepot, roomkannetje en suikerpot en een sortering Fortnum en Mason-koekjes binnenkwam, hoorde ze haar baas tegen de Ier zeggen:

'... daar gaat het nu juist om, kerel. Jij hebt dat, wat ik of iemand anders die jongens, zo kersvers van de universiteit, niet kan bijbrengen; een harde leerschool van vijfentwintig jaar om dat verdomde spul uit de grond te halen en in de kipkarren te krijgen.'

Het is altijd prettig als men gewaardeerd wordt en dat gold ook voor Jack Mulrooney. Hij knikte enthousiast. Toen juffrouw Cooke weg was, wees sir James Manson naar de kopjes.

'Moet je die flutdingen nu eens zien. Ik dronk altijd uit een behoorlijke mok en nu krijg ik van die vingerhoedjes. Ik herinner me nog toen in de Rand aan het eind van de jaren dertig, dat zal nog ver voor jouw tijd geweest zijn ...'

Mulrooney bleef een uur. Toen hij vertrok, vond hij dat de ouwe een verdomd goede kerel was ondanks alles wat er over hem verteld werd. Sir James Manson vond Mulrooney een verdomd goede kerel – voor zijn werk in ieder geval, en dat was stukjes steen van bergen afhakken zonder iets te vragen, en dat zou altijd zo blijven.

Vlak voor hij wegging had Mulrooney zijn standpunt herhaald.

'Daar zit tin, sir James, ik zal doodvallen als het niet waar is. De vraag is alleen of het er met niet al te hoge kosten uitgehaald kan worden.'

Sir James had hem een klap op de schouder gegeven.

'Maak je daar maar niet ongerust over. Dat weten we zodra het rapport uit Watford binnenkomt. En je kunt er zeker van zijn, dat als er ook maar één ons inzit, dat ik onder de marktprijs naar de kust kan krijgen, het spul van ons is. En hoe staat het met jou? Wat is je volgende avontuur?'

'Ik weet het niet, meneer. Ik heb nog drie dagen verlof en dan ga ik me weer op kantoor melden.'

'Weer zin om naar het buitenland te gaan?' zei sir James met een stralend gezicht.

'Ja meneer. Om de waarheid te zeggen kan ik niet tegen deze stad en het weer en zo.'

'Weer naar de zon, hè? Je houdt van woeste streken, hoor ik.'

'Ja, dat zeker. Je kunt daar je eigen baas zijn.'

'Zo is het,' glimlachte Manson. 'Dat kun je ook. Ik zou je haast benijden. Verdomd als het niet waar is, ik benijd je. Enfin, we zullen zien wat we kunnen doen.'

Twee minuten later was Jack Mulrooney weg. Manson gaf juffrouw Cooke opdracht, om zijn dossier weer naar Personeelszaken terug te brengen, belde de boekhouding op en gaf opdracht om Mulrooney £ 1000 extra te sturen als beloning voor bewezen diensten en te zorgen dat hij het vóor maandag had, en belde het hoofd van Grondonderzoek op.

'Welke onderzoeken hebben jullie voor de eerstvolgende dagen op het programma staan of zijn net begonnen?' vroeg hij zonder inleiding.

Er waren er drie, waarvan één in een afgelegen streek in het uiterste noorden van Kenya, vlakbij de grens van Somaliland, waar in de middagzon de hersens gebakken worden als een ei in een koekepan, men 's nachts tot in merg en been bevriest en waar roversbenden rondzwerven. Het zou een langdurige taak zijn van bijna een jaar. Bij pogingen om daar iemand zo lange tijd naar toe te krijgen, hadden er twee bijna hun ontslag ingediend.

'Stuur Mulrooney maar,' zei sir James en hing op.

Hij wierp een blik op de klok. Het was elf uur. Hij nam het personeelsdossier over dr. Gordon Chalmers op, dat Endean de vorige avond op zijn bureau had gelegd.

Chalmers was cum laude geslaagd na zijn studie op de Londense mijnbouwschool, die waarschijnlijk in zijn soort de beste ter wereld is, al zou Witwatersrand die aanspraak misschien willen betwisten. Hij had al geologie en later chemie gestudeerd en was omstreeks zijn vijfentwintigste gepromoveerd. Na vijf jaar als wetenschappelijk medewerker op de universiteit, was hij naar de Wetenschappelijke afdeling van Rio Tinto Zinc gegaan en zes jaar geleden had ManCon hem kennelijk tegen een hoger salaris van RTZ afgetroggeld. Sinds de laatste vier jaar was hij hoofd van de Wetenschappelijke afdeling van de maatschappij, die in de buitenwijken van Watford in Hertfordshire lag. Het fotootje in het dossier liet een man van tegen de veertig zien, die boven een rossige ruige baard stuurs in de camera keek. Hij droeg een tweedjasje en een paars overhemd. Hij had een wollen geweven das om die scheef zat.

Om 11 uur 35 rinkelde de privé-telefoon en sir James Manson hoorde het regelmatige getik van een openbare telefooncel aan de andere kant. Er viel een muntstuk in de gleuf en de stem van Endean kwam aan de lijn. Hij sprak twee minuten beknopt vanaf het station van Watford. Toen hij uitgesproken was, gromde Manson goedkeurend.

'Dat is nuttig om te weten,' zei hij. 'Nu ga je terug naar Londen.

Ik heb hier nog iets anders voor je te doen. Ik wil een uitvoerig overzicht van de republiek Zangaro. Alles wat er is. Zangaro, ja.' Hij spelde het.

'Je begint met de tijd toen het ontdekt werd en werkt van daaruit verder. Ik wil de geschiedenis, aardrijkskunde, ligging van het land, de economie, oogsten, eventuele delfstoffen, politiek en graad van ontwikkeling weten. Richt je speciaal op de tien jaar, voorafgaande aan de onafhankelijkheid, en vooral op de periode daarna. Ik wil alles weten wat er bekend is over de president, zijn kabinet, het parlement als dat er is, de regering, de uitvoerende macht, de wetgevende macht en de politieke partijen. Er zijn drie dingen van het hoogste belang. Dat is ten eerste de kwestie van Russische of Chinese bemoeiing en invloed, of communistische invloed in het land zelf op de president. Ten tweede mag niemand die ook maar in de verste verte iets met het land te maken heeft weten, dat er vragen over worden gesteld, dus ga er niet zelf heen, en ten derde mag je onder geen enkele voorwaarden bekend maken dat je van ManCon komt, dus je neemt een andere naam aan. Begrepen? Goed zo, nou, dan meld je je weer zo spoedig mogelijk, niet later dan over twintig dagen. Neem bij de boekhouding alleen met mijn handtekening geld op en wees voorzichtig. Officieel doe je net of je met vakantie gaat; ik zal zorgen dat je het later vergoed krijgt.'

Manson hing op en belde Thorpe op om hem nadere instructies te geven. Drie minuten later kwam Thorpe naar de tiende verdieping en legde het velletje papier dat zijn baas wilde hebben op zijn bureau. Het was de doorslag van een brief.

Tien verdiepingen lager stapte dr. Gordon Chalmers op de hoek van Moorgate uit zijn taxi en betaalde deze. Hij voelde zich in zijn donkere pak en overjas niet op zijn gemak, maar Peggy had tegen hem gezegd dat het voor een gesprek en een lunch met de voorzitter van de Raad van beheer niet anders kon.

Toen hij de laatste meters naar het bordes en de ingang van het ManCon House liep, viel zijn blik op een aanplakbiljet, dat voor de kiosk van een verkoper van de *Evening News* en *Evening Standard* hing. Bij wat er op stond krulde zijn lip cynisch op, maar hij kocht de twee kranten. Het was geen voorpaginanieuws, maar het stond binnenin. Op het aanplakbiljet stond alleen: 'SOFTENON-OUDERS DRINGEN AAN OP REGELING.'

Het verhaal gaf wat uitvoeriger informatie onder de krantekop, maar het was niet lang. Er stond in, dat na een nieuwe marathonronde van gesprekken tussen afgevaardigden van de ouders van de ruim vierhonderd kinderen in Engeland, die tien jaar geleden ten gevolge van het geneesmiddel Softenon gebrekkig waren geboren en de firma, die het geneesmiddel op de markt had gebracht, een nieuwe impasse was ontstaan. Daarom zouden de gesprekken 'op een later tijdstip' worden hervat.

De gedachten van Gordon Chalmers dwaalden naar het huis even buiten Watford, dat hij eerder die ochtend had verlaten, naar Peggy, zijn vrouw, die net dertig geworden was en er uitzag als veertig en naar Margaret, zonder benen en met één arm, die negen jaar werd en een speciaal paar benen nodig had en een speciaal gebouwd huis, waar ze nu eindelijk in woonden en waarvan de hypotheek hem een kapitaal kostte.

'Op een later tijdstip,' snauwde hij tegen niemand in het bijzonder en propte de kranten in een afvalmand aan de muur. Hij las trouwens bijna nooit de avondbladen. Hij las liever de *Guardian*, *Private Eye* en de linkse *Tribune*. Nadat hij bijna tien jaar had gezien, hoe een groep vrijwel berooide ouders trachtten het gigantische Distillers op de knieën te krijgen voor hun schadevergoeding, koesterde Gordon Chalmers bittere gedachten omtrent grootkapitalisten. Tien minuten later zat hij tegenover een van de grootste.

Sir James Manson kon Chalmers geen zand in de ogen strooien, zoals hij Bryant en Mulrooney had gedaan. De geleerde hield stevig zijn glas bier in de hand en keek strak terug. Manson had de situatie snel door en toen juffrouw Cooke hem zijn whisky had gegeven en zich teruggetrokken had, kwam hij ter zake.

'U kunt zeker wel raden waarom ik u heb gevraagd met mij te komen praten, dr. Chalmers.'

'Inderdaad, sir James. Over het rapport inzake de Kristalberg.'

'Precies. Tussen twee haakjes, het was zeer juist van u om het mij persoonlijk onder verzegelde envelop te sturen. Zeer juist.'

Chalmers haalde zijn schouders op. Hij had dat gedaan, omdat hij begreep dat alle belangrijke analyseresultaten, overeenkomstig de stelregel van de maatschappij, rechtstreeks naar de directeur moesten. Het was een routinekwestie, zodra het tot hem was doorgedrongen wat de monsters bevatten.

'Ik zou u twee dingen willen vragen, waar ik een nauwkeurig antwoord op wil hebben,' zei sir James. 'Bent u volkomen overtuigd van deze resultaten? Kan er geen andere mogelijke verklaring van de proeven met de monsters zijn?'

Chalmers was niet geschokt of gepikeerd. Hij wist, dat het werk van geleerden door leken zelden wordt geaccepteerd, omdat het ver van zwarte kunst af staat en daarom onnauwkeurig moet zijn. Hij had het al lang opgegeven de nauwkeurigheid van zijn handwerk te verklaren.

'Daar ben ik volkomen van overtuigd. Ten eerste bestaan er allerlei verschillende proeven om de aanwezigheid van platina vast te stellen, en deze monsters hebben ze allemaal zonder uitzondering doorstaan. Ten tweede heb ik niet alleen alle bestaande proeven op elk van de monsters uitgevoerd, ik heb alles tweemaal gedaan. Het is theoretisch mogelijk dat er met de aanslibselmonsters geknoeid is, maar niet met de inwendige structuur van de stenen zelf. De samenvatting van mijn rapport is accuraat en wetenschappelijk onaanvechtbaar.'

Sir James Manson luisterde met eerbiedig gebogen hoofd naar de lezing en knikte bewonderend.

'En de tweede vraag is, hoeveel mensen in uw laboratorium weten nog meer van de resultaten van de analyse van de Kristalbergmonsters af?'

'Verder niemand,' zei Chalmers beslist.

'Niemand?' echode Manson. 'Och kom, er zal toch wel een van uw assistenten . . .'

Chalmers nam een slok bier en schudde zijn hoofd.

'Sir James, toen de monsters binnenkwamen, zijn ze zoals gewoonlijk in kisten verpakt en opgeslagen. Volgens het begeleidend rapport van Mulrooney zouden er onbekende hoeveelheden tin aanwezig zijn. Het was maar een zeer onbelangrijke inspectie, dus heb ik er een jonge assistent aan gezet. Omdat hij geen ervaring heeft, nam hij aan dat er tin in zat, of niets, en heeft de daartoe geëigende proeven gedaan. Toen deze niet positief uitvielen, heeft hij mij erbij geroepen om mij dat mee te delen. Ik bood aan hem te laten zien hoe het moest en weer waren de proeven negatief. Daarom heb ik hem vermaand, dat hij zich niet door de mening van de mijnonderzoeker van de wijs moest laten brengen, en heb hem nog een paar proeven getoond. Deze vielen eveneens negatief uit. Het laboratorium ging 's avonds dicht, maar ik ben nagebleven, zodat ik alleen in het gebouw was toen de eerste proeven positief uitvielen. Te middernacht wist ik, dat het kiezelmonster uit de stroombedding, waarvan ik nog geen half pond gebruikte, kleine hoeveelheden platina bevatte. Daarna heb ik het gebouw voor de nacht afgesloten.

De volgende dag heb ik de jonge assistent de opdracht ontnomen en hem aan een andere gezet. Daarna ben ik er zelf mee doorgegaan. Er waren 600 zakken kiezel en grind en 1500 pond gewicht aan stenen, ruim 300 stukken steen die op verschillende plaatsen uit de berg waren gehaald. Uit Mulrooneys foto's kon ik mij de berg voorstellen. De verspreide ertslaag is overal in de formatie aanwezig, zoals ik in mijn rapport heb gezegd.'

Een tikje uitdagend ledigde hij zijn bierglas.

Sir James Manson bleef maar knikken en keek met goed geveinsd ontzag naar de geleerde.

'Het is niet te geloven,' zei hij tenslotte. 'Ik weet, dat mensen van de wetenschap graag objectief en onpartijdig blijven, maar ik denk, dat zelfs u opgewonden moet zijn geworden. Dit zou wel eens een hele nieuwe wereldbron van platina kunnen zijn. Weet u hoe vaak dat met een zeldzaam metaal gebeurt? Eens in de tien jaar, misschien wel eens in een heel leven...'

Nu was Chalmers inderdaad opgewonden geraakt door zijn ontdekking en hij had drie weken lang tot diep in de nacht gewerkt om alle zakken steen uit de Kristalberg stuk voor stuk te onderzoeken, maar dat wou hij niet toegeven. In plaats daarvan haalde hij zijn schouders op en zei:

'Nou, het zal ManCon wel veel winst opleveren.'

'Dat is nog niet gezegd,' zei James Manson bedaard. Dit was voor het eerst dat hij Chalmers van zijn stuk bracht.

'O nee?' vroeg de analist. 'Maar het is toch een fortuin?'

'Een fortuin in de grond, ja,' antwoordde sir James, die opstond en naar het raam liep. 'Maar het hangt er heel erg vanaf wie het krijgt, áls iemand het krijgt. Er bestaat namelijk gevaar, dat het jarenlang ongeëxploiteerd blijft of wel geëxploiteerd en opgeslagen wordt. Als ik u dit nader mag toelichten, beste doctor . . .'

Hij gaf dr. Chalmers een uiteenzetting van een half uur en sprak over de financiën en politiek, die geen van beide de sterke kant van de analist waren.

'Dus zo staan de zaken,' besloot hij. 'Als wij er meteen ruchtbaarheid aan geven bestaat er grote kans, dat het op een presenteerblaadje aan de Russische regering wordt aangeboden.'

Dr. Chalmers, die niet speciaal iets tegen de Russische regering had, haalde even zijn schouders op.

'Ik kan de feiten niet veranderen, sir James.'

Manson trok vol afschuw zijn wenkbrauwen op.

'Goeie hemel, natuurlijk kunt u dat niet, doctor.' Hij wierp een verbaasde blik op zijn horloge. 'Het is al bijna één uur,' riep hij uit. 'U zult wel honger hebben. Ik tenminste wel. Laten we ergens een hapje gaan eten.'

Hij had eerst de Rolls willen nemen, maar na het telefoontje van Endean uit Watford die ochtend en de mededeling van de plaatselijke krantenverkoper over het abonnement op de *Tribune* koos hij voor een gewone taxi.

Het hapje eten bleek uit te draaien op paté, omelet met truffels, hazepeper in rode wijnsaus en roomvla. Zoals Manson vermoedde, hield Chalmers niet van dergelijke uitspattingen, maar hij had ook een gezonde eetlust. En zelfs hij kon zich niet aan de eenvoudige natuurwet onttrekken, dat een goede maaltijd een gevoel van verzadiging, voldaanheid en een verlaging van de morele weerstand teweegbrengt. Manson had er ook rekening mee gehouden, dat een bierdrinker niet gewend is aan de vollere, rode wijnen, en twee flessen Côte du Rhône hadden Chalmers aangemoedigd over de onderwerpen te praten, die zijn belangstelling hadden: zijn werk, zijn gezin en zijn visie op de wereld.

Toen hij over zijn gezin en hun nieuwe huis begon, zei sir James Manson, met een gepast meewarig gezicht, dat hij zich herinnerde Chalmers een jaar geleden in een straatinterview op de televisie te hebben gezien.

'Neem me niet kwalijk,' zei hij, 'ik was me er nog niet van bewust . . . ik bedoel, dat uw dochtertje . . . wat ellendig.'

Chalmers knikte en staarde naar het tafellaken. Eerst langzaam en toen met meer vertrouwen, begon hij zijn meerdere over Margaret te vertellen.

'U begrijpt het toch niet,' zei hij op een bepaald ogenblik.

'Ik kan het proberen,' antwoordde sir James kalm. 'Ik heb zelf een dochter, moet u weten, al is ze dan wel ouder.'

Tien minuten later viel er een hiaat in het gesprek. Sir James Manson haalde een opgevouwen velletje papier uit zijn binnenzak.

'Ik weet eigenlijk niet hoe ik dit moet zeggen,' zei hij wat verlegen, 'maar . . . nu ja, ik weet natuurlijk heel goed hoeveel tijd en moeite u aan de firma besteedt. Ik besef, dat u veel overuren maakt en dat de druk van deze persoonlijke aangelegenheid wel invloed op u moet hebben, en zeer zeker op mevrouw Chalmers. Daarom heb ik vanmorgen deze instructie aan mijn privé-bank doen uitgaan.'

Hij overhandigde de doorslag van de brief aan Chalmers die hem las. Hij was kort en zakelijk. Het was een instructie aan de directeur van Coutts Bank, om op de eerste dag van iedere maand per aangetekend schrijven vijftien bankbiljetten, elk ter waarde van £ 10 aan dr. Chalmers op zijn privé-adres over te maken. De overmakingen zouden tien jaar achtereen doorgaan, zolang er geen nadere instructies werden ontvangen.

Chalmers keek op. Het gezicht van zijn werkgever was een en al medeleven, met een zweem van verlegenheid.

'Dank u wel,' zei Chalmers zacht.

Sir James legde zijn hand op zijn arm en schudde hem.

'Kom, vooruit, zo is het genoeg. Neem maar een cognacje.'

In de taxi op weg terug naar kantoor stelde Manson voor om Chalmers bij het station af te zetten, waar hij de trein naar Watford kon nemen.

'Ik moet weer naar kantoor om verder te gaan met die Zangaro-toestand en uw rapport,' zei hij.

Chalmers keek uit het taxiraampje naar het verkeer, dat die vrijdagmiddag Londen uitreed.

'Wat gaat u er dan mee doen?' vroeg hij.

'Ik weet het eerlijk gezegd niet. Natuurlijk zou ik het liever niet doorsturen. Het is zonde om dat allemaal in buitenlandse handen te zien verdwijnen, en dat gebeurt als uw rapport in Zangaro komt. Maar ik moet ze vroeg of laat wel iets sturen.'

Er viel opnieuw een lang stilzwijgen, terwijl de taxi het voorplein van het station opdraaide.

'Kan ik er iets aan doen?' vroeg de wetenschapper.

Manson slaakte een diepe zucht.

'Ja,' zei hij op weloverwogen toon. 'Gooi de monsters van Mulrooney weg net zoals u alle andere stenen en zand zou weggooien. Vernietig afdoend al uw analyseaantekeningen. Neem uw exemplaar van het rapport en maak er een exacte kopie van, met één verschil – dat eruit blijkt dat de proeven definitief aantonen, dat er te verwaarlozen hoeveelheden tin van slechte kwaliteit aanwezig zijn, die niet economisch geëxploiteerd kunnen worden. Verbrand uw eigen exemplaar van het originele rapport en spreek er dan nooit meer met één woord over.'

De taxi kwam tot stilstand en omdat geen van beide passagiers uitstapte, stak de chauffeur zijn neus door het scherm in de achtercoupé.

'We zijn er, meneer.'

'U hebt mijn woord van eer,' mompelde sir James Manson. 'Vroeg of laat kan de politieke toestand best veranderen en als dat gebeurt, zal ManCon een bod doen op de mijnconcessie precies zoals gebruikelijk en in overeenstemming met de normale zakengewoonten.'

Dr. Chalmers stapte uit de taxi en keek naar zijn werkgever op de bank in de hoek.

'Ik weet niet of ik dat wel kan doen, meneer,' zei hij. 'Daar moet ik nog eens over nadenken.'

Manson knikte.

'Natuurlijk. Ik weet dat het veel gevraagd is. Bespreek het nog maar eens met uw vrouw. Ik ben ervan overtuigd dat ze het begrijpen zal.'

Toen trok hij het portier dicht en gaf de chauffeur opdracht hem naar de City te brengen.

Sir James dineerde die avond met een ambtenaar van het ministerie van Buitenlandse Zaken en nam hem mee naar zijn club. Het was niet een van de clubs van de hoogste kringen in Londen, want Manson was niet van plan zich voor een van de bolwerken van de oude, gevestigde orde te laten voordragen om dan afgewezen te worden. Bovendien had hij geen tijd om sociaal hogerop te klimmen en weinig geduld voor de charlatans die men, eenmaal daar aangekomen, aantrof. Hij liet de sociale kant van het leven aan zijn vrouw over. Het ridderschap was handig, maar daar bleef het dan ook bij.

Hij minachtte Adrian Goole, die hij een zelfingenomen idioot vond. Daarom had hij hem voor het diner uitgenodigd, alsmede om het feit, dat de man bij de economische inlichtingendienst van Buitenlandse Zaken zat.

Jaren geleden, toen de activiteiten van zijn maatschappij in Ghana en Nigeria een zeker peil hadden bereikt, had hij zitting genomen in de leidende kring van de West-Afrika-commissie van de City. Dit orgaan was en is nog een soort vakbond van alle grote in Londen gevestigde firma's, die transacties in West-Afrika uitvoeren. Omdat deze commissie zich veel meer met de handel en dus met geld bezighield dan bijvoorbeeld de Oost-Afrika-commissie, gaf de WAC van tijd tot tijd een overzicht van de gebeurtenissen van zowel commercieel als politiek belang in West-Afrika, en meestal moesten de twee uiteindelijk wel samengaan en adviezen geven aan het ministerie van Buitenlandse Zaken en dat van het Gemenebest, over wat naar hun mening een voor Britse belangen verstandig beleid zou zijn.

Sir James Manson zou het zo niet hebben uitgedrukt. Hij zou hebben gezegd, dat ze bestonden om de regering te adviseren, wat ze in dat deel van de wereld moest doen om de winsten te vergroten. Dan had hij nog gelijk gehad ook. Hij had tijdens de Nigeriaanse burgeroorlog in de commissie gezeten en de diverse vertegenwoordigers van banken, mijnen, olie en handel een snel einde aan de oorlog horen bepleiten, wat synoniem scheen te zijn met een snelle federale overwinning.

Zoals te voorzien was, had de commissie aan de regering voorgesteld de federalen te steunen, mits ze konden aantonen dat ze zouden winnen en vlug ook en mits overtuigende bewijzen uit Britse bron ter plaatse dit bevestigden. Vervolgens gingen ze op hun gemak zitten kijken, hoe de regering op advies van Buitenlandse Zaken weer eens een enorme Afrikaanse blunder maakte. In plaats van zes duurde het dertig maanden en als Harold Wilson zich eenmaal op een beleid had vastgelegd, vloog hij nog liever naar de maan dan toe te geven dat zijn raadslieden zich misschien vergist hadden.

Manson had een heleboel inkomsten verloren doordat de mijnen achteruit gingen en het onmogelijk was de goederen naar de kust te vervoeren met spoorwegen die tijdens de gehele periode volkomen ontwricht waren, maar MacFazdean van Shell-BP had bij de olieproduktie nog veel meer verloren.

Adrian Goole was vrijwel al die tijd de verbindingsman van Buitenlandse Zaken in de commissie geweest. Nu zat hij tegenover James Manson in de eetnis, zijn manchetten staken de voorgeschreven drie centimeter uit de mouwen en op zijn gezicht stond ernstige aandacht te lezen.

Manson vertelde hem een stukje van de waarheid, maar verzuimde het onderwerp platina aan te snijden. Hij diste alleen een verhaal over tin op, maar verhoogde de hoeveelheden. Het zou weliswaar uitvoerbaar zijn om het te exploiteren, maar wat hem eerlijk gezegd afschrikte was de sterke afhankelijkheid van de president van de Russische adviseurs. Het winstaandeel van de Zangarese regering had ze waarschijnlijk een heel behoorlijke som opgeleverd en daardoor machtiger gemaakt en aangezien de despoot bijna helemaal naar de pijpen van de Russen danste, zou het dan wel verstandig zijn de macht en de invloed van de republiek door rijkdom te vergroten? Goole luisterde aandachtig, met een uitdrukking van diepe bezorgdheid op zijn gezicht.

'Een verdomd moeilijke beslissing,' zei hij meelevend. 'Ik heb werkelijk grote bewondering voor uw politiek inzicht. Op het ogenblik is Zangaro bankroet en zonder invloed. Maar als het rijk zou worden . . . ja, u hebt volkomen gelijk. Het is een groot dilemma. Wanneer moet u het inspectierapport en de analyse insturen?'

'Vroeg of laat moet dat gebeuren,' gromde Manson. 'De vraag is, wat moet ik ermee aan? Als zij het aan de Russen in de ambassade laten zien, moet de handelsattaché wel begrijpen, dat de tinlagen exploiteerbaar zijn, en dan wordt het uitbesteed. Dus krijgt iemand anders het, die tóch de dictator rijk helpt maken, en wie weet wat voor problemen hij dan voor het Westen schept? Dan zijn we nog net even ver.'

Goole dacht er een poosje over na.

'Ik vond gewoon dat ik u wel even op de hoogte moest stellen,' zei Manson.

'Ja, ja, dank u.' Goole was in gedachten verzonken. 'Vertel me eens,' zei hij tenslotte, 'wat er zou gebeuren als u de cijfers van de hoeveelheid tin per ton steen in het rapport zou halveren?'

'Halveren?'

'Ja. De cijfers halveren, zodat ze een cijfer van zuivere tin per ton steen van vijftig procent van de cijfers van uw steenmonsters aangeven?'

'Nou, dan zou de hoeveelheid aanwezig tin economisch niet exploiteerbaar blijken te zijn.

'En de steenmonsters zouden bijvoorbeeld uit een andere streek een paar kilometer verder kunnen komen?' vroeg Goole.

'Ja, dat zou eventueel kunnen. Maar mijn onderzoeker heeft de rijkste steenmonsters gevonden.'

'Maar als hij dat nu niet gedaan had,' hield Goole aan. 'Als hij zijn monsters enkele kilometers van de plaats waar hij werkelijk gewerkt heeft, heeft gehaald. Zou de hoeveelheid dan vijftig procent minder geweest zijn?'

'Ja, dat kan best. Dat zou waarschijnlijk ook zo zijn, misschien zelfs nog minder dan vijftig procent. Maar hij heeft nu eenmaal op die plek gewerkt.'

'Onder toezicht?' vroeg Goole.

'Nee, alleen.'

'En er zijn geen sporen waar hij bezig is geweest?'

'Nee,' antwoordde Manson. 'Alleen op een paar plaatsen waar iets van de steen is afgehakt, die allang weer begroeid zijn. Bovendien komt daar geen mens. Het is kilometers overal vandaan.'

Hij zweeg enkele ogenblikken om een sigaar op te steken.

'Zeg Goole, je bent een verdomd slimme kerel. Ober, nog een cognac graag.'

Onder het maken van grapjes namen ze op de stoep van de club afscheid. De portier riep een taxi voor Goole, die naar mevrouw Goole in Holland Park terugging.

'En dan nog iets,' zei de man van Buitenlandse Zaken bij het portier van de taxi, 'geen woord hierover tegen iemand anders. Ik moet het op het departement zeer vertrouwelijk registreren, maar verder blijft het onder ons, tussen u en ons van Buitenlandse Zaken.'

'Natuurlijk,' zei Manson.

'Ik ben u heel dankbaar dat u gemeend hebt het mij te moeten vertellen. U hebt er geen idee van hoe het ons werk aan de economische kant vergemakkelijkt als wij weten wat er aan de hand is. Ik zal ongemerkt een oogje op Zangaro houden en mocht daar verandering op het politieke toneel plaatsvinden, dan bent u de eerste die het weet. Goedenavond.'

Sir James Manson keek de taxi na die de weg afreed en gaf zijn Rolls-Royce die in de straat stond te wachten een teken.

'Dan bent u de eerste die het weet,' bauwde hij hem na. 'Nou, dat ben ik zeker, jongen. Want ik zal er de stoot toe geven.'

Hij leunde door het zijraampje zodat hij Craddock, zijn chauffeur, achter het stuur kon zien.

'Als zulke schijtlaarzen van kerels ons wereldrijk hadden moeten opbouwen, Craddock, dan hadden we nu misschien net het eiland Wight gekoloniseerd.'

'Precies wat u zegt, sir James,' zei Craddock.

Toen zijn werkgever achterin was gestapt, schoof de chauffeur het tussenpaneel open.

'Gloucestershire, sir James?'

'Gloucestershire, Craddock.'

Het was weer gaan motregenen, toen de glanzende limousine over Piccadilly en door Park Lane in de richting van de A 40 naar het westen zoefde, om sir James naar zijn tienkamerhuis te brengen, dat een erkentelijke maatschappij drie jaar geleden voor £ 250 000 voor hem gekocht had. Daar zaten ook zijn vrouw en zijn negentienjarige dochter in, maar daar had hij zelf voor gezorgd.

Een uur later lag Gordon Chalmers naast zijn vrouw, moe en boos na de ruzie, die ze de laatste twee uur hadden gemaakt. Peggy Chalmers lag op haar rug naar het plafond te kijken.

'Dat kan ik niet doen,' zei Chalmers voor de zoveelste keer. 'Ik kan niet zomaar een mijnrapport vervalsen om die schoft van een James Manson aan nog meer geld te helpen.'

Er was een lang stilzwijgen. Ze hadden er al uitentreuren over gepraat, nadat Peggy de brief van Manson aan zijn bankier had gelezen en van haar man de voorwaarden voor toekomstige financiële zekerheid had vernomen.

'Wat geeft het nou?' zei ze met zachte stem in de duisternis naast hem. 'Wat geeft het nou eigenlijk als het erop aankomt? Of hij die concessie krijgt, of de Russen of niemand; of de prijs nu stijgt of daalt. Wat doet het ertoe. Het zijn niets anders dan stenen en korreltjes metaal.'

Peggy Chalmers wierp zich over het lichaam van haar man en keek naar het flauwe profiel van zijn gezicht. Buiten rukte de wind aan de takken van de oude iepeboom, waar ze het nieuwe huis bij hadden gebouwd met de speciale voorzieningen voor hun invalide dochtertje.

Toen Peggy opnieuw sprak, was het met hartstochtelijke nadruk.

'Maar Margaret is geen stuk steen en ik ben geen paar korreltjes metaal. Wij hebben dat geld nodig, Gordon, wij hebben het nu nodig en de eerstkomende tien jaar. Toe, liefste, zet nu eens één keer het idee uit je hoofd van een leuke brief aan *Tribune* of *Private Eye*, en doe wat hij wil.'

Gordon Chalmers bleef naar de kier van het raam tussen de gordijnen kijken, dat half openstond om wat frisse lucht binnen te laten.

'Goed dan,' zei hij tenslotte.

'Dus je doet het?' vroeg ze.

'Ja, ik zal het doen, verdomme.'

'Zweer je het, liefste? Op je erewoord?'

Er viel opnieuw een lange stilte.

'Op mijn erewoord,' zei de zachte stem van het gezicht boven haar. Ze nestelde haar hoofd in het haar van zijn borst.

'Dank je, liefste. Maak je er geen kopzorgen over. Maak je alsjeblieft geen zorgen. Over een maand ben je het vergeten, dat zul je zien.'

Tien minuten later sliep ze, uitgeput van de inspanning van iedere avond Margaret baden en in bed stoppen en van de ongebruikelijke ruzie met haar man. Gordon Chalmers bleef in de duisternis staren.

'Ze winnen het altijd,' zei hij zacht en bitter na een poosje. 'De ellendelingen, ze winnen het verdomd altijd.'

De volgende dag, zaterdag, reed hij de acht kilometer naar het laboratorium en schreef een heel nieuw rapport voor de republiek Zangaro uit. Daarna verbrandde hij zijn aantekeningen met het originele rapport en kruide de ertsmonsters naar de afvalhoop, waar een aannemer uit het dorp het zou weghalen voor beton en tuinpaden. Hij verzond het nieuwe rapport per aangetekende post naar James Manson op het hoofdkantoor, ging naar huis en probeerde het uit zijn hoofd te zetten.

's Maandags ontving men het rapport in Londen en werden de instructies aan de bankier ten gunste van Chalmers gepost. Het rapport werd naar Overzeese contracten gestuurd, waar Willoughby en Bryant het konden lezen en Bryant kreeg opdracht, de volgende dag te vertrekken en het mee te nemen voor de minister van Natuurlijke Hulpbronnen in Clarence. Het zou vergezeld worden van een brief van de maatschappij, met de passende betuiging van spijt.

Dinsdagavond bevond Richard Bryant zich in het gebouw Een van de Londense luchthaven Heathrow en wachtte op een BEA-vlucht naar Parijs, waar hij de nodige visa en een aansluitende vlucht met de Air Afrique kon krijgen. Vijfhonderd meter verder duwde Jack Mulrooney in gebouw Drie zijn tas door de paspoortencontrole, om 's nachts de Jumbo van de BOAC naar Nairobi te nemen.

Hij was niet ontevreden. Hij had genoeg van Londen. Vóor hem lagen Kenya, de zon, het oerwoud en de kans op een leeuw.

Aan het eind van de week hadden slechts twee mensen de wetenschap in hun hoofd van wat er werkelijk in de Kristalberg lag. De een had aan zijn vrouw zijn woord gegeven om voor altijd te zwijgen en de ander beraamde zijn volgende stap.

# 4

Simon Endean kwam het kantoor van sir James Manson binnen met een lijvig dossier, dat zijn rapport van honderd pagina's over de republiek Zangaro bevatte, een dossier met grote foto's en een stuk of wat landkaarten. Hij vertelde zijn baas wat hij kwam brengen en Manson knikte goedkeurend.

'Heeft toen je dit allemaal bij elkaar zocht, niemand gehoord wie je was of voor wie je werkte?' vroeg hij.

'Nee, sir James. Ik heb een schuilnaam aangenomen en daar heeft niemand aan getwijfeld.'

'En kan niemand in Zangaro erachter gekomen zijn, dat er een dossier met gegevens over ze werd aangelegd?'

'Nee. Ik heb gebruikt gemaakt van bestaande archieven, al zijn er maar weinig, een paar universiteitsbibliotheken hier en in Europa, standaardwerken en de enige door Zangaro zelf gepubliceerde toeristengids, hoewel dit eigenlijk een overblijfsel is uit de koloniale tijd, en vijf jaar achter. Ik heb steeds net gedaan of ik alleen inlichtingen zocht voor een proefschrift over de hele Afrikaanse koloniale en post-koloniale toestand. Er komen geen reacties meer op.'

'Mooi,' zei Manson. 'Ik zal het rapport straks wel lezen. Geef me de voornaamste feiten maar.'

Als antwoord haalde Endean een van de kaarten uit het dossier en spreidde hem over het bureau uit. Hierop stond het gedeelte van de Afrikaanse kust met Zangaro erop aangegeven.

'Zoals u ziet, sir James, ligt het hier als een enclave aan de kust en het grenst in het noorden en het oosten aan deze republiek en in het zuiden aan deze. De vierde is de zee hier.

Het heeft de vorm van een lucifersdoosje met de korte zijde langs de zeekust en de lange zijden strekken zich landinwaarts uit. Vroeger, in de koloniale tijd, zijn tijdens de wedloop om Afrika de grenzen volkomen willekeurig getrokken en ze stellen alleen lijnen op de kaart voor. In het land zijn geen eigenlijke grenzen en omdat wegen vrijwel geheel ontbreken, is er maar één grensovergang – hier, op de weg die naar het naburige land in het noorden voert. Alle verkeer over land komt en gaat over deze weg in en uit.'

Sir James Manson bestudeerde de enclave op de kaart en bromde: 'En hoe staat het met de oostelijke en zuidelijke grenzen?'

'Daar is geen weg, meneer. Er is geen enkele in- of uitgang, tenzij je dwars door het oerwoud trekt, en dat is bijna overal een ondoordringbare jungle.

De grootte van het land is 18 000 vierkante kilometer, ruim honderd kilometer langs de kust en 160 kilometer diep het binnenland in. De hoofdstad, Clarence, genoemd naar de zeekapitein die hier tweehonderd jaar geleden voor het eerst binnenliep om zoet water te halen, ligt hier – in het midden van de kust, vijftig kilometer vanaf de noord- en de zuidgrens.

Achter de hoofdstad ligt een smalle kustvlakte, die de enige bebouwde streek in het land is, buiten de kleine, open plekken in het oerwoud van de inheemsen. Achter de vlakte ligt de rivier de Zangaro, daarachter de heuvels aan de voet van de Kristalbergen, de bergen zelf en daarachter weer de kilometers lange oerwouden tot aan de oostgrens.'

'Wat zijn er verder voor verbindingen?' vroeg Manson.

'Er zijn praktisch helemaal geen wegen,' zei Endean. 'De rivier de Zangaro stroomt vanaf de noordgrens vrij dicht langs de kust bijna de hele republiek door, tot hij even voor de zuidelijke grens in de zee uitmondt. Aan de riviermonding zijn een paar steigers en enkele hutten, die een kleine haven vormen voor de houtexport. Maar er zijn geen werven en de houtfirma's hebben sinds de onafhankelijkheid praktisch opgehouden te bestaan. Doordat de Zangaro bijna evenwijdig met de kust stroomt en er over negentig kilometer schuin naar toe loopt, wordt de republiek feitelijk in tweeën gesneden; hier hebt u de kuststrook aan de kant van de rivier naar zee, die eindigt in mangrovenmoerassen die de hele kust ontoegankelijk maken voor scheepvaart of kleine boten, en hier het achterland aan de overkant van de rivier. Ten oosten van de rivier liggen de bergen en daarachter het binnenland. De rivier zou te gebruiken zijn voor verkeer met schuiten, maar niemand heeft er belangstelling voor. De republiek in het noorden heeft een moderne hoofdstad aan de kust met een diepe haven en de Zangarorivier zelf komt uit in een dichtgeslibde wijde riviermonding.'

'Hoe zit dat met de werkzaamheden voor de houtexport? Hoe werden die uitgevoerd?'

Endean haalde een kaart van de republiek op grotere schaal uit het dossier en legde deze op de tafel. Met een potlood tikte hij op de Zangaromonding in het zuiden van Zangaro.

Het hout werd in het land zelf, langs de oevers of in de westelijke heuvels aan de voet van de bergen gezaagd. Daar is nog heel goed timmerhout, maar sinds de onafhankelijkheid kijkt niemand ernaar om. Ze lieten de houtblokken de rivier afdrijven, naar de monding, waar ze werden opgeslagen. Als de schepen kwamen gingen ze voor de kust voor anker en dan werden de houtvlotten er met motorboten naar toe gesleept. Daarna hesen ze de blokken met hun eigen kranen aan boord. Het was altijd een werk van niets.'

Manson keek aandachtig naar de kaart op grote schaal, nam de honderd kilometer lange kust in zich op, de rivier die dertig kilometer landinwaarts, vrijwel evenwijdig ermee liep, de ondoordringbare met mangroven begroeide moerasstrook tussen de kust en de zee, en de bergen achter de rivier. Hij kon de Kristalberg herkennen, maar zei er niets van.

'Hoe staat het met de hoofdwegen? Er zullen er toch wel een páar zijn.'

Endean begon enthousiast aan zijn uitleg.

'De hoofdstad ligt aan de zeewaartse kant van een kort, breed schiereilandje hier, halverwege de kust, met uitzicht naar de open zee. Er is een kleine haven, de enige echte haven in het land en achter de stad gaat het schiereiland terug naar het vasteland waarmee het verbonden is. Er is één weg, die midden over het schiereiland negen kilometer landinwaarts recht naar het oosten toe gaat. Dan is er een knooppunt – hier. Een weg gaat rechtsaf in zuidelijke richting. Hij is tien kilometer lang verhard en gaat dan de volgende dertig kilometer over in een onverharde weg die op de oevers van de Zangaromonding uitloopt.

De andere weg gaat linksaf en loopt naar het noorden, dwars door de vlakte ten westen van de rivier en verder naar de grens in het noorden. Hier is een grensovergang, die bemand wordt door een stuk of tien slaperige corrupte soldaten. Een paar reizigers hebben me verteld, dat ze toch geen paspoort kunnen lezen, dus ze weten niet of er een visum in staat of niet. Je koopt ze gewoon om met een paar pond sterling om door te mogen.'

'En die weg naar het achterland?' vroeg sir James.

Endean wees met zijn vinger. 'Die is zo klein dat hij er niet eens opstaat, maar als je na de kruising de weg naar het noorden volgt en vijftien kilometer verdergaat, is er een afslag naar rechts, naar het binnenland toe. Het is een onverharde weg dwars door de verdere vlakte en dan de Zangarorivier over, over een gammel bruggetje...'

'Dus dat bruggetje is de enige verbinding tussen de twee gedeelten van het land aan weerskanten van de rivier?' vroeg Manson verbaasd.

Endean haalde zijn schouders op. 'Het is de enige overgang voor verkeer op wielen. Maar er is bijna geen verkeer op wielen.

De inheemsen steken de Zangaro per kano over.'

Manson veranderde van onderwerp, hoewel hij zijn blik geen ogenblik van de kaart afliet.

'Wat zijn dat voor stammen die daar wonen?' vroeg hij.

'Er zijn er twee,' zei Endean. 'Ten oosten van de rivier en helemaal tot achter in het binnenland is het land van de Vindoe. Er wonen trouwens ook Vindoe over de oostelijke grens. Ik zei al dat de grenzen willekeurig zijn. De Vindoe leven praktisch in het stenen tijdperk. Ze steken zelden of nooit de rivier over om uit hun oerwoud weg te gaan. De vlakte ten westen van de rivier tot aan de zee, met inbegrip van het schiereiland waar de hoofdstad ligt, is het land van de Caja. Zij haten de Vindoe en omgekeerd ook.'

'En de bevolking?'

'Die is in het binnenland haast onmogelijk te tellen. Wordt officieel gesteld op 220 000 in het gehele land, namelijk 30 000 Caja en naar schatting 190 000 Vindoe. Maar de aantallen zijn een slag in de lucht, behalve misschien dat de Caja nauwkeurig geteld kunnen worden.'

'Hoe hebben ze dan in godsnaam ooit een verkiezing gehouden?' vroeg Manson.

'Dat blijft een van de geheimen der schepping,' zei Endean. 'Het was trouwens een janboel. De helft van die mensen wist niet wat een stem was of waar ze voor stemden.'

'Hoe staat het met de economie?'

'Daar is vrijwel niets meer van over,' antwoordde Endean. 'Het Vindoe-land brengt niets voort. De meesten blijven net zo'n beetje in leven van wat ze kunnen kweken op yam- en cassave-akkertjes, in het oerwoud uitgehakt door de vrouwen die het werk doen dat gedaan moet worden, en dat is bitter weinig. Als je ze goed betaalt willen ze wel eens iets voor je dragen. De mannen gaan op jacht. De kinderen zijn één bonk malaria, trachoom, bilharzia en ondervoeding.

Op de kustvlakte waren in de koloniale tijd plantages van minder goede kwaliteit cacao, koffie, katoen en bananen, onder leiding van de blanke eigenaars, die inheemse arbeiders in dienst hadden. Het was geen al te beste kwaliteit, maar bracht genoeg op met een gegarandeerde Europese koper, de koloniale regering, om wat harde valuta te verdienen waarmee de geringe importgoederen konden worden betaald. Sinds de onafhankelijkheid zijn ze door de president genationaliseerd en aan zijn partijslaven gegeven. Nu is er vrijwel niets meer van over en zijn ze door onkruid overwoekerd.'

'Heb je er cijfers van?'

'Ja meneer. In het laatste jaar voor de onafhankelijkheid was de totale cacaoproduktie, dat was de voornaamste oogst, 30 000 ton. Verleden jaar was dat 1000 ton en er waren geen kopers. Het staat nog op het land te rotten.'

'En de rest, koffie, katoen, bananen?'

'Van bananen en koffie is door gebrek aan zorg praktisch niets terechtgekomen. De katoen werd door een planteluis aangetast en er waren geen insecticiden.'

'Hoe is de economische toestand nu?'

'Een volslagen puinhoop. Het land is bankroet, het geld is slechts waardeloos papier, er is bijna geen export meer en niemand wil ze iets laten importeren. Er zijn giften gekomen van de Verenigde Naties, de Russen en de vroegere koloniale regering, maar aangezien deze regering het spul altijd ergens anders verkoopt en het geld in eigen zak steekt, hebben deze drie het ook maar opgegeven.'

'Een echte bananenrepubliek, hè?' mompelde sir James.

'In alle opzichten. Corrupt, slecht en wreed. Ze hebben zeeën bij de kust barstensvol vis, maar ze kunnen niet vissen. De twee vissersboten die ze hadden, werden door blanke kapiteins gevaren. De ene is door de legerbandieten afgetuigd en ze zijn allebei weggegaan. Toen zijn de motoren verroest en aan de kant gedaan. Daarom lijden de bewoners aan eiwittekort. Er zijn niet genoeg geiten en kippen voor iedereen.'

'Hoe staat het met de medische zorg?'

'Er is één ziekenhuis in Clarence onder leiding van de Verenigde Naties. Dat is het enige in het land.'

'Artsen?'

'Er waren twee Zangarezen die bevoegde artsen waren. De een is gearresteerd en in de gevangenis omgekomen. De ander is naar het buitenland gevlucht. De missionarissen zijn als imperialistische elementen het land uit gezet. Het waren hoofdzakelijk medisch opgeleide missionarissen maar tevens predikanten en priesters. De nonnen leidden altijd verpleegsters op, maar ook die zijn het land uit gezet.'

'Hoeveel Europeanen?'

'In het binnenland waarschijnlijk geen een. Op de kustvlakte een paar landbouwkundigen, door de Verenigde Naties gezonden technici. In de hoofdstad een stuk of veertig diplomaten, waarvan twintig bij de Russische ambassade en de rest verspreid over de Franse, Zwitserse, Amerikaanse, Westduitse, Oostduitse, Tsjechische en Chinese ambassade, als je de Chinezen onder de blanken rekent. Daarnaast ongeveer vijf stafleden van het ziekenhuis van de Verenigde Naties, nog eens vijf technici die de elektrische centrale, de controletoren van het vliegveld, het waterleidingbedrijf enzovoort bemannen. Dan moeten er nóg vijftig zijn, handelaars, directeuren, zakenlieden, die zijn blijven hangen in de hoop op verbetering.

Maar intussen is er zes weken geleden een rel geweest waarbij een van de VN-mensen half dood is geslagen. De vijf niet-medische technici hebben gedreigd dat ze weg zouden gaan en hun toevlucht in hun respectieve ambassades gezocht. Ze zijn nu misschien al vertrokken en in dat geval zullen de waterleiding, de elektriciteitsvoorziening en het vliegveld binnenkort wel niet meer in bedrijf zijn.'

'Waar is het vliegveld?'

'Hier, op de basis van het schiereiland, achter de hoofdstad. Het voldoet niet aan de internationale eisen, dus als je er naar toe wilt vliegen, moet je eerst de Air Afrique hierheen, de republiek in het noorden nemen en dan een verbindingsvlucht maken met een klein tweemotorig vliegtuig, dat driemaal per week naar Clarence gaat. Een Franse firma heeft de concessie ervan, hoewel het tegenwoordig haast niet meer lonend is.'

'Wie zijn diplomatiek gesproken de vrienden van de republiek?'

Endean schudde zijn hoofd.

'Die hebben ze niet. Het is zo'n janboel dat niemand er belangstelling voor heeft. Zelfs de Organisatie van Afrikaanse Eenheid weet niet wat ze ermee aan moet. Het is zo onbekend, dat niemand erover praat. Er gaan nooit journalisten naar toe, dus het komt nooit in de publiciteit. De regering is ziekelijk anti-blank, zodat niemand ervoor voelt om er deskundigen naar toe te sturen en daar iets te beginnen. Niemand investeert iets, omdat ieder ogenblik door een of andere Jan, Piet of Klaas met een partijspeldje alles in beslag kan worden genomen. Er is een jeugdorganisatie van de partij, die iedereen die ze wil in elkaar slaat en alle mensen leven in grote angst.'

'En de Russen?'

'Die hebben de grootste ambassade en waarschijnlijk invloed op de president in kwesties van buitenlands beleid, waar hij niets van af weet. Zijn adviseurs zijn hoofdzakelijk in Moskou opgeleide Zangarezen, hoewel hij zelf niet in Moskou geschoold is.'

'Bestaan er eigenlijk mogelijkheden?' vroeg sir James.

Endean knikte langzaam.

'Ik geloof, dat er genoeg mogelijkheden zijn om de bevolking, mits deze goed geleid wordt en hard werkt, een redelijk welvarend bestaan te bieden. De bevolking is klein, met geringe behoeften, en ze zouden wat voedsel en kleding betreft – de grondslag van een goede landelijke economie – zichzelf kunnen bedruipen, plus een kleine hoeveelheid harde valuta voor de noodzakelijke extra-uitgaven. Het zou kunnen, maar in elk geval hebben ze zo weinig nodig, dat de instellingen voor hulp en liefdadigheid alles wat noodzakelijk is zouden kunnen verschaffen, ware het niet dat hun medewerkers altijd lastig gevallen, hun uitrusting vernield en hun giften gestolen en verkocht worden om de regering te verrijken.'

'Je zegt dat de Vindoe niet hard werken. Hoe zit het met de Caja?'

'Die ook niet,' zei Endean. 'Ze zitten maar zo'n beetje de hele dag te zitten of verdwijnen het oerwoud in als iemand er wat onheilspellend uitziet. Hun vruchtbare vlakte heeft altijd genoeg opgeleverd om ervan te kunnen leven, dus zijn ze tevreden zoals het nu is.'

'Wie heeft er in de koloniale tijd dan op de plantages gewerkt?'

'O, de koloniale regering heeft ongeveer 20 000 zwarte arbeiders ergens anders vandaan gehaald. Die hebben zich gevestigd en wonen er nog. Met hun gezinnen zijn het er ongeveer 50 000, maar ze hebben van de koloniale regering nooit burgerrechten gekregen, dus hebben ze bij de verkiezing na de onafhankelijkheid nooit gestemd. Als er al gewerkt wordt, doen zij het nog steeds.'

'Waar wonen ze?' vroeg Manson.

'Zo'n 15 000 wonen er nog in hun hutten op de plantages, ook al is er geen werk van betekenis meer nu alle machines kapot zijn. De overigen zijn naar Clarence afgezakt en scharrelen zo goed en zo kwaad als het gaat hun kostje bij elkaar. Ze wonen in een stelletje krottenwijken, die aan de achterkant van de hoofdstad langs de weg naar het vliegveld verspreid liggen.'

Vijf minuten lang staarde sir James Manson naar de kaart voor hem en dacht diep na over een berg, een gekke president, een kliek van in Moskou opgeleide adviseurs en een Russische ambassade. Tenslotte zuchtte hij.

'Wat een rotzooitje daar.'

'Dat is nog zacht uitgedrukt,' zei Endean. 'Ze houden nog altijd rituele openbare terechtstellingen voor de verzamelde bevolking op het marktplein. Ze hakken iemand met een hakmes in stukken. Het is een leuk volkje.'

'En wie heeft dit aardse paradijs nu eigenlijk precies geschapen?'

Als antwoord haalde Endean een foto te voorschijn en legde hem op de kaart.

Sir James Manson keek naar een Afrikaan van middelbare leeftijd met een hoge zijden hoed op, een geklede jas en een wijde broek aan. Het was blijkbaar de dag van de installatie, want er stonden een aantal koloniale hoge regeringsambtenaren op de achtergrond bij het bordes van een groot herenhuis. Het gezicht onder de glimmende zwarte zijden was niet rond, maar lang en mager, met diepe groeven aan weerskanten van de neus, de beide mondhoeken naar beneden gebogen, alsof ze iets scherp afkeurden. Maar de ogen vielen vooral op, ze hadden een glazige starheid zoals men in de blik van fanatici aantreft.

'Dat is 'm,' zei Endean. 'Knettergek en zo vals als een ratelslang. West-Afrika's eigen Papa Doc. Hij heeft visioenen, staat in verbinding met geesten, is de bevrijder van het blanke juk, de verlosser van zijn volk, oplichter, rover, hoofd van politie en folteraar van verdachten, afperser van bekentenissen, hoorder van stemmen van de Almachtige, ziener van visioenen, Hoge Lord van Alles en Nog Wat, Zijne Excellentie President Jean Kimba.'

Sir James Manson staarde nog een tijdlang naar het gezicht van de man, die zonder dat hij het zelf wist, de eigenaar van een hoeveelheid platina ter waarde van tien miljard dollar was.

Ik vraag me af, dacht hij bij zichzelf, of de wereld zijn verscheiden eigenlijk wel zou opmerken. Hij zei niets, maar nadat hij naar Endean geluisterd had, was hij vastbesloten voor die gebeurtenis te zorgen.

Zes jaar geleden hadden de koloniale machthebbers, die over de enclave heersten die nu Zangaro heette en zich steeds meer bewust werden van de wereld-opinie, besloten onafhankelijkheid te verlenen. Er werden overhaast voorbereidingen getroffen onder een bevolking, die hoegenaamd geen ervaring in zelfbestuur had, en de data van de algemene verkiezingen en de onafhankelijkheid werden voor het jaar daarop vastgesteld.

In de verwarring ontstonden er vijf politieke partijen. Twee waren zuiver stammengroeperingen, waarvan de ene voorgaf de belangen van de Vindoe en de andere die van de Caja te behartigen. De overige drie partijen maakten hun eigen politieke programma's op en hoopten op bijval ondanks de stammenscheiding van het volk. Een van deze partijen was de conservatieve groep, aangevoerd door iemand die een koloniaal ambt bekleedde en hoog bij hen aangeschreven stond. Hij beloofde plechtig, dat hij de nauwe banden met het moederland zou onderhouden, dat afgezien van al het andere, garant stond voor het papiergeld van de staat en de uitvoerprodukten kocht. De tweede was de partij van het midden, klein en zwak, met een intellectueel aan het hoofd, een professor die in Europa gestudeerd had. De derde partij was radicaal met een man aan het hoofd, die al vele malen om veiligheidsredenen in de gevangenis had gezeten. Dit was Jean Kimba.

Reeds lang voor de verkiezingen hadden twee van zijn medewerkers, mannen die in hun studententijd in Europa waren benaderd door de Russen – die hun aanwezigheid bij antikoloniale straatdemonstraties hadden opgemerkt – en die beurzen hadden aangenomen om hun opleiding aan de Patrice Lumumba-universiteit bij Moskou te voltooien, in het geheim Zangaro verlaten en waren naar Europa gevlucht. Daar ontmoetten ze afgezanten van Moskou en als resultaat van hun gesprekken ontvingen ze een geldbedrag en waardevolle adviezen van zeer praktische aard.

Met behulp van dat geld, rekruteerden Kimba en zijn vrienden onder de Vindoe ploegen politieke bandieten en lieten de kleine minderheid van de Caja volkomen links liggen. In het politieloze binnenland gingen de politieke ploegen aan de slag. Een aantal vertegenwoordigers van de concurrerende partijen kwamen akelig aan hun eind en de ploegen bezochten alle stamhoofden van de Vindoe.

Na een aantal gevallen van openbare verbranding en uitgestoken ogen, hadden de stamhoofden de boodschap begrepen. Toen de verkiezingen kwamen, uitgaande van de eenvoudige en doeltreffende logica, dat je doet wat de man met de macht om harde vergeldingsmaatregelen te nemen je zegt, en de zwakken en machtelozen in hun sop te laten gaarkoken, gaven de stamhoofden hun volk opdracht voor Kimba te stemmen. Hij kreeg de Vindoe met een overweldigende meerderheid achter zich en het totaal van de op hem uitgebrachte stemmen versloeg de gezamenlijke oppositie plus de Caja-stemmers. Hiertoe droeg bij het feit, dat het aantal Vindoe bijna verdubbeld was door alle dorpshoofden over te halen het aantal mensen dat volgens hen in hun dorp woonde, te vergroten. De gebrekkige volkstelling die door de koloniale ambtenaren was gehouden, was gebaseerd op beëdigde verklaringen van ieder dorpshoofd met betrekking tot het inwonertal van zijn dorp.

De koloniale regering had de zaak totaal verknoeid. In plaats van de aftocht te blazen en ervoor te zorgen, dat de koloniaal-gezinde partij de eerste, doorslaggevende verkiezing won en vervolgens een wederzijds verdedigingsverdrag tekende, zodat een compagnie blanke paratroepen de pro-westerse president voorgoed in het zadel kon houden, hadden de kolonialen hun grootste vijand laten winnen. Een maand na de verkiezingen werd Jean Kimba als de eerste president van Zangaro geïnstalleerd.

De rest verliep volgens de traditie. De vier andere partijen werden als 'verdeling zaaiende invloeden' verboden en later werden de vier partijleiders op gefingeerde beschuldigingen gearresteerd. Ze stierven in de gevangenis onder folteringen, nadat de partijgelden aan de bevrijder, Kimba, waren overgemaakt. De koloniale leger- en politieofficieren werden ontslagen, zodra er een soort uitsluitend uit Vindoe bestaand legertje op de been was gebracht. De Caja-soldaten, die onder de koloniale regering het overgrote deel van de politietroepen hadden gevormd, werden tegelijkertijd ontslagen en er kwamen vrachtwagens om ze naar huis te brengen. Nadat ze de hoofdstad uit waren, reden de zes vrachtwagens naar een stille plek aan de Zangarorivier en hier openden de machinegeweren het vuur. Dat was het eind van de geoefende Caja.

In de hoofdstad mochten de politie en de douanebeambten, hoofdzakelijk Caja, blijven, maar hun vuurwapens werden geledigd en al hun munitie afgenomen. De macht kwam in handen van de Vindoe en het schrikbewind begon. Er waren achttien maanden nodig geweest om dit te bereiken. Men begon met de inbeslagname van de plantages, de bezittingen en de handelsondernemingen van de kolonisten en de economie liep gestadig terug. Er waren geen geschoolde Vindoe, die de weinige ondernemingen in de republiek, al was het maar met middelmatige bekwaamheid, konden leiden en de plantages werden toch alleen aan Kimba's partijgenoten gegeven. Toen de kolonisten vertrokken, kwamen er enkele technici van de Verenigde Naties om voor de meest noodzakelijke voorzieningen te zorgen, maar ze waren getuige van zulke wantoestanden, dat ze vroeg of laat naar hun eigen regering schreven met het dringende verzoek om overplaatsing.

Na een paar korte, harde staaltjes van terreur, waren de bedeesde Caja tot volslagen onderwerping gebracht en zelfs in het land van de Vindoe over de rivier werden een aantal wrede voorbeelden gesteld van hoofden, die iets mompelden over de beloften van voor de verkiezingen. Daarna haalden de Vindoe slechts de schouders op en gingen naar hun oerwoud terug. Wat er in de hoofdstad gebeurde had ze sinds mensenheugenis toch nooit geraakt, daarom konden ze rustig de schouders ophalen. Kimba met zijn groep aanhangers, gesteund door het Vindoe-leger en de onevenwichtige en zeer gevaarlijke tieners, die de jeugdbeweging van de partij uitmaakten, gingen voort vanuit Clarence uitsluitend uit eigenbelang te regeren.

Sommige methoden om zich te verrijken waren gruwelijk. In Endeans rapport werd een voorbeeld aangehaald van een geval waarin Kimba, uit ergernis omdat zijn aandeel van een transactie uitbleef, de betreffende Europese zakenman arresteerde en gevangen zette en een afgezant naar diens vrouw zond met de boodschap, dat ze de tenen, vingers en oren van haar man per post thuisgestuurd zou krijgen, tenzij er een losgeld werd betaald. Een brief van haar gevangen echtgenoot bevestigde dit en de vrouw bracht het benodigde half miljoen dollar van zijn zakencompagnons bij elkaar en betaalde. De man werd vrijgelaten, maar zijn regering, doodsbenauwd voor de mening van zwart Afrika bij de Verenigde Naties, verzocht hem nadrukkelijk erover te zwijgen. De pers heeft er nooit iets over vernomen. Een andere keer werden twee onderdanen van de koloniale regering gearresteerd en in de vroegere koloniale politiekazerne, daarna tot legerkazerne verbouwd, in elkaar geslagen. Ze werden vrijgelaten nadat er een flinke omkoopsom aan de minister van Justitie betaald was, waarvan vanzelfsprekend een deel naar Kimba ging. Hun overtreding was dat ze hadden verzuimd te buigen toen Kimba's auto langsreed.

In de afgelopen vijf jaar sinds de onafhankelijkheid waren alle denkbare tegenstanders van Kimba vernietigd of verbannen en de laatsten hadden geluk gehad. Als gevolg hiervan waren er geen artsen, ingenieurs of ander kader meer in de republiek. Die waren er altijd al weinig geweest en Kimba wantrouwde alle intellectuelen als mogelijke tegenstanders.

Hij had in die jaren een ziekelijke angst gekregen te worden vermoord en ging nooit het land uit. Hij verliet maar zelden het paleis en als hij het deed was het onder zware geleide. Alle mogelijke soorten en typen vuurwapens waren ingezameld en in beslag genomen, jachtgeweren en ganzeroeren inbegrepen, zodat het eiwitgebrek nog groter werd. De invoer van patronen en kruit werd stopgezet, zodat de Vindoe-jagers uit het binnenland, die naar de kust kwamen om het kruit te kopen dat ze nodig hadden om op wild te jagen, tenslotte met lege handen naar huis werden gestuurd en hun overbodige jachtgeweren maar in hun hutten hingen. Zelfs het dragen van hakbijlen was binnen de stadsgrenzen verboden. Op het dragen van al deze wapens stond de doodstraf.

Toen hij eindelijk het omvangrijke rapport verwerkt, de foto's van de hoofdstad, het paleis en Kimba bestudeerd en zich in de kaarten verdiept had, liet sir James opnieuw Simon Endean bij zich komen. Deze begon nu erg nieuwsgierig te worden naar de belangstelling van zijn baas voor deze duistere republiek en had Martin Thorpe in hun naast elkaar liggende kantoren op de negende verdieping gevraagd waar het om ging. Thorpe had alleen maar gegrinnikt en met een stijve wijsvinger tegen zijn neus getikt.

Thorpe wist het ook niet helemaal zeker, maar hij meende het te weten. De twee mannen waren wel zo verstandig om geen vragen te stellen, als hun werkgever een idee in zijn hoofd had en inlichtingen wenste.

Toen Endean zich de volgende ochtend bij Manson meldde, stond deze op zijn geliefkoosde plaats bij het spiegelglazen raam van zijn dakverdieping naar beneden op straat te kijken, waar dwergen zich naar hun werk repten.

'Er zijn twee zaken waar ik meer over moet weten, Simon,' zei sir James Manson zonder inleiding en liep naar zijn bureau, waar het rapport van Endean lag.

'Je vermeldt hier een ruzie in de hoofdstad, zo'n zes of zeven weken geleden. Ik heb ook nog een ander verslag over dezelfde rel gehoord van iemand die er geweest was. Hij had het over een gerucht van een moordaanslag op Kimba. Hoe zat dat allemaal?'

Endean was opgelucht. Hij had hetzelfde verhaal uit zijn eigen bronnen vernomen, maar het te onbelangrijk geacht om in het rapport op te nemen.

'Steeds als de president akelig gedroomd heeft, zijn er arrestaties en geruchten over een aanslag op hem,' zei Endean. 'Normaal betekent dat alleen dat hij een excuus nodig heeft om iemand te arresteren en terecht te stellen. In dit geval, eind januari, ging het om de commandant van het leger, kolonel Bobi. Ik heb in vertrouwen vernomen, dat de ruzie tussen de beide mannen er in feite op neerkwam, dat Kimba een te klein aandeel kreeg in de winst van een zaakje dat Bobi gedaan had. Er was een zending verdovende middelen en medicijnen voor het VN-ziekenhuis aangekomen. Het leger nam het op de kade in beslag en heeft de helft ervan gestolen. Bobi was ervoor verantwoordelijk en het gestolen deel van de zending werd elders op de zwarte markt verkocht. De opbrengst van de verkoop had aan Kimba overgedragen moeten worden. In ieder geval heeft het hoofd van het VN-ziekenhuis, toen hij bij Kimba kwam om te protesteren en zijn ontslag in te dienen, de werkelijke waarde van het vermiste spul genoemd en dat was veel meer, dan Bobi tegen Kimba had gezegd.

De president werd woedend en stuurde er een paar van zijn eigen bewakers op uit om hem te zoeken. Die hebben op zoek naar hem de hele stad overhoop gehaald en iedereen gearresteerd die in de weg liep of die ze niet beviel.'

'Hoe is het met Bobi afgelopen?' vroeg Manson.

'Die is gevlucht. Hij is in een jeep ontkomen en er vandoor gegaan naar de grens. Hij is over de grens gekomen door zijn jeep achter te laten en door het oerwoud om de controlepost heen te lopen.'

'Van welke stam is hij?'

'Het is eigenaardig, maar hij is een halfbloed. Half Vindoe en half Caja, waarschijnlijk als gevolg van een Vindoe-overval op een Caja-dorp veertig jaar geleden.'

'Was hij iemand uit Kimba's nieuwe leger of uit het oude, koloniale leger?' vroeg Manson.

'Hij was korporaal bij de koloniale politietroepen, dus vermoedelijk heeft hij wel iets van een training gehad. Toen is hij vóor de onafhankelijkheid wegens dronkenschap en ongehoorzaamheid, gedegradeerd. Toen Kimba aan de macht kwam, heeft hij hem in de begintijd teruggenomen, omdat hij tenminste éen man nodig had die het ene eind van een geweer van het andere kon onderscheiden. In de koloniale tijd heeft Bobi zich voor een Caja uitgegeven, maar zodra Kimba aan de macht kwam, zwoer hij dat hij een echte Vindoe was.'

'Waarom heeft Kimba hem aangehouden? Was hij een van zijn oorspronkelijke aanhangers?'

'Vanaf het moment dat Bobi zag uit welke hoek de wind woei, is hij naar Kimba gegaan om hem trouw te zweren, waarin hij handiger was dan de koloniale gouverneur, die niet kon geloven dat Kimba de verkiezingen gewonnen had voor de cijfers het uitwezen. Kimba hield Bobi aan en bevorderde hem zelfs tot commandant van het leger, omdat het een betere indruk maakte, dat een half-Caja de vergeldingsmaatregelen tegen de Caja-tegenstanders van Kimba uitvoerde.'

'Wat is het voor iemand?' vroeg Manson peinzend.

'Een enorme schurk,' zei Endean. 'Een menselijke gorilla, met niet veel hersens, maar van een zekere dierlijke sluwheid. De ruzie tussen de twee mannen was alleen maar een kwestie van dieven die elkaar niet vertrouwen.'

'Maar is hij westers opgeleid? Geen communist?' hield Manson aan.

'Nee meneer. Geen communist. Het heeft niets met politiek te maken.'

'Omkoopbaar? Zal hij voor geld meedoen?'

'Vast. Hij zal nu wel heel bescheiden leven. Hij kan niet veel buiten Zangaro in veiligheid hebben gebracht. Alleen de president kon dik geld verdienen.'

'Waar is hij nu?' vroeg Manson.

'Ik weet het niet, meneer. Hij woont ergens als vluchteling.'

'Goed,' zei Manson. 'Ga hem zoeken, waar hij ook zit.'

Endean knikte. 'Moet ik naar hem toe gaan?'

'Nog niet,' zei Manson. 'Dan was er nog een kwestie. Het rapport is uitstekend, zeer uitgebreid, op één detail na, de militaire kant. Ik wil een volledige specificatie hebben van de militaire veiligheidstoestand in en om het presidentiële paleis en de hoofdstad. Hoeveel troepen, politie, mogelijke speciale presidentiële lijfwachten, waar ze ingekwartierd zijn, of ze goed zijn, peil van opleiding en ervaring, de gevechtskracht die ze aan de dag leggen als ze worden aangevallen, welke wapens ze dragen, kunnen ze ermee omgaan, wat voor reserves zijn er, waar ligt het arsenaal, of ze bewakers over de hele linie hebben gepost, of er pantserwagens zijn of artillerie, of de Russen het leger opleiden, of er buiten Clarence parate troepen gelegerd zijn, kortom, alles.'

Endean staarde zijn baas stomverbaasd aan. Het zinnetje 'als ze worden aangevallen' bleef in zijn hoofd hangen. Wat voerde de oude in vredesnaam in zijn schild, vroeg hij zich af, maar zijn gezicht bleef onbeweeglijk.

'Dat zou een persoonlijk bezoek betekenen, sir James.'

'Ja, dat geef ik toe. Heb je een paspoort op een andere naam?'

'Nee meneer. Ik zou trouwens toch die inlichtingen niet kunnen verschaffen. Daarvoor is een goed oordeel over militaire aangelegenheden vereist en bovendien kennis van Afrikaanse troepen. Ik was te laat voor de militaire dienst. Ik weet niets van legers of wapens af.'

Manson stond weer aan het raam en keek uit over de City.

'Dat weet ik,' zei hij zacht. 'Het zou een soldaat moeten zijn die dat verslag uit moet brengen.'

'Nou, sir James, het zal niet meevallen om een militair zo ver te krijgen dat hij zo'n opdracht aanvaardt. Niet voor geld. Bovendien zou op het paspoort van een soldaat zijn beroep staan. Waar zou ik een militair moeten vinden die naar Clarence gaat om dergelijke informatie te zoeken?'

'Die zijn er wel,' zei Manson. 'Ze heten huurlingen. Die vechten voor iedereen die ze behoorlijk betaalt. Ik ben bereid dat te doen. Dus ga je een huursoldaat voor me zoeken met initiatief en hersens, de beste van Europa.'

Cat Shannon lag in het hotelletje in Montmarte op zijn bed naar de rook van zijn sigaret te kijken die naar het plafond omhoog kringelde. Hij verveelde zich. In de weken die sinds zijn terugkeer uit Afrika verstreken waren, had hij bijna al zijn opgespaarde geld uitgegeven met door Europa te reizen om te proberen een nieuwe baan te vinden.

In Rome had hij met een orde van katholieke priesters gesproken, die hij kende. Hij wilde voor hen naar Zuid-Soedan gaan, om in het binnenland een landingsbaan aan te leggen, waar ze medicamenten en voedsel konden aanvoeren. Hij wist, dat er drie afzonderlijke groepen huurlingen in Zuid-Soedan opereerden, die de negers hielpen bij hun burgeroorlog tegen het Arabische noorden. In Bahr-el-Gazar hadden twee andere Engelse huurlingen, Ron Gregory en Rip Kirby, de leiding van een kleine operatie van de Dinka-stam, die mijnen legde langs de wegen die het Soedanese leger gebruikte, in een poging hun Engelse Saladin-pantserwagens uit te schakelen. In het zuiden, in de provincie Equatoria, had Rolf Steiner een kamp, dat de plaatselijke bevolking in de kunst van het oorlogvoeren zou opleiden, maar men had maandenlang niets meer van hem vernomen. In het gebied van de Boven-Nijl, in het oosten, was een veel beter georganiseerd kamp, waar vier Israëli's de negerstammen opleidden en ze voorzagen van Sovjet-wapens uit de enorme voorraden, die de Israëli's in 1967 op de Egyptenaren hadden buitgemaakt. De oorlogvoering in de drie provincies van Zuid-Soedan hield daar het grootste deel van het Soedanese leger en luchtmacht bezig, zodat er vijf pelotons Egyptische soldaten om Chartoem gelegerd waren, die daardoor niet beschikbaar waren om de Israëli's aan het Suezkanaal het hoofd te bieden.

Shannon was naar de Israëlische ambassade in Parijs gegaan en had veertig minuten met de militaire attaché gesproken. Deze had beleefd geluisterd, hem beleefd bedankt en hem even beleefd uitgelaten. Het enige wat de officier wilde zeggen was, dat er geen Israëlische adviseurs aan de kant van de opstandelingen in Zuid-Soedan waren en dat hij dus niet kon helpen. Shannon twijfelde er niet aan, dat het gesprek op de band opgenomen en naar Tel-Aviv gezonden was, maar hij twijfelde er wel aan of hij nog iets zou horen. Hij gaf toe, dat de Israëlische voortreffelijke soldaten waren en een goede inlichtingendienst hadden, maar hij vond dat ze niets van het zwarte Afrika af wisten en dat ze op weg waren naar een nederlaag in Uganda en elders waarschijnlijk ook.

Buiten Soedan was er verder weinig aanbod. Het wemelde van geruchten dat de CIA bezig was huurlingen te werven om anticommunistische Meos in Cambodja op te leiden en dat enkele sjeiks aan de Perzische Golf genoeg begonnen te krijgen van hun afhankelijkheid van Britse militaire adviseurs en op zoek waren naar huurlingen, die helemaal van henzelf afhankelijk zouden zijn. Het verhaal deed de ronde dat er baantjes waren voor mannen die bereid waren voor de sjeiks in het binnenland te vechten of die de beveiliging van hun paleis op zich wilden nemen. Shannon geloofde niet veel van al die praatjes. Om te beginnen vertrouwde hij de

CIA voor geen cent en de Arabieren waren al niet veel beter als het erop aankwam een besluit te nemen.

Buiten de Golf, Cambodja en Soedan waren er weinig mogelijkheden en geen echte oorlogen. Hij zag zich eigenlijk voor het vervelende vooruitzicht geplaatst, dat er een periode van vrede aanbrak. Dan was zijn enige kans om als lijfwacht voor een Europese wapenhandelaar te werken en hij had al een aanbod van zo iemand in Parijs gehad, die zich bedreigd voelde en een goede kracht nodig had om hem te beschermen.

Toen de wapenhandelaar hoorde dat Shannon in de stad was, had hij, wetende hoe snel en bekwaam hij was, een afgezant met het voorstel gestuurd. Cat was er niet happig op, al wees hij het niet met zoveel woorden af. De handelaar zat in moeilijkheden door zijn eigen stommiteit; hij had een zending wapens naar de Provisional IRA gestuurd en vervolgens de Engelsen een tip gegeven waar ze aan land zouden komen. Er werden een aantal arrestaties verricht en de Provisionals waren boos. Toen was er iets uitgelekt uit wat in Belfast doorging voor veiligheidsorganen en de Provisionals waren razend. Het hebben van een lijfwacht dient hoofdzakelijk om de tegenstanders af te schrikken tot de boze buien bekoeld zijn en de kwestie vergeten is. Als hij zich door Shannon gewapende dekking liet verlenen, maakten de meeste opstandelingen wel dat ze nog levend thuiskwamen, maar de Provos waren doldriest en waren waarschijnlijk niet genoeg op de hoogte om uit de buurt te blijven, zodat er een vuurgevecht zou ontstaan, en de Franse politie was er helemaal niet op gebrand dat hun straten met bloedende Fenians bezaaid lagen. En omdat hij een protestant uit Ulster was zouden ze bovendien nooit geloven dat Shannon alleen maar zijn werk gedaan had. Maar het aanbod was nog steeds van kracht.

De maand maart was begonnen en was tien dagen oud, maar het bleef guur en vochtig weer met iedere dag regen, en Parijs was een ongastvrij oord. Buitenshuis zijn betekende mooi weer in Parijs en binnenshuis kostte het een hoop geld. Shannon was zo zuinig mogelijk met de dollars die hij nog over had. Daarom liet hij zijn telefoonnummer achter bij een stuk of tien mensen van wie hij dacht, dat ze iets konden horen dat interessant voor hem was en las in zijn hotelkamer een stapeltje romans.

Hij lag naar het plafond te staren en dacht aan thuis. Niet dat hij nog een echt thuis had, maar bij gebrek aan beter bleef hij aan de woeste turfstreek met de onvolgroeide bomen, die zich langs de grens van Tyrone en Donegal uitstrekte, denken als de plek waar hij vandaan kwam.

Hij was geboren en getogen bij het dorpje Castlederg, dat in het graafschap Tyrone, maar op de grens met Donegal ligt. Het huis van zijn ouders lag anderhalve kilometer van het dorpje, op een heuvel met naar het westen uitzicht op Donegal.

Ze noemden Donegal het graafschap dat God vergeten had af te maken, en de weinige bomen stonden scheef naar het oosten gericht, gekromd door het onafgebroken zwiepen van de winden uit de noordelijke Atlantische Oceaan.

Zijn vader was eigenaar van een vlasfabriek die fijn Iers linnen produceerde, en was op een bescheiden manier de landheer van de streek. Hij was protestant en bijna alle arbeiders en boeren uit de omtrek waren katholiek, en in Ulster waren die twee onverenigbaar. Daarom had de jonge Carlo nooit andere jongens gehad om mee te spelen. In plaats daarvan zocht hij zijn vriendjes onder de paarden en dit was een land van paarden. Hij kon al paardrijden voor hij op een fiets kon klimmen en had een eigen pony toen hij vijf was. Hij kon zich nog herinneren dat hij met zijn pony naar het dorp reed om in het snoepwinkeltje van de oude meneer Sam Gailey een halve stuiver vanillesuiker te kopen.

Op zijn achtste jaar werd hij op aandringen van zijn moeder, die een Engelse was en van welgestelde familie, naar kostschool in Engeland gestuurd. Daar hadden ze in de daaropvolgende tien jaar een Engelsman van hem gemaakt en was hij in alle opzichten, zowel wat zijn manier van spreken als van doen betrof, het stempel van Ulster kwijtgeraakt. In de vakanties was hij naar huis, naar de moerassen en de paarden gegaan, maar hij kende bij Castlederg geen leeftijdgenoten en zo waren de vakanties gezond maar eenzaam geweest; ze bestonden uit lang en snel in de wind galopperen.

Hij was tweeëntwintig jaar en sergeant bij de koninklijke mariniers, toen zijn ouders bij een auto-ongeluk op de weg naar Belfast waren omgekomen. Hij kwam thuis voor de begrafenis, keurig met zijn zwarte koppel en enkelstukken en de groene baret van de commando's op. Daarna had hij een aanbod op de vervallen, bijna geruïneerde fabriek geaccepteerd, had het huis afgesloten en was naar Portsmouth teruggekeerd.

Dat was elf jaar geleden. Hij diende de rest van zijn vijfjarig contract bij de mariniers uit en was na zijn terugkeer in het burgerleven van het ene baantje naar het andere gezworven, tot hij door een Londense handelsfirma met wijdverbreide Afrikaanse belangen als kantoorbediende werd aangenomen. Tijdens zijn proefjaar in Londen had hij de ingewikkelde structuur van de firma leren kennen, het handeldrijven en bij de banken onderbrengen van winsten, het oprichten van 'holding'-maatschappijen, en de waarde van een geheime Zwitserse bankrekening. Na een jaar in Londen werd hij tot onderdirecteur van het filiaal in Uganda benoemd. Vandaar was hij zonder een woord te zeggen weggelopen en naar Kongo gereden. Zo leefde hij de laatste zes jaar als huurling, dikwijls buiten de wet, in het gunstigste geval beschouwd als huursoldaat, in het ongunstigste als betaalde moordenaar. De moeilijkheid was, dat als hij eenmaal te boek stond als huurling, er geen weg terug was. Niet dat hij geen baantje bij een handelszaak kon krijgen; dat was desnoods nog wel mogelijk, al was het maar onder een andere naam. En ook zonder al die moeite te doen kon hij zich altijd nog als vrachtwagenchauffeur verhuren, of als bewaker of als arbeider, als de nood aan de man kwam. De eigenlijke moeilijkheid was om het vol te houden; op een kantoor te zitten als ondergeschikte van een onbeduidend mannetje in een donkergrijs pak, en uit het raam te kijken, en terug te denken aan het oerwoud, de wuivende palmen, de stank van zweet en cordiet, het gegrom van mannen die de jeeps over de oversteekplaats in de rivier sleepten, de angst vlak voor de aanval die naar koper smaakte, en de woeste vreugde daarna van nog te leven. Die herinneringen, en dan weer terug te keren naar de grootboeken en de forensentrein, dat was onmogelijk. Hij wist dat hij zou wegkwijnen als het ooit zo ver met hem kwam. Want Afrika bijt net als een tseetseevlieg en als het verdovende middel eenmaal in het bloed zit, kan het er nooit meer helemaal uit verdreven worden.

Zo lag hij op zijn bed nog wat te roken en vroeg zich af waar het volgende baantje vandaan zou komen.

# 5

Simon Endean begreep, dat er in Londen ergens een systeem moest bestaan om vrijwel alle informatie die de mens bekend is te ontdekken, waaronder ook de naam en het adres van een eersteklas huurling. Het enige probleem is soms, te weten waar men moet gaan zoeken en wie men het moet vragen.

Nadat hij hier onder het koffiedrinken een uurtje op zijn kantoor over had nagedacht, ging hij weg en nam een taxi naar Fleet Street. Via een vriend die op het City-bureau van een van Londens grootste dagbladen zat, kreeg hij toegang tot de knipselbibliotheek van de krant en gaf hij de archivaris zijn verzoek op voor de mappen, die hij wilde bestuderen. De volgende twee uur verdiepte hij zich op het krantearchief in het dossier, dat alle kranteknipsels uit Engeland van de laatste tien jaar over huurlingen bevatte. Er zaten artikelen in over Katanga, Kongo, Jemen, Vietnam, Cambodja, Laos, Soedan, Nigeria en Rwanda; nieuwsberichten, commentaren, hoofdartikelen, speciale artikelen en foto's. Hij las ze allemaal en besteedde vooral aandacht aan de namen van de schrijvers.

In dit stadium was hij niet op zoek naar de naam van een huurling. Er waren trouwens toch te veel namen, pseudoniemen, *noms de guerre* en bijnamen en hij twijfelde er niet aan dat er valse namen bij waren. Hij was op zoek naar de naam van een deskundige op het gebied van huurlingen, een schrijver of verslaggever, wiens artikelen gezaghebbend genoeg leken om eruit op te maken, dat de journalist goed van zijn onderwerp op de hoogte was, dat hij zijn weg kon vinden in de verbijsterende doolhof van hen die om het hardst hun heldendaden verkondigden en die daarover een evenwichtig oordeel kon geven. Toen de twee uur om waren had hij de naam te pakken die hij zocht, hoewel hij nog nooit van de man gehoord had.

Er waren drie artikelen bij over de laatste drie jaar met dezelfde schrijversnaam eronder, kennelijk van een Engelsman of Amerikaan. De schrijver scheen te weten waar hij het over had en hij noemde huurlingen van een stuk of zes verschillende nationaliteiten, zonder ze overdreven op te hemelen of hun loopbaan zo sensationeel te brengen dat het iemand een rilling over de rug deed lopen. Endean noteerde de naam en de drie kranten waarin de artikelen verschenen waren, wat erop scheen te wijzen dat het een freelance schrijver was.

Een tweede telefoontje naar zijn vriend bij de krant leverde uiteindelijk het adres van de schrijver op. Het was een kleine flat in Londen-noord.

De duisternis was reeds ingevallen, toen Endean ManCon House verliet, zijn Corvette uit de ondergrondse garage haalde en naar het noorden reed om de flat van de journalist op te zoeken. Er brandde geen licht toen hij aankwam en op zijn bellen werd niet opengedaan. Endean hoopte, dat de man niet in het buitenland zat, wat door de vrouw in de souterrainflat bevestigd werd. Hij was blij dat het geen groot of luxueus huis was en hoopte, dat de verslaggever om wat extra geld verlegen zat, zoals met freelance werkers meestal het geval is. Hij besloot de volgende dag terug te komen.

Simon Endean drukte de volgende ochtend over achten op de bel naast de naam van de schrijver en een halve minuut later kraste een stem 'ja' tegen hem, uit een metalen roostertje in het houtwerk.

'Goedemorgen,' zei Endean in het rooster, 'mijn naam is Harris. Walter Harris. Ik ben zakenman. Zou ik u even kunnen spreken?'

De deur ging open en hij klom naar de vierde verdieping, waar een deur op het portaal openstond. Daarin stond de man voor wie hij gekomen was. Toen ze in de zitkamer zaten, viel Endean meteen met de deur in huis.

'Ik ben zakenman in de City,' loog hij vlot. 'Ik vertegenwoordig hier in zekere zin een consortium vrienden, die allemaal één ding gemeen hebben: we hebben allemaal zakelijke belangen in een staat in West-Afrika.'

De schrijver knikte afwachtend en nam een slokje koffie.

'Er komen de laatste tijd steeds meer berichten over de mogelijkheid van een staatsgreep. De president is voor de toestand daar een gematigd en redelijk bekwaam man, en erg gezien bij zijn volk. Een zakenrelatie van mij heeft van een van zijn medewerkers gehoord, dat de staatsgreep, áls deze mocht komen, wel eens door de communisten gesteund zou kunnen worden. Kunt u me volgen?'

'Ja. Ga door.'

'Welnu, men is van mening dat slechts een klein deel van het leger een staatsgreep zou steunen, tenzij het zo snel ging dat ze in verwarring raakten en zonder leider achterbleven. Met andere woorden, zou het een *fait accompli* zijn, dan zou de meerderheid van het leger waarschijnlijk in elk geval wel meegaan, als ze eenmaal begrepen hadden dat de staatsgreep gelukt was. Maar indien er een staatsgreep kwam die maar half slaagde, zou de grote meerderheid de president steunen, daar zijn we allemaal van overtuigd. Zoals u misschien weet leert de ervaring, dat de twintig uur direct na de klap doorslaggevend zijn.'

'Wat heeft dat met mij te maken?' vroeg de schrijver.

'Daar kom ik nu op,' zei Endean. 'Men is algemeen van oordeel dat het nodig is, wil de staatsgreep lukken, dat de samenzweerders eerst de president vermoorden. Als hij in leven bleef, zou de staatsgreep mislukken of wellicht niet eens geprobeerd worden, en dan was er niets aan de hand. Daarom is de kwestie van de paleisbewaking van het grootste belang. Wij hebben contact gehad met relaties bij het ministerie van Buitenlandse Zaken en deze zijn van mening, dat zij onmogelijk een Britse beroepsofficier kunnen detacheren voor het geven van advies over de veiligheid in en om het paleis.'

'O ja?' De schrijver nam nog een slok koffie en stak een sigaret op. Hij vond zijn bezoeker wel wat al te glad.

'Daarom zou de president bereid zijn de diensten van een beroepsmilitair te accepteren, om op contractbasis te adviseren over alle veiligheidsmaatregelen ten aanzien van de persoon van de president. Wat hij zoekt is iemand, die daar naar toe kan gaan om een volledige en grondige inspectie van het paleis en alle veiligheidsvoorzieningen uit te voeren en eventuele gaten te dichten in de bestaande veiligheidsmaatregelen die de president beschermen. Ik geloof dat zulke mensen, goede soldaten, die niet noodzakelijk onder de vlag van hun eigen land vechten, huurlingen worden genoemd.'

De freelance schrijver knikte een paar maal. Hij twijfelde er niet aan, dat het verhaal van de man die zich Harris noemde, ver bezijden de waarheid was. Als hij bijvoorbeeld werkelijk op zoek was naar paleisbeveiliging, zou de Britse regering niet tegen het beschikbaar stellen van een deskundige zijn om verbeteringen te adviseren. Bovendien was er een buitengewoon vakkundige firma in Sloane Street 22 in Londen, Watchguard International, die zich hier bij uitstek op toelegde.

In enkele zinnen wees hij Harris hierop, maar deze was niet in het minst uit het veld geslagen.

'Ach,' zei hij, 'ik moet blijkbaar wat openhartiger zijn.'

'Dat zou wel schelen,' zei de schrijver.

'Het gaat namelijk hierom, dat deze regering misschien wel bereid is een deskundige te sturen om alleen te adviseren, maar mocht het advies zo uitvallen dat de paleisbeveiligingstroepen een uitgebreide verdere opleiding nodig hebben en wel door middel van een spoedcursus, dan zou een door de regering gezonden Engelsman dat politiek gesproken niet kunnen doen. En mocht de president deze man een betrekking op lange termijn bij zijn staf willen aanbieden, dan geldt hetzelfde. Wat betreft Watchguard, het zou prachtig zijn om een van hun ex-luchtmachtmensen te sturen, maar als hij in de staf van de paleiswacht zit en er zou ondanks zijn aanwezigheid toch een staatsgreep geprobeerd worden, dan bestaat er kans op een gevecht. En u weet wat de rest van Afrika zou denken van een staffunctionaris van Watchguard, dat door de meeste zwarten beschouwd wordt als een soort verlengstuk van het ministerie van Buitenlandse Zaken, die zoiets doet. Maar van een pure buitenstaander zou het, al is hij dan niet zo respectabel, tenminste begrijpelijk zijn, zonder dat de president ervan beticht kan worden dat hij een werktuig van die smerige imperialisten is.'

'En wat wilt u nu?' vroeg de schrijver.

'De naam van een goede huursoldaat,' zei Endean. 'Iemand met hersens en initiatief, die vakwerk voor zijn geld levert.'

'Waarom komt u bij mij?'

'Iemand van onze groep herinnerde zich uw naam van een artikel dat u een paar maanden geleden geschreven hebt. Dat leek erg gezaghebbend.'

'Ik schrijf voor mijn brood,' zei de freelance schrijver.

Endean haalde voorzichtig £ 200 in biljetten van tien pond uit zijn zak en legde ze op de tafel.

'Schrijf dan voor mij,' zei hij.

'Wat? Een artikel?'

'Nee, een memorandum. Een lijst van namen en staat van dienst. Of u kunt het me zeggen, als u dat wilt.'

'Ik schrijf het wel op,' zei de schrijver. Hij liep naar een hoek, waar zijn bureau, een schrijfmachine en een stapel wit papier de werkruimte in de flat vormde. Hij draaide een vel in de machine en terwijl hij af en toe een stel mappen naast zijn bureau raadpleegde, tikte hij vijftig minuten achter elkaar door. Toen stond hij op, liep met drie vellen kwartopapier naar de wachtende Endean, en overhandigde ze hem.

'Dit zijn de beste die er op het ogenblik zijn, de oudere generatie uit Kongo van zes jaar geleden en de nieuwe energieke jongeren. Ik heb mensen die niet behoorlijk een peloton kunnen aanvoeren, maar weggelaten. Aan enkel krachtpatsers hebt u toch niets.'

Endean nam de velletjes aan en bestudeerde ze aandachtig.

Dit stond erin:

*Kolonel Lamouline.* Belg, vermoedelijk regeringsfunctionaris. Kwam in 1964 in Kongo onder Moise Tsjombe, waarschijnlijk met volledige toestemming van Belgische regering. Eersteklas soldaat, geen eigenlijke huurling in volle betekenis van het woord. Richtte Zesde commando op (Franstalig) en had tot 1965 de leiding, waarna hij het commando overdeed aan Denard en is vertrokken.

*Robert Denard.* Fransman. Afkomstig van politie, niet uit leger. Was in 1961-'62 bij de afscheiding van Katanga, vermoedelijk als adviseur van de politietroepen. Is na mislukte afscheiding en verbanning van Tsjombe vertrokken. Had de leiding van Franse huurlingenoperatie in Jemen voor Jacques Foccart. Is in 1964 naar Kongo teruggekeerd en sloot zich aan bij Lamouline. Had na Lamouline tot 1967 de leiding van het Zesde. Nam in 1967, half met tegenzin, deel aan tweede Stanleyville-opstand (de huurlingenmuiterij). Zware hoofdverwonding door ketsende kogel van eigen kant. Met vliegtuig naar Rhodesia voor medische behandeling. Trachtte in november 1967 terug te keren door organiseren van huurlingeninvasie in Kongo vanuit het zuiden van Dilolo. Operatie uitgesteld, volgens sommigen als gevolg van omkoperij van CIA, was een mislukking toen hij plaatsvond. Woont sindsdien in Parijs.

*Jacques Schramme.* Belg. Van planter huurling geworden, bijgenaamd Zwarte Jack. Vormde begin 1961 een eigen eenheid van Katangezen en heeft grote rol in Katangese afscheidingspoging gespeeld. Een der laatsten die na de nederlaag van de afscheiding naar Angola zijn gevlucht met medeneming van zijn Katangezen. Wachtte in Angola op terugkeer van Tsjombe en marcheerde daarna naar Katanga terug. Tijdens de hele oorlog van 1964-'65 tegen de Simba-rebellen was zijn Tiende commando min of meer onafhankelijk. Is tijdens de eerste opstand van Stanleyville in 1966 (Katangese muiterij) tot eind toe gebleven en heeft zijn gemengde leger van huurlingen en Katangezen intact gehouden. Zette in 1967 de Stanleyville-muiterij op touw, waar Denard later aan meedeed. Nam gezamenlijke leiding op zich nadat Denard gewond was en leidde opmars naar Bukavu. Is in 1968 naar zijn land teruggegaan en heeft sindsdien niet meer als huurling gewerkt.

*Roger Faulques.* Franse beroepsofficier met vele onderscheidingen. Is tijdens de afscheiding waarschijnlijk door de Franse regering naar Katanga gestuurd. Later commandant van Denard, die de Franse operatie in Jemen uitvoerde. Was niet bij de Kongolese huurlingenoperaties betrokken. Ondernam op Frans bevel kleine operatie in Nigeriaanse burgeroorlog. Dapper als een leeuw maar nu door oorlogsverwondingen vrijwel invalide.

*Mike Hoare*. Zuidafrikaan geworden Engelsman. Trad op als huurlingadviseur bij afscheiding van Katanga en werd intieme vriend van Tsjombe. Werd in 1964 opnieuw naar Kongo uitgenodigd toen Tsjombe weer aan de macht kwam en vormde een Engelstalig Vijfde commando. Had gedurende bijna de gehele anti-Simba-oorlog de leiding, heeft zich in 1965 teruggetrokken en de leiding aan Peters overgegeven. In goede doen.

*John Peters*. Was in 1964 samen met Hoare in de eerste huurlingenoorlog. Opgeklommen tot ondercommandant. Kent geen vrees en volstrekt meedogenloos. Verscheidene officieren onder Hoare weigerden onder Peters te dienen en werden overgeplaatst of verlieten het Vijfde commando. Heeft zich eind 1966 vermogend teruggetrokken.

NB. De bovengenoemde zes gaan door voor 'de oudere generatie', voor zover zij de oorspronkelijke mannen waren, die in de oorlogen van Katanga en Kongo een belangrijke rol hebben gespeeld. De volgende vijf zijn van jongere leeftijd – uitgezonderd Roux, die nu vijfenveertig is – en ze kunnen tot de 'jongere' generatie worden gerekend omdat ze de minder belangrijke commando's in de Kongo hadden of zich sinds Kongo onderscheiden hebben.

*Rolf Steiner*. Duitser. Begon eerste huurlingenoperatie onder door Faulques georganiseerde groep, die naar de Nigeriaanse burgeroorlog ging. Is daar gebleven en had negen maanden de leiding over wat er nog van de groep over was. Ontslagen. Heeft voor Zuid-Soedan getekend.

*George Schroeder*. Zuidafrikaan. Heeft onder Hoare en Peters in het Vijfde commando in Kongo gediend. Onderscheidde zich in het Zuidafrikaanse contingent in die eenheid. Hun keuze als leider na Peters. Peters gaf toe en heeft hem het commando overgedragen. Het Vijfde commando werd enkele maanden later ontbonden en naar huis gestuurd. Sindsdien niets meer van gehoord. Woont in Zuid-Afrika.

*Charles Roux*. Fransman. Zeer jong bij Katangese afscheiding. Is al vroeg vertrokken en is via Angola naar Zuid-Afrika gegaan.

Bleef daar en is in 1964 met Zuidafrikanen teruggekeerd om onder Hoare te vechten. Kreeg ruzie met Hoare en voegde zich bij Denard. Bevorderd en overgeplaatst als ondercommandant naar het Veertiende commando, hulpeenheid van het Zesde commando. Nam in 1966 deel aan de Katangese opstand in Stanleyville, waar zijn eenheid bijna vernietigd werd. Is door Peters uit Kongo gesmokkeld. Is met aantal Zuidafrikanen per vliegtuig teruggekeerd en heeft zich in mei 1967 bij Schramme aangesloten. Nam eveneens deel aan de Stanleyville-opstand in 1967. Nadat Denard gewond werd, heeft hij voorgesteld de algehele leiding over het Tiende en Zesde commando, die nu samengevoegd waren, op zich te nemen, maar is daarin niet geslaagd. Raakte gewond bij een schietpartij in Bukavu, nam ontslag en is via Kigali naar huis gegaan. Sindsdien niet in actie. Woont in Parijs.

*Carlo Shannon.* Engelsman. Heeft in 1964 onder Hoare in het Vijfde gediend. Weigerde onder Peters te dienen. Werd in 1966 overgeplaatst naar Denard en kwam bij het Zesde. Diende onder Schramme op mars naar Bukavu. Heeft gedurende de hele belegering gevochten. Was onder de laatsten die in april 1968 zijn gerepatrieerd. Meldde zich als vrijwilliger voor de Nigeriaanse burgeroorlog en diende onder Steiner. Heeft de overgebleven groep van Steiner na diens ontslag in november 1968 overgenomen en tot het eind toe geleid. Verblijft vermoedelijk in Parijs.

*Lucien Brun.* Alias Paul Leroy. Frans, spreekt vloeiend Engels. Heeft als dienstplichtig officier van het Franse leger in Algerijnse oorlog gediend. Normaal dienst beëindigd. Was in 1964 in Zuid-Afrika en meldde zich als vrijwilliger voor Kongo. Kwam in 1964 met Zuidafrikaanse eenheid aan en voegde zich bij Hoare's Vijfde commando. Vocht goed en raakte eind 1964 gewond. Keerde in 1965 terug. Weigerde onder Peters te dienen, werd begin 1966 overgeplaatst naar Denard bij het Zesde. Verliet Kongo in mei 1966 omdat hij de naderende opstand voorvoelde. Diende in de Nigeriaanse burgeroorlog onder Faulques. Gewond en gerepatrieerd. Teruggekeerd en getracht eigen commando te krijgen, zonder succes. In 1968 gerepatrieerd. Woont in Parijs. Zeer intelligent en ook politiek zeer geïnteresseerd.

Toen hij dit gelezen had, keek Endean op.

'Zijn deze mensen allemaal voor zo'n taak beschikbaar?' vroeg hij. De schrijver schudde het hoofd.

'Dat betwijfel ik,' zei hij. 'Ik heb iedereen die zo'n taak kan uitvoeren, opgenomen. Of ze het willen is iets anders. Dat zou afhangen van de omvang van de taak en het aantal mensen over wie zij de leiding krijgen. Voor de ouderen komen er ook prestigeoverwegingen bij. En dan is het de vraag hoe hard ze om werk verlegen zitten. Sommige ouderen hebben zich min of meer teruggetrokken en zitten er warmpjes bij.'

'Wilt u ze voor me aanwijzen,' verzocht Endean.

De schrijver boog naar voren en liet zijn vinger langs de lijst glijden.

'Eerst de oudere generatie. Lamouline krijgt u zeker niet. Die was praktisch altijd een verlengstuk van het Belgisch regeringsbeleid, een keiharde oudgediende die door zijn mannen op handen gedragen wordt. De andere Belg, Zwarte Jacques Schramme, heeft zich teruggetrokken en houdt nu een kippenfarm in Portugal. Van de Fransen is Roger Faulques misschien de ex-officier van het Franse leger met de meeste onderscheidingen. Hij wordt ook door de mannen, in en buiten het Vreemdelingenlegioen, die onder hem gevochten hebben, op handen gedragen en door anderen als een heer beschouwd. Maar hij is ook invalide door verwondingen en het laatste contract dat hij kreeg, was een mislukking, omdat hij het bevel had overgedragen aan een ondergeschikte die faalde. Als de kolonel er zelf was geweest, was dat waarschijnlijk niet gebeurd.

Denard was goed in Kongo, maar raakte in Stanleyville ernstig aan het hoofd gewond. Nu is hij ongeschikt geworden. De Franse huurlingen houden nog steeds contact met hem of er iets te doen valt, maar sinds de nederlaag in Dilolo heeft hij geen commando of te organiseren project meer gekregen, en dat is ook geen wonder.

Van de Engelsen heeft Mike Hoare zich teruggetrokken en zijn schaapjes op het droge. Hij zou misschien nog met een miljoenenproject te verleiden zijn, maar dat is nog niet eens zeker. Zijn laatste tocht was naar Nigeria, waar hij aan beide kanten een project voorstelde, waarvan de kosten een half miljoen pond bedroegen. Ze hebben hem allebei afgewimpeld. John Peters is er ook uitgestapt en heeft een fabriek in Singapore. Ze hebben alle zes in de hoogtijdagen een hoop geld verdiend, maar niemand heeft zich aan de kleinere, meer technische opdrachten waar tegenwoordig misschien meer vraag naar is, aangepast, sommigen omdat ze niet willen of omdat ze het niet kunnen.'

'En de andere vijf?' vroeg Endean.

'Steiner was vroeger wel goed, maar is achteruitgegaan. Hij is in de publiciteit geraakt en dat is altijd slecht voor een huurling.

Dan beginnen ze te geloven, dat ze net zulke mannetjesputters zijn als de zondagsbladen beweren. Roux is verbitterd geworden, toen hij na de verwonding van Denard er niet in geslaagd is in Stanleyville het bevel over te nemen, en matigt zich het leiderschap over alle Franse huurlingen aan, maar hij heeft sinds Bukavu geen werk meer gehad. De laatste twee zijn beter; allebei in de dertig, intelligent, ontwikkeld en met voldoende lef in het gevecht om de leiding over andere huurlingen op zich te nemen. Tussen twee haakjes, huurlingen vechten alleen onder een leider die ze zelf kiezen. Dus het dient nergens toe een slechte huurling te huren om anderen te werven, omdat niemand anders ervoor voelt te dienen onder een vent die er wel eens vandoor is gegaan. Dus de gevechtsreputatie is belangrijk.

Lucien Brun, alias Paul Leroy, zou dit werk wel kunnen doen. De moeilijkheid is, dat je nooit precies weet of hij geen gegevens aan de Franse inlichtingendienst, de SDECE doorgeeft. Is dat een bezwaar?'

'Ja, zeer zeker,' zei Endean kortaf. 'U hebt Schroeder, de Zuidafrikaan, niet genoemd. Wat is dat voor iemand? U zegt dat hij bevel heeft gevoerd over het Vijfde commando in Kongo?'

'Ja,' zei de schrijver. 'Aan het eind, helemaal aan het eind. Het is onder zijn commando ook uit elkaar gegaan. Hij is met zijn beperkingen een eersteklas soldaat. Hij zou bijvoorbeeld uitstekend een bataljon huurlingen leiden, mits het binnen het raam van een brigade met een goed kader is. Hij is een goede vechter, maar conventioneel. Heel weinig fantasie, niet van het slag dat van de grond af zijn eigen operatie kan organiseren. Hij moet stafofficieren hebben om de zaak te begeleiden.'

'En Shannon? Is dat een Engelsman?'

'Anglo-Iers. Die is nieuw; hij heeft zijn eerste commando pas een jaar geleden gekregen, maar hij voldeed goed. Hij kan oorspronkelijk denken en heeft een hoop lef. Hij kan alles ook tot in de puntjes organiseren.'

Endean stond op om weg te gaan.

'Vertelt u mij,' zei hij bij de deur. 'Als u een operatie . . . een man zocht om een opdracht uit te voeren en een situatie te taxeren, wie zou u dan kiezen?'

De schrijver pakte de aantekeningen op de ontbijttafel op.

'Cat Shannon,' zei hij zonder te aarzelen. 'Als ik dat deed of een operatie organiseerde, zou ik de Cat uitkiezen.'

'Waar zit hij?' vroeg Endean.

De schrijver noemde een hotel en een bar in Parijs.

'U kunt ze allebei proberen,' zei hij.

'En als deze Shannon nu eens niet beschikbaar is of om een of andere reden niet aangenomen kan worden, wie zou dan de tweede op de lijst zijn?'

De schrijver dacht even na.

'Als het niet Lucien Brun mag zijn, dan is de andere die vrijwel zeker beschikbaar is en ervaring heeft, Roux,' zei hij.

'Hebt u zijn adres?' vroeg Endean.

De schrijver bladerde een notitieboekje door dat hij uit een bureaula haalde.

'Roux heeft een flat in Parijs,' zei hij en gaf Endean het adres. Enkele tellen later hoorde hij de voetstappen van Endean de trap aflopen. Hij nam de telefoon op en draaide een nummer.

'Carrie? Dag, met mij. We gaan vanavond uit, ergens waar het heel duur is. Ik heb net geld gekregen voor een speciaal artikel.'

Cat Shannon liep langzaam en peinzend door de Rue Blanche naar Place Clichy. De cafeetjes aan beide zijden van de straat waren al open en de portiers in de deuropeningen trachtten hem over te halen binnen te komen om de mooiste meisjes van Parijs te zien. Deze meisjes die, wat men verder ook van ze kon zeggen, allesbehalve mooi waren, gluurden door de vitrages naar de schemerige straat. Het was 's middags bij vijven omstreeks half maart en er woei een kille wind. Het weer paste bij Shannons stemming.

Hij stak het plein over en sloeg een ander zijstraatje in naar zijn hotel, dat weinig andere verdiensten had dan een fraai uitzicht van de bovenste verdiepingen, want het lag boven aan Montmartre. Hij liep aan dokter Dunois te denken, naar wie hij een week tevoren was toe gegaan voor controle. Vroeger paratroeper en legerarts, was Dunois bergbeklimmer geworden en met twee Franse expedities als expeditiearts mee naar de Himalaya en de Andes geweest.

Later had hij zich als vrijwilliger voor een aantal zware medische taken laten uitzenden, in tijdelijk dienstverband voor de duur van de noodtoestand, waar hij voor het Franse Rode Kruis werkte. Daar was hij met de huurlingen in aanraking gekomen en had hij er na de gevechten heel wat opgelapt. Hij was bekend geworden als huurlingendokter, ook in Parijs, en had al heel wat kogelgaten dichtgenaaid en heel wat splinters en mortierhulzen uit hun lichaam gehaald. Als ze een medisch probleem hadden of onderzocht moesten worden, gingen ze meestal naar hem toe in zijn spreekkamer in Parijs. Als ze in goede doen waren en geld genoeg hadden, betaalden ze contant in dollars. Zo niet, dan vergat hij zijn rekening te sturen, wat voor Franse artsen ongewoon is.

Shannon stapte de deur van zijn hotel in en liep naar de balie voor zijn sleutel. De oude man had dienst achter de balie.

'Ah, monsieur, er heeft de hele dag uit Londen iemand voor u opgebeld. Hij heeft een boodschap achtergelaten.'

De oude man overhandigde Shannon een briefje in het gat van de sleutel. Het was in de hanepoten van de oude man gekrabbeld en kennelijk letter voor letter gedicteerd.

Er stond niets anders op dan 'Voorzichtig Harris' en was getekend met de naam van de freelance schrijver, die hij van zijn Afrikaanse oorlogen kende en naar hij wist in Londen woonde.

'Er is nog iemand, m'sieu. Hij zit in de salon te wachten.'

De oude man wees naar het kamertje naast de gang, en door de deuropening kon Shannon een man zien van ongeveer zijn eigen leeftijd, gekleed in het donkergrijs van een Londense zakenman, die naar hem keek terwijl hij bij de balie stond. Het gemak waarmee die bezoeker opstond toen Shannon de salon binnenkwam, had weinig van de Londense zakenman, net zo min als de bouw van zijn schouders. Shannon had zulke mannen vaker gezien. Ze traden altijd op voor oudere, rijkere mannen.

'Meneer Shannon?'

'Ja.'

'Mijn naam is Harris, Walter Harris.'

'U wilt mij spreken?'

'Daarvoor zit ik al enige uren op u te wachten. Kunnen we hier praten of in uw kamer?'

'Het kan hier wel. De oude man verstaat geen Engels.'

De twee mannen namen tegenover elkaar plaats. Harris ging op zijn gemak met de benen over elkaar zitten. Hij haalde een pakje sigaretten te voorschijn en maakte er een uitnodigend gebaar mee naar Shannon. Shannon schudde zijn hoofd en wilde zijn eigen merk uit de zak van zijn jasje halen, maar bedacht zich toen.

'Heb ik goed begrepen dat u een huurling bent, meneer Shannon?'

'Ja.'

'Men heeft u namelijk aanbevolen. Ik vertegenwoordig een groepje Londense zakenlieden. Wij hebben een taak die uitgevoerd moet worden, een soort opdracht. Daarvoor is iemand nodig die enige kennis van militaire aangelegenheden heeft en die in het buitenland kan reizen zonder achterdocht te wekken, en ook iemand die een intelligent verslag kan maken over wat hij daar gezien heeft, die een militaire situatie kan analyseren en die zijn mond dichthoudt.'

'Ik dood niet volgens contract,' zei Shannon kortaf.

'Dat willen wij ook niet,' zei Harris.
'Goed, wat is het voor een opdracht? En hoeveel bedraagt het honorarium?' vroeg Shannon. Het had geen zin om er omheen te draaien. De man tegenover hem zou er wel niet van opkijken als hij de dingen bij de naam noemde. Harris glimlachte kort.
'Ten eerste zou u in Londen moeten komen om instructies te halen. We betalen dan uw reis- en verblijfkosten, ook als u zou besluiten er niet op in te gaan.'
'Waarom in Londen? Waarom niet hier?' vroeg Shannon.
Harris blies een lange rookwolk uit.
'Er komen wat kaarten en andere papieren aan te pas,' zei hij, 'die ik niet mee wou nemen. En dan moet ik met mijn compagnons overleggen en ze meedelen dat u het geaccepteerd hebt of niet, zoals het uitkomt.'
Het was even stil terwijl Harris een pakje Franse honderdfrancbiljetten uit zijn zak haalde.
'Vijftienhonderd franc,' zei hij. 'Ongeveer £ 120. Dat is voor uw vliegticket naar Londen, enkele reis of retour, wat u wilt nemen; en voor uw nacht in het hotel. Als u het voorstel nadat u het gehoord hebt afwijst, krijgt u nog eens £ 100 voor de moeite van het komen. Als u het wel aanneemt, bespreken we het verdere salaris.'
Shannon knikte.
'Goed. Ik zal luisteren . . . in Londen. Wanneer?'
'Morgen,' zei Harris, die opstond om weg te gaan. 'U komt daar in de loop van de dag en logeert in het Post House-hotel op Haverstock Hill. Ik zal vanavond als ik terugkom een kamer voor u reserveren. Overmorgen bel ik u 's morgens om negen uur in uw kamer op en dan maak ik een afspraak voor in de loop van de ochtend. Duidelijk?'
Shannon knikte en nam de francs op.
'Reserveer die kamer maar op naam van Brown, Keith Brown,' zei hij. De man die zich Harris noemde verliet het hotel en liep de heuvel af, uitkijkend naar een taxi.
Hij had geen reden gezien om tegen Shannon te zeggen, dat hij drie uur tevoren die middag met een andere huurling gepraat had, iemand die Charles Roux heette. Hij had ook niet gezegd dat hij, ondanks de duidelijke gretigheid van de Fransman, besloten had dat Roux niet de man was voor het karwei: hij was uit de flat van de man vertrokken met de vage belofte dat hij wel iets zou laten horen.

Vierentwintig uur later stond Shannon voor het raam van zijn slaapkamer in het Post House-hotel en staarde naar de regen en het forensenverkeer, dat uit Camden Town over Haverstock Hill naar Hampstead en de voorsteden suisde.

Hij was die ochtend met het eerste vliegtuig aangekomen, gebruik makend van zijn paspoort op naam van Keith Brown. Hij had al lang geleden een valse pas moeten verwerven via de methode die in de kringen van huurlingen gebruikelijk was. Eind 1967 was hij met Zwarte Jacques Schramme in Bukavu geweest, dat maandenlang door het Kongolese leger werd omringd en bezet gehouden. Eindelijk, wegens gebrek aan munitie, maar niet verslagen, hadden de huurlingen de Kongolese stad aan het meer ontruimd, waren over de brug naar het naburige Rwanda gelopen en hadden zich laten ontwapenen, met Rode Kruis-garanties waaraan het Rode Kruis onmogelijk kon voldoen.

Vanaf die tijd hadden ze bijna zes maanden met niets om handen in een interneringskamp in Kigali gezeten, terwijl het Rode Kruis en de regering van Rwanda over hun repatriëring naar Europa aan het bekvechten waren. President Mobutu van Kongo wilde dat ze naar hem teruggestuurd werden om ze te laten executeren, maar de huurlingen hadden gedreigd dat zij, indien dit besloten werd, met blote handen het leger van Rwanda te lijf gingen om hun wapens terug te pakken en op eigen gelegenheid naar huis te gaan. De regering van Rwanda had terecht gemeend dat zij dit ook zouden doen.

Toen eindelijk het besluit werd genomen om ze naar Europa terug te laten vliegen, had de Britse consul het kamp bezocht en de zes aanwezige Britse huurlingen met een ernstig gezicht verteld dat hij hun paspoorten in beslag zou moeten nemen. Ze hadden hem ernstig verteld dat ze aan de overkant van het meer in Bukavu alles waren kwijtgeraakt. Nadat men ze naar Londen had laten vliegen hadden Shannon en de anderen van het ministerie van Buitenlandse Zaken te horen gekregen, dat ze ieder £ 350 schuldig waren voor de vliegkosten en nooit meer een nieuw paspoort zouden krijgen.

Voor ze het kamp verlieten, waren er foto's en vingerafdrukken van de mannen genomen en had men hun namen genoteerd. Ze moesten ook een document tekenen met de verklaring, dat ze nooit meer een voet in het werelddeel Afrika zouden zetten. Van deze documenten zou aan alle Afrikaanse regeringen een kopie worden gestuurd.

De reactie van de huurlingen was te voorspellen. Ze hadden allemaal een weelderige baard en snor en haar, dat al die maanden in het kamp niet geknipt was, waar ze geen schaar mochten hebben voor het geval ze ermee op het oorlogspad gingen. Daarom waren de foto's onherkenbaar. Toen lieten ze hun vingerafdrukken voor die van een ander doorgaan en verwisselden hun namen. Het resultaat was, dat op alle identiteitsbewijzen de naam van de een, de vingerafdrukken van een ander en de foto van een derde stonden. Tenslotte tekenden ze de verklaring om voorgoed Afrika te zullen verlaten met namen als Sebastian Weetabix en Neddy Seagoon.

Shannons reactie op de eis van Buitenlandse Zaken was ook al niet welwillend. Omdat hij zijn 'verloren' paspoort nog had, behield hij dit en reisde overal waar hij wou tot het verlopen was. Toen nam hij de nodige stappen om een nieuw te krijgen, afgegeven door het paspoortenbureau, maar op grond van een geboortebewijs, dat hij voor het gewone bedrag van vijf shilling bij het geboorteregister in Somerset House had gehaald en dat betrekking had op een baby, die omstreeks de geboortedatum van Shannon in Yarmouth aan kinderverlamming was overleden.*

Bij zijn aankomst in Londen die ochtend had hij zich in verbinding gesteld met de schrijver, die hij voor het eerst in Afrika had ontmoet, en hoorde hoe Walter Harris contact met hem had gezocht. Hij bedankte de man dat hij hem had aanbevolen en vroeg, of hij de naam van een goed particulier detectivebureau wist. Later op de middag bracht hij een bezoek aan dat bureau en betaalde een waarborgsom van twintig pond met de toezegging dat hij ze de volgende ochtend met nadere instructies zou opbellen.

Harris belde zoals hij beloofd had, de volgende ochtend om klokslag negen uur op en werd met de kamer van meneer Brown doorverbonden.

'Er staat op Sloane Avenue een flatgebouw, dat Chelsea Cloisters heet,' zei hij zonder omslag. 'Ik heb flat 317 gereserveerd waar we kunnen praten. Wilt u daar precies om elf uur zijn en in de hal wachten tot ik kom, want ik heb de sleutel.'

Toen belde hij af. Shannon schreef het adres over uit het telefoonboek onder het nachtkastje en belde het detectivebureau op.

'Ik wil, dat er om kwart voor tien een man van u in de hal van Chelsea Cloisters in Sloane Avenue komt,' zei hij. 'Laat hem maar met zijn eigen vervoer komen.'

'Hij komt met een scooter,' zei het hoofd van het bureau.

* Voor een uitvoerige uiteenzetting van deze werkwijze, die door een zogenaamde moordenaar van generaal De Gaulle gevolgd werd, zie *De dag van de Jakhals*, Bruna, Utrecht.

Een uur later ontmoette Shannon de man van het bureau in de hal van het serviceflatgebouw. Hij was nogal verbaasd dat de man een jongen van tegen de twintig was met lang haar. Shannon nam hem wantrouwend op.

'Weet je wat je doen moet?' vroeg hij. De jongen knikte. Hij leek razend enthousiast en Shannon hoopte maar, dat hij ook een beetje handig was.

'Nou, leg die valhelm maar buiten op de scooter,' zei hij. 'De mensen die hier komen dragen geen valhelmen. Ga daarginds een krant zitten lezen.'

Die had de jongen niet, dus gaf Shannon hem zijn eigen exemplaar.

'Ik ga aan de overkant van de hal zitten. Om een uur of elf komt er een man binnen die tegen me knikt en dan gaan we samen de lift in. Kijk goed naar die man zodat je hem kunt herkennen. Hij zal er zowat een uur later weer uitkomen. Dan moet je aan de overkant van de straat met je helm op op de scooter zitten en je doet net of je bezig bent een defect te verhelpen. Begrepen?'

'Ja, ik heb het begrepen.'

'Die man neemt óf zijn eigen wagen hier in de buurt en in dat geval neem je het nummer op, óf hij neemt een taxi. In beide gevallen volg je hem en let op waar hij naar toe gaat. Blijf achter hem aan rijden tot hij aankomt bij wat zijn uiteindelijke bestemming lijkt te zijn.'

De jongen prentte zich de instructies in en nam in de verste hoek van de hal achter zijn krant plaats.

De portier fronste zijn voorhoofd maar liet hem met rust. Hij had van achter zijn balie al heel wat ontmoetingen zien plaatsvinden.

Veertig minuten later kwam Simon Endean binnen. Shannon zag, dat hij bij de deur een taxi wegstuurde en hoopte, dat de jongen het ook gezien had. Hij stond op en knikte tegen de man die binnenkwam, maar Endean liep langs hem heen en drukte op de knop voor de lift. Shannon ging bij hem staan en merkte dat de jongen over zijn krant gluurde.

In godsnaam, dacht Shannon en merkte iets op over het slechte weer, zodat de man die zich Harris noemde, niet de hal zou rondkijken.

Toen hij zich in flat 317 in een fauteuil had geïnstalleerd, maakte Harris zijn aktentas open en haalde er een kaart uit. Hij spreidde hem op het bed uit en verzocht Shannon ernaar te kijken. Shannon besteedde er drie minuten aan en had toen alle gegevens die op de kaart stonden in zijn hoofd. Daarna begon Harris met zijn instructies.

Het was een kunstige mengeling van waarheid en verbeelding. Hij bleef volhouden, dat hij een consortium van Engelse zakenlieden vertegenwoordigde, die allemaal in een of andere vorm zaken deden met Zangaro en die allemaal hun handelsfirma's, waaronder een paar die er praktisch mee waren opgehouden, onder president Kimba zagen lijden.

Toen ging hij in op de geschiedenis van de republiek vanaf de dag van de onafhankelijkheid, en wat hij zei klopte en kwam grotendeels uit zijn eigen rapport aan sir James Manson. Aan het slot kwam de aap uit de mouw.

'Een groepje legerofficieren heeft contact gezocht met een groepje zakenlieden aldaar, die overigens aan het uitsterven zijn. Ze hebben gezegd dat ze overwegen Kimba bij een staatsgreep af te zetten. Een van die zakenlieden heeft het aan iemand van mijn groep verteld en ons hun probleem voorgelegd. Dit komt in wezen hierop neer, dat ze ondanks hun status van officier praktisch ongeoefend zijn in militair opzicht en niet weten, hoe ze de man ten val moeten brengen, omdat hij veel te veel achter zijn muren verborgen blijft zitten, omringd door zijn bewakers.

Wij zouden er eerlijk gezegd niet rouwig om zijn deze Kimba te zien vertrekken, en zijn volk ook niet. Een nieuwe regering zou goed zijn voor de economie aldaar en voor het land. Wij moeten iemand hebben die daar naar toe gaat en die een volledige taxatie geeft van de militaire en van de veiligheidstoestand in en om het paleis en van de belangrijkste instellingen. We moeten een compleet rapport over Kimba's militaire sterkte hebben.'

'Om dit aan uw officieren te kunnen doorgeven?' vroeg Shannon.

'Het zijn onze officieren niet. Het zijn Zangarese officieren. Het gaat er om dat ze áls ze van plan zijn toe te slaan, wel moeten weten wat ze doen.'

Shannon geloofde de helft van de uiteenzetting, maar de andere helft niet. Als de officieren die ter plaatse waren, de situatie niet konden taxeren, zouden ze onbekwaam zijn om een staatsgreep uit te voeren. Maar hij zei niets.

'Ik moet er als toerist heen gaan,' zei hij. 'Dat is het enige voorwendsel dat aannemelijk is.'

'Dat is goed.'

'Er zullen wel verdraaid weinig toeristen naar toe gaan. Waarom kan ik niet als firmabezoeker naar een van de handelszaken van uw vrienden gaan?'

'Dat is niet mogelijk,' zei Harris. 'Als er iets mis zou gaan hebben we de poppen aan het dansen.'

Als ze me betrappen, bedoel je, dacht Shannon, maar hij zweeg. Hij werd ervoor betaald dus hij zou risico's nemen. Daarvoor en voor zijn kennis werd hij betaald.

'En dan de kwestie van betaling,' zei hij kortaf.

'Dus u wilt het doen?'

'Als het geld goed is, ja.'

Harris knikte goedkeurend. 'Morgenochtend ligt er in uw hotel een retourbiljet van Londen naar de hoofdstad van de aangrenzende republiek,' zei hij. 'U moet naar Parijs terugvliegen en een visum voor deze republiek aanvragen. Zangaro is zo arm, dat er maar één ambassade in Europa is en die is ook in Parijs. Maar het duurt een maand om een visum voor Zangaro te krijgen. In de hoofdstad van de naburige republiek is een Zangarees consulaat. Daar kunt u tegen contante betaling binnen een uur een visum krijgen, als u de consul een fooi geeft. U begrijpt de gang van zaken wel.'

Shannon knikte. Hij begreep het maar al te goed.

'Dus u voorziet zich in Parijs van een visum en vliegt er dan met de Air Afrique naar toe. Daar haalt u ter plaatse uw visum voor Zangaro en neemt de aansluiting per vliegtuig naar Clarence tegen contante betaling. Met de kaartjes die morgen in uw hotel liggen wordt dat £ 300 in Franse francs aan onkosten.'

'Ik moet er vijf hebben,' zei Shannon. 'Ik ben minstens tien dagen onderweg, misschien langer, dat hangt af van de aansluitingen en hoe lang het duurt om de visa te krijgen. Met driehonderd heb ik geen speling om af en toe steekpenningen te betalen of als er vertraging optreedt.'

'Goed, vijfhonderd in Franse francs. Plus vijfhonderd voor uzelf,' zei Harris.

'Duizend,' zei Shannon.

'Dollar? Ik heb begrepen dat uw soort mensen in Amerikaanse dollars rekent.'

'Pond sterling,' zei Shannon. 'Dat is 2500 dollar of twee maanden basissalaris, als ik onder normaal contract stond.'

'Maar u bent maar tien dagen weg,' protesteerde Harris.

'Tien zeer gevaarlijke dagen,' wierp Shannon tegen. 'Als dit land half zo erg is als u zegt, dan is iemand die bij dit soort werk gesnapt wordt, morsdood en op een pijnlijke manier. Als u wilt dat ík het risico neem, in plaats van zelf te gaan, dan moet u betalen.'

'Goed, duizend pond. Vijfhonderd direct en vijfhonderd als u terugkomt.'

'Hoe weet ik, dat u contact met mij opneemt als ik terugkom?' zei Shannon.

'Hoe weet ik of u er werkelijk naar toe gaat?' wierp Harris tegen. Shannon overwoog het argument. Toen knikte hij.

'Goed dan, de helft nu, de andere helft later.'

Tien minuten later was Harris weg, nadat hij Shannon had opgedragen vijf minuten te wachten voor hij zelf wegging.

Die middag om drie uur was het hoofd van het detectivebureau van de lunch terug. Shannon belde om kwart over drie op.

'O ja, meneer Brown,' zei de stem aan de telefoon. 'Ik heb mijn assistent gesproken. Hij heeft gewacht zoals u hem hebt opgedragen en toen de persoon het gebouw verliet, heeft hij hem herkend en is hem gevolgd. De persoon hield aan het trottoir een taxi aan en mijn assistent is hem naar de City gevolgd. Daar heeft hij de taxi weggestuurd en is het gebouw binnengegaan.'

'Welk gebouw?'

'ManCon House. Dat is het hoofdkantoor van Manson Consolidated Mining.'

'Weet u ook of hij daar werkt?' vroeg Shannon.

'Het schijnt zo,' zei het hoofd van het bureau. 'Mijn assistent kon hem niet het gebouw in volgen, maar hij heeft gezien, dat de portier voor de persoon aan zijn pet tikte en de deur voor hem openhield. Dat heeft hij niet tegen een stroom secretaressen en zo te zien afdelingschefs gedaan, die buitenkwamen om te gaan lunchen.'

'Hij is verstandiger dan hij er uitziet,' gaf Shannon toe.

De jongen had goed werk gedaan. Shannon gaf een aantal nadere instructies en stuurde die middag £ 50 per aangetekende post naar het detectivebureau. Hij opende ook een bankrekening en stortte er £ 10 waarborgsom op. De volgende ochtend deponeerde hij nog eens £ 500 en vloog 's avonds terug naar Parijs.

Dr. Gordon Chalmers was niet iemand die dronk. Hij raakte zelden iets sterkers aan dan bier en als hij dat deed werd hij spraakzaam, zoals zijn werkgever sir James Manson tijdens hun lunch bij Wilton zelf ontdekt had. De avond waarop Cat Shannon op Le Bourget in een ander vliegtuig stapte om de Air Afrique DC-8 naar West-Afrika te nemen, dineerde dr. Chalmers met een vroegere studievriend, nu eveneens scheikundige, die in industrieel onderzoek werkzaam was.

Er was geen bepaalde reden voor hun maaltijd. Hij was een paar dagen geleden zijn oude studiegenoot op straat toevallig tegen het lijf gelopen en ze hadden afgesproken om samen te gaan eten.

Vijftien jaar geleden waren ze jonge studenten geweest, vrijgezellen, die hard aan hun respectieve studies werkten, ernstig en bezorgd, zoals zoveel jonge intellectuelen vinden dat ze behoren te zijn. In het midden van de vijftiger jaren gold hun bezorgdheid de Bom en het kolonialisme en ze hadden zich bij duizenden anderen aangesloten, die marcheerden voor de Ban-de-bom-actie en de diverse bewegingen, die onmiddellijk een eind aan het wereldrijk, en wereldvrijheid nú eisten. Ze waren allebei verontwaardigd, serieus, geëngageerd geweest en ze hadden geen van beiden iets veranderd. Maar in hun verontrusting over de toestand van de wereld hadden ze ook wel eens met de partij van Jonge Communisten gespeeld. Chalmers was het ontgroeid, was getrouwd, had een gezin gesticht, een hypotheek op zijn huis genomen en was langzaam maar zeker in de gegoede middengroep opgegaan.

De zorgen die zich de afgelopen veertien dagen hadden opgestapeld waren er oorzaak van dat hij meer dan zijn gebruikelijke ene glas wijn bij het eten nam, en heel wat meer ook. Zijn vriend, een aardige man met zachte, bruine ogen, merkte dat hem iets dwars zat en vroeg of hij iets voor hem kon doen.

Onder de cognac kreeg dr. Chalmers de behoefte zijn zorgen aan iemand toe te vertrouwen, iemand die, anders dan zijn vrouw, een wetenschappelijke collega was en het probleem zou begrijpen. Natuurlijk was het in diep vertrouwen en zijn vriend toonde veel medeleven en begrip.

'Pieker er maar niet over, Gordon. Het is volstrekt begrijpelijk. Iedereen zou in jouw plaats hetzelfde gedaan hebben,' zei hij. Chalmers voelde zich iets beter toen ze het restaurant verlieten en ieder naar zijn eigen huis ging. Hij voelde zich niet meer zo bezwaard nu hij zijn problemen met een ander deelde.

Hoewel hij zijn oude vriend had gevraagd hoe het hem sinds hun studententijd intussen was vergaan, was de man wat ontwijkend geweest. Chalmers, gebukt onder zijn eigen zorgen en wat minder opmerkzaam door de wijn, had niet aangedrongen op bijzonderheden. Maar al had hij dat wel gedaan, dan had de vriend hem waarschijnlijk toch niet verteld, dat hij in plaats van zich bij de bourgeoisie te scharen, een actief lid van de partij was gebleven.

# 6

De Convair 440, die de luchtverbinding met Clarence onderhield, maakte een scherpe zwenking over de baai en begon de afdaling naar het vliegveld. Shannon, die expres aan de linkerkant van het vliegtuig was gaan zitten, kon naar de stad beneden zich kijken toen het vliegtuig er overheen vloog. Vanaf een hoogte van driehonderd meter kon hij de hoofdstad van Zangaro zien, die op het uiteinde van het schiereiland lag, aan drie kanten omringd door het met palmen omzoomde water van de Golf en aan de vierde kant door het land, waar het korte, brede schiereiland, net twaalf kilometer lang, naar toe liep en zich aan de kustlijn aansloot.

De landtong was aan de basis, die in de mangrovenmoerassen van de kust lag, bijna vijf kilometer breed, en anderhalve kilometer aan het uiteinde, waar de stad lag. De oevers aan weerskanten waren ook begroeid met mangroven en alleen aan het eind maakte de mangrovenbosjes plaats voor een paar kiezelstrandjes.

De stad overspande de punt van het schiereiland van de ene naar de andere kant en strekte zich ongeveer anderhalve kilometer over de lengte uit. Achter de rand van de stad liep aan deze kant één weg tussen bebouwde akkertjes door over de ruim tien kilometer naar de kust van het vasteland.

De beste gebouwen stonden blijkbaar allemaal naar de zeewaarts gerichte punt van het land, waar de frisse wind woei, want uit de lucht zag men de gebouwen op hun eigen stukje land staan, op iedere vijftig are één. Het naar het land toe gekeerde deel van de stad was kennelijk het armoediger gedeelte, waar duizenden hutten met blikken daken door nauwe modderige steegjes doorsneden werden. Hij concentreerde zich op het rijkste deel van Clarence, waar vroeger de koloniale landheren gewoond hadden, want hier stonden de belangrijke gebouwen en hij zou maar éens een paar seconden hebben om ze uit deze hoek te kunnen zien.

Helemaal aan het eind was een haventje gevormd, daar waar zonder geologische reden twee lange landtongen de zee inliepen, als het gewei van een vliegend hert of de scharen van een oorworm. Het haventje lag langs de landzijde van deze baai. Buiten de armen van de baai zag Shannon dat het water door de wind gerimpeld werd, terwijl binnen de driekwart in de armen ingesloten cirkel het water spiegelglad was. Ongetwijfeld had deze ankerplaats, die de natuur bij nadere overweging nog aan het schiereiland had vastgemaakt, de eerste zeelieden getrokken.

Het midden van de haven, vlak tegenover de opening naar de open zee, werd beheerst door een enkele betonnen kade waar geen enkel schip gemeerd lag, en een soort loods. Links van de kade was blijkbaar de vissershaven van de inlanders, een kiezelstrand bezaaid met lange kano's en netten die lagen te drogen, en rechts van de kade was het oude haventje, een reeks vervallen houten steigers naar het water.

Achter het pakhuis was misschien tweehonderd meter ruw gras dat eindigde bij een weg langs de kust, en achter de weg begonnen de gebouwen. Shannon ving een glimp op van een wit kerkje in koloniale stijl en wat in vroeger tijden het paleis van de gouverneur kon zijn geweest, omgeven door een muur. Achter de muur was, afgezien van de hoofdgebouwen, een grote binnenplaats met barakken eromheen die kennelijk later waren bijgebouwd.

Toen trok de Convair weer recht, de stad verdween uit het gezicht en ze gingen nu werkelijk landen.

Shannon had zijn eerste ervaring met Zangaro de vorige dag al opgedaan, toen hij zijn visum voor een toeristenbezoek aanvroeg. De consul in de naburige hoofdstad had hem enigszins verbaasd ontvangen, want hij was zulke aanvragen niet gewend. Hij moest een formulier van vijf pagina's invullen, met alle gegevens vanaf de namen van zijn ouders (omdat hij geen flauw idee had van de namen van de ouders van Keith Brown, verzon hij ze) tot alle andere gegevens die men maar kon bedenken.

In zijn paspoort lag, toen hij het overhandigde, zomaar een mooi bankbiljet tussen de eerste en tweede bladzijde. Dit ging in de zak van de consul. Toen onderzocht de man het paspoort van alle kanten, las elke bladzijde, hield het tegen het licht, draaide het om en controleerde de valutatoewijzingen achterin. Nadat dit vijf minuten zo doorging begon Shannon zich af te vragen of er iets aan mankeerde. Had het Engelse ministerie van Buitenlandse Zaken net in dit paspoort een fout gemaakt? Toen keek de consul hem aan en zei:

'U bent een Amerikaan.'

Met een zucht van opluchting begreep Shannon dat de man analfabeet was. Nog vijf minuten later had hij zijn visum gekregen. Maar op het vliegveld van Clarence lachte hij niet meer. Hij had geen bagage in het ruim van het vliegtuig, alleen een weekeindtas. In het enige passagiersgebouw heerste een ondraaglijke hitte en het krioelde er van de vliegen. Er hingen een stuk of twaalf soldaten rond en tien politieagenten. Ze behoorden zo te zien tot verschillende stammen. De politieagenten stonden wat achteraf tegen de muren geleund en spraken ook onderling weinig tegen elkaar. Maar de soldaten trokken Shannons aandacht. Hij hield ze zijdelings in het oog, terwijl hij weer een ontzaglijk lang formulier invulde (hetzelfde dat hij de vorige dag in het consulaat had ingevuld) en drong door tot de medische en pascontrole, die allebei bemand werden door ambtenaren die naar hij aannam, net als de politieagenten, Caja waren.

Toen hij bij de douane kwam, begonnen de moeilijkheden. Hij werd opgewacht door een burger-ambtenaar, die hem met een kort gebaar beval naar een zijkamertje te gaan. Toen hij dat deed, zijn tas in de hand, kwamen vier soldaten gewichtig achter hem aan. Plotseling begreep hij waar zij hem aan deden denken.

Lang geleden had hij in Kongo die zelfde houding gezien, die starre blik en de dreiging die uitging van een Afrikaan, die nog met één been in de oertijd stond en gewapend was met een geweer, in een machtspositie, volkomen onberekenbaar; volstrekt onlogisch in zijn reacties op de situatie, als een wandelende tijdbom. Vlak voor de ergste slachtingen die hij had zien ontketenen, door Kongolezen op Katangezen, Simba op missionarissen en het Kongolese leger op Simba, had hij die zelfde dreigende onverschilligheid gezien, dat redeloze machtsgevoel, dat plotseling en zonder dat men het achteraf kan verklaren in fanatiek geweld kan overgaan. Dat hadden de Vindoe-soldaten van president Kimba ook.

De douanebeambte in burger gaf Shannon bevel zijn tas op het wankele tafeltje te zetten en begon deze te doorzoeken. Het onderzoek leek grondig, alsof hij op zoek was naar verstopte wapens, tot hij het elektrische scheerapparaat zag, het uit het etui haalde, van alle kanten bekeek en het schakelaartje aanzette. Het was een Remington Elektronic, de batterijen waren vol, dus hij zoemde er luid op los. Zonder een sprankje uitdrukking stak de douaneman het in zijn zak.

Nadat hij klaar was met de tas, wenkte hij Shannon zijn zakken op de tafel te legen. Daaruit kwamen de sleutels, zakdoeken, geldstukken, portefeuille en paspoort. De douaneman greep de portefeuille, haalde de reischeques eruit, keek ernaar, gromde en gaf ze terug. Hij veegde de geldstukken in zijn hand en stak ze in zijn zak. Van de bankbiljetten waren er twee van 5000 Frans-Afrikaanse francs en een stelletje van honderd. De soldaten waren opgedrongen, doodstil, afgezien van hun ademhaling in de verstikkende atmosfeer, hun geweer als een knuppel omklemmend, maar overmand door nieuwsgierigheid. De man in burger achter de tafel stak de twee 5000-franc-biljetten in zijn zak en een van de soldaten pakte de kleinere biljetten op.

Shannon keek naar de douaneman. De man keek terug. Toen tilde hij zijn nethemd op en toonde de kolf van een Browning 9 mm of misschien een 765, die in zijn broekriem stak. Hij klopte erop.

'Politie,' zei hij en bleef staren. Shannons vingers jeukten om de man een klap in zijn gezicht te geven, maar in zijn gedachten bleef hij tegen zichzelf zeggen: 'Kalm blijven jongen, heel kalm.'

Hij wees langzaam, heel langzaam, naar wat er van zijn eigendommen nog op tafel lag en trok zijn wenkbrauwen op. De ambtenaar knikte en Shannon begon ze op te pakken en terug te stoppen. Achter hem voelde hij dat de soldaten terugweken, hoewel ze hun geweer met beide handen bleven omklemmen, in staat ermee te gaan zwaaien of hem ermee tussen zijn ribben te porren, net zoals het ze inviel.

Het leek een eeuw te duren voor de man in burger naar de deur knikte en Shannon naar buiten ging. Hij voelde het zweet over zijn rug naar de band van zijn broek stromen.

Buiten in de grote hal werd de enige andere toerist die met hem mee was gevlogen, een Amerikaans meisje, afgehaald door een katholieke priester, die met zijn radde uiteenzettingen tegen de soldaten in het dialect van de kust, minder last ondervond. Hij keek op en ving Shannons blik. Shannon trok even een wenkbrauw op. De pater keek achter Shannon naar de kamer waar hij vandaan was gekomen en knikte onmerkbaar.

Buiten in de hitte van het pleintje voor het luchthavengebouw was geen vervoer. Shannon wachtte. Vijf minuten later hoorde hij een zachte Iers-Amerikaanse stem achter zich.

'Kan ik u een lift naar de stad geven, mijn zoon?'

Ze reden in de auto van de priester, een Volkswagen-kever, die hij voor alle zekerheid in de schaduw van een palmbosje een paar meter van de uitgang had gezet. Het Amerikaanse meisje praatte schril en verontwaardigd; iemand had haar handtasje opengemaakt en doorzocht. Shannon zweeg omdat hij wist dat het geen haar gescheeld had of ze waren in elkaar geslagen. De priester was van het VN-ziekenhuis en verenigde de rol van kapelaan en aalmoezenier met die van arts. Hij keek begrijpend naar Shannon.

'Ze hebben u zeker alles afgenomen.'

'Alles,' zei Shannon. Het verlies van £ 15 betekende niets, maar ze hadden allebei de stemming van de soldaten herkend.

'Men moet hier heel voorzichtig zijn, heel erg voorzichtig,' zei de priester zacht. 'Hebt u een hotel?'

Toen Shannon zei dat hij geen hotel had, reed de priester hem naar het Independence, het enige hotel in Clarence waar Europeanen mochten logeren.

'Gomez is de directeur, een hele geschikte kerel,' zei de priester.

Meestal komen er, als er in een Afrikaanse stad een nieuw gezicht opduikt, uitnodigingen van de andere Europeanen om in de club te komen, mee naar de bungalow te gaan, ergens iets te gaan drinken, die avond op een feestje te komen. De priester, hoe behulpzaam ook, deed niets van dit alles. Dat was ook iets, dat Shannon gauw over Zangaro leerde. De stemming drukte ook op de blanken. Hij zou in de daaropvolgende dagen nog meer leren, vooral van Gomez.

Die zelfde avond nog maakte hij kennis met Jules Gomez, vroeger eigenaar en nu directeur van het Independence-hotel. Gomez was vijftig jaar en een *pied noir*, een Fransman uit Algerije. In de laatste dagen van Frans-Algerije, bijna tien jaar geleden, had hij zijn bloeiende zaak in landbouwmachines verkocht, vlak voor de ineenstorting op het eind, toen men een zaak aan de straatstenen niet kwijt kon. Met de opbrengst keerde hij naar Frankrijk terug, maar merkte na een jaar dat hij niet meer in de sfeer van Europa kon leven en keek uit naar een ander land om naar toe te gaan. Zijn keus viel op Zangaro, vijf jaar voor de onafhankelijkheid en voordat er zelfs nog maar sprake van was. Met het meegenomen spaargeld had hij het hotel gekocht en in de loop der jaren geleidelijk uitgebreid.

Na de onafhankelijkheid was alles veranderd. Drie jaar voordat Shannon kwam, was Gomez kortaf te verstaan gegeven dat het hotel genationaliseerd werd en dat hij zijn geld in de valuta van het land uitbetaald kreeg. Hij heeft het nooit gekregen en het was trouwens toch maar waardeloos papiergeld. Maar hij bleef aan als directeur, tegen beter weten in hopend dat het wel eens beter zou worden en hij iets van zijn enige bezit op deze aarde zou overhouden om hem een zorgeloze oude dag te verzekeren. Als directeur stond hij aan de receptie en achter de bar. Shannon trof hem in de bar.

Hij had gemakkelijk de vriendschap van Gomez kunnen winnen door de namen te noemen van de vrienden en relaties, die Shannon had onder de oud-OAS-mannen, strijders in het Vreemdelingenlegioen en para's, die in de Kongo waren komen opdagen. Maar dan had hij de schijn prijsgegeven dat hij een gewone Engelse toerist was, die nog vijf dagen te besteden had en uit het noorden was komen vliegen, uitsluitend gedreven door nieuwsgierigheid om die geheimzinnige republiek Zangaro eens te zien. Daarom hield hij zijn rol van toerist vol.

Maar later, nadat de bar dicht was, stelde hij Gomez voor om op zijn kamer iets te komen drinken. Om onverklaarbare reden hadden de soldaten op het vliegveld hem een fles whisky laten behouden die hij in zijn koffer had meegenomen. Gomez zette grote ogen op toen hij dit zag. Whisky behoorde ook tot de importartikelen die het land niet kon betalen. Shannon zorgde ervoor dat Gomez meer dronk dan hij. Toen hij vertelde, dat hij uit nieuwsgierigheid naar Zangaro was gekomen, snoof Gomez.

'Nieuwsgierigheid? Nou, het is dan ook heel eigenaardig. Het is doodeng.'

Hoewel ze Frans spraken en alleen in de kamer waren, dempte Gomez zijn stem en boog naar voren toen hij dat zei. Opnieuw had Shannon de indruk dat iedereen die hij gezien had bevangen was door een uitzonderlijke angst, behalve de moordzuchtige soldaten en de man van de geheime politie, die zich op het vliegveld als douaneambtenaar voordeed. Toen Gomez de halve fles had leeggedronken, was hij wat spraakzamer geworden en Shannon viste voorzichtig naar gegevens. Gomez bevestigde het merendeel van de inlichtingen die hij gekregen had van de man die zich Walter Harris noemde, en voegde er nog anekdotische bijzonderheden van zichzelf aan toe, waaronder een paar heel gruwelijke.

Hij bevestigde dat president Kimba in de stad was en dat hij deze tegenwoordig hoogst zelden verliet, behalve om af en toe een uitstapje naar zijn geboortedorp in het Vindoe-land over de rivier te maken, en dat hij in zijn presidentiële paleis zat, het grote, ommuurde gebouw dat Shannon uit de lucht had gezien.

Toen Gomez hem goedenacht wenste en om twee uur in de ochtend wankelend naar zijn eigen kamer ging, had hij nog meer waardevolle inlichtingen losgepeuterd. De drie eenheden, bekend als de burgermacht, de politie en de douane, hadden wel allemaal een revolver bij zich maar geen munitie in hun wapens, zoals Gomez hem plechtig verzekerd had. Omdat het Caja waren, vertrouwde men ze niet en Kimba gunde ze in zijn ziekelijke vrees voor een opstand nog niet één lading munitie voor allen tezamen. Hij wist dat ze nooit voor hem zouden vechten en niet de kans mochten krijgen om tegen hem te vechten. De revolvers waren alleen maar voor de show.

Gomez was ook zo ver gegaan te vertellen, dat de macht in de stad uitsluitend in handen van de Vindoe van Kimba was. De gevreesde geheime politie was gewoonlijk in burger en droeg een automatisch pistool, de legersoldaten hadden grendelgeweren zoals Shannon op het vliegveld had gezien en de eigen lijfwacht van de president had machinegeweren. De laatste woonde uitsluitend op het paleisterrein, was Kimba onwankelbaar trouw en hij vertoonde zich nooit zonder dat hij minstens een troep van hen bij zich had.

De volgende ochtend ging Shannon een wandeling maken. Een paar tellen later merkte hij, dat een jongetje van een jaar of tien, elf, naast hem draafde, dat hem door Gomez achterna was gestuurd. Pas later vernam hij waarom. Hij dacht, dat Gomez de jongen als gids had meegegeven, al had dat niet veel zin omdat ze geen woord met elkaar konden wisselen. Maar eigenlijk deed hij het met een ander doel, een dienst die Gomez al zijn gasten aanbood, of zij erom gevraagd hadden of niet. Als de toerist om welke reden dan ook gearresteerd en meegenomen werd, repte de jongen zich door de bosjes om het aan Gomez te vertellen. Die gaf dan het nieuws door aan de Zwitserse of Duitse ambassade, zodat men over de vrijlating van de toerist kon gaan onderhandelen voordat hij half dood was geslagen. De jongen heette Boniface.

Shannon wandelde de hele ochtend, kilometers achtereen, terwijl de jongen achter hem aan draafde. Ze werden door niemand tegengehouden. Er was vrijwel geen voertuig te zien en de straten in de betere woonwijken waren grotendeels verlaten. Shannon had een kleine stadsplattegrond van Gomez gekregen, een overblijfsel uit de koloniale tijd, en hiermee zocht hij de belangrijkste gebouwen van Clarence op. Bij de enige bank, het enige postkantoor, een zestal ministeries, de haven en het VN-ziekenhuis, lummelden groepjes van een stuk of zes, zeven soldaten bij de ingang rond. In de bank zelf, waar hij een reischeque ging inwisselen, zag hij slaapzakken in de hal en rond lunchtijd zag hij tweemaal een soldaat, die pannen eten naar zijn collega's bracht. Shannon leidde daaruit af, dat de bewakersdetachementen bij al die gebouwen inwoonden. Gomez bevestigde dat 's avonds ook.

Hij zag voor elk van de zes ambassades waar hij langskwam een soldaat, waarvan er drie in het stof lagen te slapen. Tegen lunchtijd schatte hij, dat er ongeveer honderd soldaten over twaalf groepen in en om het voornaamste stadsdeel verspreid waren. Hij keek waarmee ze bewapend waren. Ze hadden allemaal een Mauser 7.92 grendelgeweer, dat er in de meeste gevallen roestig en vuil uitzag. De soldaten droegen vaalgroene broeken en hemden, canvasschoenen, gevlochten touwriemen en petten met een klep, die op Amerikaanse honkbalpetten leken. Ze zagen er zonder uitzondering armoedig, verkreukeld, ongewassen en onguur uit. Hij schatte dat hun opleidingspeil, vertrouwdheid met wapens, leiderscapaciteiten en vechtbekwaamheid nihil waren. Het was een stelletje uitschot, bandeloos tuig, dat de bangelijke Caja met hun wapens en bruutheid schrik kon aanjagen, maar dat waarschijnlijk nog nooit in woede een schot had gelost en op wie beslist nooit geschoten was door mensen die wisten wat ze deden. Het scheen hun taak als bewakingsdienst te zijn om een rel van burgers te voorkomen, maar hij vermoedde dat ze bij een echt vuurgevecht de benen zouden nemen.

Het opmerkelijkste aan hen waren hun patroontassen. Die waren helemaal plat en er zaten geen patroonhouders in. In iedere Mauser zat natuurlijk een ingebouwd magazijn, maar Mausers kunnen maar vijf patronen bevatten.

's Middags liep Shannon de haven rond. Op de grond zag het er anders uit. De twee stroken zand die het water inliepen en de natuurlijke haven vormden, waren aan de basis ongeveer zes meter hoog en aan het uiteinde één meter tachtig boven water. Hij liep ze allebei tot aan het eind toe over. Ze waren begroeid met struikgewas dat tot de knie of tot aan het middel kwam, bruin verschroeid aan het eind van een lange, droge moesson en onzichtbaar vanuit de lucht. Elke strook was aan de punt zo'n twaalf meter breed en aan de basis waar hij van de kustlijn kwam veertig meter breed. Vanaf de beide punten had men, terugkijkend op het havenkwartier, een vergezicht op de kust.

De betonnen kade was pal in het midden, met daarachter de loods. Aan de noordkant hiervan stonden de oude, houten steigers, waarvan sommige allang vermolmd waren, en de steunpalen staken als afgebroken tanden boven of in het water. Aan de zuidkant van de loods was het kiezelstrand waar de visserskano's lagen. Vanaf de punt van de ene zandstrook was het paleis van de president onzichtbaar, verborgen achter de loods, maar vanaf de andere punt was de bovenste verdieping van het paleis duidelijk te zien. Shannon liep naar de haven terug en bekeek het vissersstrand. Het was een goede plek voor een landing, dacht hij zomaar, met een lage helling naar het water.

Achter de loods hield het beton op en liep een schuine oever van halfhoge struiken, doorsneden door talloze voetpaden en één harde weg voor vrachtwagens, naar het paleis toe. Shannon volgde de weg. Toen hij boven aan de helling kwam, verscheen de hele voorgevel van het oude koloniale gouverneurshuis in het gezicht, tweehonderd meter van hem af. Hij liep nog een honderd meter door en kwam bij de zijweg die langs de zeekust liep. Bij de kruising stond een groepje soldaten te wachten, vier in totaal, die netter en beter gekleed waren dan het leger, bewapend met Kalasjnikov AK 47-geweren. Ze keken hem zwijgend na, toen hij rechtsaf de weg naar zijn hotel insloeg. Hij knikte, maar ze staarden alleen maar terug. De paleiswachters.

Hij wierp onder het lopen een blik naar links en nam de bijzonderheden van het paleis in zich op. Het gebouw was dertig meter breed, de ramen van de benedenverdieping waren nu dichtgemetseld en overgekalkt met hetzelfde vaalwit als de rest van het gebouw en het werd op de begane grond beheerst door een hoge, brede, met grendels beslagen houten deur, die vrijwel zeker ook later was aangebracht. Voor de dichtgemetselde ramen lag een terras, nu nutteloos omdat men er vanuit het gebouw geen toegang had. Op de eerste verdieping was over de hele gevel een rij van zeven ramen, drie links, drie rechts en één boven de hoofdingang. Op de bovenste verdieping waren tien ramen, allemaal veel kleiner. Daarboven was de goot en het rode pannendak dat schuin naar de punt liep.

Hij zag meer wachters die bij de voordeur rondhingen en ook, dat de ramen op de eerste verdieping luiken hadden die van staal konden zijn (hij was er te ver af om het te kunnen zien) en gesloten waren. Kennelijk kon men niet dichter bij de voorkant van het gebouw komen dan tot de wegkruising, behalve als men officieel ergens voor kwam.

Hij besloot de middag vlak voor de zon onderging met een rondgang om het paleis van verre. Hij zag dat aan weerszijden een nieuwe muur van twee en een halve meter hoog over een afstand van zeventig meter van het hoofdgebouw het land in liep, die aan de achterkant door de vierde muur met elkaar verbonden werden. Interessant was dat er nergens een andere toegang tot het complex was. De muur was overal twee en een halve meter hoog – dat kon hij afleiden uit de lengte van een wachter die hij bij de muur zag lopen – en was aan de bovenkant bedekt met kapotte flessen. Hij wist dat hij er nooit binnen zou kijken, maar hij kon zich het beeld vanuit de lucht voor de geest halen. Hij moest er bijna om lachen.

Hij grinnikte tegen Boniface.

'Hé, jò, die sufferd denkt dat hij zich beschermd heeft achter een grote muur met glasscherven erop en maar één ingang. Het enige wat hij nu gedaan heeft is zichzelf in een bakstenen val opsluiten, een heel groot ingesloten executieterrein.'

De jongen grijnsde breed zonder een woord te verstaan en beduidde dat hij naar huis wou om te eten. Shannon knikte en ze gingen naar het hotel terug met branderige voeten en pijn in de benen.

Shannon maakte geen aantekeningen of plattegronden, maar bewaarde alle details in zijn hoofd. Hij gaf Gomez zijn plattegrondje terug en ging na het eten bij de Fransman aan de bar zitten.

Twee Chinezen van de ambassade zaten aan de tafeltjes achterin zwijgend bier te drinken, dus werd er tussen de Europeanen maar weinig gesproken. Bovendien stonden de ramen open. Maar later haalde Gomez, die naar gezelschap verlangde, twaalf flessen bier en nodigde Shannon uit mee naar zijn kamer op de bovenverdieping te gaan, waar ze op het balkon zaten en door de nacht naar de slapende stad keken, die grotendeels in het donker was gehuld vanwege een defect in de elektriciteitsvoorziening.

Shannon stond in dubio of hij Gomez in vertrouwen zou nemen, maar besloot het niet te doen. Hij zei, dat hij de bank gevonden had en dat het heel wat voeten in de aarde had om een cheque van £ 50 in te wisselen. Gomez snoof.

'Zo gaat het altijd,' zei hij. 'Ze krijgen reischeques en ook vreemd geld hier nooit lang te zien.'

'Bij de bank zien ze dat toch wel.'

'Niet lang. De hele schatkist van de republiek bewaart Kimba veilig in het paleis.'

Shannons belangstelling was op slag gewekt. Het duurde twee uur om er bij stukjes en beetjes achter te komen, dat Kimba ook het nationale munitiearsenaal beheerde, in de oude wijnkelder van het gouveneurspaleis, achter slot en grendel, en dat hij eveneens het nationale radio-omroepstation daarheen had overgebracht, zodat hij rechtstreeks uit zijn communicatiekamer naar de natie en de wereld kon uitzenden en niemand anders van buiten het paleis het in handen kon krijgen. Nationale radiostations spelen altijd een zeer belangrijke rol bij staatsgrepen. Shannon vernam ook, dat hij geen pantserwagens en geen artillerie had en dat behalve de over de hoofdstad verspreide honderd soldaten, er nog eens honderd buiten de stad waren, een twintigtal in de inheemsenstad aan de weg naar het vliegveld en de rest verspreid in de Caja-dorpen tussen het schiereiland en de brug over de Zangarorivier. Deze tweehonderd vormden het halve leger. De andere helft lag in de legerkazernes, die geen echte kazernes waren, maar de oude koloniale politiebarakken, vierhonderd meter van het paleis af, rijen lage blikken hutten in een met rietmatten omheinde ruimte. Die vierhonderd man vormden het hele leger en de persoonlijke paleiswacht bestond uit veertig tot zestig man, die in de hutjes tegen de muren om het binnenhof van het paleis zaten.

Op zijn derde dag in Zangaro inspecteerde Shannon de politiebarakken, waar de tweehonderd soldaten gelegerd waren die geen bewakingsdienst hadden. Het was zoals Gomez gezegd had, omringd door een rieten schutting, maar een bezoek aan de nabij gelegen kerk stelde Shannon in staat ongemerkt naar binnen te glippen, de ronde stenen trap op te rennen en stiekem uit de klokketoren te kijken. De barakken, twee rijen hutten, waren versierd met wat kleren die men te drogen had gehangen. Aan het ene eind was een rij lage bakstenen oventjes, waarop potten brij stonden te pruttelen. Een stuk of twintig mannen lummelden rond in verschillende fasen van verveling en ze waren allemaal ongewapend. Hun wapens lagen misschien in de barakken, maar Shannon vermoedde eerder dat ze in het arsenaal lagen, een kleine stenen bunker, die apart van de barakken stond. De andere voorzieningen van het kamp waren uiterst primitief.

Op die avond, toen hij zonder Boniface was uitgegaan, kwam hij zijn soldaat tegen. Hij liep een uur lang door de donkere straten, die gelukkig voor hem nog nooit straatverlichting gekend hadden, om te trachten dichter bij het paleis te komen.

Het was hem gelukt de achterkant en de zijkanten goed te bekijken en hij had zich ervan overtuigd, dat er aan deze kanten geen patrouillerende wachten waren. Toen hij bij de voorgevel van het paleis probeerde te komen, werd hij door twee van de paleiswachters tegengehouden, die hem kortaf bevel gaven naar huis te gaan. Hij had vastgesteld, dat er drie van hen op de wegkruising zaten, halverwege tussen het hoogste punt van de helling naar de haven en de ingang van het paleis. En wat belangrijker was, hij had ook vastgesteld dat ze van de plaats waar zij stonden de haven niet konden zien. Vanaf die wegkruising zou de blik van de soldaten als deze over de top van de heuvel ging, tot de zee achter de uiteinden van de havenarmen reiken en zonder heldere maan zagen zij het water nog geen vijfhonderd meter ver, hoewel ze daar ongetwijfeld wel een lichtje zouden kunnen zien als dat er was.

In het donker kon Shannon op de wegkruising de hoofdingang van het paleis honderd meter het land in niet zien, maar hij nam aan dat er zoals gebruikelijk twee andere wachters waren. Hij bood de soldaten die hem hadden tegengehouden pakjes sigaretten aan en ging weg.

Op weg terug naar het Independence kwam hij langs een paar bars, die binnen door olielampen verlicht waren en liep daarna over de donkere weg verder. Honderd meter verder hield de soldaat hem tegen. De man was kennelijk dronken en had in een greppel aan de kant van de weg staan urineren. Hij waggelde op Shannon af, terwijl hij met twee handen zijn Mauser bij de kolf en de loop beetpakte. In het opkomende maanlicht kon Shannon hem duidelijk op zich af zien komen. De soldaat gromde iets. Shannon kon het niet verstaan maar nam aan, dat het om geld te doen was.

Hij hoorde de soldaat een paar keer mompelen 'bier' en hij voegde er nog een paar andere onverstaanbare woorden aan toe. Toen, voor Shannon geld kon pakken of doorlopen, gromde de man en stak hij de loop van het geweer in de richting van Shannon. Vanaf dat moment ging alles vlug en stil. Hij pakte de loop in de ene hand en trok hem met een flinke ruk van zijn buik weg, zodat de soldaat uit zijn evenwicht raakte. De man was blijkbaar verbaasd over deze reactie, wat hij niet gewend was. Zich herstellend, gaf hij een schreeuw van woede, draaide het geweer om, greep het bij de loop en zwaaide ermee als met een knuppel. Shannon deed een stap naar voren, hield de zwaai tegen door de soldaat bij zijn twee spierballen te pakken en tilde zijn knie op.

Daarna kon hij niet meer terug. Terwijl het wapen op de grond viel hief hij zijn rechterhand op, gekromd in een hoek van negentig graden, de arm stijf, en sloeg met de zijkant van zijn hand onder het kaakbeen van de soldaat. Er ging een stekende pijn door zijn arm en schouder toen hij de nek hoorde kraken en later merkte hij, dat hij bij de krachtsinspanning een schouderspiertje had gescheurd. De Zangarees viel als een zak op de grond.

Shannon keek links en rechts de weg af, maar er kwam niemand. Hij rolde het lijk in de greppel en onderzocht het geweer. Hij haalde de patronen een voor een uit het magazijn. Bij de derde hield het op. Er had er geen in de kamer gezeten. Hij haalde de grendel eraf en hield het wapen tegen het maanlicht om in de loop te kijken. Zijn oog viel op maandenlang opgehoopt zand, vuil, stof, roet, roest en korreltjes aarde. Hij liet de grendel terugschieten, stopte de patronen er weer in, smeet het geweer op het lijk en liep naar huis.

'Almaar beter,' mompelde hij, terwijl hij het donkere hotel binnenglipte en naar bed ging. Hij twijfelde er niet aan, dat er geen grondig politieonderzoek zou plaatsvinden. De gebroken nek zou toegeschreven worden aan een val in de greppel, en van een onderzoek naar vingerafdrukken hadden ze, daar was hij van overtuigd, nooit gehoord.

Niettemin wendde hij de volgende dag hoofdpijn voor, bleef binnen en praatte met Gomez. De ochtend daarop vertrok hij naar het vliegveld en nam de Convair 440 terug naar het noorden. Terwijl hij in het vliegtuig zat en de republiek onder de bakboordvleugel zag verdwijnen, ging er iets dat Gomez terloops had gezegd, als een elektrische stroom door zijn hoofd.

Er waren geen mijnwerkzaamheden in Zangaro en die waren er ook nooit geweest.

Veertig uur later was hij in Londen terug.

Ambassadeur Leonid Dobrovolski voelde zich altijd ietwat onzeker, als hij zijn wekelijks onderhoud met president Kimba had. Evenmin als andere mensen die de dictator ontmoet hadden, twijfelde hij aan de krankzinnigheid van de man. In tegenstelling tot de meeste anderen had Leonid Dobrovolski opdracht van zijn superieuren in Moskou, al het mogelijke te doen om een zekere samenwerking met de onberekenbare Afrikaan tot stand te brengen. Hij stond voor het brede mahoniehouten bureau in de werkkamer van de president op de eerste verdieping van het paleis en wachtte tot Kimba een of andere reactie toonde.

Van dichtbij gezien was president Kimba niet zo groot of zo mooi als zijn staatsportretten deden geloven. Achter het enorme bureau leek hij meer op een dwerg, vooral omdat hij in een toestand van volkomen roerloosheid in zijn stoel in elkaar gedoken zat. Dobrovolski wachtte tot die roerloze periode voorbij was. Hij wist, dat er op twee manieren een eind aan kon komen. Óf de man die over Zangaro regeerde ging zorgvuldig en helder spreken, in alle opzichten als een volkomen normaal mens, óf de bijna verlamde onbeweeglijkheid maakte plaats voor een woedende razernij, waarbij de man te keer ging als een bezetene, wat hij dan ook inderdaad zelf geloofde te zijn.

Kimba knikte langzaam.

'Gaat uw gang,' zei hij.

Dobrovolski slaakte een zucht van verlichting. De president was blijkbaar bereid te luisteren. Maar hij wist dat het slechte nieuws nog moest komen, en híj moest het overbrengen. Dat kon de zaak veranderen.

'Mijn regering heeft mij medegedeeld, excellentie, dat zij inlichtingen heeft ontvangen, dat een onlangs door een Engelse maatschappij naar Zangaro gezonden mijnexploratierapport wellicht niet geheel juist is. Ik doel hier op het onderzoek, dat enkele weken geleden door een firma, genaamd Manson Consolidated te Londen, is uitgevoerd.'

De ogen van de president, die een beetje uitpuilden, bleven de Russische ambassadeur zonder een sprankje uitdrukking aanstaren. Er kwam ook geen woord van Kimba waaruit bleek dat hij zich het onderwerp, dat Dobrovolski naar zijn paleis had gevoerd, herinnerde.

De ambassadeur ging verder en beschreef het mijnonderzoek dat door ManCon was uitgevoerd, en het exploratierapport dat door een zekere heer Bryant in handen van de minister van Natuurlijke Hulpbronnen was afgegeven.

'Ik heb dus in feite instructie u mede te delen, excellentie, dat mijn regering van mening is dat het rapport geen getrouwe voorstelling geeft van wat er werkelijk in de streek die toen in onderzoek was, de Kristalberg om precies te zijn, ontdekt is.'

Hij wachtte, omdat hij voelde dat hij niet veel meer moest zeggen. Toen Kimba eindelijk sprak, deed hij dit rustig en beheerst en Dobrovolski slaakte opnieuw een zucht.

'In welk opzicht was het exploratierapport dan niet juist?' fluisterde Kimba.

'Wij kennen de bijzonderheden nog niet precies, excellentie, maar er is reden om aan te nemen, dat aangezien de Engelse maatschappij blijkbaar geen enkele poging heeft ondernomen om een mijnconcessie van u te verkrijgen, het rapport dat zij hebben overgelegd waarschijnlijk heeft uitgewezen, dat er in die streek geen exploiteerbare mineraallagen waren. Indien het rapport onjuist was, dan was het waarschijnlijk in dit opzicht. Met andere woorden, wat die monsters van de mijningenieur ook bevat hebben, het schijnt meer te zijn dan de Engelsen geneigd waren u mee te delen.'

Er viel opnieuw een lange stilte, waarin de ambassadeur wachtte op de woedeuitbarsting. Deze bleef uit.

'Ze hebben me bedrogen,' fluisterde Kimba.

'Maar de enige manier om hier absolute zekerheid over te verkrijgen, excellentie,' viel Dobrovolski haastig in, 'is om hetzelfde gebied door een andere exploratieploeg te laten onderzoeken, die nieuwe monsters van de rotsen en de bodem neemt. Hiertoe heb ik van mijn regering instructies ontvangen om uwe excellentie eerbiedig te vragen, toestemming te willen verlenen om een exploratieploeg van het mijninstituut van Sverdlovsk naar Zangaro te zenden, teneinde hetzelfde gebied te onderzoeken waar de Engelse ingenieur heeft gewerkt.'

Kimba nam lang de tijd om dit voorstel te overwegen. Tenslotte knikte hij.

'Toegestaan,' zei hij. Dobrovolski boog. Naast hem wierp Volkov, de zogenaamde tweede secretaris van de ambassade, maar in werkelijkheid de chef van het KGB-detachement, hem een blik toe.

'De tweede kwestie is die van uw persoonlijke veiligheid,' zei Dobrovolski. Eindelijk ontving hij enige reactie van de dictator. Het was een onderwerp dat Kimba bijzonder ernstig opnam. Hij hief met een ruk zijn hoofd op en wierp argwanende blikken de kamer rond. De drie Zangarese adjudanten die achter de twee Russen stonden, beefden.

'Mijn veiligheid?' zei Kimba, zoals altijd fluisterend.

'Wij zouden nogmaals met uw welnemen het standpunt van de

Sovjet-regering willen herhalen, dat het van het grootste belang is dat uwe excellentie in staat wordt gesteld Zangaro verder te blijven leiden op de weg naar vrede en voorspoed, waarvoor uwe excellentie reeds op zo uitnemende wijze de grondslag hebt gelegd,' zei de Rus. Deze stortvloed van vleierij klonk niet misplaatst; Kimba had er recht op en hij vond het heel normaal om zo te worden toegesproken.

'Om de veiligheid van de onschatbare persoon van uwe excellentie blijvend te waarborgen, en met het oog op het recente en zeer gevaarlijke verraad van een van uw legerofficieren, zouden wij u opnieuw eerbiedig willen voorstellen, dat een staflid van mijn ambassade toestemming ontvangt om in het paleis te wonen en zijn assistentie te verlenen aan het persoonlijke beveiligingskorps van uwe excellentie.'

Bij de toespeling op het 'verraad' van kolonel Bobi raakte Kimba uit zijn trance. Hij trilde hevig, maar of het van angst of van woede was, konden de Russen niet nagaan. Toen begon hij te praten, eerst langzaam, op zijn normale fluistertoon, daarna sneller en zijn stem werd luider terwijl hij woedend door de kamer naar de Zangarezen keek. Na een paar zinnen verviel hij in het Vindoedialect, dat alleen de Zangarezen verstonden, maar waarvan de Russen de strekking al kenden; het altijd aanwezig gevaar van verraad en trouweloosheid, waarin Kimba wist dat hij verkeerde, de waarschuwingen die hij van de geesten had ontvangen, over de samenzweringen overal; dat hij precies op de hoogte was van de identiteit van al degenen, die niet loyaal waren en boze gedachten koesterden, zijn voornemen om ze allemaal uit te roeien en wat er dan van ze zou worden. Hij ging een half uur in deze trant door, totdat hij eindelijk kalmeerde en in een Europese taal overging die de Russen konden verstaan.

Toen ze weer buiten in het zonlicht kwamen en in de ambassadeauto stapten, zweetten de beide mannen, enerzijds van de hitte, want de luchtverversingsinstallatie in het paleis was weer eens kapot, en anderzijds omdat Kimba nu eenmaal altijd die uitwerking op hen had.

'Ik ben blij dat het achter de rug is,' mompelde Volkov tegen zijn collega, toen zij naar de ambassade terugreden. 'We hebben nu tenminste toestemming. Ik zal morgen een van mijn mensen installeren.'

'En ik zal zorgen dat ze zo spoedig mogelijk de mijningenieurs hier naar toe sturen,' zei Dobrovolski. 'Laten we hopen, dat er inderdaad een luchtje aan dat Engelse rapport zit, want anders weet ik niet hoe ik dat aan de president moet uitleggen.'

Volkov bromde.
'Jij liever dan ik,' zei hij.

Shannon liet zich in het Lowndes-hotel bij Knightsbridge inschrijven, zoals hij met Walter Harris had afgesproken voor hij uit Londen vertrok. Ze hadden afgesproken, dat hij een dag of tien zou wegblijven en dat Harris iedere ochtend om negen uur dat hotel zou opbellen en naar de heer Keith Brown vragen. Shannon kwam om twaalf uur aan en hoorde, dat er drie uur geleden die ochtend voor het eerst voor hem was opgebeld. Dat bericht betekende, dat hij tot de volgende dag de tijd aan zichzelf had.

Een van zijn eerste telefoontjes, nadat hij uitgebreid een bad had genomen, zich verkleed en geluncht had, was naar het detectivebureau. Het hoofd ervan herinnerde zich na enige ogenblikken nadenken de naam Keith Brown en Shannon hoorde hem op zijn bureau tussen een paar dossiers zoeken. Tenslotte vond hij de goede map.

'Ja meneer Brown, hier heb ik het. Zal ik het u toesturen?'

'Liever niet,' zei Shannon. 'Is het lang?'

'Nee, een bladzijde ongeveer. Zal ik het door de telefoon voorlezen?'

'Ja, graag.'

De man schraapte zijn keel en begon.

'Op de ochtend volgende op het verzoek van de cliënt, wachtte mijn detective dicht bij de ingang van de ondergrondse parkeergarage onder ManCon House. Hij had geluk, aangezien de persoon in kwestie, die hij de dag tevoren aldaar per taxi terug had zien komen van zijn onderhoud met onze cliënt in Sloane Avenue, met de auto aankwam. De detective kreeg hem duidelijk in het oog, toen hij de tunnel naar de parkeergarage indraaide. Het was zonder enige twijfel de persoon in kwestie. Hij zat aan het stuur van een Chevrolet Corvette. De detective nam het nummer op, terwijl de auto over de afrit reed. Later zijn inlichtingen ingewonnen bij een relatie op het bureau Kentekenbewijzen van het stadhuis. Het voertuig staat geregistreerd op naam van een zekere Simon John Endean, verblijf houdende in South Kensington.' De man hield even op. 'Wilt u het adres weten, meneer Brown?'

'Dat is niet nodig,' zei Shannon. 'Weet u wat deze Endean in ManCon House doet?'

'Ja,' zei de detective. 'Ik heb het nagevraagd bij een vriend die journalist in de City is. Hij is de persoonlijke assistent en rechterhand van sir James Manson, voorzitter van de Raad van bestuur en directeur van Manson Consolidated.'

'Dank u,' zei Shannon en legde de telefoon neer.

'Merkwaardiger en merkwaardiger,' mompelde hij, terwijl hij de hal van het hotel uitliep en naar Jermyn Street wandelde om een cheque in te wisselen en een paar overhemden te kopen. Het was één april, dag van de aprilgrappen, de zon scheen en overal stonden bij Hyde Park Corner narcissen in het gras.

Simon Endean had ook niet stilgezeten terwijl Shannon weg was. De resultaten van zijn arbeid deelde hij die middag aan sir James Manson in het dakkantoor boven Moorgate mee.

'Kolonel Bobi,' zei hij tegen zijn chef, toen hij het kantoor binnenkwam. De mijnbaas fronste zijn voorhoofd.

'Wie?'

'Kolonel Bobi. De vroegere commandant van het leger van Zangaro. Nu in ballingschap, door president Jean Kimba voorgoed het land uitgezet, die hem tussen haakjes bij presidentieel besluit ter dood heeft veroordeeld wegens hoogverraad. U wilde weten waar hij was.'

Manson zat inmiddels aan zijn bureau en knikte dat hij het weer wist. Hij was de Kristalberg nog niet vergeten.

'Juist. Waar is hij?'

'In ballingschap in Dahomey,' zei Endean. 'Het was een hels karwei om hem op te sporen zonder dat het te veel in de gaten liep. Maar hij heeft zich in de hoofdstad van Dahomey gevestigd. Die stad heet Cotonou. Hij zal wel wat geld hebben, maar waarschijnlijk niet veel, anders zou hij wel bij de andere rijke bannelingen in een ommuurde villa in Genève wonen. Hij heeft een kleine huurvilla en leeft heel teruggetrokken, waarschijnlijk omdat het de veiligste manier is om ervoor te zorgen dat de regering van Dahomey hem niet vraagt te vertrekken. Kimba zou om zijn uitlevering hebben gevraagd, maar niemand heeft er iets aan gedaan. Hij zit bovendien zo ver weg, dat Kimba mag aannemen dat hij nooit een bedreiging zal vormen.'

'En Shannon, de huurling?' vroeg Manson.

'Die zou vandaag of morgen terug zijn,' zei Endean. 'Ik heb voor alle zekerheid vanaf gisteren een kamer voor hem in Lowndes-hotel besproken. Hij was vanmorgen om negen uur nog niet aangekomen. Ik zou het morgen op hetzelfde uur weer proberen.'

'Probeer het nu maar,' zei Manson.

Het hotel deelde Endean mee, dat de heer Brown inderdaad was aangekomen, maar dat hij uit was gegaan. Sir James Manson luisterde aan het andere toestel mee.

'Laat een boodschap achter,' snauwde hij tegen Endean. 'Bel

hem vanavond om zeven uur op.'

Endean liet de boodschap achter en de beide mannen legden hun telefoons neer.

'Ik wil zo vlug mogelijk zijn verslag hebben,' zei Manson. 'Hij moet er morgenmiddag om twaalf uur mee klaar zijn. Jij gaat eerst naar hem toe om het rapport te lezen. Overtuig je ervan, dat alle punten erin staan waarvan ik je gezegd heb dat ik er antwoord op wil hebben. Daarna breng je het naar mij. Zet Shannon maar zolang twee dagen in de ijskast om mij de tijd te geven het te bestuderen.'

Shannon ontving de boodschap van Endean over vijven en was om zeven uur in zijn kamer om de telefoon aan te nemen. Hij besteedde de rest van de avond tussen het eten en bedtijd met het uitwerken van zijn aantekeningen en gedenkwaardigheden die hij uit Zangaro had meegebracht – een serie schetsjes uit de vrije hand op een tekenblok dat hij op het vliegveld in Parijs had gekocht om de tijd te verdrijven, een paar tekeningen op schaal, volgens afstanden tussen bepaalde punten in Clarence, die hij stap voor stap had uitgemeten, een plaatselijk gidsje van 'bezienswaardigheden', waarvan het enige bezienswaardige was 'de residentie van Zijne Excellentie de Gouverneur van de Kolonie', dat uit 1959 dateerde, en een bijzonder geflatteerd staatsportret van Kimba, een van de weinige artikelen die in de republiek niet schaars waren.

De volgende dag wandelde hij net toen de winkels opengingen door Knightsbridge, kocht een schrijfmachine en een pak papier en besteedde de ochtend met het schrijven van zijn rapport. Het bevatte drie onderwerpen: een sober relaas van zijn bezoek, een gedetailleerde beschrijving van de hoofdstad, voorzien van de schetsen, en een niet minder gedetailleerde beschrijving van de militaire situatie. Hij maakte melding van het feit dat hij geen enkel teken had gezien van een lucht- of zeemacht, en van de verklaring van Gomez dat die geen van beide bestonden. Hij zei niets over zijn wandeling over het schiereiland naar de inheemse krottenwijken, waar hij de opeengehoopte hutten van de armere Caja had gezien, met daarachter de krotten van de duizenden arbeiders-immigranten en hun gezinnen, die met elkaar in hun moedertaal praatten, die ze van vele kilometers ver hadden meegebracht.

Hij eindigde zijn verslag met de samenvatting:

'De kern van het probleem om Kimba af te zetten is door de man zelf vereenvoudigd. Het grootste deel van het oppervlak van de republiek, het Vindoe-land aan de overkant van de rivier, is in geen enkel opzicht van enig politiek of economisch belang. Mocht

Kimba ooit de macht verliezen over de kustvlakte waar in hoofdzaak de weinige middelen van bestaan worden geproduceerd, dan is hij het hele land kwijt. Om nog een stapje verder te gaan, als hij het schiereiland verloor, zouden hij en zijn mensen deze vlakte niet kunnen behouden tegen de vijandschap en de haat in van de gehele Caja-bevolking, die hoewel door angst onderdrukt onder de oppervlakte bestaat. Bovendien is het schiereiland voor het Vindoe-leger onhoudbaar als de stad Clarence eenmaal gevallen is. En tenslotte heeft hij in de stad Clarence zelf geen kracht als hij en zijn leger het paleis verloren hebben. Kortom, zijn centralisatiebeleid heeft het aantal doelen, die voor het overnemen van de staat overwonnen moeten worden, tot één teruggebracht – zijn paleiscomplex met daarin hijzelf, zijn lijfwacht, het wapenarsenaal, de schatkist en het radiostation.

Wat betreft de methoden om het paleis met terrein in te nemen en tot overgave te dwingen, is er vanwege de muur die het hele complex omringt maar één manier: het moet bestormd worden.

De hoofdingang kan misschien wel geramd worden door een zware vrachtwagen of bulldozer, die er pal op inrijdt, bestuurd door iemand die bij die poging zijn leven wil riskeren. Ik heb geen blijken van een dergelijke geest onder de burgers of het leger aangetroffen, evenmin als iets wat op een geschikte vrachtwagen lijkt. Een andere oplossing: honderden mannen zouden met doodsverachting met behulp van brandladders de paleismuren kunnen overweldigen en het paleis innemen. Van een dergelijke geest heb ik ook geen spoor gezien. Het zou realistischer zijn het paleis en de terreinen met weinig verlies van levens in te nemen nadat het eerst met mortiervuur in puin is geschoten. Tegen dit wapen wordt de omringende muur in plaats van een beveiliging, een levensgevaarlijke val voor degenen die erin zitten. De deur kan met één bazookaraket kapot worden geschoten. Ik heb geen enkel bewijs van de aanwezigheid van deze wapens gezien of ook maar iemand die ermee om kon gaan. Het bovenstaande leidt onvermijdelijk tot de volgende conclusie:

Indien een groepering of een partij in de republiek voornemens is Kimba's regime omver te werpen en de macht over te nemen, moet men hem en zijn pretoriaanse lijfwacht in het paleiscomplex zelf vernietigen. Om dit te bewerkstelligen zouden ze hulp van deskundigen nodig hebben met een technische kennis waarover ze zelf nog niet beschikken, en een dergelijke hulp zou compleet met alle benodigde uitrusting van buitenaf moeten komen. Indien aan deze voorwaarden wordt voldaan kan Kimba in een vuurgevecht van nog geen uur afgezet en gedood worden.'

'Weet Shannon wel, dat er in Zangaro geen politieke partij is die de wens te kennen heeft gegeven om Kimba's regime omver te werpen?' vroeg sir James Manson de volgende morgen toen hij het rapport las.

'Dat heb ik hem niet verteld,' zei Endean. 'Ik heb hem alleen instructies gegeven zoals u hebt opgedragen. Ik heb alleen gezegd, dat er een legerpartij in het land was en dat de leden van de groep, waarvan ik woordvoerder was, als belanghebbende zakenlieden bereid waren te betalen voor een militaire taxatie van hun kans op slagen. Maar hij is ook niet gek. Hij zal zelf wel gezien hebben, dat daar toch niemand is, die in staat zou zijn dit werk te klaren.'

'Die Shannon bevalt me wel,' zei Manson, terwijl hij het militaire rapport dichtklapte. 'Hij heeft blijkbaar wel lef, te oordelen naar de manier waarop hij tegen die soldaat is opgetreden. Hij schrijft goed, beknopt en ter zake. De vraag is of hij het hele werk zelf zou kunnen uitvoeren?'

'Hij heeft wel iets gezegd dat me trof,' merkte Endean op. 'Toen ik hem uithoorde zei hij, dat het peil van het Zangarese leger zo laag was, dat een te hulp geroepen ploeg van technische deskundigen toch praktisch al het werk zou moeten doen, die dan als het klaar was de zaak aan de nieuwe machthebbers zou overdragen.'

'O, ja, heeft hij dat gezegd?' zei Manson peinzend. 'Dan vermoedt hij al dat hij om een andere reden is uitgezonden dan hem verteld is.'

Hij zat nog te peinzen, toen Endean vroeg:

'Mag ik u een vraag stellen, sir James?'

'En dat is?' vroeg Manson.

'Alleen maar deze: waarom is hij daar naar toe gegaan? Waarvoor hebt u een militair rapport nodig over de vraag hoe Kimba afgezet en gedood kan worden?'

Sir James Manson staarde een tijdlang uit het raam. Tenslotte zei hij: 'Laat Martin Thorpe bovenkomen.' Terwijl ze Thorpe lieten roepen, liep Manson naar het raam en keek naar beneden, zoals hij altijd deed als hij wilde nadenken.

Hij wist, dat hij persoonlijk Endean en Thorpe als jonge mannen had aangenomen en een salaris en een positie bezorgd had die ver boven het op hun leeftijd gebruikelijke lagen. Dat was niet alleen maar om hun intelligentie, al bezaten ze die ruimschoots. Het was, omdat hij in beiden een gewetenloosheid herkende die voor de zijne niet onderdeed, een bereidheid om bij het streven naar het doel – succes – de zogenaamde zedelijke normen overboord te gooien. Net als Shannon en net als hijzelf, waren ook zij huurlingen. Ze verschilden alle vier alleen van elkaar in de graad van succes en maatschappelijk aanzien. Hij had ze tot zijn ploeg gevormd, zijn bendeleden, betaald door de firma, maar die hem in alles persoonlijk dienden. Het probleem was: kon hij ze deze ene, grote zaak wel toevertrouwen? Toen Thorpe het kantoor binnenkwam, besloot hij dat hij het doen moest. Hij meende te weten hoe hij zich van hun trouw moest verzekeren.

Hij verzocht ze plaats te nemen en terwijl hij met zijn rug naar het raam bleef staan, zei hij:

'Ik wil, dat jullie over de volgende vraag heel goed nadenken en me dan antwoord geven. Hoe ver zouden jullie bereid zijn te gaan om verzekerd te zijn van een privé-kapitaal van vijf miljoen pond sterling voor ieder van jullie op een Zwitserse bank?'

Het geraas van het verkeer tien verdiepingen lager was als een zoemende bij, waardoor de stilte in de kamer nog meer nadruk kreeg. Endean keek zijn baas aan en knikte langzaam.

'Heel erg ver,' zei hij zacht.

Thorpe gaf geen antwoord. Hij wist dat dit het was waarom hij naar de City was gekomen, bij Manson was gaan werken, zijn encyclopedische kennis van firma-aangelegenheden had verzameld. De grote slag, die maar eens in de tien jaar voorkomt. Hij knikte instemmend.

'Hoe dan?' fluisterde Endean. Als antwoord liep Manson naar zijn muurkluis en haalde er twee rapporten uit. Het derde, van Shannon, lag op zijn bureau, waar hij nu achter ging zitten.

Manson sprak een uur achter elkaar. Hij begon bij het begin en las al spoedig de laatste zes paragrafen van het rapport van dr. Chalmers over de monsters van de Kristalberg voor. Thorpe floot zachtjes en mompelde: 'Jezus.'

Endean had eerst een lezing van tien minuten over platina nodig voor hij begreep waar het om ging en slaakte daarna ook een diepe zucht.

Daarna vertelde Manson over de verbanning van Mulrooney naar het noorden van Kenya, de omkoping van Chalmers, het tweede bezoek van Bryant aan Clarence en de inontvangstneming van het schijnrapport door Kimba's minister. Hij wees nadrukkelijk op de Russische invloed op Kimba en de recente verbanning van kolonel Bobi, die mits de omstandigheden gunstig waren, als een geschikte vervanger kon terugkeren om de macht over te nemen.

Ten gerieve van Thorpe las hij een groot deel van Endeans rapport over Zangaro voor en eindigde met de conclusie uit Shannons rapport.

'Wil de zaak slagen, dan moet er sprake zijn van twee gelijktijdige, uiterst geheime operaties,' zei Manson tenslotte. 'In de ene organiseert Shannon, steeds geregisseerd door Simon, een actie om dat paleis in te nemen en met inhoud en al te vernietigen, waarna Bobi, vergezeld door Simon, de volgende ochtend de staatsmacht overneemt en de nieuwe president wordt. In de andere zou Martin een lege vennootschap moeten kopen zonder te onthullen wie deze in bezit heeft gekregen of waarom.'

Endean fronste zijn voorhoofd.

'De eerste operatie begrijp ik wel, maar waarom de tweede?' vroeg hij.

'Vertel jij het hem maar, Martin,' zei Manson. Thorpe grinnikte, want hij had, geslepen als hij was, de bedoeling van Manson al begrepen.

'Een lege vennootschap, Simon, is een firma, meestal heel oud en zonder noemenswaardige bezittingen, die praktisch geen zaken meer doet en waarvan de aandelen heel goedkoop zijn, zeg, een shilling per stuk.'

'Waarom koop je ze dan?' vroeg Endean, nog steeds niet begrijpend.

'Stel, dat sir James een vennootschap bezit, in het geheim door stromannen gekocht, die zich achter een Zwitserse bank verschuilen, allemaal heel wettig en keurig in orde, en die vennootschap heeft een miljoen aandelen ter waarde van een shilling per stuk. Zonder medeweten van de andere aandeelhouders of de Raad van beheer of de effectenbeurs, is sir James via de Zwitserse bank eigenaar van 600 000 van deze miljoen aandelen. Dan verkoopt kolonel – pardon – president Bobi exclusief aan die vennootschap een mijnconcessie van tien jaar voor een terrein in het binnenland van Zangaro. Een nieuwe mijnexploratieploeg van een zeer respectabele firma, gespecialiseerd op het gebied van de mijnbouw, trekt erop uit en ontdekt de Kristalberg. Wat gebeurt er met de aandelen van de firma X als het nieuws op de beurs bekend raakt?'

Er ging Endean een licht op.

'Die gaan omhoog,' zei hij grijnzend.

'Regelrecht omhoog,' zei Thorpe. 'Met een beetje goede wil stijgen ze van een shilling tot meer dan £ 100 per aandeel. Reken nu eens uit. Zeshonderdduizend aandelen van een shilling per stuk kosten bij aankoop £ 30 000. Verkoop 600 000 aandelen tegen £ 100 per stuk – en dat is het minimum dat je ervoor zou krijgen – en wat krijg je dan? Een slordige zestig miljoen pond sterling, op een Zwitserse bank. Klopt dat, sir James?'

'Dat klopt,' knikte Manson grimmig. 'Maar als je de helft van de aandelen in kleine pakketten aan allerlei verschillende mensen verkocht, zou het beheer over de firma die de concessie bezit natuurlijk in dezelfde handen blijven als ze eerst was. Maar een grotere firma zou een bod kunnen doen op de hele partij van 600 000 aandelen ineens.'

Thorpe knikte nadenkend.

'Ja, zo'n firma in handen krijgen voor £ 60 miljoen, dat zou een goede transactie zijn. Maar wiens bod zou u accepteren?'

'Mijn eigen bod,' zei Manson. Thorpe's mond viel open.

'Uw eigen bod?'

'Alleen een bod van ManCon zou aanvaardbaar zijn. Op die manier blijft de concessie stevig in Engelse handen en ManCon zou er een mooie aanwinst bij hebben.'

'Maar,' vroeg Endean, 'dan betaalt u toch zestig miljoen pond aan uzelf?'

'Nee,' zei Thorpe bedaard, 'de aandeelhouders van ManCon betalen aan sir James zestig miljoen pond, zonder dat ze het zelf weten.'

'Hoe heet zoiets, in financiële termen dan?' vroeg Endean.

'Er bestaat op de effectenbeurs wel een woord voor,' gaf Thorpe toe.

Sir James Manson bood ze allebei een glas whisky aan. Hij draaide zich om, om zijn eigen glas te pakken.

'Doen jullie mee, heren?' vroeg hij zacht. De twee jongere mannen keken elkaar aan en knikten.

'Op de Kristalberg dan.'

Ze dronken.

'Zorg, dat jullie morgenochtend om klokslag negen uur hier zijn,' zei Manson en ze stonden op om weg te gaan. Bij de deur naar de achtertrap draaide Thorpe zich om.

'Wat ik zeggen wil, sir James, het wordt een verdomd gevaarlijke zaak. Als er één woord uitlekt . . .'

Sir James Manson stond weer met zijn rug naar het raam en de zon uit het westen wierp een schuine straal op het tapijt naast hem. Hij stond met gespreide benen en zijn vuisten op de heupen.

'Een bank of een gepantserde vrachtwagen overvallen is alleen maar grof. Een hele republiek overvallen heeft een zekere stijl, vind ik.'

# 7

'Wat u zegt komt dus eigenlijk hierop neer, dat er binnen het leger geen ontevreden partij is die er, voor zover u weet, ooit over gedacht heeft president Kimba af te zetten?'

Cat Shannon en Simon Endean zaten 's morgens in de hotelkamer van Shannon koffie te drinken. Endean had Shannon volgens afspraak om negen uur opgebeld en gezegd, dat hij op een tweede telefoontje moest wachten. Hij had van sir James Manson instructies ontvangen en Shannon teruggebeld, om de afspraak voor elf uur te maken.

Endean knikte. 'Inderdaad. Op dat ene punt wijkt de informatie af. Ik zie niet in wat dat voor verschil maakt. U hebt zelf gezegd, dat het peil van het leger zo laag was, dat de technische assistenten het werk toch zelf zouden moeten doen.'

'Het maakt donders veel verschil,' zei Shannon. 'Je kunt wel een aanval op het paleis doen en het veroveren, maar de kunst is om het te behouden. Als je het paleis met Kimba vernietigt, ontstaat er eenvoudig een machtsvacuüm. Er moet iemand klaarstaan om die macht over te nemen. De huurlingen mogen niet eens bij daglicht gezien worden. Dus wie neemt het over?'

Endean knikte weer. Hij had niet verwacht, dat een huurling enig politiek inzicht had.

'Wij hebben wel iemand op het oog,' zei hij voorzichtig.

'Is hij nu in de republiek of in ballingschap?'

'In ballingschap.'

'Nou, dan moet hij op de middag van de dag na de nachtelijke aanval op het paleis geïnstalleerd worden en over de radio laten omroepen, dat hij een interne staatsgreep heeft uitgevoerd en de macht heeft overgenomen.'

'Dat kan geregeld worden.'

'Dan is er nog iets.'

'En dat is?' vroeg Endean.

'Er moeten troepen zijn die trouw zijn aan het nieuwe regime, dezelfde troepen, die zogenaamd de staatsgreep van de vorige nacht hebben uitgevoerd, die zichtbaar aanwezig zijn en bij zonsopgang van de dag na de aanval voor de bewaking zorgen. Als ze niet komen opdagen, zijn we verloren . . . een groep blanke huurlingen in het paleis in de klem, die zich om politieke redenen niet kunnen vertonen en bij een eventuele tegenaanval afgesneden zijn van de terugtocht. Brengt die man van u, die banneling, zo'n legermacht mee die hem steunt als de staatsgreep komt? Of kan hij ze in de hoofdstad snel op de been brengen?'

'Ik geloof, dat u dat aan ons moet overlaten,' zei Endean stijfjes. 'Wat wij van u vragen is een militair plan om de aanval op touw te zetten en te volvoeren.'

'Dat kan ik wel doen,' zei Shannon zonder te aarzelen. 'Maar hoe staat het met de voorbereidingen, de organisatie van het plan, het werven van de mensen, de aankoop van wapens en munitie?'

'Dat moet u er ook bij nemen. U begint helemaal van de grond af aan en gaat dan rechtstreeks door tot aan de verovering van het paleis en de dood van Kimba.'

'Moet Kimba eraan?'

'Natuurlijk,' zei Endean. 'Gelukkig heeft hij allang iedereen met een beetje initiatief of hersens, die een rivaal zou kunnen worden, uit de weg geruimd. Dientengevolge is hij de enige, die zijn leger zou kunnen hergroeperen om een aanval in te zetten. Als hij dood is komt er ook een eind aan zijn vermogen om de mensen door hypnose te onderwerpen.'

'Ja. De toverkracht verdwijnt met de dood van de man.'

'Wat?'

'Niets. Dat begrijpt u toch niet.'

'Probeer het dan maar,' zei Endean koel.

'Die man heeft een toverkracht,' zei Shannon, 'dat gelooft het volk tenminste. Dat is een kracht die hij van de geesten heeft gekregen en die hem tegen zijn vijanden beschermt, hem onoverwinnelijk maakt, tegen aanvallen verdedigt en tegen de dood vrijwaart. In de Kongo geloofden de Simba's dat hun leider, Pierre Mulele, ook over zo'n toverkracht beschikte. Hij vertelde ze, dat hij deze aan zijn aanhangers kon overdragen en ze onsterfelijk kon maken. Ze geloofden hem. Ze dachten, dat kogels van ze zouden afglijden als water. Zo kwamen ze in golven op ons af, helemaal uitzinnig van *dagga* en whisky, stierven als vliegen en bleven maar komen. Met Kimba is het net zo. Zolang ze denken dat hij onsterfelijk is, is hij het ook. Daarom zullen ze nooit een vinger tegen hem opheffen. Als ze eenmaal zijn lijk zien, wordt de man die hem gedood heeft de leider. Diens toverkracht is dan sterker.'

Endean keek hem verbaasd aan. 'Is het echt nog zo achterlijk?'

'Zo achterlijk is het niet. Wij doen hetzelfde met amuletten, heilige relikwieën, de veronderstelling van goddelijke bescherming voor onze eigen particuliere doeleinden. Maar van ons noemen we het religie, van hen een heidens bijgeloof.'

'Dat doet er ook niet toe,' snauwde Endean. 'Nu het zo zit, is er reden temeer dat Kimba moet sterven.'

'Dat betekent dat hij in het paleis moet zijn als we toeslaan. Als hij het land in is, heeft het geen zin. Niemand zal uw man steunen als Kimba nog in leven is.'

'Ik heb gehoord dat hij meestal in het paleis zit.'

'Ja,' zei Shannon. 'Maar we moeten zekerheid hebben. Er is één dag die hij nooit overslaat, de Onafhankelijkheidsdag. Op de vooravond van de Onafhankelijkheidsdag slaapt hij in het paleis, zo zeker als tweemaal twee vier is.'

'Wanneer is dat?'

'Over drie en een halve maand.'

'Zou er binnen die tijd een project georganiseerd kunnen worden?' vroeg Endean.

'Met een beetje geluk wel, ja. Ik zou nog minstens wel een paar weken meer willen hebben.'

'Het project is nog niet geaccepteerd,' merkte Endean op.

'Nee, maar als u een nieuwe man in dat paleis wilt installeren, dan is een aanval van buitenaf de enige manier. Wilt u dat ik het hele project van begin tot eind voorbereid, met de geraamde kosten en een tijdschema?'

'Ja. De kosten zijn erg belangrijk. Mijn . . . eh . . . compagnons willen graag weten voor hoeveel ze moeten opdraaien.'

'Goed,' zei Shannon. 'Dat komt dan op £ 500.'

'U hebt al betaling ontvangen,' zei Endean koel.

'Ik heb betaald gekregen voor een missie naar Zangaro en een rapport over de militaire toestand daar,' antwoordde Shannon. 'Wat u vraagt is een nieuw rapport, helemaal buiten de oorspronkelijke instructies die u me gegeven hebt.'

'Vijfhonderd is wel een beetje veel voor een paar velletjes beschreven papier.'

'Onzin. U weet heel goed, dat als uw firma een advocaat, een architect, een accountant of een andere deskundige raadpleegt, u hem een honorarium betaalt. Ik ben technisch deskundig op het gebied van de oorlog. Wat u betaalt is de kennis en de ervaring – waar de beste mensen te krijgen zijn, de beste wapens, hoe ze verstuurd moeten worden, enzovoort. Dat kost £ 500 en dezelfde kennis zou u het dubbele kosten als u het zelfde in twaalf maanden zou proberen uit te zoeken, wat u trouwens toch niet kunt omdat u de relaties er niet voor hebt.'

Endean stond op. 'Akkoord. Het wordt vanmiddag met een speciale bode gebracht. Morgen is het vrijdag. Mijn compagnons willen het rapport graag in het weekeind lezen. Wilt u het morgen om drie uur gereed hebben, dan kom ik het hier halen.'

Hij vertrok en terwijl de deur achter hem dichtging, hief Shannon spottend zijn koffiekopje op als in een toost.

'Tot ziens, meneer Walter Harris schuine streep Simon Endean, zei hij zacht.

Het was niet voor de eerste maal dat hij zijn gesternte dankte voor de vriendelijke, praatgrage hotelhouder Gomez. In een van hun lange nachtelijke gesprekken had Gomez over kolonel Bobi, nu in ballingschap, gepraat. Hij had ook gezegd, dat Bobi zonder Kimba nergens was, omdat hij bij de Caja gehaat was wegens de wreedheden die zijn leger op bevel van Kimba tegenover hen had begaan, en dat hij evenmin in staat was het bevel te voeren over Vindoe-troepen, zodat Shannon met het probleem zat, waar hij een leger met zwarte gezichten vandaan moest halen, dat klaarstond om de volgende ochtend de macht over te nemen.

De bruine envelop van Endean met vijftig biljetten van £ 10 werd na drieën in een taxi gebracht en aan de receptie van het Lowndes-hotel afgegeven. Shannon telde de biljetten, stopte ze in de binnenzak van zijn jasje en ging aan het werk. Het nam de rest van de middag en bijna de hele avond in beslag.

Hij werkte aan de schrijftafel in zijn kamer, waar hij zich in zijn eigen schetsen en kaarten van de stad Clarence verdiepte, met de haven, de havenwijk en de woonwijk van de notabelen, waarin ook het presidentiële paleis en de legerbarakken lagen.

De klassieke militaire benadering zou zijn, een troepenmacht aan de zijkant van het schiereiland, bij de basis te laten landen, de korte afstand landinwaarts te marcheren en de weg van Clarence naar het binnenland te nemen en de T-kruising onder schot te houden. Zodoende werd het schiereiland met de hoofdstad afgesneden voor de aanvoerder van versterkingen, maar dan zou tevens het element van verrassing weg zijn.

Het was de gave van Shannon, dat hij Afrika en de Afrikaanse soldaat begreep en dat hij oorspronkelijk kon denken, dezelfde manier van denken die Hoare de bijnaam van Gekke Mike bezorgd had, hoewel de tactiek van de Kongo-huurlingen helemaal aan de Afrikaanse omstandigheden waren aangepast, die vrijwel volstrekt tegengesteld zijn aan de Europese omstandigheden.

Als Shannon zijn plannen ooit aan een Europese militair die volgens conventionele maatstaven dacht, had laten zien, zou men ze als roekeloos hebben beschouwd en geen kans van slagen hebben gegeven. Hij gokte erop, dat sir James Manson niet in het Engelse leger had gediend – er stond niets over in *Who's Who* – en het plan zou accepteren. Shannon wist, dat dit het enige plan was dat uitvoerbaar was.

Hij baseerde zijn plan op drie feiten over oorlog in Afrika die hij door schade en schande geleerd had. Ten eerste, dat de Europese soldaat goed en raak in het donker vecht, mits hij goed is voorgelicht over het terrein dat hij kan verwachten, terwijl de Afrikaanse soldaat, zelfs op zijn eigen terrein, soms geheel hulpeloos wordt door zijn angst voor de verborgen vijand in het duister rondom hem. Ten tweede dat de reactiesnelheid van de Afrikaanse soldaat als hij eenmaal de kluts kwijt is, zijn vermogen om zich te herstellen, te hergroeperen en een tegenaanval te ondernemen, lang zo groot niet is als die van de Europese soldaat, omdat het normale verrassingseffect daardoor groter wordt. Ten derde dat geweervuur, en dus lawaai, iets is waardoor Afrikaanse soldaten soms zo bang worden dat ze in paniek raken en op de vlucht slaan, zonder erbij te denken dat hun tegenstanders helemaal niet zo groot in aantal zijn.

Daarom ging Shannon bij zijn plan uit van een nachtelijke aanval, die volslagen bij verrassing onder oorverdovend lawaai en gericht geweervuur werd uitgevoerd.

Hij werkte langzaam en systematisch en omdat hij slecht met een schrijfmachine overweg kon, tikte hij de woorden met twee wijsvingers uit. Om twee uur 's morgens kon de bewoner van de kamer naast hem het niet langer uithouden en bonsde op de muur om te vragen of hij alsjeblieft een beetje rust kon krijgen om te slapen. Shannon maakte binnen vijf minuten het stuk af waar hij aan bezig was en hield er voor die nacht mee op. Er was nog een geluid waar de man naast hem last van had, behalve het gerammel van de schrijfmachine. Onder het werken en later toen hij in bed lag, floot de schrijver voortdurend een droevig wijsje. Als zijn slapeloze buurman iets meer van muziek had geweten, zou hij *Spanish Harlem* hebben herkend.

Martin Thorpe lag die nacht eveneens wakker. Hij wist dat hij een lang weekeinde voor de boeg had, twee en een halve dag waarin hij een vervelend en tijdrovend werkje moest doen, namelijk 4500 kaarten doornemen met de basisgegevens van alle openbare vennootschappen die in het vennootschapshuis in de City van Londen geregistreerd zijn.

Er zijn twee bureaus in Londen, die hun abonnees dergelijke informatie over Engelse vennootschappen verstrekken. Dit zijn Moodies en de Exchange Telegraph, beter bekend als Extel. Op zijn kantoor in ManCon House had Thorpe de door Extel geleverde serie kaarten, omdat ManCon van dit bureau gebruik maakte als een noodzakelijk onderdeel van de commerciële werkzaamheden. Maar voor het karwei van het zoeken naar een lege vennootschap, had Thorpe besloten van de diensten van Moodies gebruik te maken en ze naar zijn huis te laten sturen, aan de ene kant omdat hij dacht dat Moodies betere inlichtingen kon verschaffen over de in het Verenigd Koninkrijk geregistreerde kleinere vennootschappen, en aan de andere kant om redenen van geheimhouding.

Hij had donderdag zijn instructies van sir James Manson ontvangen en was rechtstreeks naar een advocatenfirma gegaan. Die advocaat had ten behoeve van hem en zonder zijn naam te noemen, een complete serie kaarten bij Moodies besteld. Hij had de advocaat de £ 260 voor de kaarten betaald, plus nog £ 50 voor de drie grijze opbergkasten waarin ze aankwamen, plus het honorarium van de advocaat voor dit alles. Verder had hij een kleine verhuisfirma in de arm genomen om een bestelwagen naar Moodies te sturen, nadat ze gezegd hadden dat de serie kaarten vrijdagmiddag klaarlag om te worden afgehaald.

Liggend in bed in zijn chique vrijstaande huis in de voorstad Hampstead Garden, was hij eveneens bezig zijn veldtocht uit te stippelen; niet in details, zoals Shannon, want hij had te weinig gegevens, maar in algemene termen, waarbij hij met stromannen en aandelenpakketten met stemrecht omsprong zoals Shannon met geweren en mortieren.

Shannon overhandigde vrijdagmiddag om drie uur zijn voltooide project aan Endean. Het omvatte veertien bladzijden, waarvan vier uit schetsen en twee uit lijsten van benodigdheden bestonden. Hij had het na het ontbijt afgemaakt, in het vertrouwen dat zijn slapeloze buurman weg was en had het in een bruine map gestopt. Hij had bijna op het omslag willen zetten: 'Uitsluitend bestemd voor sir James Manson', maar had deze verleiding weerstaan. Het was niet nodig de boel baldadig te verraden en hij rook dat er een mooi contract in het verschiet lag, als de mijnbaron hem die baan aanbood.

Daarom zei hij nog altijd Harris tegen Endean en sprak over 'uw compagnons' in plaats van 'uw baas'. Nadat Endean de map had aangenomen, droeg hij hem op in de stad te blijven en zich vanaf zondagavond twaalf uur beschikbaar te houden.

Shannon ging de verdere middag winkelen, maar zijn gedachten waren bij de gegevens, die hij al in *Who's Who* had zien staan over de man, die hem zoals hij nu wist in dienst had genomen, sir James Manson, die het tot miljonair en magnaat had gebracht.

Hij voelde zich gedrongen om deels uit nieuwsgierigheid, en deels omdat hij die inlichtingen wel eens nodig kon hebben, meer over sir James Manson aan de weet te komen, over de man zelf en waarom hij een huurling had genomen om voor hem oorlog in Zangaro te voeren.

De vermelding in *Who's Who* die in zijn gedachten was blijven hangen, ging over een dochter die Manson had, een meisje dat nu om en nabij de twintig moest zijn. In de loop van de middag stapte hij een telefooncel in Jermyn Street binnen en belde het detective-bureau op, dat Endean vanaf hun eerste ontmoeting in Chelsea gevolgd en hem als de assistent van Manson ontmaskerd had.

Het hoofd van het bureau was heel voorkomend toen hij zijn vroegere cliënt aan de telefoon hoorde. Meneer Brown had zoals hij wist al eerder prompt contant betaald en zulke klanten waren veel waard. Dat hij aan de andere kant van een telefoon wenste te blijven moest hij zelf weten.

'Kunt u bij een tamelijk volledig kranteknipselarchief komen?' vroeg Shannon.

'Dat zou kunnen,' gaf het hoofd van het bureau toe.

'Ik wil graag een korte beschrijving hebben van een jongedame, over wie misschien wel eens in een van de roddelrubrieken in de Londense pers iets geschreven is. Ik hoef niet veel te weten, alleen wat ze doet en waar ze woont. Maar ik moet het wel gauw hebben.'

Het was even stil aan de andere kant.

'Als er dergelijke berichten zijn, kan ik het misschien wel telefonisch doen,' zei de detective. 'Hoe is de naam?'

'Mejuffrouw Julia Manson, dochter van sir James Manson.'

De detective dacht even na. Hij herinnerde zich dat de vorige opdracht van zijn cliënt een man betrof, die de assistent van sir James Manson bleek te zijn. Hij wist ook, dat hij in een uur kon uitzoeken wat meneer Brown wilde weten.

De twee mannen werden het eens over een honorarium, een bescheiden bedrag, en Shannon beloofde het geld binnen een uur aangetekend te zullen sturen. De detective besloot die toezegging te accepteren en vroeg zijn cliënt hem tegen vijven op te bellen.

Shannon deed zijn verdere boodschappen en belde om klokslag vijf uur terug. Enkele seconden later had Shannon wat hij hebben wou. Hij was diep in gedachten toen hij naar zijn hotel terugliep en de schrijver opbelde, die hem aanvankelijk bij 'meneer Harris' had aanbevolen.

'Dag,' zei hij nors door de telefoon, 'met mij, Cat Shannon.'

'Hé, dag Cat,' kwam het verbaasde antwoord. 'Waar heb jij gezeten?'

'Overal,' zei Shannon. 'Ik wou je alleen even bedanken, dat je me bij die Harris hebt aanbevolen.'

'Geen dank. Heeft hij je een baan aangeboden?'

Shannon was voorzichtig. 'Ja, voor een paar dagen. Het is nu afgelopen. Maar ik heb wat poen. Zullen we een hapje gaan eten?'

'Waarom niet,' zei de schrijver.

'Vertel eens,' zei Shannon, 'ga je nog steeds met dat meisje om waar je mee was toen we elkaar de laatste keer zagen?'

'Ja, nog steeds. Waarom?'

'Was ze geen mannequin?'

'Ja.'

'Hoor eens,' zei Shannon, 'jij zult het wel gek vinden, maar ik wil dolgraag in contact komen met een meisje dat ook mannequin is, maar aan wie ik me niet kan laten voorstellen. Ze heet Julie Manson. Zou jij je vriendin kunnen vragen of ze haar wel eens in de modewereld ontmoet heeft?'

De schrijver dacht na.

'Jawel. Ik zal Carrie opbellen om het te vragen. Waar ben je nu?'

'In een telefooncel. Ik zal je over een half uur terugbellen.'

Shannon bofte. Zijn vriend zei, dat de twee meisjes elkaar kenden en samen op de mannequinschool geweest waren. Ze werden ook door hetzelfde bureau uitgezonden. Het duurde nog een uur voor Shannon, die toen rechtstreeks met de vriendin van de schrijver sprak, hoorde dat Julie Manson had toegestemd om mee te gaan eten, mits Carrie en haar vriend ook meegingen. Ze spraken af dat ze om acht uur in de flat van Carrie zouden komen en dat Julie Manson er dan ook zou zijn.

Shannon en de schrijver kwamen een paar minuten na elkaar in Carries flat bij Maida Vale aan en ze gingen met zijn vieren uit eten. De schrijver had een tafeltje gereserveerd in een klein kelderrestaurant, de Baker and Oven in Marylebone, en het was het soort maaltijd waar Shannon van hield, met enorme porties Engelse rosbief en groenten, met twee flessen Piat de Beaujolais erbij. Het eten beviel hem en Julie beviel hem ook.

Ze was erg klein, ruim één meter vijftig lang en om groter te lijken droeg ze hoge hakken en liep heel recht. Ze zei dat ze negentien jaar was en had een pittig, rond gezichtje dat zo onschuldig als een engel was als ze wou, of bijzonder sexy als ze dacht dat niemand naar haar keek.

Ze maakte een verwende indruk, alsof ze het gewoon vond altijd haar zin te krijgen, waarschijnlijk het gevolg van een al te toegeeflijke opvoeding, meende Shannon. Maar ze was knap en onderhoudend en Shannon had nooit meer van een meisje verlangd. Ze liet het donkerbruine haar los hangen, zodat het tot aan haar middel viel, en onder haar jurk kon je duidelijk al haar rondingen zien. Ze leek ook geboeid te zijn door haar onbekende partner.

Hoewel Shannon zijn vriend had gevraagd niet te vertellen wat hij deed voor de kost, had Carrie toch laten doorschemeren dat hij een huurling was. Maar tijdens het gesprek onder het eten kon hij die vraag nog omzeilen. Zoals gewoonlijk praatte Shannon minder dan de anderen, wat niet zo moeilijk was, want Julie en de lange Carrie met het kastanjekleurige haar spraken voor vier.

Toen ze het restaurant uitgingen en op straat in de koele nachtlucht kwamen, zei de schrijver, dat hij met zijn vriendin in de auto naar zijn flat ging. Hij hield voor Shannon een taxi aan en vroeg of hij voor hij naar zijn hotel ging, Julie naar huis wilde brengen. Toen de huurling instapte, gaf de schrijver hem langzaam een knipoogje.

'Je hebt beet, geloof ik,' zei hij. Shannon gromde.

Voor haar flat in Mayfair vroeg Julie hem om nog even een kopje koffie te komen drinken. Daarom betaalde hij de taxi en liep met haar mee de trap op naar het duur uitziende appartement. Pas toen ze op de bank de vieze koffie zaten te drinken die Julie gezet had, begon ze over de manier waarop hij zijn brood verdiende.

Hij leunde achterover in de hoek van de sofa en zij zat op de uiterste rand, met het gezicht naar hem toegewend.

'Heb je wel eens mensen gedood?' vroeg ze.

'Ja.'

'Bij een gevecht?'

'Soms. Meestal wel.'

'Hoeveel?'

'Ik weet het niet. Ik heb ze nooit geteld.'

Ze proefde die mededeling en slikte een paar maal.

'Ik heb nog nooit iemand gekend die mensen gedood heeft.'

'Dat weet je niet,' wierp Shannon tegen. 'Iedereen die in een oorlog is geweest heeft waarschijnlijk mensen gedood.'

'Heb je littekens van verwondingen?' Alweer een van die geijkte vragen. Shannon had inderdaad tientallen littekens op zijn rug en borst, nagelaten door kogels, mortierfragmenten en granaatscherven. Hij knikte.

'Een paar.'

'Laat eens zien,' zei ze.

'Nee.'

'Toe nou, laat zien. Als bewijs.'

Ze stond op. Hij grinnikte tegen haar.

'Ik zal die van mij laten zien als je mij die van jou laat zien,' zei hij spottend, bij wijze van grapje zoals vroeger op de kleuterschool.

'Ik heb ze niet,' zei Julie beledigd.

'Bewijs het dan maar,' zei Shannon kortaf en draaide zich om, om zijn lege koffiekopje op het tafeltje achter de bank te zetten. Hij hoorde het geritsel van kleren. Toen hij zich weer omdraaide, verslikte hij zich bijna in zijn laatste slok koffie. In nog geen seconde had ze haar jurk van achteren opengeritst en de hele boel als een vijver verfrommelde kleren om haar enkels laten zakken. Eronder droeg ze een paar kousen en een dun gouden kettinkje om haar middel.

'Zie je wel,' zei ze zacht, 'geen enkel litteken.'

Ze had gelijk. Haar kleine, huwbare meisjeslichaam was van een smetteloos melkwit, vanaf de vloer tot de manen van donker haar die om haar schouders vielen, bijna tot aan het kettinkje om haar middel. Shannon slikte.

'Ik dacht dat je eigenlijk papa's lieve kleine meid was,' zei hij.

Ze giechelde. 'Dat denkt iedereen, vooral papa,' zei ze. 'Nu is het jouw beurt.'

Op datzelfde tijdstip zat sir James Manson in de bibliotheek van zijn landhuis niet ver van het dorpje Notgrove in de heuvelachtige streek van Gloucestershire, met het dossier van Shannon op zijn knie en een cognac-soda bij zijn elleboog. Het was bijna middernacht en lady Manson was allang naar bed gegaan. Hij had het Shannon-project bewaard om als hij alleen was in de bibliotheek te lezen, nadat hij de verleiding had weerstaan het onderweg in de auto open te maken of meteen na het eten weg te glippen. Als hij zich sterk wilde concentreren gaf hij de voorkeur aan de nachtelijke uren en op dit document wilde hij zich sterk concentreren.

Hij sloeg de map open en legde de kaarten en schetsen terzijde. Toen begon hij aan het verhaal. Het luidde:

*Inleiding.* Het volgende plan is opgemaakt op grond van het door de heer Walter Harris geschreven rapport over de republiek Zangaro, mijn eigen bezoek aan Zangaro en mijn eigen rapport over dat bezoek, en van de door de heer Harris gegeven instructies over het verlangde doel. Hierbij kon geen rekening worden gehouden met gegevens die de heer Harris wel bekend maar niet aan mij onthuld zijn, waaronder in het bijzonder de gevolgen van de aanval en de installatie van de nieuwe regering. Deze gevolgen kunnen niettemin vereisen, dat er bij de planning van de aanval voorzieningen worden ingebouwd, en dit heb ik vanzelfsprekend niet kunnen doen.

*Doel van de operatie.* Het voorbereiden, op touw zetten en uitvoeren van een aanval op het presidentiële paleis te Clarence, de hoofdstad van Zangaro, het bestormen en veroveren van dat paleis en het liquideren van de president met zijn persoonlijke lijfwacht die daarin woont. Eveneens het in beslag nemen van alle wapens en het arsenaal van de republiek, de nationale schatkist en het radiostation, ook in het paleis. Tenslotte het scheppen van zodanige voorwaarden, dat eventuele gewapende overlevenden van de bewakingstroepen of het leger buiten de stad verspreid worden en geen mogelijkheid hebben een effectieve tegenaanval te ondernemen.

*Aanvalsmethode.* Na bestudering van de militaire toestand van Clarence is het buiten twijfel, dat de aanval vanuit zee moet worden ondernomen en rechtstreeks vanuit de zee op het paleis zelf moet worden gericht. Ik heb de mogelijkheid van een luchtlanding op het vliegveld bestudeerd. Dit is niet uitvoerbaar. Ten eerste zouden de autoriteiten van het vliegveld van vertrek niet toestaan, dat de benodigde aantallen wapens en mannen aan boord van een chartervliegtuig worden geladen zonder een vermoeden omtrent de aard van de vlucht. Zulke autoriteiten, ook al zouden ze te vinden zijn die een dergelijk vertrek toestaan, zouden een ernstig gevaar vormen van arrestatie of schending van veiligheid.

In de tweede plaats biedt een aanval over land geen extra voordelen en vele nadelen. Wanneer men in een gewapende colonne over de noordelijke grens aankomt, betekent dit dat de mannen en wapens in de naburige republiek binnengesmokkeld moeten worden, waar een doeltreffende politiemacht en veiligheidssysteem aanwezig zijn. Het gevaar van voortijdige ontdekking en arrestatie zou buitengewoon groot en onaanvaardbaar zijn. Om ergens anders op de kust van Zangaro te landen en naar Clarence op te marcheren zou al even weinig reëel zijn. Ten eerste bestaat de kust grotendeels uit dicht mangrovenmoeras waarin boten niet kunnen doordringen, en de paar kleine inhammen die er zijn zouden in het donker onvindbaar zijn. Ten tweede zou het aanvalsleger zonder gemotoriseerd vervoer een lange mars naar de hoofdstad moeten maken en de verdedigers zouden gewaarschuwd zijn. Ten derde zou het schaarse aantal manschappen van het aanvalsleger bij daglicht zichtbaar zijn en dit zou de verdedigers ertoe aanzetten sterke tegenstand te bieden.

Tenslotte is de mogelijkheid onderzocht om de wapens en manschappen clandestien de republiek binnen te smokkelen en ze tot de nacht van de aanval te verbergen. Dit is evenmin reëel, deels omdat de voorraad wapens wat het gewicht betreft te groot zou zijn en deels omdat een dergelijke hoeveelheid wapens en zoveel ongewone bezoekers onherroepelijk ontdekt en verraden zouden worden, en deels omdat een dergelijk plan op het grondgebied binnen Zangaro een hulporganisatie zou vereisen die niet bestaat.

Dientengevolge ben ik van mening, dat het enige realistische plan zou zijn een aanval met lichte scheepjes, die van een groter vaartuig vertrekken dat in zee voor anker ligt; die rechtstreeks de haven van Clarence binnenvaren en onmiddellijk na de landing een aanval op het paleis doen.

*Benodigdheden voor de aanval.* De gevechtsgroep mag niet kleiner dan twaalf man zijn, bewapend met mortieren, bazooka's en granaten, die ook allemaal lichte machinegeweren bij zich hebben voor gebruik op korte afstand. De mannen moeten 's morgens tussen twee en drie uur uit zee komen, zodat iedereen in Clarence allang slaapt, maar zo vroeg voor de ochtendschemering, dat bij zonsopgang van die zelfde dag alle sporen van blanke huurlingen zijn uitgewist.

Het rapport ging nog zes bladzijden verder met de nauwkeurige beschrijving hoe Shannon zich voorstelde het project op te zetten, het benodigde personeel te werven, over de wapens en de munitie die hij nodig had, de hulpuitrusting van radiotoestellen, landingsvaartuigen, buitenboordmotoren, lichtraketten, uniformen, touwriemen, voedsel en proviand; hoeveel elke post zou kosten en hoe hij het paleis zou vernietigen en het leger uit elkaar zou drijven.

Bij de kwestie van het schip dat de aanvalsgroep moest brengen, zei hij: 'Afgezien van de wapens zal het verkrijgen van het schip het moeilijkste onderdeel blijken te zijn. Ik zou er bij nader inzien tegen zijn een schip te charteren, omdat dit een bemanning met zich meebrengt die onbetrouwbaar zou kunnen blijken, een kapitein die ieder ogenblik van mening kan veranderen en het risico, dat het soort schepen die een dergelijke chartering ondernemen, waarschijnlijk bij de autoriteiten van de landen rond de Middellandse Zee berucht zijn. Ik ben ervoor om meer geld uit te geven en meteen een klein vrachtschip te kopen, dit te bemannen met lieden die betaald worden door bazen aan wie ze trouw zijn, met een betrouwbare naam in scheepskringen. Zo'n schip kan in ieder geval altijd weer verkocht worden en zou op den duur goedkoper uitkomen.'

Shannon had ook nadruk gelegd op de noodzaak van veiligheid van begin tot eind. Hij verklaarde: 'Aangezien ik niet op de hoogte ben van de identiteit van de opdrachtgevers, met uitzondering van de heer Harris, verdient het aanbeveling dat ingeval het project geaccepteerd wordt, de heer Harris de enige schakel blijft tussen de opdrachtgevers en mij. Betalingen van de benodigde bedragen zouden aan mij gedaan moeten worden via de heer Harris en mijn afrekeningen van de gemaakte kosten worden op dezelfde wijze geretourneerd. Zo zou ook niemand van de vier medewerkers die ik nodig zou hebben, de aard van de onderneming kennen en zeker niet de bestemming, voor ze allemaal op volle zee zijn. Zelfs de kaarten van de kust mogen pas aan de kapitein gegeven worden nadat hij is uitgevaren. In het bovengenoemde plan is het veiligheidsaspect ingebouwd, aangezien waar mogelijk de inkopen legaal op de vrije markt kunnen worden verricht; alleen de wapens vormen een illegale aankoop. Ieder stadium staat op zichzelf, waardoor een eventuele onderzoeker steeds vastloopt, en ook wordt in elk stadium de uitrusting afzonderlijk in verschillende landen door verschillende medewerkers gekocht. Alleen ikzelf, de heer Harris en de opdrachtgevers zouden van het gehele plan op de hoogte zijn en in het ongunstigste geval zou ik de opdrachtgevers en waarschijnlijk ook de heer Harris niet kunnen identificeren.'

Sir James Manson knikte en gromde goedkeurend een paar maal onder het lezen. Om één uur 's morgens schonk hij zich nog een glas cognac in en ging over tot de kosten en het tijdschema, die op aparte vellen stonden. Deze luidden:

| | | |
|---|---|---|
| Verkenningsbezoek aan Zangaro. Twee rapporten. Voltooid | £ | 2 500 |
| Honorarium aanvoerder van de onderneming | £ | 10 000 |
| Werving van al het andere personeel en hun salarissen | £ | 10 000 |
| Totale administratieve kosten, reiskosten, hotels, enz. voor aanvoerder en alle manschappen | £ | 10 000 |
| Aankoop van wapens | £ | 25 000 |
| Aankoop van schip | £ | 30 000 |
| Aankoop hulpuitrusting | £ | 5 000 |
| Reserve | £ | 7 500 |
| Totaal | £ | 100 000 |

Op het tweede vel stond het geraamde tijdschema.

*Voorbereidend stadium:*
Werven en verzamelen van personeel. Openen van bankrekening. Koop van in buitenland gevestigde maatschappij — 20 dagen
*Inkoopstadium:*
Periode van aankoop van alle artikelen in gedeelten — 40 dagen
*Verzamelstadium:*
Verzamelen van uitrusting en personeel op het schip tot en met de dag van vertrek — 20 dagen
*Verschepingsstadium:*
Transport van gehele project overzee van haven van inscheping tot punt voor kust van Clarence — 20 dagen

Dag van aanval zou vastgesteld worden op de Zangarese Onafhankelijkheidsdag, die op bovenstaand schema, indien dit niet later dan a.s. woensdag in werking treedt, Dag 100 zou zijn.

Sir James Manson las het rapport tweemaal en rookte een uur achter elkaar een van zijn Upman corona's, terwijl hij naar de rijk bewerkte lambrizering en de in marokijn leer gebonden boeken keek, die langs zijn muren stonden. Tenslotte sloot hij de projectmap in zijn muurkluis en ging naar boven, naar bed.

Cat Shannon lag op zijn rug in de donkere slaapkamer en liet zijn hand gedachteloos over het meisjeslichaam glijden dat half over het zijne heen lag. Het was een klein, maar zeer erotisch lichaam, zoals hij in het uur daarvoor ontdekt had, en wat Julie ook in de twee jaar die ze van school af was verder had geleerd, het had niets met steno en typen te maken. Haar lust en smaak voor seksuele variaties deden niet onder voor haar energie en bijna onafgebroken gebabbel tussen de maaltijden.

Terwijl hij haar streelde bewoog ze zich en begon met hem te spelen.

'Grappig,' zei hij peinzend, 'het ligt zeker aan deze tijd, maar we hebben de halve nacht genaaid en ik weet niets van je af.'

Ze hield even op, zei: 'Wat dan?' en ging weer verder.

'Waar je huis is,' zei hij. 'Buiten deze flat.'

'Gloucestershire,' mompelde ze.

'Wat doet je ouweheer?' vroeg hij zacht. Er kwam geen antwoord. Hij nam een bos haar in zijn hand en trok haar gezicht naar zich toe.

'Au, je doet me pijn. Hij zit in de City. Waarom?'
'Effectenmakelaar?'
'Nee, hij leidt een of andere firma die iets met mijnbouw te maken heeft. Dat is zijn specialiteit en dit is de mijne. Nou, let op.'
Een half uur later wentelde ze zich van hem af en vroeg: 'Vond je dat prettig, schat?'
Shannon lachte en ze ving een flits op van zijn tanden in het donker toen hij grinnikte.
'O, ja,' zei hij zacht, 'dat vond ik heerlijk. Vertel eens iets over je ouweheer.'
'Papa? O, dat is een vervelende ouwe zakenman. Zit de hele dag op een duf kantoor in de City.'
'Er zijn zakenmensen die me interesseren. Dus vertel eens wat het voor iemand is . . .'

Sir James zat in de serre op het zuiden van zijn landhuis koffie te drinken, toen het telefoontje van Adrian Goole kwam. De ambtenaar van het ministerie van Buitenlandse Zaken sprak uit zijn eigen huis in Kent.
'Ik hoop, dat u het mij niet kwalijk neemt dat ik in het weekeind opbel,' zei hij.
'Helemaal niet, mijn beste,' zei Manson zonder dat hij het meende, 'dat is altijd goed.'
'Ik had gisteravond op kantoor willen bellen, maar ik werd opgehouden door een vergadering. Om terug te komen op ons gesprek een poosje geleden over de resultaten van uw mijnexploratie daar ergens in Afrika, weet u nog wel?'
Manson nam aan, dat Goole aan een openbare telefoonlijn zich verplicht voelde de regels van veiligheid in acht te nemen.
'Ja, inderdaad,' zei hij. 'Ik heb de suggestie die u onder dat diner gedaan hebt, ter harte genomen. De betreffende cijfers zijn iets gewijzigd zodat de onthulde hoeveelheden commercieel gezien niet de moeite waard waren. Het rapport is de deur uitgegaan, ontvangen, en ik heb er niets meer van gehoord.'
Goole's volgende woorden haalden sir James Manson met een ruk uit zijn ontspannen weekeind stemming.
'Nu, wij wel,' zei de stem aan de telefoon. 'Het is niet echt verontrustend, maar toch wel eigenaardig. Onze ambassadeur van dat gebied, die bij dat land en nog drie andere republiekjes geaccrediteerd is, woont er zoals u weet niet. Maar hij stuurt wel regelmatig rapporten, bij elkaar gegaard uit allerlei verschillende bronnen, waaronder de normale verbinding met andere bevriende diplomaten. Een kopie van een gedeelte uit zijn laatste rapport,

dat betrekking heeft op de economische kant van de toestand daar, is gisteren op kantoor op mijn bureau terechtgekomen. Er schijnt daar een gerucht de ronde te doen, dat de Sovjet-regering toestemming heeft gekregen om er een eigen mijnexploratieploeg naar toe te sturen. Nu hebben ze misschien wel niets te maken met die streek waar uw mensen . . .'

Sir James Manson keek naar de telefoon terwijl Goole's stem maar verder kwekte. Er begon in zijn hoofd bij zijn linkerslaap iets te kloppen.

'Ik dacht alleen, sir James, dat als deze Russen naar hetzelfde gebied toe gaan waar die man van u is geweest, hun bevindingen wel eens iets anders kunnen uitvallen. Gelukkig gaat het alleen maar om onbelangrijke hoeveelheden tin. Maar ik vond toch, dat ik het u even moest laten weten. Hallo? Hallo? Bent u daar . . .?'

Manson kwam met een ruk uit zijn mijmering tot de werkelijkheid terug. Met bovenmenselijke inspanning zei hij met normale stem:

'Inderdaad, ja. Neem me niet kwalijk, ik was even in gedachten. Erg aardig van u om mij even op te bellen, Goole. Ik denk niet dat ze in hetzelfde gebied komen als die man van mij. Maar het is toch verduveld handig om te weten.'

Hij maakte de voorgeschreven grapjes voor hij ophing en liep langzaam naar het zonneterras terug. Zijn gedachten tolden in zijn hoofd om. Toeval? Het zou kunnen, het was best mogelijk. Als de Sovjet-exploratieploeg een streek ging verkennen, die kilometers van het Kristalgebergte af lag, was het louter toeval. Maar aan de andere kant, als ze rechtstreeks naar de Kristalberg gingen zonder eerst luchtverkenningen te hebben uitgevoerd om het verschil in plantengroei in die streek op te merken, dan was het geen toeval. Dan was het smerige sabotage. En er was geen manier om erachter te komen, geen manier om volkomen zekerheid te hebben, zonder te verraden dat hij zelf nog steeds geïnteresseerd was. En dat zou fataal zijn.

Hij dacht aan Chalmers, de man van wie hij overtuigd was, dat hij hem met geld de mond had gesnoerd. Zijn tanden knarsten. Had hij zijn mond voorbijgepraat? Zonder het te weten? Of opzettelijk? Hij voelde er veel voor dr. Chalmers door Endean of een van Endeans vrienden een lesje te laten geven. Maar dat veranderde niets aan de zaak. En er was geen bewijs dat er een lek in de geheimhouding zat.

Hij zou zijn plannen onmiddellijk overboord kunnen zetten zonder zich er verder over te bekommeren. Hij overwoog dit en dacht toen weer aan de pot zuiver goud in zijn visioen. James

Manson was geen zacht ei; hij zou niet in de positie zitten waar hij zat, als hij terugdeinsde voor een verhoogd risico-element, vooral als er geen bewijs voor was.

Hij ging in de ligstoel naast de nu koud geworden koffiepot zitten en dacht diep na. Hij was van plan door te gaan zoals hij beraamd had, maar hij moest er vanuit gaan, dat de Russische mijnploeg in de buurt kwam van het gebied waar Mulrooney geweest was, en hij moest aannemen, dat ook zij de verandering in plantengroei zouden opmerken. Daarom kwam er nu een nieuw element bij, een tijdslimiet. Hij maakte uit het hoofd een paar berekeningen en kwam uit bij het getal van drie maanden. Als de Russen achter de inhoud van de Kristalberg kwamen, dan kwam er ogenblikkelijk een 'technische hulpploeg' en een grote ook, en hij wist dat meer dan de helft van de leden uit keiharde mannen van de KGB zou bestaan.

Shannons kortste tijdschema was honderd dagen, maar hij had oorspronkelijk tegen Endean gezegd, dat het hele project veel gemakkelijker kon worden uitgevoerd als er nog eens veertien bij kwamen. Nu hadden ze die veertien dagen niet meer en als de Russen sneller in actie kwamen dan anders, hadden ze misschien niet eens honderd dagen meer.

Hij ging weer naar de telefoon om Simon Endean op te bellen. Zijn eigen weekeind was verknoeid, daarom kon Endean ook best eens wat werk gaan doen.

Endean belde Shannon maandagochtend in zijn hotel op en regelde een rendez-vous voor twee uur 's middags in een klein flatgebouw in St. John's Wood. Hij had 's morgens in opdracht van sir James die flat gehuurd, nadat hij zondagmiddag in het landhuis uitvoerig geïnstrueerd was. Hij had de flat voor een maand gehuurd op naam van Harris, contant betaald en een verzonnen referentie opgegeven die geen mens controleerde. De reden voor het huren van die flat was eenvoudig, dat er een telefoon was die niet via een telefooncentrale liep.

Shannon was er op tijd en trof de man die hij nog steeds Harris noemde daar reeds aan. De telefoon was gekoppeld aan een bureaumicrofoon, die een telefonische conferentie tussen een of meer mensen in de kamer en iemand aan de andere kant van de lijn mogelijk maakte.

'Het hoofd van het consortium heeft uw rapport gelezen,' zei hij tegen Shannon, 'en hij wil graag met u spreken.'

Om half drie rinkelde de telefoon. Endean haalde de schakelaar op het toestel over en de stem van sir James Manson kwam over de lijn. Shannon wist al wie er kwam, maar liet niets merken.

'Bent u daar, meneer Shannon?' vroeg de stem.

'Ja meneer.'

'Welnu, ik heb uw verslag gelezen en ik ben het eens met uw beoordeling en gevolgtrekkingen. Als ik u dit contract aanbood, zou u het dan op u willen nemen?'

'Jazeker meneer,' zei Shannon.

'Er zijn een paar punten die ik wil bespreken. Ik zie in het budget dat u zichzelf een bedrag van tienduizend pond toekent.'

'Ja meneer. Ik geloof eerlijk gezegd niet dat iemand het voor minder zou doen, en de meesten zouden meer vragen. Ook al zou iemand anders een budget samenstellen dat op een lager bedrag uitkwam, dan geloof ik dat die persoon toch minstens tien procent voor zichzelf rekende, door dat bedrag gewoon bij de prijzen van de aankopen te tellen, die toch niet gecontroleerd kunnen worden.'

Het was even stil en toen zei de stem:

'Goed, ik accepteer het. Wat koop ik voor dat salaris?'

'Daarvoor koopt u mijn kennis, mijn relaties, mijn bekendheid met de wereld van wapenhandelaren, smokkelaars, clandestiene wapenleveranciers en huurlingen. U koopt er ook mijn stilzwijgen mee voor het geval dat er iets misloopt. Het is de betaling voor drie maanden verdomd hard werken en het voortdurende risico van arrestatie en opsluiting. Tenslotte is het de prijs van de kans dat ik bij de aanval om het leven kom.'

Er werd gebromd.

'Dat is redelijk. Wat nu de financiering betreft; het bedrag van £ 100 000 wordt overgemaakt op een Zwitserse bankrekening die de heer Harris deze week zal openen. Hij zal u het benodigde geld in gedeelten betalen, naarmate u het de komende twee maanden nodig hebt. Voor dat doel moet u uw eigen communicatiesysteem met hem instellen. Als het geld wordt uitgegeven, moet hij daarbij aanwezig zijn of anders kwitanties ontvangen.'

'Dat zal niet altijd mogelijk zijn, meneer. Er zijn geen kwitanties in de wapenhandel, op de zwarte markt helemaal niet en de meeste mensen met wie ik onderhandel willen niet dat meneer Harris erbij is. Hij zit niet in hun wereld. Ik zou het uitgebreid gebruik van reischeques en kredietransfers door banken willen voorstellen. Bovendien, indien de heer Harris aanwezig moet zijn, om elke wissel of cheque van £ 1000 mee te tekenen, moet hij me óf overal volgen, wat ik om redenen van mijn eigen veiligheid niet zou accepteren, óf we zouden het nooit allemaal in honderd dagen voor elkaar krijgen.'

Het was weer een hele poos stil.

'Wat bedoelt u met uw eigen veiligheid?' vroeg de stem.

'Ik bedoel, meneer, dat ik de heer Harris niet ken. Ik kan niet accepteren, dat hij zoveel van mij te weten kan komen, dat hij mij in een Europese stad kan laten arresteren. U hebt uw veiligheidsmaatregelen genomen, ik moet de mijne nemen en die zijn, dat ik alleen en zonder toezicht kan reizen en werken.'

'U bent een voorzichtig man, meneer Shannon.'

'Dat moet ik wel. Ik leef nog.'

Er klonk een grimmig lachje.

'En hoe weet ik, dat ik erop kan vertrouwen dat u helemaal alleen grote geldbedragen kunt beheren?'

'Dat weet u niet, meneer. Tot een bepaald punt kan de heer Harris in elk stadium de bedragen laag houden, maar de betalingen voor de wapens moeten contant gedaan worden en uitsluitend door de koper. De enige andere mogelijkheid is de heer Harris te vragen om de operatie persoonlijk uit te voeren of een andere beroepskracht te nemen. En dan weet u net zo min of u hem kunt vertrouwen.'

'U hebt gelijk, meneer Shannon. Meneer Harris . . .'

'Ja meneer?' antwoordde Endean onmiddellijk.

'Wilt u direct nadat u daar vertrokken bent naar mij toe komen? Meneer Shannon, u hebt de opdracht. U hebt honderd dagen, meneer Shannon, om een republiek te stelen. Honderd dagen.'

# Deel twee

# De Honderd Dagen

# 8

Nadat sir James Manson had afgebeld, zaten Simon Endean en Cat Shannon elkaar een paar minuten lang aan te kijken. Het was Shannon die zich het eerst herstelde.

'Nu we zullen moeten samenwerken,' zei hij tegen Endean, 'wil ik één ding duidelijk stellen. Als iemand, wie dan ook, iets over dit project hoort, komt het vroeg of laat bij een of andere geheime dienst van de grootmachten terecht, waarschijnlijk de CIA, of althans de Engelse SIS of mogelijk de Franse SDECE, en dan kennen ze geen genade. En dan kan noch jij noch ik er iets tegen doen, dat ze er radicaal een eind aan maken. Daarom moeten we absolute geheimhouding bewaren.'

'Spreek namens jezelf,' snauwde Endean. 'Ik zit hier veel meer in verstrikt dan jij.'

'Goed. In de eerste plaats het geld. Ik vlieg morgen naar Brussel om ergens in België een bankrekening te openen. Ik ben morgenavond terug. Neem dan contact met me op, dan zal ik je vertellen waar, bij welke bank en op wiens naam. Dan moet er een bedrag van maar liefst £ 10 000 worden overgemaakt. Morgenavond heb ik een complete lijst, waar het aan besteed moet worden. Het zal hoofdzakelijk opgaan aan salaris cheques voor mijn medewerkers, waarborgsommen, enzovoort.'

'Waar kan ik je bereiken?' vroeg Endean.

'Dat is het tweede punt,' zei Shannon. 'Ik moet een betrouwbaar permanent adres hebben, waar ik telefoontjes en brieven kan ontvangen. Hoe zit het met deze flat, kunnen ze nagaan dat hij van jou is?'

Daar had Endean niet aan gedacht. Hij overwoog het probleem.

'Ik heb hem op mijn naam gehuurd en een maand contant vooruitbetaald,' zei hij.

'Is het erg als de naam Harris op het huurcontract staat?' vroeg Shannon.

'Nee.'

'Dan neem ik hem over. Ik heb hem een maand tot mijn beschikking – zonde om te laten lopen – en daarna betaal ik steeds de huur. Heb je een sleutel?'

'Ja, natuurlijk. Daar ben ik mee binnengekomen.'

'Hoeveel sleutels zijn er?'

Endean stak als antwoord een hand in zijn zak en haalde er een ring met vier sleutels uit. Twee waren er blijkbaar voor de buitendeur van het gebouw en twee voor de deur van de flat. Shannon nam ze uit zijn hand.

'Wat nu de communicatie betreft,' zei hij. 'Je kunt altijd contact met me opnemen door me hier op te bellen. Misschien ben ik thuis, misschien niet. Misschien zit ik in het buitenland. Omdat ik aanneem, dat je niet je telefoonnummer wilt geven, moet je een poste-restanteadres in Londen nemen, ergens in de buurt van je huis of kantoor, waar je tweemaal per dag informeert of er telegrammen zijn. Als ik je dringend nodig heb, stuur ik een telegram met het telefoonnummer waar ik ben en een tijdstip om op te bellen. Begrepen?'

'Ja. Morgenavond heb ik het. Verder nog iets?'

'Alleen, dat ik tijdens de hele operatie de naam Keith Brown gebruik. Als je een hotel opbelt, vraag dan naar mij onder Keith Brown. Als ik ooit opneem met de woorden "Met meneer Brown", dan maak je je er zo gauw mogelijk van af. Zeg maar dat je het verkeerde nummer of de verkeerde Brown hebt. Dat is alles voorlopig. Je kunt nu maar beter naar je kantoor teruggaan. Bel me vanavond om acht uur hier op, dan zal ik je op de hoogte stellen van de laatste vorderingen.'

Een paar minuten later bevond Endean zich op het trottoir van St.John's Wood op zoek naar een taxi.

Gelukkig had Shannon de £ 500 die hij voor het weekeind al van Endean had ontvangen voor zijn aanvalsproject, nog niet op de bank gezet en hij had er nog £ 450 van over. Hij moest zijn hotelrekening in Knightsbridge nog betalen, maar dat kwam later wel.

Hij belde de BEA op en besprak een retourvlucht toeristenklasse naar Brussel voor de volgende ochtend, en terug met het toestel van vier uur, zodat hij om zes uur weer in zijn flat zou zijn. Daarna verzond hij telefonisch vier telegrammen naar het buitenland, een naar Paarl, Kaapprovincie in Zuid-Afrika, een naar Oostende, een naar Marseille en een naar München. In elk telegram stond alleen: DRINGEND BEL ME IN KOMENDE DRIE DAGEN TE MIDDERNACHT OP LONDEN 507-0041 STOP SHANNON. Tenslotte bestelde hij een taxi en liet zich naar het Lowndes-hotel terugbrengen. Hij vertrok uit het hotel, betaalde zijn rekening en verdween zoals hij gekomen was, anoniem.

Om acht uur belde Endean hem op zoals afgesproken en hij vertelde de assistent van Manson wat hij tot nu toe gedaan had. Ze spraken af, dat Endean hem de volgende avond om tien uur weer zou opbellen.

Shannon hield zich een paar uur bezig met het verkennen van het flatgebouw waar hij nu in woonde en de buurt er omheen. Hij ontdekte een aantal kleine restaurants, waaronder een paar in St. John's Wood High Street, niet ver van hem vandaan, en ging in een ervan op zijn gemak een stukje eten. Hij was om elf uur weer thuis.

Hij telde zijn geld – er was nog ruim £ 400 over – legde £ 300 apart voor de vliegreis en de onkosten voor de volgende dag en ging zijn bezittingen na. De kleren waren onopvallend, allemaal nog geen drie maanden oud en de meeste de afgelopen tien dagen in Londen gekocht. Vuurwapens had hij niet; hij vernietigde voor alle zekerheid het schrijfmachinelint dat hij gebruikt had om zijn rapporten op te typen, en verwisselde het voor een ander dat hij nog had.

Hoewel het in Londen die avond vroeg donker was, was het nog licht op een warme, zonnige zomeravond in Kaapprovincie, toen Janni Dupree in zijn auto over Seapoint en vandaar naar Kaapstad reed. Hij had eveneens een Chevrolet, ouder dan die van Endean, maar groter en opzichtiger, tweedehands gekocht met een deel van de dollars, waarmee hij vier weken tevoren uit Parijs was teruggekomen. Nadat hij de hele dag gezwommen en gevist had met een boot van een vriend in Simonstown, was hij op de terugweg naar zijn huis in Paarl. Hij vond het altijd prettig in Paarl thuis te komen na een contract, maar het ging hem er ook altijd weer gauw vervelen, evenals tien jaar geleden toen hij er weg was gegaan.

Hij was als jongen in de Paarlvallei opgegroeid en had de jaren voor hij naar school ging doorgebracht met door de schrale, armoedige wijngaarden van mensen als zijn ouders te dartelen. Hij had geleerd in de vallei vogels te besluipen en te schieten met Pieter, zijn *klonkie*, het gekleurde speelkameraadje, waar blanke jongens mee mogen spelen tot ze te oud worden en leren wat verschil in huidskleur betekent.

Pieter, met zijn enorme grote bruine ogen, zijn zwarte kroeskop en mahonie huid, was twee jaar ouder en moest op hem passen, maar ze waren allebei even groot, want Janni was lichamelijk vroegrijp en had al gauw de leiding van het tweetal op zich genomen. Op zomerse dagen zoals deze namen twintig jaar geleden de twee jongens op blote voeten altijd de bus langs de kust naar Kaap Agulhas, waar de Atlantische en de Indische Oceaan uiteindelijk samenkomen, om vanaf de punt op geelstaart, galjoen en rode steenbrasem te vissen.

Na de middelbare jongensschool in Paarl was Janni een probleem geweest, te groot, agressief, rusteloos, raakte met zijn grote rondmaaiende vuisten altijd in vechtpartijen verzeild en moest tweemaal voor de politierechter verschijnen. Hij had de boerderij van zijn ouders kunnen overnemen, om met zijn vader de lage wijnstokken te verzorgen, waar zo weinig wijn van af kwam. Het vooruitzicht zijn brood te verdienen en oud en krom te worden in het boerderijtje, waar alleen vier gekleurde jongens bij hem werkten, stond hem tegen. Op zijn achttiende meldde hij zich als vrijwilliger, kreeg zijn basisopleiding in Potchefstroom en werd overgeplaatst naar de paratroepen in Bloemfontein. Hier had hij ontdekt wat hij in zijn leven het liefste wilde, hier en in de anti-oproertraining in het ruige veld rondom Pietersburg. Ze waren het bij het leger met hem eens dat hij er geschikt voor was, op één ding na, zijn neiging om precies in tegengestelde richting de oorlog in te gaan. Bij een van zijn talloze vuistgevechten had korporaal Dupree een sergeant buiten westen geslagen en de commandant had hem tot gewoon soldaat gedegradeerd.

Verbitterd nam hij zonder verlof de benen, werd in een bar in Oost-Londen gepakt, takelde twee man van de marechaussee toe voor ze hem overmeesterden en zat zes maanden in een dwangarbeiderskamp. Na zijn vrijlating zag hij een advertentie in een avondblad, meldde zich bij een kantoortje in Durban en werd twee dagen later per vliegtuig uit Zuid-Afrika naar de basis Kamina in Katanga gestuurd. Hij was op zijn tweeëntwintigste jaar huurling geworden en dat was nu zes jaar geleden.

Terwijl hij over de slingerende weg door Franshoek naar de Paarlvallei reed, vroeg hij zich af of er een brief van Shannon of een van de jongens was met nieuws over een contract. Maar toen hij daar aankwam lag er in het postkantoor niets voor hem. Er kwamen wolken uit zee waaien en er hing onweer in de lucht.

Het zou die avond gaan regenen, een aangename, verkoelende regenbui en hij keek omhoog naar de Paarlrots, het verschijnsel dat lang geleden zijn naam had gegeven aan het dal en de stad, toen zijn voorvaderen voor het eerst in het dal waren gekomen. Als jongen had hij met verwondering naar de rots gestaard, vaalgrijs als hij droog was, maar die na de regen als een reusachtige parel in het maanlicht glinsterde. Dan werd het een groot, glinsterend, glanzend ding dat het stadje in het dal domineerde. Hoewel de stad uit zijn jeugd hem nooit het leven kon bieden, waar hij naar haakte, was het toch de plaats waar hij thuishoorde, en als hij de Paarlrots in het licht zag glimmen, wist hij altijd dat hij weer thuis was. Die avond wenste hij dat hij ergens anders was, op weg naar een volgende oorlog.

Hij wist nog niet dat er de volgende ochtend op het postkantoor van Paarl een telegram van Shannon zou liggen, dat hem naar een volgende oorlog riep.

Kleine Marc Vlaminck leunde tegen de bar en sloeg zijn zoveelste pint schuimend Vlaams bier achterover. Achter de ramen aan de voorkant van het café, waar zijn vriendin de scepter zwaaide, waren de straten in de warme buurt van Oostende vrijwel verlaten. Er woei een kille wind uit zee en het was nog te vroeg voor de vakantiegangers. Hij verveelde zich al.

De eerste maand na zijn terugkeer uit de tropen was het prettig om weer terug te zijn, een warm bad te kunnen nemen en met zijn kameraden die langskwamen een praatje te maken. Zelfs de plaatselijke krant had belangstelling getoond, maar hij had gezegd dat ze op konden vliegen. Hij had er geen enkele behoefte aan het met de autoriteiten aan de stok te krijgen, en hij wist dat ze hem met rust lieten zolang hij niets deed of zei, dat ze bij de Afrikaanse ambassades in Brussel in verlegenheid bracht.

Maar na wekenlang nietsdoen begon hij er genoeg van te krijgen. Een paar avonden geleden was er nog wat leven in de brouwerij geweest, toen hij een zeeman had afgetuigd, die in Anna's billen wilde knijpen, een gebied dat hij helemaal als het zijne beschouwde. Hij hoorde boven zich een zacht gestommel: Anna was het huishouden aan het doen in de kleine flat boven de bar, waar ze samen woonden. Hij liet zich van de barkruk glijden, leegde de bierkroes en riep: 'Als er iemand komt moet ie zichzelf bedienen.'

Vervolgens sjouwde hij de achtertrap op. In de tussentijd ging de deur open en kwam een telegrambesteller binnen.

Het was een heldere voorjaarsavond met een tikje koelte in de lucht en het water van de Oude Haven van Marseille was als glas. In het midden, dat zoëven nog een spiegel voor de omringende bars en cafés was, trok een enkele thuiskomende treiler een strook van rimpels, die door de haven zwierven en klotsend onder de rompen van de reeds gemeerde vissersboten verdwenen. De auto's stonden in een dichte rij op de Canebière, uit duizenden ramen kwam de geur van gekookte vis, de oude mannen nipten aan hun anisette en de heroïnehandelaars ijlden door de steegjes op hun jacht naar winst. Het was een gewone avond.

In de bruisende heksenketel van alle mogelijke nationaliteiten en talen, die Le Panier heette en waar alleen een politieagent niet thuishoort, zat Jean-Baptiste Langarotti in de hoek van een kleine bar een lange, koele Ricard te drinken.

Hij verveelde zich niet zo erg als Janni Dupree of Marc Vlaminck. Tijdens zijn jarenlange verblijf in de gevangenis had hij de kunst geleerd om in de kleinste dingen belang te stellen en hij kon beter tegen lange perioden van nietsdoen dan de anderen.

Bovendien was hij in staat geweest werk te vinden en de kost te verdienen, zodat hij zijn spaargeld niet had hoeven aanspreken. Hij spaarde regelmatig en zijn geld hoopte zich op bij een bank in Zwitserland, waar niemand iets van wist. Daar zou hij eens de kleine bar in Calvi voor kunnen kopen die hij graag wou hebben.

Een maand geleden was een goede vriend van hem uit de tijd in Algerije opgepakt voor een akkevietje met een koffer, waarin twaalf Colts uit het voormalige Franse leger zaten, en hij had uit Les Baumettes een boodschap aan Jean-Baptiste gestuurd waarin hij hem vroeg op het meisje 'te passen', van wier verdiensten de vriend in de gevangenis normaal altijd leefde. Hij wist dat hij erop kon vertrouwen dat de Corsicaan hem niet bedroog. Het was een aardig meisje, vrolijk en opgewekt, dat Marie-Claire heette en zich Lola noemde en haar nachtelijke beroep in een bar in de wijk Tubano uitoefende. Ze was erg op Langarotti gesteld geraakt, misschien juist omdat hij zo klein was, en haar enige klacht was dat hij haar niet aftuigde, zoals haar vriend in de gevangenis. Zijn postuur was geen beletsel om oppasser te zijn, want de anderen uit de onderwereld die aanspraak op Lola zouden kunnen maken, kenden Langarotti goed genoeg.

Dus Lola was blij, dat ze het beste bewaakte meisje van de stad was, en Jean-Baptiste tevreden dat hij een tijdverdrijf had tot er een nieuw dienstverband kwam om te vechten. Hij had contact met een paar mensen in de wereld van de huurlingen, maar omdat hij nieuw op dat gebied was, rekende hij er meer op dat Shannon eerst iets hoorde. Die behoorde tot het slag waar cliënten naar toe kwamen.

Niet lang nadat Langarotti in Frankrijk terug was, had Charles Roux uit Parijs contact met hem gezocht, en voorgesteld dat de Corsicaan exclusief bij hem tekende, in ruil voor de eerste keus zodra er een contract opdook. Roux had hele verhalen gehouden over de zes projecten waar hij mee bezig was, en de Corsicaan was er niet op ingegaan. Toen hij er later naar informeerde had hij ontdekt, dat het allemaal loze praatjes van Roux waren, want hij had sinds hij in het najaar '67 met een gat in zijn arm uit Bukavu terug was gekomen, geen eigen projecten meer opgezet.

Met een zucht keek Langarotti op zijn horloge, dronk zijn glas leeg en stond op om weg te gaan. Het was tijd om Lola in hun flat te gaan halen en haar naar de bar te brengen om te werken en daarna langs het nachtpostkantoor te gaan om te kijken of er een telegram van Shannon lag dat uitzicht bood op een nieuwe oorlog.

In München was het nog kouder dan in het Oostende van Marc Vlaminck, en Kurt Semmler, wiens bloed door het jarenlange verblijf in het Verre Oosten, Algerije en Afrika verdund was, huiverde in zijn halflange zwarte leren jasje terwijl hij op weg was naar het nachtpostkantoor. Hij ging regelmatig iedere ochtend en avond even aan het loket kijken en hoopte steeds op een brief of telegram met een bericht of een uitnodiging, om een gesprek met iemand te hebben die huurlingen zocht om een opdracht uit te voeren.

De periode na zijn terugkeer uit Afrika was een tijd van ledigheid en verveling. Hij had net als de meeste oud-militairen een hekel aan het burgerleven, de kleren zaten slecht, hij verafschuwde de politiek en verlangde weer naar een of andere vorm van routine gepaard met actie. Bij zijn terugkomst in zijn geboortestad was hij teleurgesteld. Overal zag hij langharige jongeren, flodderig en ordeloos, die met spandoeken zwaaiden en leuzen riepen. Er scheen niets meer over te zijn van de vastberadenheid, van trouw aan het vaderland en zijn leider, waar zijn eigen jeugd zo helemaal van doordrongen was geweest, evenmin als het gevoel voor orde dat het militaire leven kenmerkte.

Zelfs smokkelen in de Middellandse Zee kon, al was het een ongedwongen leventje geweest, tenminste een geest van activiteit bieden, de geur van gevaar, het gevoel van een opdracht die voorbereid, uitgevoerd en voltooid wordt. Als hij met twee ton Amerikaanse sigaretten aan boord snel een tochtje naar de Italiaanse kust maakte, kon hij zich tenminste verbeelden dat hij weer op de Mekong zat, waar hij met het Legioen in de aanval ging tegen de piraten van de Xoa Binh-rivier.

München had hem niets te bieden. Hij had te veel gedronken, te veel gerookt, had wat gehoereerd en baalde nu overal van.

Op het postkantoor was er die avond niets voor hem. Maar de volgende ochtend zou alles heel anders zijn, want Shannons telegram was onderweg door een donker geworden Europa.

's Nachts om twaalf uur belde Marc Vlaminck uit Oostende op. De Belgische telegramdiensten zijn uitstekend en bezorgen tot 's avonds tien uur. Shannon verzocht Vlaminck eenvoudig de volgende ochtend met een auto voor het nationale vliegveld van Brussel op hem te wachten en gaf hem het vluchtnummer op.

België heeft vanuit het standpunt van hen, die er een geheime maar legale bankrekening op na willen houden, veel voordelen die ruimschoots opwegen tegen het veel bekendere Zwitserse banksysteem. Hoewel lang niet zo rijk of machtig als Duitsland, of neutraal zoals Zwitserland, biedt België het gemak, dat men zonder regeringstussenkomst of controle ongelimiteerde geldbedragen in en uit het land kan laten gaan. De banken zijn ook net zo discreet als die van Zwitserland en daarom vergroten zij evenals de banken in Luxemburg en Liechtenstein dan ook gestadig hun omzet ten koste van de Zwitsers.

De volgende ochtend liet Shannon zich door Vlaminck naar de Kredietbank in Brugge brengen, zeventig minuten rijden vanaf het vliegveld van Brussel.

De grote Belg was duidelijk razend nieuwsgierig, maar hij liet niets merken. Toen ze naar Brugge onderweg waren vertelde Shannon in enkele woorden dat hij een contract had gekregen en dat er plaats was voor helpers. Of Vlaminck belangstelling had?

Kleine Marc zei dat hij natuurlijk belangstelling had. Shannon kon niet zeggen, wat het voor een onderneming was, alleen dat het een karwei was dat niet alleen uit vechten bestond, maar dat vanaf de grond moest worden opgezet. Hij was bereid het normale tarief van 1250 dollar per maand plus onkosten voor de komende drie maanden te betalen en zei dat het, hoewel hij er pas de derde maand voor van huis moest, een paar uur risico in Europa met zich meebracht. Dat was wel geen strikt huurlingenwerk, maar het moest gebeuren. Marc gromde.

'Ik doe geen bankovervallen,' zei hij. 'Tenminste niet voor dat geld.'

'Het is niets van dat alles. Er moet een stel wapens aan boord van een schip worden gebracht. Wij moeten dat zelf doen. Als we eenmaal uitvaren, gaan we op weg naar Afrika om een robbertje te vechten.'

Marc grinnikte.

'Een lange veldtocht of vlug erop af en wegwezen?'

'Een aanval,' zei Shannon. 'Kijk eens, als het slaagt, kan er een contract op lange termijn inzitten. Ik kan het niet vast beloven, maar het ziet ernaar uit. En een vette extra premie als we succes hebben.'

'Goed, ik doe mee,' zei Marc en ze reden het grote plein in Brugge op.

Het hoofdkantoor van de Kredietbank is in de Vlamingstraat 25, een smalle hoofdstraat met aan weerszijden rijen huizen in de voorname achttiende-eeuwse Vlaamse architectuurstijl en allemaal schitterend bewaard gebleven. De benedenverdiepingen zijn bijna allemaal tot winkels verbouwd, maar daarboven lijken de voorgevels net op een schilderij van de oude meesters. In de bank stelde Shannon zich aan het hoofd van de afdeling Buitenlandse rekeningen, de heer Goossens voor, en legde als identiteitsbewijs zijn paspoort van Keith Brown over. Veertig minuten later had hij een lopende rekening waarop £ 100 sterling contant was gestort, en hij deelde de heer Goossens mee, dat hij vandaag of morgen een bedrag van £ 10 000 in de vorm van een overmaking uit Zwitserland kon verwachten en liet instructies achter, dat er van dit bedrag direct £ 5000 op zijn rekening in Londen moest worden overgemaakt. Hij liet een aantal voorbeelden van zijn handtekening als Keith Brown achter en sprak een manier af, om telefonisch zijn identiteit vast te stellen, door de twaalf cijfers van zijn rekening in omgekeerde volgorde, gevolgd door de datum van de vorige dag, op te noemen. Aan de hand hiervan konden mondelinge instructies voor overmakingen en opnamen worden gegeven, zonder dat hij weer naar Brugge toe moest. Hij tekende een formulier, waarin de bank gevrijwaard werd tegen risico's, die uit dit communicatiesysteem zouden kunnen voortvloeien en sprak af dat hij, eveneens als bewijs van echtheid, op iedere schriftelijke opdracht aan de bank met rode inkt zijn rekeningnummer onder zijn handtekening zou zetten.

Om half één was hij klaar en ging naar Vlaminck, die buiten stond. Ze gingen in Café des Arts op het grote plein voor het stadhuis een behoorlijke maaltijd gebruiken met de onmisbare frites erbij en daarna reed Vlaminck hem naar het vliegveld van Brussel terug. Voor hij van de Vlaming afscheid nam, gaf Shannon hem £ 50 contant en zei, dat hij de volgende dag de veerboot Oostende-Dover moest nemen, zodat hij 's avonds om zes uur in de flat in Londen was. Hij moest een uur op zijn vliegtuig wachten en was tegen theetijd weer terug in Londen.

Simon Endean had ook een drukke dag gehad. Hij had de eerste dagvlucht naar Zürich genomen en was iets over tienen op het vliegveld Kloten geland. Een uur later stond hij in Zürich aan de balie van het hoofdkantoor van de Handelsbank in de Talstrasse 58 en opende een lopende rekening op zijn eigen naam. Hij liet eveneens een paar voorbeelden van zijn handtekening achter en sprak met de bankbediende die hem te woord stond een systeem af, om alle schriftelijke mededelingen aan de bank te ondertekenen door eenvoudig het rekeningnummer onder aan de brief te zetten, en onder het nummer de dag van de week, waarop de brief geschreven was. De dag zou in groene inkt geschreven worden, terwijl het rekeningnummer altijd in het zwart zou staan. Hij stortte de £ 500 in contant geld die hij had meegenomen en deelde de bank mee, dat het bedrag van £ 100 000 in de loop van die week op de rekening zou worden overgemaakt. Tenslotte droeg hij de Handelsbank op, om zodra dit bedrag binnen was, hiervan £ 10 000 over te maken op een rekening in België, die hij ze later schriftelijk zou opgeven. Hij tekende een lang contract, dat de bank van alle mogelijke gevolgen onthief met inbegrip van schuldige nalatigheid, en dat hemzelf geen enkele wettelijke bescherming bood. Het had trouwens, zoals hij heel goed wist, toch geen zin een geschil met een Zwitserse bank voor een Zwitsers gerechtshof uit te vechten.

Hij nam vanuit de Talstrasse een taxi, stopte een met lak verzegelde brief in de deur van de Zwinglibank en reed door naar het vliegveld.

De brief die dr. Martin Steinhofer een half uur later in de hand hield, was van sir James Manson. Hij was op de voorgeschreven wijze ondertekend, waarop Manson alle correspondentie met zijn Züricher bank tekende. Die brief behelsde het verzoek aan dr. Steinhofer, om £ 100 000 onmiddellijk op rekening van de heer Simon Endean bij de Handelsbank over te maken, met de mededeling, dat sir James hem de volgende dag, woensdag, op zijn kantoor een bezoek kwam brengen.

Endean was tegen zes uur op het vliegveld van Londen.

Martin Thorpe kwam dinsdagsmiddags uitgeput op kantoor. Hij had de twee dagen van het weekeind plus de maandag besteed aan het systematisch doornemen van 4500 kaarten in Moodies register van vennootschappen die op de Londense beurs genoteerd staan.

Hij had zich erop toegelegd een geschikte lege vennootschap te vinden en had bij voorkeur de kleine firma's uitgezocht, die al jaren geleden waren opgericht, grotendeels verlopen waren en nog maar weinig activa hadden, firma's, die de afgelopen drie jaar met verlies hadden gewerkt of zelfs failliet waren, of een winst van minder dan £ 10 000 hadden gemaakt. Hij zocht ook firma's uit met een handelskapitaal van minder dan £ 200 000.

Martin Thorpe had er vierentwintig firma's uitgehaald die hieraan voldeden en deze liet hij aan sir James Manson zien. Hij had ze in volgorde van geschiktheid van een tot vierentwintig genummerd.

Hij had nog meer te doen en in de loop van de middag ging hij naar het Vennootschapshuis op City Road, E.C.2.

Hij leverde het lijstje van de eerste acht firma's bij het archief in en betaalde het wettelijk voorgeschreven bedrag voor elke naam op de lijst, dat hem als ieder ander burger het recht gaf alle firmadocumenten in te zien. Terwijl hij wachtte tot de acht lijvige dossiers in de leeskamer kwamen, bladerde hij de laatste officiële beurskoersen door en stelde met voldoening vast, dat geen van de acht meer dan drie shilling per aandeel noteerde.

Toen de dossiers binnenkwamen, begon hij met de eerste op zijn lijstje en verdiepte zich in de verslagen. Hij was op zoek naar drie dingen, die niet op de kaarten van Moodies stonden, die alleen maar een korte samenvatting geven. Hij wilde de verdeling van het aandelenbezit bestuderen, om zeker te zijn dat de firma die hij zocht niet in handen was van de gezamenlijke Raad van beheer en hij wilde zich ervan overtuigen, dat niet onlangs door een persoon of een groep van personen een concentratie van aandelen had plaatsgevonden, wat erop zou wijzen dat er nog een kaper uit de City op de kust was.

Toen het Vennootschapshuis 's avonds dichtging, had hij zeven van de acht dossiers doorgenomen. Hij zou de overige zeventien de volgende dag doen. Maar de derde op zijn lijstje had al zijn belangstelling getrokken en hem een beetje enthousiast gemaakt. Op papier zag hij er, van zijn standpunt gezien, geweldig uit, al te mooi zelfs, en daar zat hem de kneep. Het leek allemaal zo geweldig, dat het hem verbaasde dat niet iemand anders hem allang had ingepikt. Er moest ergens iets fout zitten, maar met behulp van Martin Thorpe's vernuft was ook daar misschien wel iets op te vinden. Als dat mogelijk zou zijn . . . dan was het volmaakt.

Simon Endean belde Cat Shannon die avond om tien uur in zijn flat op. Shannon deed hem verslag van wat hij gedaan had en Endean gaf een overzicht van zijn eigen dag. Hij zei tegen Shannon, dat de benodigde £ 100 000 die middag voor sluitingstijd op zijn nieuwe Zwitserse bankrekening zou worden overgemaakt en Shannon zei tegen Endean, dat hij de eerste £ 10 000 aan hem moest sturen op naam van Keith Brown bij de Kredietbank te Brugge in België.

Enkele minuten nadat hij had opgehangen, had Endean zijn opdracht aan de Handelsbank geschreven en er de nadruk op gelegd, dat het opgegeven bedrag direct moest worden overgemaakt, maar dat onder geen beding de naam van de Zwitserse rekeninghouder bij de Belgische bank bekend mocht worden. Alleen het rekeningnummer moest op de overmaking vermeld worden, die per telex moest plaatsvinden. Hij stuurde de brief per expresse te middernacht vanuit het nachtpostkantoor op Trafalgar Square.

Om kwart voor twaalf rinkelde weer de telefoon in Shannons flat. Semmler was aan de lijn uit München. Shannon vertelde, dat hij voor hen allemaal werk had als ze dat wilden, maar dat hij niet naar München kon komen. Semmler moest de volgende dag een enkele reis per vliegtuig naar Londen nemen en daar om zes uur zijn. Hij gaf zijn adres op en beloofde de Duitser in elk geval zijn onkosten te vergoeden en zijn reis naar München terug te betalen als hij het werk afwees. Semmler stemde erin toe te komen en Shannon hing op.

De volgende die aan de telefoon kwam was Langarotti uit Marseille. Hij was in zijn postbus gaan kijken en had daar het telegram van Shannon voor hem gevonden. Hij zou om zes uur in Londen zijn en naar de flat toe komen.

Het telefoontje van Janni Dupree kwam vrij laat; het kwam pas 's nachts om half één door. Hij stemde er eveneens in toe zijn koffers te pakken en de twaalfduizend kilometer naar Londen te vliegen, hoewel hij daar pas anderhalve dag later kon zijn. Hij zou dan pas vrijdagavond in Shannons flat komen.

Nadat hij het laatste telefoontje beantwoord had, ging Shannon nog een uurtje lezen en draaide het licht uit. Dag Een was ten einde.

Sir James Manson vloog niet toeristenklasse; hij reisde eerste klas en nam die woensdagochtend op de *Trident Three* voor zakenlieden naar Zürich een stevig ontbijt tot zich. Tegen twaalf uur 's middags werd hij met veel plichtplegingen het gelambrizeerde kantoor van dr. Martin Steinhofer binnengelaten.

De beide mannen kenden elkaar al tien jaar en de Zwinglibank had in die tijd al heel wat zaken voor Manson gedaan in gevallen waarin hij een stroman nodig had om aandelen te kopen, die, als bekend was geworden dat de naam Manson erachter zat, in waarde verdriedubbeld zouden zijn. Dr. Steinhofer had veel achting voor zijn cliënt en stond op om hem een hand te geven en de geridderde Engelsman in een gemakkelijke fauteuil te installeren.

De Zwitser bood sigaren aan, er werd koffie gebracht met kleine glaasjes kirsch. Pas toen de secretaris weg was, kwam sir James met zijn plannen voor de dag.

'In de komende weken zal ik trachten een meerderheidsbelang te verwerven in een kleine Engelse firma, een open naamloze vennootschap. Op het ogenblik kan ik u de naam nog niet noemen omdat er nog geen geschikt medium voor mijn persoonlijke onderneming is gevonden, maar ik hoop het binnenkort te weten.'

Dr. Steinhofer knikte zwijgend en dronk zijn koffie.

'In het begin zal het nog maar een kleine onderneming zijn, waar betrekkelijk weinig geld mee gemoeid is. Ik heb reden om aan te nemen, dat er later nieuws op de beurs komt, dat een heel belangwekkende uitwerking op de aandelenkoers van die firma zal hebben,' ging hij verder.

Hij hoefde de Zwitserse bankier niet uit te leggen, welke regels op aandelentransacties op de Londense effectenbeurs gelden, want die waren hem net zo vertrouwd als Manson, zoals hij ook op de hoogte was van de regels van alle belangrijke beurzen en markten over de hele wereld.

Onder de Engelse wet op de vennootschappen moest iemand, die tien procent of meer van de aandelen van een op de beurs genoteerde firma verwierf, zich binnen veertien dagen aan de Raad van beheer bekend maken. Het doel van die wet is het publiek op de hoogte te stellen, wie de eigenaar is van een open naamloze vennootschap en voor welk aandeel.

Om die reden zal een Londense effectenmakelaar van naam, die ten behoeve van een cliënt koopt, ook de wet gehoorzamen en de beheerders de naam van hun cliënt meedelen, tenzij de aankoop minder dan tien procent van het firmakapitaal bedraagt, in welk geval de koper anoniem mag blijven.

Een manier waarop een magnaat deze regel kan ontduiken, is te trachten in het geheim een firma in handen te krijgen door stromannen te gebruiken. Maar ook hier zal een goed bekend staande firma op de effectenbeurs er spoedig achter komen, als de werkelijke koper van een groot aandelenpakket in feite één man is die via stromannen werkt, en de wet gehoorzamen.

Maar een Zwitserse bank, die niet gebonden is door de Engelse wetgeving en aan zijn eigen wetten van geheimhouding vasthoudt, weigert eenvoudig vragen te beantwoorden over wie er achter de namen staan, die zij als hun cliënten voordragen, en ze zullen verder ook niets onthullen, ook al vermoeden ze persoonlijk, dat de naar voren geschoven mensen helemaal niet bestaan.

De beide mannen op het kantoor van dr. Steinhofer waren zich die ochtend heel goed bewust van de fijne kneepjes die eraan te pas kwamen.

'Om de benodigde aandelen te verwerven,' ging sir James verder, 'heb ik me met zes partners geassocieerd, die de aandelen uit mijn naam zullen kopen. Ze hebben er allemaal in toegestemd een kleine rekening bij de Zwinglibank te openen en u te verzoeken de aankopen uit hun naam te doen.'

Dr. Steinhofer zette zijn koffiekopje neer en knikte. Als een goede Zwitser vond hij, dat het geen zin had regels te overtreden als ze legaal konden worden omgebogen, mits het natuurlijk geen Zwitserse regels waren, en hij zag ook wel in dat het geen zin had lichtzinnig de koersen op te drijven, zelfs niet in een kleine affaire. Men begon met pfennigs te sparen en werd dan na levenslange inspanning rijk.

'Dat is geen probleem,' zei hij voorzichtig. 'Komen die heren hier om hun rekening te openen?'

Sir James blies een geurige rookwolk uit.

'Het kan zijn dat zij het te druk hebben om zelf te komen. Ik heb mijn eigen financiële medewerker benoemd om mij te vervangen. Om tijd en moeite te sparen, begrijpt u wel. Het kan zijn, dat de andere zes compagnons dezelfde procedure willen volgen. U hebt daar geen bezwaar tegen?'

'Zeker niet,' mompelde dr. Steinhofer. 'Wie is uw financiële medewerker, als ik vragen mag?'

'De heer Martin Thorpe.' Sir James Manson haalde een dunne envelop uit zijn zak en gaf hem aan de bankier.

'Dit is mijn volmacht, behoorlijk gewaarmerkt door een notaris in aanwezigheid van getuigen en door mij ondertekend. U hebt natuurlijk mijn handtekening ter vergelijking. Hierin vindt u de volledige naam en het paspoortnummer van de heer Thorpe, waarmee hij zich zal identificeren. Hij komt over een week tot tien dagen in Zürich om de zaak af te wikkelen. Dan zal hij in het vervolg in alle aangelegenheden uit mijn naam optreden en zijn handtekening zal even geldig zijn als die van mij. Is dat aanvaardbaar?'

Dr. Steinhofer bestudeerde het ene velletje in de envelop en knikte.

'Jazeker, sir James. Ik zie hier geen problemen.'

Manson stond op en doofde zijn sigaar.

'Dan neem ik afscheid van u, dr. Steinhofer, en laat de verdere behandeling aan de heer Thorpe over, die mij natuurlijk over alle te nemen stappen zal raadplegen.'

Ze gaven elkaar een hand en sir James Manson werd tot aan de straat uitgeleide gedaan. Toen de zware eiken deur zachtjes achter hem in het slot viel, zette hij de kraag van zijn jas op tegen de nog te koude lucht van de noordelijke Zwitserse stad, stapte in de klaarstaande gehuurde limousine en gaf opdracht om naar het Baur au Lac te rijden om te lunchen. Je at daar wel goed, peinsde hij, maar verder was het in Zürich een saaie boel. Er was niet eens een behoorlijk bordeel.

Adjunct-staatssecretaris Sergei Golon was die ochtend niet in een best humeur. Er was met de post een brief op zijn ontbijttafel gekomen, waarin stond dat zijn zoon gezakt was voor het toelatingsexamen van de Academie van burger-ambtenaren en er had een grote familieruzie plaatsgevonden. Het gevolg was dat hij die dag extra geteisterd werd door zijn maagzuurprobleem waar hij altijd al mee worstelde en bovendien liet zijn secretaresse door ziekte verstek gaan.

Achter de ramen van zijn kleine kantoor bij de Westafrikaanse afdeling van het ministerie van Buitenlandse Zaken, waren de winderige boulevards van Moskou nog bedekt met modderige sneeuw, die in het schemerige ochtendlicht grauwgrijs lag te wachten op de voorjaarsdooi.

'Het is geen vlees en geen vis,' had de bewaker opgemerkt toen hij zijn Moskvitch in de parkeergarage onder het gebouw van het ministerie zette.

Golon had instemmend gebromd terwijl hij de lift naar de achtste verdieping nam om aan het werk van die morgen te beginnen. Bij gemis aan zijn secretaresse, had hij de stapel mappen gepakt, die uit allerlei delen van het gebouw te zijner attentie waren gebracht en begon ze door te nemen, waarbij hij langzaam een antimaagzuurtabletje in zijn mond liet wentelen.

Het derde was door het bureau van de staatssecretaris aan hem geattendeerd en in hetzelfde kantoorbediendenhandschrift stond op het omslag: 'Beoordelen en noodzakelijke maatregelen nemen'. Golon las het somber door. Hij merkte op, dat het dossier was ingesteld naar aanleiding van een interdepartementaal memorandum van de Buitenlandse inlichtingendienst en dat zijn ministerie bij nadere overweging bepaalde instructies aan ambassadeur Dobrovolsky had gegeven, die volgens het laatste telegram van Dobrovolsky waren uitgevoerd. Het verzoek was ingewilligd, rapporteerde de ambassadeur en hij drong aan op spoedige maatregelen.

Golon snoof. Zelf gepasseerd voor de post van ambassadeur, hield hij stijf en strak vol dat mensen op diplomatieke posten al te zeer geneigd waren te menen, dat hun eigen parochie het belangrijkst was.

'Alsof we niets anders aan ons hoofd hebben,' bromde hij. Zijn blik was al op de map gevallen onder die, welke hij aan het lezen was. Hij wist, dat het over de republiek Guinea ging, waar een onafgebroken stroom telegrammen van de Sovjet-ambassadeur de toeneming van Chinese invloed in Conakry meldde. Dat was nu wel iets om bezorgd over te zijn, peinsde hij. Hierbij vergeleken viel de vraag of er nu wel of niet commerciële hoeveelheden tin in het binnenland van Zangaro waren, volkomen in het niet. Bovendien had de Sovjet-Unie toch genoeg tin.

Niettemin moesten maatregelen van hogerhand genomen worden en als goede ambtenaar deed hij dit. Aan een van de typekamer geleende secretaresse dicteerde hij een brief aan de directeur van het mijninstituut van Sverdlovsk, met het verzoek een kleine inspectieploeg van geologen en ingenieurs samen te stellen teneinde een onderzoek te doen naar een vermoedelijke tinlaag in West-Afrika, en om hem te zijner tijd mee te delen dat de ploeg, geheel toegerust, gereed was voor vertrek.

Inwendig meende hij dat hij de kwestie van hun transport naar West-Afrika via het daartoe aangewezen directoraat zou moeten regelen, maar duwde de gedachte naar zijn achterhoofd. Het pijnlijke brandende gevoel in zijn keel werd minder en hij zag dat de krabbelende stenotypiste hele mooie knieën had.

Cat Shannon had een rustige dag. Hij stond laat op en ging naar zijn bank in West End, waar hij bijna de hele £ 1000 die op zijn rekening stond opnam. Hij was ervan overtuigd, dat het geld ruimschoots werd aangevuld als de overmaking uit België kwam.

Na de lunch belde hij zijn vriend de schrijver op, die verbaasd leek van hem te horen.

'Ik dacht dat je de stad uit was,' zei de schrijver.

'Hoe dat zo?' vroeg Shannon.

'Nou, de kleine Julie heeft je gezocht. Je hebt blijkbaar nogal indruk gemaakt. Carrie zegt dat ze er niet over uitgepraat raakt. Maar ze heeft Lowndes opgebeld en ze zeiden daar dat je met onbekende bestemming vertrokken was.'

Shannon beloofde dat hij haar zou opbellen. Hij gaf zijn eigen telefoonnummer op, maar niet zijn adres. Na dit gebabbel vroeg hij de inlichtingen waar het hem om ging.

'Nou, dat kan ik misschien wel,' zei de vriend weifelend. 'Maar ik moet hem wel eerst even opbellen om te vragen of het goed is.'

'Nou, doe dat dan maar,' zei Shannon. 'Zeg maar dat het voor mij is, dat ik hem nodig moet spreken en dat ik bereid ben naar hem toe te gaan om een paar uur met hem te kunnen praten. Zeg maar dat ik hem niet lastig zou vallen als ik niet het idee had dat het echt belangrijk is.'

De schrijver beloofde dat hij het zou doorgeven en dat hij Shannon terug zou bellen met het telefoonnummer en het adres van de man die Shannon wilde spreken, als deze man erin toestemde met Shannon te praten.

's Middags schreef hij een brief aan de heer Goossens van de Kredietbank, dat hij in het vervolg aan twee of drie compagnons de Kredietbank als zijn correspondentieadres zou opgeven en telefonisch met de bank in contact zou blijven om te informeren of er brieven voor hem lagen. Hij zou ook via de Kredietbank brieven naar compagnons sturen en in dat geval zou hij de heer Goossens dan een envelop sturen uit de plaats waar hij dan was. Hij verzocht de heer Goossens de envelop die hij ingesloten aantrof, geadresseerd maar zonder postzegel, uit Brugge naar het adres van bestemming te willen sturen. Tenslotte verzocht hij de heer Goossens zijn rekening te belasten voor alle porto- en bankkosten.

Om vijf uur 's middags belde Endean hem in de flat op en Shannon gaf hem een overzicht van de gang van zaken, zonder over zijn contact met zijn vriend de schrijver te praten, over wie hij nooit met Endean gesproken had. Hij vertelde hem echter wel dat hij verwachtte, dat er die avond drie van de vier door hem gekozen medewerkers in Londen zouden komen voor hun afzonderlijke instructies en dat de vierde uiterlijk vrijdag aankwam.

Martin Thorpe had zijn vijfde vermoeiende dag, maar eindelijk was hij klaar met zijn speurtocht. Hij had de documenten van zeventien andere firma's in de City nageplozen en had een tweede korte lijst opgemaakt, dit keer van vijf firma's. Boven aan de lijst stond de firma, waar de vorige dag zijn oog op was gevallen. Hij was in de loop van de middag klaargekomen met lezen en omdat sir James nog niet uit Zürich terug was, besloot Thorpe de rest van de dag vrij te nemen. Hij kon de volgende ochtend zijn baas op de hoogte stellen en later zijn vertrouwelijke inlichtingen gaan inwinnen over hoe die firma die hij uitgezocht had in elkaar zat, een reeks inlichtingen om erachter te komen hoe het kwam dat zo'n buitenkansje nog beschikbaar was. Laat in de middag was hij in Hampstead Garden bezig het gazon te maaien.

# 9

De eerste huurling die op het Londense vliegveld Heathrow aankwam was Kurt Semmler, met de Lufthansa uit München. Hij probeerde Shannon telefonisch te bereiken zodra hij door de douane was, maar hij kreeg geen gehoor. Hij was nogal vroeg voor zijn telefoontje dat hij aangekomen was, daarom besloot hij op het vliegveld te wachten en ging in het restaurant zitten, bij het raam dat uitkeek op het platform van gebouw Twee. Hij rookte onder het koffiedrinken zenuwachtig de ene sigaret na de andere en keek naar de straalvliegtuigen die naar Europa vertrokken.

Marc Vlamink belde even over vijven Shannon op dat hij aangekomen was. De Cat wierp een blik op het lijstje met drie hotels in de buurt van zijn flat en noemde er één van. De Belg schreef het woord voor woord in zijn telefooncel op Victoria Station op. Een paar minuten later hield hij een taxi voor het station aan en liet het briefje aan de chauffeur zien.

Semmler belde tien minuten na Vlaminck. Hij ontving van Shannon ook de naam van een hotel, schreef het op en nam een minitaxi vanaf het vliegveld.

Langarotti was de laatste en meldde zich tegen zessen vanaf de eindhalte van de bus van het vliegveld, op Cromwell Road. Hij nam ook een taxi om hem naar zijn hotel te brengen.

Om zeven uur belde Shannon ze alle drie na elkaar op en verzocht hen om over een uur allemaal op zijn flat te komen.

Toen ze elkaar begroetten ontdekte ieder van hen voor het eerst dat ook de anderen uitgenodigd waren. De brede grijns waarmee ze zagen dat de anderen er ook waren, was aan de ene kant uit blijdschap hun vrienden te ontmoeten, en aan de andere kant, omdat het feit dat Shannon ze op zijn kosten naar Londen had laten komen met betaling van hun terugreis per vliegtuig, alleen kon betekenen dat hij geld had. Zo ze zich al afvroegen wie de opdrachtgever zou zijn, hielden ze daarover wijselijk hun mond.

Hun eerste indruk werd nog versterkt, toen Shannon vertelde, dat hij Dupree op dezelfde voorwaarden uit Zuid-Afrika per vliegtuig had laten overkomen. Een vliegticket van £ 500 betekende dat Shannon geen grapjes maakte. Ze gingen er echt voor zitten.

'Het werk dat ik gekregen heb,' vertelde hij, 'is een project dat van meet af aan georganiseerd moet worden. Er is nog helemaal niets en de enige manier om het op te zetten is alles zelf te doen. Het doel is een aanval te ondernemen, een korte zware aanval, in commandostijl, op een stad aan de kust van Afrika. We moeten een gebouw in puin schieten, het bestormen en veroveren, iedereen die erin zit onschadelijk maken en dan terugtrekken.'

De reactie was zoals hij wel verwacht had. De mannen wisselden goedkeurende blikken. Vlaminck grijnsde breed en krabde op zijn borst; Semmler mompelde '*Klasse*' en stak een nieuwe sigaret aan met de peuk van de oude. Hij bood er Shannon een aan, die zijn hoofd schudde en bedankte. Langarotti hield onbewogen zijn blik op Shannon gevestigd en liet het lemmet van zijn mes soepel over het zwarte leer om zijn linkervuist glijden.

Shannon spreidde in het midden van de kring een kaart op de vloer uit en de mannen bekeken hem oplettend. Het was een met de hand getekende kaart, waarop een gedeelte van de zeekust met een rij huizen op het land stond. Hij was niet erg nauwkeurig ook, want de twee kromme grindstroken, waaraan de haven van Clarence te herkennen was, stonden er niet op. Maar het was voldoende om te laten zien om wat voor een operatie het ging.

De huurlingenleider hield een praatje van twintig minuten, waarin hij een schets gaf van de wijze van aanvallen, die hij al aan zijn opdrachtgever had voorgesteld als de enige uitvoerbare manier om het gestelde doel te bereiken, en de drie mannen waren het daarmee eens. Ze vroegen geen van drieën wat de plaats van bestemming was. Ze wisten dat hij dat toch niet zou zeggen en dat ze het niet hoefden te weten. Dat was geen kwestie van gebrek aan vertrouwen, alleen van veiligheid. Als het geheim uitlekte, wilden zij er niet op aangezien kunnen worden.

Shannon praatte Frans, de taal die hij in het Zesde commando in Kongo had opgepikt en met een sterk accent sprak. Hij wist dat Vlaminck een redelijke kennis van Engels bezat, zoals een barkeeper in Oostende moet hebben, en dat Semmler de beschikking had over zo'n tweehonderd woorden. Maar Langarotti kende vrijwel geen Engels en daarom was Frans de voertaal, behalve als Dupree erbij was, want dan moest alles vertaald worden.

'Dat is het dus,' zei Shannon, toen hij klaar was. 'De voorwaarden zijn, dat jullie vanaf morgenochtend een salaris van 1250 dollar per maand krijgen, plus de reis- en verblijfkosten in Europa. Het budget is ruimschoots voldoende voor het werk. Er zijn maar twee taken in het voorbereidende stadium die illegaal gedaan moeten worden, omdat ik ervoor gezorgd heb de voorbereidingen zoveel mogelijk strikt legaal te houden. De ene is het oversteken van een grens van België naar Frankrijk, de andere is een kwestie van het laden van een paar kisten op een schip ergens in Zuid-Europa. We zullen allemaal aan die twee taken deelnemen.

Jullie krijgen drie maanden een gegarandeerd salaris plus 5000 dollar de man extra premie als de operatie lukt. Dus wat zeggen jullie?'

De drie mannen keken elkaar aan. Vlaminck knikte.

'Ik doe mee,' zei hij, 'zoals ik gisteren al gezegd heb. Het lijkt me niet gek.'

Langarotti zette zijn mes aan.

'Is het tegen de Franse belangen?' vroeg hij. 'Ik heb geen zin om te worden verbannen.'

'Ik geef je mijn woord dat het niet tegen de Fransen in Afrika is.'

'*D'accord*,' zei de Corsicaan enkel.

'Kurt?'

'Hoe staat het met de verzekering?' vroeg de Duitser. 'Voor mij maakt het niets uit, ik heb geen familie, maar Marc bijvoorbeeld?'

De Belg knikte.

'Ja, ik wil niet dat Anna zonder geld achterblijft,' zei hij.

Huurlingen onder contract worden door de contractant meestal verzekerd voor 20 000 dollar bij overlijden en 6000 bij verlies van arm of been.

'Daar moet je zelf voor zorgen, maar hij kan net zo hoog zijn als je zelf wilt. Als iemand iets overkomt, dan verklaart de rest glashard, dat hij op zee per ongeluk overboord is gevallen. Als iemand ernstig gewond raakt en het overleeft, dan verklaren we allemaal onder ede, dat die verwonding veroorzaakt is door machines aan boord die zijn gaan schuiven. Jullie laten je verzekeren voor een zeereis van Europa naar Zuid-Afrika als passagiers van een klein vrachtschip. Akkoord?'

De drie mannen knikten.

'Ik doe mee,' zei Semmler.

Ze gaven elkaar de hand erop en dat was genoeg. Daarna legde Shannon uit wat elk van de drie moest doen.

'Kurt, je krijgt vrijdag je eerste salarischeque plus £ 1000 onkosten. Dan ga je naar de Middellandse Zee om een schip te zoeken. Ik heb een klein vrachtschip nodig met een schone staat van dienst. Denk erom, het moet schoon zijn. Papieren in orde, schip te koop. Een- tot tweehonderd ton, kustvaarder of omgebouwde treiler, eventueel omgebouwd marineschip als het nodig is, maar niet een dat er uitziet als een torpedobootjager. Het hoeft niet snel te zijn, maar wel betrouwbaar. Eentje dat in een Middellandse-Zeehaven een lading kan oppikken zonder de aandacht te trekken, ook een lading wapens. Dat geregistreerd staat als een gewoon vrachtschip, met als eigenaar een kleine rederij of zijn eigen kapitein. Prijs niet meer dan £ 25 000, met inbegrip van het opknappen als het nodig is. Uiterste datum van afvaart, compleet met brandstof en levensmiddelen voor een reis naar Kaapstad, beslist niet later dan vandaag over zestig dagen. Is dat duidelijk?'

Semmler knikte en begon meteen aan zijn relaties in de scheepvaartwereld te denken.

'Jean-Baptiste, welke stad aan de Middellandse Zee ken je het beste?'

'Marseille,' zei Langarotti zonder aarzeling.

'Mooi. Je krijgt vrijdag salaris plus £ 500. Je gaat naar Marseille, trekt in een klein hotelletje en begint rond te kijken. Je zoekt drie grote opblaasbare halfharde rubberboten van het merk Zodiac, het type dat naar het basisontwerp van marinecommandoboten voor de watersport is ontwikkeld. Je koopt ze bij verschillende leveranciers en slaat ze op in entrepot van een bonafide scheepvaartagent voor export naar Marokko. Doel: waterskieën en duiken in een vakantieoord. Kleur zwart. Eveneens drie krachtige buitenboordmotoren die op een accu starten. De boten moeten een draagvermogen hebben van een ton. De motoren moeten een boot met dat gewicht met minstens tien knopen per uur kunnen trekken, met nog een flinke reserve. Je hebt ongeveer 60 pk motoren nodig. En wat heel belangrijk is: zorg vooral dat ze voorzien zijn van onderwateruitlaten, zodat ze geruisloos lopen. Als je die niet kunt krijgen, laat je door een monteur drie verlengde uitlaatpijpen met de bijbehorende uitlaatkleppen maken die op de motoren passen. Die sla je op in het entrepot van die zelfde exportagent voor hetzelfde doel als de boten. Watersport in Marokko. Aan die £ 500 heb je niet genoeg. Open een bankrekening en stuur de naam met het nummer aan mij op dit adres, dan laat ik het geld per bank overmaken. Maar alles afzonderlijk, en stuur de prijslijsten ook per post hierheen. Akkoord?'

Langarotti knikte en begon zijn mes weer aan te zetten.

'Marc, weet je nog dat je me eens verteld hebt, dat je in België iemand kende, die in 1945 een Duitse partij van duizend gloednieuwe Schmeisser-machinepistolen achterover had gedrukt en de helft nog in voorraad had? Ik wil graag, dat je vrijdag met je salaris plus £ 500 weer naar Oostende gaat om die man op te sporen en te kijken of hij ze verkopen wil. Ik moet er honderd hebben in perfecte staat van gereedheid. Ik betaal honderd dollar per stuk, wat ver boven de prijs is. Neem uitsluitend schriftelijk hier in deze flat contact met me op, zodra je die man gevonden hebt en een bijeenkomst van hem met mij kan organiseren. Duidelijk?'

Om half tien waren ze klaar, en hadden ze de instructies nauwkeurig in hun hoofd en begrepen.

'Mooi, zullen we een hapje gaan eten?' vroeg Shannon zijn collega's. Dat voorstel werd luidruchtig begroet, want de mannen hadden nog niet veel anders gegeten dan een lunch of een hapje in het vliegtuig en waren allemaal uitgehongerd. Shannon ging met ze naar de Paprika om de hoek. Ze spraken nog steeds Frans, maar niemand schonk er veel aandacht aan, behalve om even op te kijken als er weer een lachsalvo uit het groepje van vier kwam. Ze wonden zich kennelijk ergens over op, maar geen van de andere gasten had enig vermoeden waar het groepje in de hoek zo opgetogen over was: het vooruitzicht om onder leiding van Cat Shannon weer een oorlog in te gaan.

Aan de overkant van het Kanaal was iemand anders die sterk aan Carlo Alfred Thomas Shannon dacht, en zijn gedachten waren niet menslievend. Hij beende door de zitkamer van zijn flat op een grote boulevard bij de Place de la Bastille en dacht na over de inlichtingen die hij de voorgaande week verzameld had en het bericht dat hem een paar uur geleden bereikt had.

Als de schrijver, die Charles Roux oorspronkelijk aan Simon Endean had aanbevolen als tweede huurling die eventueel voor Endeans project in aanmerking kwam, iets meer van de Fransman had geweten, was zijn beschrijving niet zo vleiend geweest. Maar hij kende alleen maar de blote feiten uit zijn carrière en wist weinig van zijn karakter. Evenmin wist hij – en had het Endean dan ook niet kunnen vertellen – dat Roux de andere man die hij had aanbevolen, Cat Shannon, een dodelijke haat toedroeg.

Nadat Endean bij Roux was weggegaan, had de Fransman precies veertien dagen gewacht, tot hij voor de tweede maal contact op zou nemen. Toen dit uitbleef, moest hij daaruit wel de conclusie trekken, dat het project dat de bezoeker die zich Walter Harris noemde voor ogen had, niet doorging, of dat iemand anders het baantje gekregen had. Hierop doorgaand ging hij kijken welke andere keus de Engelse zakenman gedaan kon hebben, en terwijl hij dit aan het uitzoeken was of door iemand anders liet uitzoeken, hoorde hij dat Cat Shannon in Parijs zat en onder zijn eigen naam in een hotelletje in Montmartre logeerde. Dit schokte hem, want nadat ze op het vliegveld Le Bourget uit elkaar waren gegaan, was hij Shannon uit het oog verloren en had gedacht, dat de man uit Parijs was vertrokken.

Op dat moment, een week geleden, had hij een van de mensen

die hij wist te kunnen vertrouwen, opgedragen uitvoerige inlichtingen over Shannon in te winnen. Deze man heette Henri Alain en was een vroegere huurling.

Alain was vierentwintig uur later met het nieuws gekomen, dat Shannon uit zijn hotel in Montmartre was weggegaan en niet teruggekomen. Hij kon Roux nog twee andere dingen vertellen: dat Shannons verdwijning had plaatsgevonden de ochtend nadat Roux de Londense zakenman in zijn eigen woning had ontvangen, en ten tweede dat Shannon die zelfde middag ook een bezoeker had ontvangen. De hotelbediende had na wat geldelijke aandrang Shannons bezoeker kunnen beschrijven en Roux twijfelde er inwendig niet aan, dat de bezoeker in Montmartre de man was die ook bij hém was geweest.

Meneer Harris uit Londen had dus twee huurlingen in Parijs bezocht hoewel hij er maar één nodig had. Als gevolg daarvan was Shannon verdwenen terwijl hij, Roux, aan de kant was gezet. Dat het uitgerekend Shannon was die het contract scheen te hebben gekregen, maakte hem helemáal razend, want er was niemand die de man uit de flat in het Elfde arrondissement meer haatte.

Hij liet Henri Alain vier dagen bij het hotel posten, maar Shannon was niet teruggekomen. Toen gooide hij het over een andere boeg. Hij herinnerde zich, dat in de kranteberichten over de gevechten in de laatste dagen van de enclave, Shannon steeds samen met Langarotti was genoemd. Als Shannon nu weer in de circulatie was, was Langarotti het vermoedelijk ook. Daarom had hij Henri Alain naar Marseille gestuurd om de Corsicaan te zoeken en uit te vinden waar Shannon kon zijn. Alain was zojuist teruggekomen met het bericht, dat Langarotti die zelfde middag uit Marseille vertrokken was, met bestemming Londen.

Roux wendde zich tot zijn zegsman. '*Bon*, Henri. Dat is alles. Ik zal contact met je opnemen als ik je nodig heb. Zou die hotelbediende in het hotel op Montmartre je intussen waarschuwen als Shannon terugkomt?'

'Jazeker,' zei Alain, die opstond om weg te gaan.

'Bel me dan onmiddellijk als je iets hoort.'

Toen Alain weg was, dacht Roux over het geval na. Voor hem betekende de verdwijning van Langarotti, juist naar Londen, dat de Corsicaan daar naar Shannon was gegaan. Dat betekende weer, dat Shannon aan het werven was en dat kon alleen betekenen dat hij een contract had gekregen. Roux twijfelde er niet aan, dat het contract van Walter Harris afkomstig was en dat het hemzelf eigenlijk toekwam. Het was een schandaal, evenals de werving van een Fransman op Frans grondgebied, dat Roux als zijn eigen exclusieve gebied beschouwde.

Er was nog een andere reden, waarom hij het contract van Harris zo graag wou hebben. Hij had sinds die geschiedenis in Bukavu niet gewerkt en hij dreigde zijn vermogen om een greep op de Franse huurlingengemeenschap te houden te verliezen als hij niet in de een of andere vorm werk voor ze kon vinden. Als Shannon er niet mee door kon gaan, als hij bijvoorbeeld voorgoed verdween, zou de heer Harris vermoedelijk bij Roux terug moeten komen om hem aan te nemen, zoals hij meteen had moeten doen.

Zonder zich te bedenken voerde hij in Parijs een telefoongesprek.

In Londen liep het diner ten einde. De mannen hadden een grote hoeveelheid wijn uit een karaf gedronken, want zoals typische huurlingen hadden ze deze het liefst zo wrang mogelijk. Kleine Marc hief zijn glas en bracht de in Kongo zo vaak gehoorde toost uit.

'*Vive la Mort, vive la guerre,*
*Vive le sacré mercenaire.*'

Cat Shannon, die in zijn stoel achterover zat, nuchter, terwijl de rest dronken werd, vroeg zich onwillekeurig af, wat voor verwoesting zou worden aangericht, als hij deze troep wolven op het paleis van Kimba losliet. Zwijgend hief hij zijn eigen glas en dronk op de oorlogshelden.

Charles Roux was achtenveertig jaar en in vele opzichten gek, al hadden die twee dingen niets met elkaar te maken. Men zou hem nooit krankzinnig kunnen verklaren, maar de psychiaters zouden hem op zijn minst voor geestelijk labiel houden. Die diagnose zou gebaseerd zijn op een flinke portie grootheidswaan, maar dit komt bij mensen buiten gekkenhuizen ook veel voor en wordt dan minder onvriendelijk betiteld als overdreven egocentriciteit, vooral bij rijke en beroemde personen.

Dezelfde psychiaters zouden waarschijnlijk een paranoïde inslag constateren en een heel ijverige onderzoeker zou misschien zelfs een psychopatisch trekje in de Franse huurling hebben aangetroffen. Maar omdat Roux nog nooit door een goede psychiater onderzocht was en zijn labiliteit onder een vrij behoorlijke intelligentie en buitengewone slimheid verborgen bleef, kwamen deze vragen nooit aan de orde.

Het enige dat zijn karakter verried was zijn vermogen, zichzelf een status en een gewicht toe te schrijven, die uitsluitend in zijn verbeelding bestonden; een zelfbeklag door vol te houden dat hij zelf nooit ergens schuld aan had, maar iedereen die het niet met hem eens was het aan het verkeerde eind had; en haat en wrok ten aanzien van mensen die hem naar zijn mening slecht hadden behandeld.

De slachtoffers van zijn haatgevoelens hadden vaak weinig anders gedaan dan Roux teleurstellen, maar in het geval van Shannon was er inderdaad reden voor zijn hekel.

Roux was tot zijn veertigste sergeant eerste klas in het Franse leger geweest, tot hij ontslagen werd na een voorval in verband met vermiste gelden.

In 1961 had hij, omdat hij niets te doen had, zijn eigen reis naar Katanga betaald en zich als deskundig adviseur van de afscheidingsbeweging van de toenmalige Katangese leider, Moise Tsjombe, aangeboden. In dat jaar viel het hoogtepunt van de strijd om de provincie Katanga, die rijk was aan mineralen, van samenvoeging met het uitgebreide, anarchistische en pas onafhankelijke Kongo los te maken. Een groot aantal van hen, die later huurlingenleiders werden, begonnen hun freelance loopbaan tijdens de verwarring in Katanga. Onder hen waren Hoare, Denard en Schramme. Ondanks zijn aanspraken op iets groters werd Roux slechts een kleine rol in de gebeurtenissen in Katanga toebedeeld, en toen de machtige Verenigde Naties er tenslotte in slaagden, de kleine benden *pistoleros* te bedwingen, wat politiek gedaan moest worden omdat het niet militair kon gebeuren, viel Roux onder hen die eruit moesten.

Dat was in 1962. Twee jaar later, toen Kongo als een rij kegels in handen van de door de communisten gesteunde Simba viel, werd Tsjombe uit ballingschap teruggeroepen, om niet alleen Katanga maar de gehele Kongo over te nemen. Hij op zijn beurt liet Hoare komen en Roux was ook bij degenen die terugvlogen om onder Hoare te dienen. Als Fransman zou hij normaal bij het Frans sprekende Zesde commando zijn gekomen, maar omdat hij in die tijd in Zuid-Afrika zat, kwam hij bij het Vijfde terecht. Hier kreeg hij bevel over een compagnie en zes maanden later was een van zijn sectiecommandanten een Engels-Ierse jongeman, Shannon.

De breuk van Roux met Hoare kwam zes maanden later. Toen hij reeds van zijn eigen superioriteit als militair bevelhebber overtuigd begon te raken, werd Roux de taak toevertrouwd een wegversperring van de Simba te vernietigen. Hij maakte zelf een aanvalsplan en het werd een volslagen mislukking. Er sneuvelden vier blanke huurlingen en meer dan twintig van zijn Katangezen. Dit was aan de ene kant toe te schrijven aan het aanvalsplan, aan de andere kant aan het feit, dat Roux stomdronken was. Onder de dronkenschap lag de geheime zekerheid dat Roux ondanks al zijn praatjes een hekel aan vechten had.

Kolonel Hoare eiste hierover een rapport van Roux en kreeg het. Er stonden allerlei dingen in die niet klopten met de aan het licht gekomen feiten. Hoare liet de enige overlevende sectiecommandant, Carlo Shannon, komen en ondervroeg hem streng. Naar aanleiding van wat hij hoorde, liet hij Roux komen en ontsloeg hem op staande voet.

Roux ging naar het noorden om zich bij het Zesde commando onder Denard in Paulis aan te sluiten, waar hij zijn veiligheid van het Vijfde toeschreef aan rassendiscriminatie van een geweldige Franse commandant door de minderwaardige Engelsen, een reden die Denard grif geloofde. Hij benoemde Roux tot onderbevelhebber van een kleiner commando, zogenaamd afhankelijk van het Zesde, maar in feite vrijwel onafhankelijk. Dit was het Veertiende commando in Watsa, onder leiding van commandant Tavernier.

In 1966 had Hoare zich teruggetrokken en was naar huis gegaan en Tavernier was vertrokken. Het Veertiende stond onder leiding van commandant Wautier, die evenals Tavernier een Belg was. Roux was nog altijd onderbevelhebber en hij had een hekel aan Wautier. Niet dat de Belg iets gedaan had; de reden voor die afkeer was, dat Roux had verwacht na het vertrek van Tavernier de leiding te zullen krijgen. Dat was niet het geval en daarom had hij de pest aan Wautier.

Het Veertiende, overwegend bestaande uit Katangese soldaten, beet de spits af in de muiterij van 1966 tegen de Kongolese regering. Deze was door Wautier goed op touw gezet en zou waarschijnlijk geslaagd zijn. Zwarte Jack Schramme hield zijn eigen overwegend Katangese Tiende commando voorlopig achter de hand om de zaak aan te zien. Als Wautier de opstand had geleid, had deze wellicht kunnen slagen; dan zou zwarte Jack met zijn Tiende gekomen zijn als het goed was gegaan, en dan was de Kongolese regering misschien gevallen. Om de opstand te beginnen had Wautier zijn Veertiende naar Stanleyville overgebracht, waar op de linkeroever van de rivier de Kongo het enorme arsenaal was, dat zoveel munitie bevatte, dat iemand die het bezat in staat was jarenlang Centraal- en Oost-Kongo te beheersen.

Twee uur voor de aanval werd commandant Wautier doodgeschoten. Zijn doodsoorzaak is nooit helemaal bewezen, maar het was in feite Roux die hem met een schot in het achterhoofd had vermoord. Een verstandig man zou de aanval hebben afgelast, maar Roux wilde met alle geweld het bevel op zich nemen en de muiterij werd een ramp. Zijn legers bereikten nooit de linkeroever van de rivier aan de overkant, het Kongolese leger verzamelde zich, toen ze hoorden dat ze het arsenaal nog hadden, en de eenheid van Roux werd tot de laatste man verslagen. Schramme dankte de hemel dat hij zijn eigen mensen voor dit fiasco had bewaard. Roux, die in doodsangst op de vlucht was geslagen, zocht een schuilplaats bij John Peters, de nieuwe commandant van het Engels sprekende Vijfde, die er ook buiten was gebleven. Peters smokkelde de wanhopige Roux, die helemaal in verband was gewikkeld en voor een Engelsman doorging, het land uit.

Het enige vertrekkende vliegtuig ging naar Zuid-Afrika en daar ging Roux heen. Tien maanden later vloog Roux terug naar Kongo, nu vergezeld door vijf Zuidafrikanen. Hij had lucht gekregen van de op handen zijnde opstand van juli 1967 en voegde zich bij Schramme op het hoofdkwartier van het Tiende commando bij Kindu. Hij was weer in Stanleyville toen de muiterij uitbrak, waar deze keer Schramme en Denard aan meededen. Enkele uren later was Denard buiten gevecht gesteld, in het hoofd getroffen door een terugketsende kogel, die bij vergissing door een van zijn eigen mensen was afgeschoten. Op een kritiek ogenblik was de aanvoerder van de gezamenlijke legers van het Zesde en het Tiende buiten gevecht gesteld. Roux, die beweerde dat hij als Fransman voorrang had boven de Belgische Schramme en volhield, dat hij de beste commandant was, die beschikbaar was, en de enige die de huurlingen kon leiden, schoof zichzelf naar voren om de algehele leiding op zich te nemen.

De keus viel op Schramme, niet omdat hij de beste was om de blanken te leiden, maar omdat hij de enige was die de Katangezen kon leiden, en zonder deze rekruten zou de kleine troep Europeanen al te veel in de minderheid zijn.

De aanspraken van Roux werden van twee kanten getorpedeerd. De Katangezen konden hem niet luchten en wantrouwden hem, want ze dachten aan het bataljon van hun eigen mensen die hij het vorig jaar naar de ondergang had gevoerd. En bij het beraad van de huurlingen, die avond waarop Denard met een brancard naar Rhodesia werd gevlogen, was een van degenen die zich uitsprak tegen de benoeming van Roux, een van Denards compagniescommandanten, Shannon, die achttien maanden geleden liever uit het Vijfde was weggegaan om zich bij het Zesde aan te sluiten, dan onder Peters te dienen.

Ook de tweede maal lukte het de huurlingen niet het arsenaal te veroveren en Schramme koos voor de lange mars van Stanleyville naar Bukavu, een vakantieoord aan het meer van Bukavu op de grens van de naburige republiek Rwanda, waar ze zich als de boel misliep konden terugtrekken.

Intussen had Roux het op Shannon voorzien en om ze gescheiden te houden, droeg Schramme aan Shannons compagnie de gevaarlijke taak op om als voorhoede de weg te banen, terwijl de colonne van huurlingen, Katangezen en duizenden volgelingen zich dwars door de Kongolezen naar het meer toe vochten. Roux werd helemaal achteraan in het konvooi geplaatst, zodat de twee mannen elkaar nooit tegenkwamen.

Tenslotte ontmoetten ze elkaar in de stad Bukavu, nadat de huurlingen zich daar geïnstalleerd hadden en de Kongolezen ze aan alle kanten hadden ingesloten, behalve bij het meer achter de stad. Dat was in september 1967 en Roux was dronken. Hij verloor bij een spelletje kaart omdat hij zijn hoofd er niet bij had en beschuldigde Shannon van vals spel. Shannon gaf als weerwoord, dat Roux net zo beroerd pokerde als hij de aanval op de wegversperringen van de Simba had aangepakt – en wel om dezelfde reden: hij was bang. Er viel een doodse stilte in het groepje om de tafel en de andere huurlingen schoven ongemerkt achteruit naar de muur. Maar Roux haalde bakzeil. Met een woedende blik naar Shannon liet hij de jongere man opstaan en naar de deur lopen. Pas toen de Ier zijn rug naar hem had toe gedraaid, trok Roux de Colt .45 die ze allemaal bij zich hadden en legde aan.

Shannon reageerde het eerst. Hij draaide zich om, trok zijn eigen automatische pistool en vuurde dwars door het lange lokaal. Voor een heupschot in half omgedraaide houding was het niet slecht. De kogel raakte Roux boven in de rechterarm en scheurde een gat in de biceps, zodat zijn arm slap langs zijn zij hing en het bloed van zijn vingers op de nutteloze Colt op de vloer naast hem druppelde.

'En ik herinner me nog iets anders ook,' riep Shannon door het lokaal. 'Ik herinner me wat Wautier is overkomen.'

Na die schietpartij was het met Roux gedaan. Hij evacueerde over de brug naar Rwanda, liet zich naar Kigali, de hoofdstad, rijden en vloog terug naar Frankrijk. Daardoor ontliep hij de val van Bukavu toen de minutie in november tenslotte op was, evenals de vijf maanden in een interneringskamp in Kigali. Hij liep ook de kans mis om het Shannon betaald te zetten.

Omdat hij de eerste was die uit Bukavu in Parijs terugkwam, had Roux een aantal interviews gegeven, waarin hij vol vuur over zichzelf sprak, over zijn oorlogsverwonding en zijn verlangen om terug te keren en zijn mannen aan te voeren. Door de mislukking in Dilolo, toen een herstelde Denard uit Angola in het zuiden een slecht georganiseerde inval in Kongo had geprobeerd, om de druk van zijn in Bukavu ingesloten troepen af te leiden, waarna de vroegere aanvoerder van het Zesde zich praktisch teruggetrokken had, kreeg Roux de indruk dat hij het volste recht had om zich het leiderschap over de Franse huurlingen aan te matigen. Hij had door plunderingen in Kongo een heleboel geld vergaard en opgepot.

Met dat geld kon hij indruk maken bij de barvlooien en straatzwervers die graag voor huurlingen doorgaan, en zij waren hem nog wel trouw, maar die trouw was alleen met geld te koop.

Henri Alain was er zo een, evenals de volgende bezoeker die op telefonisch verzoek van Roux bij hem kwam. Hij was ook een huurling, maar dan van een ander slag.

Raymond Thomard was moordenaar van nature en van beroep. Hij was ook eens in Kongo geweest, toen hij voor de politie op de vlucht was, en Roux had hem als huurmoordenaar gebruikt. Voor een paar fooien en in de veronderstelling, dat Roux een grote jongen was, was Thomard zo loyaal als iemand tegen betaling maar kan zijn.

'Ik heb een baantje voor je,' zei Roux tegen hem. 'Een contract voor vijfduizend dollar. Voel je er iets voor?'

Thomard grijnsde.

'Natuurlijk, *patron*. Wie is de vent die ik uit de weg moet ruimen?'

'Cat Shannon.'

Thomards grijns verdween. Voor hij kon antwoorden ging Roux verder.

'Ik weet wel dat hij goed is, maar jij bent beter. Bovendien weet hij van niets. Je krijgt zijn adres zodra hij weer in Parijs komt. Je hoeft alleen maar te wachten tot hij uitgaat en dan pak je hem wanneer het je zelf uitkomt. Kent hij je van gezicht?'

Thomard schudde zijn hoofd.

'We hebben elkaar nooit gezien,' zei hij.

Roux gaf hem een klap op de rug.

'Dan hoef je je niet ongerust te maken. Blijf met me in contact, ik zal je laten weten wanneer en waar je hem kunt vinden.'

# 10

De brief die Simon Endean dinsdagsavonds verzonden had, kwam donderdagochtend om tien uur bij de Handelsbank in Zürich aan. Overeenkomstig de instructies maakten ze £ 10 000 per telex over op de rekening van de heer Keith Brown bij de Kredietbank in Brugge.

's Middags om twaalf uur zag de heer Goossens de telex en zette telegrafisch £ 5000 op de rekening van de heer Brown in het West End van Londen. Om vier uur 's middags belde Shannon zijn bank op en vernam, dat het bedrag daar voor hem klaarlag. Hij verzocht de directeur persoonlijk ervoor te zorgen dat hij de volgende ochtend £ 3500 in contanten kon opnemen. Ze zeiden, dat hij het om half twaalf kon komen halen.

Die zelfde ochtend na negenen verscheen Martin Thorpe op het kantoor van sir James met het dossier van wat hij sinds die zaterdag had nageplozen.

De beide mannen liepen samen het lijstje door en bestudeerden de fotokopieën van de documenten, die hij dinsdag en woensdag van het Vennootschapshuis gekregen had. Toen ze klaar waren, leunde Manson in zijn stoel achterover en staarde naar het plafond.

'Ik twijfel er niet aan dat je gelijk hebt wat Bormac betreft, Martin,' zei hij, 'maar waarom is de grootste aandeelhouder in vredesnaam niet allang uitgekocht?'

Dat was hetgeen Martin zich al een dag en een nacht had afgevraagd.

De Bormac Trading Company Limited was in 1904 opgericht, om de exploitatie op zich te nemen van de opbrengst van een reeks uitgestrekte rubberplantages, die in de laatste jaren van de vorige eeuw met slavenarbeid door Chinese koelies was verkregen.

De oprichter van de plantages was een harde, ondernemende Schot, Ian Macallister genaamd, die later in 1921 sir Ian Macallister was geworden, en de plantages lagen in Borneo, vandaar de naam van de firma.

Macallister, meer stichter dan zakenman, was in 1903 bereid een compagnonschap aan te gaan met een groepje Londense zakenlieden, en het jaar daarop werd Bormac in het leven geroepen met de uitgifte van een half miljoen gewone aandelen. Macallister, die het jaar tevoren met een zeventienjarig meisje was getrouwd, ontving 150 000 aandelen en een commissariaat en kreeg voor het leven het beheer van de rubberplantages.

Tien jaar na de oprichting van de firma hadden de Londense zakenlieden een hele reeks voordelige contracten weten te sluiten met firma's die de Britse oorlogsindustrie van rubber voorzagen, en de aandelen waren van hun koers van uitgifte van vier shilling tot meer dan £ 2 gestegen. De hausse van de oorlogswinstmakers duurde tot 1918. Vlak na de Eerste Wereldoorlog kelderde de firma, tot de automobielrage in de jaren twintig de behoefte aan rubberbanden krachtig stimuleerde, en weer gingen de aandelen omhoog. Er kwam een nieuwe aandelenuitgifte, waardoor het aandelenkapitaal op de markt vergroot werd tot een miljoen en het bezit van sir Ian tot 300 000. Daarna vonden er geen aandelenuitgiften meer plaats.

Door de instorting ten gevolge van de grote crisis kelderden de koersen en aandelen opnieuw en ze herstelden zich in 1937. In dat jaar maakte een van de Chinese koelies eindelijk amok en voerde met een groot kapmes een vervelende operatie op de slapende sir Ian uit. De ironie van het geval wilde dat hij aan bloedvergiftiging stierf. De onderdirecteur nam zijn taak over, maar was niet zo voortvarend als zijn overleden meester, en de produktie ging achteruit terwijl de prijzen stegen. De Tweede Wereldoorlog had een goudmijn voor de firma kunnen zijn, maar door de Japanse invasie van 1941 kwam er een eind aan de leveringen.

De doodsklok van de firma werd tenslotte geluid door de Indonesische nationalistische beweging, die Nederland in 1948 dwong de macht over Nederlands Oost-Indië en Borneo af te staan. Toen uiteindelijk de grens tussen Indonesisch Borneo en Brits Noord-Borneo getrokken werd, lagen de plantages aan de Indonesische zijde en werden ze prompt zonder vergoeding genationaliseerd.

De firma worstelde nog meer dan twintig jaar verder, de bezittingen kon men niet terugkrijgen, vruchteloze processen met de regering van president Soekarno soupeerden het geld op en de prijzen daalden. Op het tijdstip dat Martin Thorpe de boeken van de firma doornam, stonden de aandelen op een shilling per stuk en de hoogste koers over het afgelopen jaar was één shilling en drie pence.

De Raad van beheer bestond uit vijf leden en de reglementen schreven voor, dat er twee aanwezig moesten zijn om een besluit te kunnen nemen. Het adres van de firma was vermeld en bleek het pand te zijn van een oude gevestigde advocatenfirma in de City, waarvan een der compagnons optrad als secretaris van de firma, die ook in de Raad zat. Het oorspronkelijke kantoor was als gevolg van de toenemende kosten allang opgeheven. Er werden zelden Raadsvergaderingen gehouden en meestal was dan de voorzitter aanwezig, een oude man die in Sussex woonde en de jongste broer was van sir Ians vroegere onderdirecteur. Deze was in de oorlog door Japanse hand omgekomen en zijn aandelen waren in handen van de jongere broer overgegaan; naast de voorzitter had de secretaris van de firma, de City-advocaat, zitting en soms een van de drie anderen, die allemaal een heel eind van Londen af woonden. Er waren zelden aangelegenheden te bespreken en de inkomsten van de firma bestonden hoofdzakelijk uit de late schadevergoedingen, die nu en dan door de Indonesische regering onder generaal Suharto werden gedaan.

De vijf gezamenlijke Raadsleden waren in het bezit van niet meer dan achttien procent van het miljoen aandelen, en tweeënvijftig procent was over zes en een halfduizend aandeelhouders in het hele land verspreid. Er scheen in verhouding een vrij groot aantal getrouwde vrouwen en weduwen bij te zijn. Er zaten ongetwijfeld al jarenlang vergeten aandelen in aktentrommels in banken en advocatenkantoren overal in het land.

Maar daar hadden Thorpe en Manson geen belangstelling voor. Als ze hadden getracht een overwegend belang te verkrijgen door via de markt te kopen, zou dat ten eerste jaren gekost hebben en ten tweede zou het andere waarnemers in de City al heel gauw duidelijk zijn geworden, dat er iemand met Bormac bezig was. Hun belangstelling was gevestigd op dat ene pakket van 300 000 aandelen in het bezit van de weduwe lady Macallister.

Het was een raadsel, dat iemand niet al lang geleden het hele pakket van haar had gekocht en de lege vennootschap van de eens zo bloeiende rubbermaatschappij had overgenomen. Het was in alle opzichten ideaal voor dit doel, want de akte van oprichting was ruim geformuleerd en bood de firma de gelegenheid om op ieder exploitatieterrein van natuurlijke hulpbronnen van enig land buiten het Verenigd Koninkrijk werkzaam te zijn.

'Ze is op zijn minst vijfentachtig,' zei Thorpe tenslotte. 'Ze woont in een groot, somber, oud flatgebouw in Kensington, waar ze verzorgd wordt door een oudgediende, een gezelschapsdame, of hoe zoiets heet.'

'Ze hebben haar vast wel eens benaderd,' peinsde sir James. 'Waarom zou ze ze dan vasthouden?'

'Misschien wil ze ze gewoon niet verkopen,' zei Thorpe, 'of misschien bevielen de mensen die haar zijn komen vragen of ze mochten kopen haar niet. Oude mensen zijn soms eigenaardig.'

Niet alleen oude mensen zijn irrationeel als het op de koop en verkoop van effecten en aandelen aankomt. De meeste effectenmakelaars hadden allang de ervaring dat een klant kon weigeren zaken te doen als ze een zuinig en voordelig aanbod gedaan werd, enkel en alleen omdat ze de effectenmakelaar niet mochten.

Sir James Manson schoot plotseling in zijn stoel naar voren en plantte zijn ellebogen op het bureau.

'Martin, zoek eens uit hoe dat met die oude vrouw zit. Ga kijken wie ze is, wat ze denkt, wat ze wel en niet prettig vindt, wat haar smaak is en vooral, wat haar zwakke plek is. Die moet ze hebben, een of andere kleinigheid die haar zo in verleiding zou brengen dat ze daarvoor haar aandelenbezit zou verkopen. Het hoeft geen geld te zijn, dat is het waarschijnlijk ook niet, want er is haar allang geld aangeboden. Maar er moet toch iets zijn. Zie dat je erachter komt.'

Thorpe stond op om weg te gaan. Manson wenkte hem weer te gaan zitten.

Uit de la van zijn bureau trok hij zes gedrukte formulieren, allemaal eender en allemaal aanvraagformulieren voor een genummerde rekening bij de Zwinglibank in Zürich.

Hij legde kort en bondig uit wat hij daarmee wilde en Thorpe knikte.

'Reserveer een plaats in het vliegtuig van morgenochtend, dan kun je morgenavond terug zijn,' zei Manson, terwijl zijn assistent wegging.

Simon Endean belde Shannon over tweeën in zijn flat op en ontving een compleet verslag over de afspraken die de huurling aan het maken was. Mansons assistent was verheugd over de nauwkeurigheid van Shannons relaas en hij noteerde de bijzonderheden op een kladblok, zodat hij later zijn eigen verslag voor sir James kon maken.

Toen hij klaar was, bracht Shannon zijn volgende eisen naar voren.

'Ik wil graag aanstaande maandag voor twaalven £ 5000 hebben, die rechtstreeks per telex van je Zwitserse bank ten gunste van mijn rekening op naam van Keith Brown bij het hoofdkantoor van de Banque de Credit in Luxemburg moeten worden overgemaakt,' zei hij tegen Endean, 'en nog eens £ 5000 per telex ten gunste van mijn rekening bij het hoofdkantoor van de Landesbank in Hamburg op woensdagochtend.'

Hij zette in een paar woorden uiteen, hoe het grootste deel van de £ 5000, die hij mee naar Londen had genomen, reeds waren besteed en de andere £ 5000 waren nodig als reserve in Brugge. De twee gelijke bedragen die hij in Luxemburg en in Hamburg nodig had, dienden voornamelijk om zijn relaties een gewaarmerkte cheque te kunnen tonen, om zijn kredietwaardigheid te bewijzen voor hij met de onderhandelingen tot aankoop begon. Later zou het geld grotendeels naar Brugge worden overgemaakt en het overblijvende saldo volledig worden verantwoord.

'Ik kan je in ieder geval schriftelijk een volledige afrekening geven van het geld dat tot nu toe is uitgegeven of al is toegezegd,' zei hij tegen Endean, 'maar ik moet je correspondentieadres hebben.'

Endean gaf hem de naam van een officieel correspondentieadres op, waar hij die ochtend een postbus had geopend op naam van Walter Harris en hij beloofde binnen een uur de instructies naar Zürich te zenden, om de twee bedragen van £ 5000 gereed te maken zodat ze in Luxemburg en Hamburg door Keith Brown konden worden afgehaald.

Grote Janni Dupree meldde zich om vijf uur op het vliegveld Londen. Hij had de langste reis afgelegd; de vorige dag van Kaapstad naar Johannesburg, waar hij een nacht in het Holiday Inn was overgebleven, en daarna de lange vlucht met de SAA door Luanda in Portugees Angola, met een tussenlanding in Isla do Sol, om te vermijden dat ze over het territorium van een zwart Afrikaans land moesten vliegen. Shannon droeg hem op een taxi rechtstreeks naar de flat te nemen.

Terwijl hij onderweg was, belde Shannon de andere drie huurlingen in hun hotels op en liet ze naar zijn huis komen.

Om zes uur was er een tweede samenkomst, waar ze allemaal de Zuidafrikaan begroetten en zwijgend luisterden, terwijl Shannon aan Dupree dezelfde uiteenzetting deed als zij de vorige avond hadden gekregen. Toen hij de voorwaarden hoorde vertrok Janni's gezicht tot een grijns.

'Gaan we weer vechten, Cat? Je kunt op me rekenen.'

'Goed zo, man. Nou wil ik graag dat je het volgende doet. Je blijft hier in Londen en zoekt een kleine éenkamerflat. Daar zal ik je morgen bij helpen. Wij nemen de *Evening Standard* door en dan ben je 's avonds onderdak.

Ik wil dat je al onze kleding koopt. We moeten vijftig T-shirts, vijftig onderbroeken en vijftig paar goed dunne sokken hebben, en dan voor iedereen een stel reservekleren, dat wordt dus honderd. Ik zal je straks de lijst geven. Daarna vijftig gevechtsbroeken, liefst in oerwoud-camouflagekleuren en liefst passend bij de jacks, en vervolgens vijftig gevechtskielen met een ritssluiting van voren en in dezelfde oerwoud-camouflagekleuren.

Dit kun je allemaal gewoon in kampeerwinkels, sportzaken en legerdumpwinkels krijgen. De hippies dragen tegenwoordig ook al gevechtsjasjes in de stad, net als de mensen die naar buiten gaan om te jagen.

Je kunt de onderhemden, sokken en onderbroeken bij dezelfde grootleverancier kopen, maar koop de broeken en kielen ergens anders. Dan vijftig groene baretten en vijftig paar laarzen. Neem de broeken maar in een grote maat, die kunnen we later wel korter maken; van de kielen neem je de helft in grote en de helft in middelmaten. Koop de laarzen maar bij een kampwinkel. Ik wil geen zware Engelse legerschoenen hebben, maar groene canvas kaplaarzen met vetersluiting voor en waterdicht.

En dan de bepakking. Ik heb vijftig koppels nodig, kogeltassen, pukkels, en ransels met licht draagstel van buiten om ze te steunen. Daar kunnen de bazookaraketten in als ze een beetje veranderd worden. En tot slot vijftig lichtgewicht nylon slaapzakken. Oké? Ik geef je straks alles wel op een lijst.'

Dupree knikte.

'Best. Hoeveel kost die handel?'

'Zo'n duizend pond. Je moet het als volgt kopen. Je neemt de gele telefoongids en daar vind je onder dumpzaken meer dan tien winkels en groothandelaren. Koop de jacks, kielen, koppels, baretten, pakriemen, rugzakken, pukkels en laarzen in verschillende winkels, waar je overal apart een bestelling doet. Je betaalt contant en neemt de aankoop mee. Geef niet je eigen naam op – niet dat iemand ernaar vraagt – en laat niet je eigen adres achter.

Als je de hele troep gekocht hebt, sla je die in een gewone opslagplaats op, laat het in kisten verpakken voor export en neemt contact op met vier afzonderlijke cargadoors die gewend zijn exportzendingen te behandelen. Je betaalt ze om ze in vier afzonderlijke partijen in entrepot naar een scheepsbevrachter in Marseille te sturen, waar ze door de heer Jean-Baptiste Langarotti worden afgehaald.'

'Welke firma in Marseille?' vroeg Dupree.

'Dat weten we nog niet,' zei Shannon. Hij wendde zich tot de Corsicaan.

'Jean, zodra je de naam van de scheepvaartagent hebt die je van plan bent met de export van de boten en motoren te belasten, stuur dan de volledige naam en adres per post naar Londen, een exemplaar hier aan mij in mijn flat en een tweede exemplaar aan Jan Dupree, Poste Restante, Postkantoor Trafalgar Square, Londen. Heb je dat?'

Langarotti schreef het adres op, terwijl Shannon de instructies voor Dupree vertaalde.

'Janni, ga daar de komende dagen naar toe en zorg dat je een poste-restante-adres krijgt. Dan ga je bijvoorbeeld iedere week even kijken tot er een brief van Jean komt. Daarna geef je de scheepsbevrachters opdracht om de kisten naar de agent in Marseille te versturen, in entrepotzending, voor export overzee vanaf Marseille als eigendom van Langarotti. Wat nu de kwestie van het geld betreft, ik heb zojuist gehoord dat het krediet uit Brussel is binnengekomen.'

De drie Europeanen haalden strookjes uit hun zak, terwijl Shannon het reçu van Duprees vliegticket pakte. Shannon nam vier brieven van zijn schrijftafel, die elk van hem aan de heer Goossens bij de Kredietbank gericht waren. De brieven waren vrijwel gelijkluidend. Het was een verzoek aan de Kredietbank om een bedrag in Amerikaanse dollars van de rekening van de heer Keith Brown over te maken op een andere rekening ten gunste van de heer X.

In de open plaatsen vulde Shannon het bedrag in, gelijk aan het vliegretour Londen, vanuit Oostende, Marseille, München en Kaapstad. De brieven behelsden eveneens het verzoek aan de heer Goossens, om aan elk van de genoemde personen bij de genoemde banken een bedrag van 1250 dollar over te maken op de dag van ontvangst van de brief en opnieuw op 5 mei en ook weer op 5 juni. De huurlingen dicteerde Shannon de naam van hun bank, meestal in Zwitserland, en Shannon typte het op de open plekken in.

Toen hij klaar was, las ieder zijn eigen brief en Shannon tekende ze aan zijn bureau, sloot ze in afzonderlijke enveloppen en gaf ieder zijn eigen envelop om te posten.

Tenslotte gaf hij elk van hen £ 50 contant voor hun 48-urig verblijf in Londen en gaf ze opdracht, de volgende ochtend om elf uur voor de deur van zijn bank in Londen op hem te wachten.

Toen ze weg waren ging hij zitten en schreef een lange brief aan iemand in Afrika. Hij belde de schrijver op, die, nadat hij telefonisch had nagevraagd of het in orde was, hem het correspondentieadres van de Afrikaan gaf. Die avond postte Shannon de brief per expresse en ging alleen eten.

Martin Thorpe had voor de lunch zijn onderhoud met dr. Steinhofer bij de Zwinglibank. Omdat hij tevoren door sir James Manson was aangekondigd, werd Thorpe met dezelfde voorkomendheid ontvangen.

Hij overhandigde de bankier de zes aanvraagformulieren voor genummerde rekeningen. Ze waren elk op de vereiste manier ingevuld en ondertekend. Op afzonderlijke kaartjes stonden de vereiste twee voorbeelden van handtekeningen van de mensen, die de rekeningen wilden openen. Ze stonden op naam van de heren Adams, Ball, Carter, Davies, Edwards en Frost.

Aan elk formulier waren nog twee brieven gehecht. De ene was een getekende volmacht, waarin de heren Adams, Ball, Carter, Edwards en Frost afzonderlijk aan de heer Martin Thorpe machtiging verleenden om over de rekeningen op hun naam te beschikken. De andere was een door sir James Manson getekende brief met het verzoek aan dr. Steinhofer, om op rekening van ieder van zijn compagnons het bedrag van £ 50 000 over te maken ten laste van de rekening van sir James.

Dr. Steinhofer was niet zo onnozel of groen in bankzaken om niet te vermoeden, dat het feit dat de zes 'zakencompagnons' allemaal met de eerste zes letters van het alfabet begonnen geen opmerkelijk toeval was. Maar hij was zeer wel in staat te geloven, dat het eventuele niet-bestaan van de zes kandidaten niet zijn zaak was. Als een vermogende Engelse zakenman de lastige bepalingen van zijn eigen Wet op de Vennootschappen wenste te ontduiken moest hij dat zelf weten. Bovendien wist dr. Steinhofer bepaalde dingen over heel wat zakenlui in de City, die genoeg vragen van het Handelsdepartement zouden hebben opgeworpen om dat Londense ministerie tot aan het eind van de eeuw bezig te houden.

Er was nóg een goede reden waarom hij zijn hand uitstrekte om de aanvraagformulieren van Thorpe aan te nemen. Als de aandelen van de firma, die sir James in het geheim trachtte te kopen, van hun huidige koers naar astronomische hoogte omhoog schoten – en dr. Steinhofer kon geen andere reden voor die operatie bedenken – was er niets dat de Zwitserse bankier kon weerhouden een paar van die aandelen voor zichzelf te kopen.

'De firma die wij op het oog hebben heet de Bormac Trade Company,' vertelde Thorpe hem rustig. Hij schetste de positie van de firma en het feit, dat de oude lady Macallister 300 000 aandelen of dertig procent van de firma in haar bezit had.

'Wij hebben reden om te geloven dat er reeds pogingen zijn gedaan deze oude dame te bewegen haar bezit te verkopen,' ging hij verder. 'Ze schijnen geen succes te hebben gehad. Wij gaan een nieuwe poging doen. Zelfs al zouden we er niet in slagen, dan gaan we toch door en zoeken een andere lege vennootschap.'

Dr. Steinhofer luisterde zwijgend terwijl hij zijn sigaar rookte.

'Zoals u weet, dr. Steinhofer, is het niet mogelijk dat één koper deze aandelen koopt zonder zijn identiteit bekend te maken. Daarom zijn de vier kopers de heer Adams, de heer Ball, de heer Carter en de heer Davies, die ieder zeven en een half procent van de firma verwerven. Wij zouden graag willen dat u ten behoeve van deze vier optreedt.'

Dr. Steinhofer knikte. Het was de normale praktijk.

'Natuurlijk, meneer Thorpe.'

'Ik zal trachten de oude dame te bewegen de certificaten van de aandelenoverdracht te tekenen zonder de naam van de koper te vermelden. Dit is alleen maar, omdat sommige mensen in Engeland, vooral oude dames, Zwitserse banken nogal – hoe zal ik het zeggen – geheimzinnige organisaties vinden.'

'U bedoelt waarschijnlijk louche,' zei dr. Steinhofer effen. 'Ik begrijp het volkomen. Dan laten we het zo. Als u een onderhoud met die dame hebt gehad zullen we zien hoe het 't beste geregeld kan worden. Maar zeg tegen sir James dat hij niet bang behoeft te zijn. De aankoop wordt door vier afzonderlijke kopers gedaan en de regels van de Wet op de Vennootschappen zullen niet geschonden worden.'

Zoals sir James Manson voorspeld had, was Thorpe tegen de avond weer in Londen om aan zijn weekeinde te beginnen.

De vier huurlingen stonden op het trottoir te wachten toen Shannon tegen twaalven de bank uitkwam. Hij had vier bruine enveloppen in zijn handen.

'Marc, dit is voor jou. Er zit £ 500 in. Omdat jij thuis woont heb jij de minste onkosten. Daarom moet je van die £ 500 een bestelwagen kopen en een garage huren die op slot kan. Er moeten nog meer artikelen gekocht worden. Het lijstje zit in de envelop. Spoor de man op die de Schmeissers te koop heeft en arrangeer een ontmoeting tussen mij en hem. Ik zal je over een dag of tien in je bar opbellen.'

De reusachtige Belg knikte en hield een taxi bij het trottoir aan, om hem naar Victoria Station en de boottrein naar Oostende terug te brengen.

'Kurt, dit is jouw envelop. Er zit £ 1000 in, omdat je veel meer moet reizen. Zorg dat je binnen veertig dagen dat schip hebt gevonden. Houd telefonisch en telegrafisch contact met me, maar doe het in beide gevallen heel voorzichtig en kort. In brieven naar mijn flat kun je openhartig zijn. Als mijn post onderschept wordt kunnen we toch wel inpakken.

Jean-Baptiste, hier is £ 500 voor jou. Daar moet je veertig dagen mee doen. Zorg dat je geen last krijgt en ga niet naar je oude kroegen. Zoek de boten en motoren en stel me schriftelijk op de hoogte. Open een bankrekening en zeg me waar het is. Als ik met het model en de prijs van de spullen akkoord ga, zal ik je het geld overmaken. En vergeet de scheepsagent niet. Houd alles voortdurend netjes binnen de perken van de wet.'

De Fransman en de Duitser namen hun geld en instructies aan en keken uit naar een tweede taxi om ze naar het vliegveld van Londen te brengen, Semmler naar Napels en Langarotti naar Marseille.

Shannon nam Dupree bij de arm en ze wandelden samen over Piccadilly. Shannon gaf Dupree zijn envelop.

'Ik heb hier £ 1500 voor je ingedaan, Janni. Van de £ 1000 moet je alle inkopen en het opslaan, in kisten pakken en de verzendingskosten naar Marseille betalen en dan houd je nog wat over ook. Met die £ 500 kom je met gemak de komende maand tot zes weken toe. In het weekeinde maak je een lijst van winkels en leveranciers aan de hand van de beroepengids en een plattegrond. Je moet over dertig dagen klaar zijn met inkopen, want ik moet de spullen over vijfenveertig dagen in Marseille hebben.'

Hij stond stil om een avondkrant te kopen, sloeg hem open bij de pagina 'Te huur' en liet Dupree de advertentiekolommen zien, waarin grote en kleine flats, gemeubileerd en ongemeubileerd, te huur werden aangeboden.

'Zie dat je voor vanavond een flatje vindt en laat me morgen het adres weten.'

Ze namen bij Hyde Park Corner afscheid.

Shannon besteedde die avond met het opmaken van een afrekening voor Endean. Hij wees erop, dat met de totale uitgaven bijna de hele uit Brugge overgemaakte £ 5000 was opgegaan en dat hij de paar honderd pond die nog over waren op de Londense rekening liet staan als reserve.

Tenslotte wees hij erop, dat hij nog niets van zijn eigen £ 10 000 voor zijn werk had opgenomen en stelde Endean voor, dat hij het rechtstreeks van Endeans Zwitserse rekening op Shannons Zwitserse rekening overmaakte, of het geld naar de Belgische Bank liet sturen ten gunste van Keith Brown.

Hij deed zijn brief die vrijdagavond op de post.

Hij was het weekeind vrij en daarom belde hij Julie Manson op en stelde voor met haar te gaan eten. Ze was van plan een weekeind naar het buitenhuis van haar ouders te gaan, maar belde ze op om te zeggen dat ze niet kwam. Omdat ze laat klaar was kwam ze Shannon afhalen, brutaal en verwend aan het stuur van haar knalrode MGB.

'Heb je al iets besproken?' vroeg ze.

'Ja. Waarom?'

'Laten we naar een eethuis gaan waar ik altijd kom,' stelde ze voor. 'Dan kan ik je aan een paar vrienden voorstellen.'

Shannon schudde zijn hoofd.

'Niets ervan,' zei hij. 'Dat ken ik. Ik heb geen zin in mensen die me de hele avond aanstaren of ik een beest uit artis ben en die me idiote vragen stellen over het doodschieten van mensen. Dat is ziekelijk.'

Ze keek teleurgesteld.

'Hè, toe nou liefje.'

'Nee.'

'Luister nu eens, ik zal niet zeggen wie je bent en wat je doet. Ik hou het gewoon geheim. Toe nou, niemand kent je van gezicht.'

Shannon zwichtte.

'Op één voorwaarde,' zei hij. 'Mijn naam is Keith Brown, verstaan? Keith Brown, meer niet. Verder zeg je niets anders over mij of waar ik vandaan kom en ook niet wat ik uitvoer. Begrepen?'

Ze gniffelde.

'Geweldig,' zei ze. 'Geweldig idee. De Geheimzinnige Man. Ga dan maar mee, meneer Keith Brown.'

Ze ging met hem naar Tramps, waar ze blijkbaar heel bekend was. Johnny Gold stond op van zijn tafeltje naast de deur toen ze binnenkwam en begroette haar enthousiast met een kus op beide wangen. Hij gaf Shannon een hand toen ze hem voorstelde.

'Leuk je te ontmoeten, Keith. Veel plezier.'

Ze aten aan de lange rij tafeltjes evenwijdig aan de bar en begonnen met de kreeftcocktail van het huis, in een uitgeholde ananas. Shannon, die met het gezicht naar de zaal toe zat, wierp een blik in het rond naar de gasten; de meesten waren te oordelen naar hun lange haar en informele kleding uit de theaterwereld of iets dergelijks. Anderen waren kennelijk jonge zakenlieden, die bij de tijd wilden zijn of een fotomodel of sterretje wilden versieren. Onder de laatsten zag hij aan de overkant van de zaal iemand bij een groepje zitten die hij kende, buiten het gezichtsveld van Julie.

Na de kreeft bestelde Shannon worstjes met aardappelpuree en zich verontschuldigend stond hij op. Hij slenterde langzaam de deur uit naar de hal alsof hij op weg naar het toilet was. Enkele tellen later kwam er een hand op zijn schouder neer en toen hij zich omdraaide stond Endean voor hem.

'Ben jij helemaal gek geworden?' snerpte de harde jongen uit de City.

Shannon keek hem met grote onschuldige ogen aan alsof hij verbaasd was.

'Nee, ik geloof het niet. Hoezo?' vroeg hij.

Endean stond op het punt het te zeggen, maar bedwong zich nog net. Zijn gezicht was wit van woede. Hij kende zijn baas goed genoeg om te weten, hoe Manson zijn onschuldige kleine meisje aanbad en wist ongeveer wat zijn reactie zou zijn als hij er ooit achter kwam dat Shannon met haar uitging, en helemaal dat hij met haar naar bed ging.

Maar hij stond schaakmat. Hij nam aan dat Shannon nog altijd niet op de hoogte was van zijn eigen naam en zeker niet van het bestaan van Manson. Als hij hem uitkafferde omdat hij uit eten ging met een meisje dat Julie Manson heette, verried hij zowel zijn eigen ongerustheid als Mansons naam, tegelijk met hun beider rol als Shannons werkgever. En hij kon Shannon ook niet zeggen dat hij haar met rust moest laten, uit angst dat Shannon het meisje in de arm nam en zij hem vertelde wie Endean was. Hij slikte zijn woede in.

'Wat doe je hier?' vroeg hij sloom.

'Ik ben aan het eten,' zei Shannon, die keek of hij er niets van begreep. 'Hoor eens, Harris, als ik ergens wil gaan eten, is dat mijn zaak. Er is in het weekeind niets te doen. Ik moet tot maandag wachten voor ik naar Luxemburg kan vliegen.'

Endean werd nog bozer. Hij kon niet uitleggen dat hij zich niet ergerde omdat Shannon zijn werk verwaarloosde.

'Wie is dat meisje?' vroeg hij.

Shannon haalde zijn schouders op.

'Ze heet Julie. Ik kwam haar twee dagen geleden in een café tegen.'

'Heb je haar opgepikt?' vroeg Endean verontwaardigd.

'Zo zou je het kunnen noemen, ja. Hoezo?'

'O, niets. Maar pas op met meisjes, met alle meisjes. Het zou beter zijn als je ze voorlopig met rust liet, dat is alles.'

'Harris, maak je over mijn veiligheid geen zorgen. Er worden geen geheimen verraden, niet in en niet buiten het bed. Bovendien heb ik tegen haar gezegd, dat ik Keith Brown heet. Ik ben in Londen met verlof en ik doe zaken in olie.'

Als antwoord draaide Endean zich snel om, beet Paolo toe dat hij tegen de groep waar hij bij hoorde moest zeggen dat hij weggeroepen was en liep naar de trap naar de straat voor Julie Manson hem herkende. Shannon keek hem na.

'Die slag is voor mij,' zei hij zacht, 'met de grootste troef van die schoft van een James Manson.'

Buiten gekomen vloekte Endean zachtjes. Daarnaast kon hij slechts vurig hopen dat Shannon over die kwestie Keith Brown de waarheid had gezegd en dat Julie Manson haar vader niets over haar nieuwe vriend zou vertellen.

Shannon en zijn vriendin dansten tot drie uur en hadden op weg terug naar de flat van Shannon hun eerste ruzie. Hij had tegen haar gezegd dat het beter was als ze haar vader niet vertelde dat ze met een huurling uitging of zelfs maar zijn naam noemde.

'Uit wat je me al over hem verteld hebt, schijnt hij gek op je te zijn. Hij zou je waarschijnlijk ergens heen sturen of je onder toezicht laten stellen.'

Daarop was ze hem begonnen te plagen en had met een uitgestreken gezicht gezegd, dat ze wel wist hoe ze met haar vader moest omspringen, dat had ze altijd al gekund, en het was trouwens best leuk om onder toezicht gesteld te worden, dan kwam haar naam in alle kranten. Bovendien, voerde ze aan, kon Shannon haar dan altijd komen halen, zich er vechtend doorheen slaan en met haar weglopen.

Shannon wist niet precies in hoeverre ze het meende en dacht, dat hij die avond misschien te ver was gegaan met Endean te tarten, hoewel het helemaal niet in zijn bedoeling had gelegen dat hij hem tegenkwam. Ze waren nog aan het ruziemaken toen ze in de zitkamer van de flat kwamen.

'En ik laat me toch niet voorschrijven wat ik wel of niet moet doen,' zei het meisje, en gooide haar mantel over de stoel.

'Door mij wel,' snauwde Shannon. 'Je houdt gewoon je mond over mij stijf dicht als je bij je vader bent en daarmee uit.'

Als antwoord stak het meisje haar tong tegen hem uit.

'Ik doe wat ik zelf wil,' hield ze vol en om haar woorden kracht bij te zetten stampte ze met haar voet. Shannon werd kwaad. Hij pakte haar op, draaide haar om, liep met haar naar de fauteuil, ging zitten en trok haar over zijn knie. Vijf minuten lang klonken er twee tegenstrijdige geluiden in de zitkamer, het protesterende gegil van het meisje en het kletsen van Shannons hand. Toen hij haar liet opstaan vloog ze luid snikkend de slaapkamer in en sloeg de deur dicht.

Shannon haalde zijn schouders op. De teerling was nu eenmaal geworpen en hij kon er toch niets meer aan doen. Hij ging naar de keuken, maakte een kopje koffie en dronk het langzaam bij het raam op, terwijl hij naar de achterkant van de huizen aan de overkant van de tuinen keek, die bijna allemaal donker waren, want de fatsoenlijke mensen van St. John's Wood sliepen allemaal.

Toen hij de slaapkamer inkwam was het donker. In de uiterste hoek van het tweepersoonsbed lag een klein hoopje, maar zonder geluid alsof ze haar adem inhield. Halverwege de vloer schoof hij met zijn voet tegen haar jurk die daar lag en twee stappen verder stootte hij tegen een weggeworpen schoen. Hij ging op de rand van het bed zitten en toen zijn ogen aan de duisternis waren gewend, onderscheidde hij haar gezicht op het kussen met de ogen die hem aankeken.

'Je bent gemeen,' fluisterde ze.

Hij boog voorover en liet een hand in de hoek tussen haar hals en kaak glijden, die hij langzaam en stevig streelde.

'Er heeft me nog nooit iemand geslagen.'

'Daarom ben je zo geworden als je nu bent,' mompelde hij.

'Hoe dan?'

'Een verwend klein meisje.'

'Dat ben ik niet.' Het was even stil. 'Ja, toch wel.'

Hij ging voort haar te liefkozen.

'Cat.'

'Ja.'

'Geloofde je echt, dat papa me van je zou weghalen als ik het hem vertelde?'

'Ja, dat geloof ik nog.'

'En geloof je dat ik het hem echt zou vertellen?'

'Misschien wel.'

'Werd je daarom zo kwaad?'

'Ja.'

'Dus je hebt me alleen geslagen omdat je van me houdt?'

'Ik denk het wel.'

Ze draaide haar hoofd om en hij voelde dat haar tong druk bezig was de binnenkant van zijn handpalm te likken.

'Cat, kom in bed, liefje. Ik ben zo geil dat ik niet langer kan wachten.'

Hij was nog maar half uit de kleren toen ze de lakens wegtrok en op de matras knielde, haar handen over zijn borst liet glijden en mompelde: 'Gauw, gauw,' tussen haar kussen door.

'Je bent een vuile leugenaar, Shannon,' dacht hij, toen hij op zijn rug lag en voelde hoe dit begerige, smoorverliefde meisje hem begon op te vrijen.

Er kwam een lichtgrijze gloed in het oosten boven Camden Town toen ze twee uur later stillagen en hij wou dat hij een sigaret had. Julie lag in de holte van zijn arm, haar wisselende begeerten voorlopig bevredigd.

'Vertel me eens,' zei ze.
'Wat dan?'
'Waarom leef je op deze manier? Waarom ben je een huurling die overal met de mensen oorlog voert?'
'Ik voer geen oorlog. De wereld waarin we leven voert oorlogen, geleid en geregeerd door mensen die voorgeven dat ze een voorbeeld van hoge moraal en rechtschapenheid zijn, terwijl het bijna allemaal zelfzuchtige schoften zijn. Zij voeren oorlogen, om meer winst of meer macht te krijgen. Ik vecht alleen maar in die oorlogen, omdat dat de manier is waarop ik wil leven.'
'Maar waarom voor geld? Huurlingen vechten toch voor geld?'
'Niet alleen om het geld. De zwervers wel, maar als het begint te spannen, vechten de zwervers die zich voor huurlingen uitgeven meestal niet. Dan gaan ze er vandoor. De besten vechten meestal om dezelfde reden als ik; ze houden van het leven, de ontberingen en de strijd?'
'Maar waarom moeten er dan oorlogen zijn? Waarom kan niet iedereen in vrede leven?'
Hij verschoof iets en keek in het donker somber naar het plafond.
'Omdat er maar twee soorten mensen op de wereld zijn, roofdieren en herkauwers. En de roofdieren komen altijd aan de top, omdat ze bereid zijn te vechten om daar te komen en alles en iedereen die ze in de weg zit te vernietigen. De anderen hebben daar het lef of de kracht of de honger of meedogenloosheid niet voor. Daarom wordt de wereld geregeerd door roofdieren, die de heersers worden. En de heersers zijn nooit tevreden. Zij moeten altijd maar doorgaan op zoek naar het middel waar ze verzot op zijn.
In de communistische wereld – en maak jezelf vooral niet wijs dat de communistische leiders vredelievend zijn – is dat middel macht. Macht, macht en nog eens macht, al moeten er nog zoveel mensen voor sterven. In de kapitalistische wereld is dat middel geld. Steeds meer geld. Olie, goud, obligaties en aandelen, almaar meer, dat is het doel, al moeten ze liegen, stelen, chanteren en bedriegen om eraan te komen. Dit brengt geld op en met het geld kopen ze de macht. Dus het komt eigenlijk allemaal neer op het streven naar macht. Als ze denken dat er genoeg van is om het te pakken en er moet een oorlog voor gevoerd worden, dan heb je oorlog. De rest, het zogenaamde idealisme, is allemaal flauwekul.'
'Er zijn mensen die uit idealisme vechten, zoals de Vietcong. Dat heb ik in de krant gelezen.'
'Ja, er zijn mensen die uit idealisme vechten en negenennegentig van de honderd worden voor de gek gehouden, net als de men-

sen thuis die de oorlog toejuichen. Wij hebben altijd gelijk en zij hebben altijd ongelijk. In Washington en Peking, Londen en Moskou. En zal ik je eens wat zeggen? Ze worden belazerd. Die Amerikaanse soldaten in Vietnam, denk je dat zij sneuvelen voor de vrijheid en de jacht op geluk? Ze zijn gesneuveld voor de Dow Jones Index in Wall Street en dat hebben ze altijd gedaan. En de Engelse soldaten, die in Kenya, Cyprus en Aden gesneuveld zijn; denk je nu werkelijk dat ze de strijd in gestormd zijn onder de leuze: voor God, koning en vaderland? Ze waren in die landen, omdat hun kolonel ze erheen had gestuurd en hij had opdracht van het ministerie van Oorlog en dat had weer opdracht van de regering om de economie in Engelse handen te houden. En wat gebeurt er? Die economie gaat terug naar de mensen van wie deze oorspronkelijk was en wie bekommerde zich om de lijken die het Engelse leger achterliet? Het is éen groot bedrog, Julie Manson, éen groot bedrog. Het verschil met mij is, dat niemand zegt, dat ik moet vechten, of waar ik moet vechten, of aan welke kant ik moet vechten. Daarom hebben de politici en de gevestigde orde de pest aan huurlingen. Niet omdat we gevaarlijker zijn dan zij, wij zijn in feite lang niet zo gevaarlijk, maar omdat zij geen zeggenschap over ons hebben, wij nemen geen bevelen van ze aan. Wij schieten geen mensen neer die zij ons gelasten neer te schieten en wij beginnen niet als zij zeggen dat we moeten beginnen en wij houden niet op als zij zeggen dat we op moeten houden. Daarom zijn wij vogelvrij; wij vechten volgens contract en wij zoeken ons eigen contract uit.'

Julie ging rechtop zitten en liet haar handen over de harde met littekens bedekte spieren van zijn borst en schouders glijden. Ze was een conventioneel opgevoed meisje en kon, als zovelen van haar generatie, nog geen fractie van de wereld die ze om zich heen zag begrijpen.

'En de oorlogen dan waarin de mensen voor een goede zaak vechten?' vroeg ze. 'Die mensen die bijvoorbeeld tegen Hitler hebben gevochten? Dat was toch wel goed?'

Shannon knikte zuchtend.

'Ja, dat was goed. Dat was inderdaad een schoft. Alleen hebben zij, de geldmagnaten in de westerse wereld, tot het uitbreken van de oorlog staal aan hem verkocht en daarna hebben ze nog meer kapitalen verdiend met het maken van nog meer staal om het staal van Hitler te vernietigen. En de communisten waren geen haar beter. Stalin tekende een verdrag met hem en wachtte tot het kapitalisme en het nazisme elkaar vernietigden zodat hij de puinhoop kon overnemen. Pas toen Hitler Rusland aanviel stelden de idealistische communisten vast dat het nazisme niet deugde. Bovendien heeft het dertig miljoen levens gekost om Hitler te doden. Een huurling had het met een kogel van nog geen shilling kunnen doen.'

'Maar we hebben toch gewonnen? Het was voor een goed doel en we hebben gewonnen.'

'Wij hebben gewonnen, schatje, omdat de Russen, de Engelsen en de Amerikanen meer kanonnen, tanks, vliegtuigen en schepen hadden dan Adolf. Enkel en alleen daarom. Als hij er meer had gehad, had hij gewonnen en zal ik je eens wat zeggen? Er zou in de geschiedenis geschreven zijn, dat hij gelijk had en wij ongelijk. Overwinnaars hebben altijd gelijk. Er is een heel aardig gezegde dat ik eens heb gehoord: "God staat aan de kant van de grote bataljons". Dat is het evangelie van de rijke en de machtige, de cynische en de onnozele mensen. Politici geloven erin en de zogenaamde goede kranten verbreiden het. De waarheid is, dat de gevestigde orde aan de kant van de grote bataljons staat, omdat die ze juist in het leven geroepen en bewapend heeft. Het schijnt nooit bij die miljoenen lezers van die rotzooi op te komen dat God, als er een God is, misschien meer met de waarheid, rechtvaardigheid en medelijden te maken heeft dan met louter brute kracht, en dat waarheid en rechtvaardigheid misschien wel aan de kant van de kleine pelotons staan. Niet dat het iets uitmaakt. De grote bataljons winnen toch altijd en de "serieuze" pers keurt het altijd goed en de herkauwers geloven het altijd.'

'Je bent opstandig, Cat,' mompelde ze.

'Natuurlijk, dat ben ik altijd geweest. Nee, niet altijd. Sinds ik zes van mijn kameraden in Cyprus begraven heb. Toen ben ik aan de wijsheid en rechtschapenheid van al onze leiders gaan twijfelen.'

'Maar behalve dat je mensen doodmaakt kun je zelf ook doodgaan. Je kunt in een van die zinloze oorlogen sneuvelen.'

'Ja, en ik kan ook blijven leven, als een kip in een legbatterij, in zo'n zinloze stad. Zinloze formulieren invullen, zinloze belastingen betalen zodat domme politici en staatslieden het kunnen wegsmijten aan paradepaardjes voor de kiezers. Ik kan op een zinloos kantoor een zinloos salaris verdienen en 's morgens en 's avonds zinloos forensen tot aan een zinloos pensioen. Ik doe het liever op mijn eigen manier, op mijn eigen manier leven en op mijn eigen manier sterven.'

'Denk je wel eens aan de dood?' vroeg ze hem.

'Natuurlijk. Vaak. Jij niet?'

'Ja, maar ik wil niet doodgaan. Ik wil niet dat jij doodgaat.'

'De dood is niet zo erg. Je raakt aan het idee gewend als het vele malen vlakbij is gekomen en voorbij is gegaan. Ik zal je eens iets vertellen. Laatst was ik hier de laden aan het opruimen en onderin de ene lag een krant van een jaar geleden. Ik zag een berichtje en begon het te lezen. Het was van de voorlaatste winter. Het ging namelijk over een oude man die alleen in een kelder woonde en op een dag hebben ze hem dood aangetroffen, een week of langer nadat hij gestorven was. De lijkschouwer hoorde dat er nooit iemand bij hem kwam en hij kwam weinig de deur uit. De dokter zei, dat hij minstens een jaar ondervoed was. Weet je wat ze in zijn keel hebben gevonden? Stukjes karton. Hij had stukjes karton van een pak graanvlokken gekauwd om wat voedsel binnen te krijgen. Nou, mij niet gezien, kindlief. Als ik ga, ga ik op míjn manier. Ik ga liever met een kogel in mijn borst en bloed in mijn mond en een geweer in mijn hand; en met een opstandig hart en dan schreeuw ik: "Jullie kunnen allemaal doodvallen," in plaats van in een vochtige kelder met een mondvol karton weg te kwijnen.

Ga nu maar slapen, liefje, het wordt al dag.'

## 11

Shannon kwam de maandag daarop na één uur in Luxemburg aan en nam van het vliegveld een taxi naar de Banque de Credit. Hij identificeerde zich door overlegging van zijn paspoort als Keith Brown en vroeg om de £ 5000 die voor hem zouden klaarliggen.

Na een kort oponthoud, waarin men het in de telexkamer ging controleren, kwam het creditbedrag te voorschijn. Het was net uit Zürich binnengekomen. In plaats van het hele bedrag te incasseren, nam Shannon de tegenwaarde van £ 1000 in Luxemburgse francs op en tekende een formulier ter overmaking van het saldo van £ 4000 aan de bank. In ruil hiervoor ontving hij een gewaarmerkte bankcheque voor de tegenwaarde van £ 4000.

Hij had net tijd om even te gaan lunchen voor hij naar de Hougstraat ging, waar hij een afspraak met de accountantsfirma Lang & Stein had.

Luxemburg houdt er evenals België en Liechtenstein een systeem op na, dat de investeerder een uiterst discrete en zelfs geheime dienstverlening biedt in bankaangelegenheden en bij de exploitatie van firma's, waar een buitenlandse politiemacht slechts met de grootste moeite zijn neus in kan steken. Over het algemeen worden verzoeken om inlichtingen van politie in het buitenland naar de eigenaar of de beheerder van zo'n firma, beantwoord met een koele weigering tot medewerking, tenzij blijkt dat een in Luxemburg geregistreerde firma de wetten van het groothertogdom overtreden heeft, of er onomstotelijk bewezen kan worden dat ze in internationale onwettige activiteiten verwikkeld is geweest van zeer onaangenaam karakter. Naar dit soort faciliteiten zocht Shannon.

Zijn onderhoud, dat drie dagen tevoren telefonisch geregeld was, vond plaats met de heer Emil Stein, een van de compagnons van de zeer gerenommeerde firma. Shannon droeg voor die gelegenheid een nieuw antracietgrijs kostuum met wit overhemd en schooldas. Hij had een aktentas en de *Times* onder de arm. Europeanen schijnen om de een of andere reden altijd de indruk te hebben dat iemand die deze krant bij zich heeft een eerbiedwaardige Engelsman is.

'In de komende maanden,' zei hij tegen de grijze Luxemburger, 'wenst een groep Engelse zakenlieden, waaronder ik ook hoor, commerciële activiteiten te ondernemen in het Middellandse-Zeegebied, waarschijnlijk Spanje, Frankrijk en Italië. Met dit doel zouden we graag in Luxemburg een holding-maatschappij willen oprichten. Aangezien wij Britse staatsburgers en ingezetenen zijn, kan het zakendoen in allerlei Europese landen met allemaal verschillende financiële wetten, zoals u begrijpt, wel eens heel ingewikkeld blijken. Alleen al vanuit belastingtechnisch oogpunt schijnt een holding-maatschappij in Luxemburg raadzaam te zijn.'

Meneer Stein knikte want het verzoek verbaasde hem niet. Er waren al zoveel van dergelijke holding-maatschappijen in dit kleine landje geregistreerd en zijn firma ontving dagelijks zulke verzoeken.

'Dat zal geen probleem zijn, meneer Brown,' zei hij tegen zijn bezoeker. 'U bent zich er natuurlijk van bewust dat aan alle door het Groothertogdom Luxemburg vereiste voorwaarden voldaan moet worden. Als dat eenmaal gebeurd is, kan de holding-maatschappij de meerderheid van aandelen in een groot aantal andere, elders geregistreerde, maatschappijen bezitten, waarna de firma-aangelegenheden volkomen buiten buitenlandse belastingonderzoeken blijven.'

'Dat is heel vriendelijk van u. Misschien zou u mij de voornaamste voorwaarden kunnen noemen waaraan de oprichting van zo'n firma zou moeten voldoen,' zei Shannon.

De accountant kon de vereisten in enkele seconden afraffelen.

'In afwijking van Engeland moeten alle naamloze vennootschappen in Luxemburg minimaal zeven aandeelhouders en minimaal drie beheerders hebben. In vele gevallen echter neemt de accountant die gevraagd wordt om hulp bij de oprichting van de vennootschap, het voorzitterschap van de commissarissen op zich, zijn jongere compagnons zijn de andere twee en zijn personeel vormt de aandeelhouders, die elk uitsluitend in naam en aantal aandelen ontvangen. Op deze wijze wordt de persoon die de vennootschap wil oprichten alleen maar de zevende aandeelhouder, hoewel hij vanwege het grotere aantal aandelen de macht in handen heeft.

Normaliter worden aandelen geregistreerd evenals de namen der aandeelhouders, maar er bestaat een bepaling voor de uitgifte van aandelen aan toonder en in dit geval is geen registratie van de houder van de meerderheid van aandelen vereist. Het bezwaar hiervan is dat de aandelen aan toonder dan ook echt betekenen dat degene die het grootste aantal heeft de eigenaar is. Mocht deze persoon ze verliezen of worden ze van hem gestolen, dan wordt de nieuwe eigenaar automatisch de beheerder van de firma zonder dat hij een spoor van bewijs hoeft te hebben, hoe hij eraan is gekomen. Kunt u me volgen, meneer Brown?'

Shannon knikte. Dit was de overeenkomst die hij tot stand hoopte te brengen, zodat hij Semmler het schip kon laten kopen onder de dekmantel van een oncontroleerbare firma.

'Een holding-maatschappij,' zei meneer Stein, 'mag, zoals de naam reeds zegt, in geen enkele vorm handel drijven. Hij mag alleen aandelen in andere firma's bezitten. Bezit uw groep deelgenoten aandelen in andere firma's, die zij zou willen overnemen om in Luxemburg te laten inschrijven?'

'Nee, nog niet,' zei Shannon. 'Wij hopen bestaande firma's in het gebied waar wij onze activiteiten willen ontplooien te verwerven of andere naamloze vennootschappen op te richten en de meerderheid van aandelen ter bewaring naar Luxemburg over te brengen.'

Na een uur was de overeenkomst bereikt. Shannon had de heer Stein zijn bankcheque van £ 4000 laten zien om zijn kredietwaardigheid aan te tonen en een waarborgsom van £ 500 in contanten betaald.

Meneer Stein had toegezegd dat hij meteen met de oprichting en de registratie van een holding-maatschappij zou beginnen, die de Tyrone Holdings S.A. zou heten, nadat hij de omvangrijke lijst van geregistreerde firma's had doorgenomen om zich ervan te vergewissen dat die naam nog niet in het register voorkwam. Het totale aandelenkapitaal zou £ 40 000 bedragen, waarvan slechts £ 1000 direct werd uitgegeven, en dit zou worden uitgegeven in 1000 aandelen aan toonder van £ 1 per aandeel. De heer Stein ontving één aandeel en werd voorzitter van de Raad van beheer. Zijn compagnon, de heer Lang, en een jonge firmant kregen ook elk een aandeel. Deze drie mannen vormden de Raad van beheer. Drie andere personeelsleden van de firma – die later secretaressen bleken te zijn – werden elk van een aandeel aan toonder voorzien en de resterende 994 aandelen kwamen in bezit van de heer Brown, die aldus de firma in handen had en wiens wensen de Raad zou hebben uit te voeren.

Een algemene oprichtingsvergadering van de firma werd vastgesteld over twaalf dagen of een later tijdstip, indien de heer Brown hun schriftelijk liet weten wanneer hij in Luxemburg kon zijn om deze bij te wonen. Met deze afspraak ging Shannon weg.

Voor sluitingstijd was hij weer bij de bank, gaf de cheque terug en liet de £ 4000 op de rekening in Brugge overmaken. Hij ging naar het Excelsior-hotel en bracht de nacht in Luxemburg door. Hij had zijn reservering al voor de vlucht naar Hamburg de volgende ochtend, en liet het hotel opbellen om dit te bevestigen.

's Morgens vloog hij dan ook naar Hamburg; dit keer was hij op wapens uit.

De handel in dodelijke wapens is na die in narcotica de meest winstgevende ter wereld en het is dan ook niet verbazingwekkend dat de regeringen zich er diepgaand mee bezighouden. Het is sinds 1945 bijna een kwestie van nationaal prestige geworden om een eigen binnenlandse wapenindustrie te hebben, en ze zijn zo tot bloei gekomen en in aantal toegenomen, dat de schatting in het begin van de jaren zeventig was dat er voor iedere man, vrouw en kind op de aardbodem een vuurwapen bestond. De fabricatie van wapens kan eenvoudig niet beperkt worden tot het verbruiksniveau, behalve in geval van oorlog, en als logisch antwoord daarop moet men het overschot exporteren of de oorlog stimuleren, of allebei. Omdat weinig regeringen zelf in een oorlog verwikkeld willen raken, maar voor alle zekerheid ook niet hun wapenindustrie willen verminderen, ligt het zwaartepunt al jaren op de wapenexport. Voor dit doel hebben alle grootmachten duur betaalde verkopers in dienst, die de hele aardbol rondreizen en alle machthebbers die ze een onderhoud kunnen aftroggelen, ervan overtuigen dat ze niet genoeg wapens hebben of dat de wapens die ze hebben niet modern genoeg zijn en vervangen moeten worden.

Het laat de verkopers koud, dat vijfennegentig procent van alle wapentuig van bijvoorbeeld Afrika niet gebruikt wordt om het eigen land tegen agressie van buitenaf te beschermen, maar om het volk door de dictator te laten onderdrukken. Zoals de verkoop van wapens een logisch gevolg is van de winstwedijver tussen concurrerende westerse naties, is door de deelneming van Rusland en China aan de wapenproduktie en -export het koopmanschap even logisch geworden tot een element in de machtswedijver.

Uit de wisselwerking tussen zakelijk en politiek belang is een onontwarbaar net van berekeningen ontstaan, die dagelijks in de hoofdsteden van de grote wereldmachten worden voortgezet. De ene grootmacht verkoopt wel wapens aan republiek A maar niet aan B, waarop een concurrerende grootmacht er als de kippen bij is om wel wapens aan B maar niet aan A te verkopen. Dit noemt men het vestigen van een machtsevenwicht en zodoende het bewaren van de vrede. Het winststreven van de wapenverkoop is permanent; er wordt altijd geld aan verdiend. De enige beperkingen worden opgelegd door de vraag of het politiek wenselijk is dat een bepaald land wapens bezit, en uit dit schuivende drijfzand van opportunisme contra winst is de nauwe band ontstaan tussen de ministeries van Buitenlandse Zaken en die van Defensie over de hele wereld.

Het is niet moeilijk om een inheemse wapenindustrie te vestigen, mits men deze beperkt houdt. Het is betrekkelijk eenvoudig om geweren en machinepistolen en munitie voor allebei, alsook handgranaten en handvuurwapens te fabriceren. Het technische peil, de industriële ontwikkeling en de verscheidenheid van grondstoffen is niet hoog. Maar de kleinere landen kopen hun wapens meestal kant en klaar van de grotere, omdat hun binnenlandse behoeften te klein zijn om de benodigde industrialisatie te rechtvaardigen en ze weten dat ze met hun technisch peil geen kans maken op de exportmarkt.

Toch is een zeer groot en steeds toenemend aantal middelgrote landen de laatste twintig jaar vooruitgegaan en hebben ze hun eigen inheemse, weliswaar eenvoudige, wapenfabrieken gesticht. Met de ingewikkeldheid van de te maken wapens nemen de moeilijkheden toe en vermindert het aantal landen dat hieraan meedoet. Het is gemakkelijk om kleine wapens te maken, moeilijker om artillerie, pantserwagens en tanks te maken, heel erg moeilijk om een hele scheepsbouwindustrie in het leven te roepen om moderne oorlogsschepen te bouwen, en het moeilijkst van alles om moderne straaljagers en bommenwerpers te produceren. Men kan het ontwikkelingspeil van een inheemse wapenindustrie beoordelen naar de technische grenzen van de gefabriceerde wapens, en alles wat daarbuiten valt moet geïmporteerd worden.

De voornaamste wapenfabrikanten en exporteurs in de westerse wereld zijn de Verenigde Staten, Canada, Engeland, Frankrijk, Italië, West-Duitsland (met verbod bepaalde goederen te produceren, volgens het Verdrag van Parijs 1954), Zweden, Zwitserland, Spanje, België, Israël en Zuid-Afrika. Zweden en Zwitserland zijn neutraal, maar maken en exporteren toch hele mooie wapens, terwijl Israël en Zuid-Afrika hun wapenindustrieën hebben opgebouwd vanwege hun uitzonderlijke situatie, omdat ze in geval van een crisis niet van iemand afhankelijk wensten te zijn, en ze exporteren allebei dan ook heel weinig. Alle andere zijn NAVO-landen die door een gemeenschappelijke verdedigingspolitiek verbonden zijn. Zij beoefenen wat wapenverkoop betreft een bepaalde mate van samenwerking in de buitenlandse politiek, en wanneer een van hen een aanvraag voor de aankoop van wapens ontvangt, wordt er gewoonlijk een nauwkeurig kritisch onderzoek ingesteld voor het wordt ingewilligd en de wapens verkocht worden. Zo moet ook het kleine land van aankoop altijd een schriftelijke verklaring tekenen, dat ze geen wapens die aan henzelf zijn verkocht zullen doorverkopen aan een ander land zonder uitdrukkelijke schriftelijke toestemming van de leverancier. Met andere woorden, er worden heel wat vragen gesteld voor een verkoop wordt goedgekeurd, veeleer door het ministerie van Buitenlandse Zaken dan door het verkoopkantoor, en verkopen die zo tot stand zijn gekomen vinden vrijwel altijd plaats van de ene regering aan de andere regering.

Communistische wapens zijn grotendeels gestandaardiseerd en komen voornamelijk uit Rusland en Tsjechoslowakije. De nieuweling, China, produceert nu eveneens wapens die op voldoende hoog peil van volmaaktheid staan om aan de eisen van Mao's guerrilla-theorieën te voldoen. Politieke invloed en niet geld is de doorslaggevende factor, en er worden veel Sovjet-wapens verscheept als geschenk, om ergens in de gunst te raken, en niet als handelstransactie. Vasthoudend aan de stelling dat de macht uit de loop van een geweer komt en omdat ze bezeten zijn van macht, verkopen de communistische landen niet alleen wapens aan andere soevereine regeringen, maar ook aan 'vrijheids'-organisaties, die ze politiek steunen. In de meeste gevallen zijn dit geen verkopen, maar schenkingen. Zo kan een communistische, marxistische, extreem linkse of revolutionaire beweging er overal ter wereld vrijwel zeker van zijn geen tekorten te krijgen aan de benodigde wapens voor een guerrilla.

In het midden staan de neutrale Zwitsers en Zweden, die er hun eigen, zelf opgelegde regels op na houden aan wie ze wel of niet willen verkopen, en ze beperken zodoende vrijwillig hun wapenexport volgens zedelijke normen. Dat doet niemand anders.

Waar de Russen hun wapens van regeringswege verkopen of schenken aan particulieren en het Westen daar te huiverig voor is, komt de particuliere wapenhandelaar aan bod. De Russen hebben geen particuliere wapenhandelaars en zodoende overbrugt deze figuur de kloof met het Westen. Hij is een zakenman, die optreedt als wapenleverancier voor een eventuele koper, maar om zijn baan te houden moet hij nauw contact onderhouden met het departement van Defensie van zijn eigen land, anders zorgt het departement dat hij geen zaken meer kan doen. Het is in zijn eigen belang om in elk geval met de wensen van zijn vaderland rekening te houden, want dat land kan de bron zijn van zijn eigen inkopen, die op kan drogen als hij ongenoegen wekt; ongeacht nog het feit dat hij ook op een andere, minder prettige manier buitenspel kan worden gezet.

Aldus verkoopt de erkende wapenhandelaar, die meestal staatsburger en ingezetene van zijn geboorteland is, wapens aan kopers, na van zijn eigen regering te hebben vernomen dat deze er geen bezwaar tegen heeft. Zulke handelaars zijn gewoonlijk grote firma's die over voorraden beschikken.

Dit is de particuliere wapenhandel op het hoogste niveau. Dieper in de vijver zit vis van meer twijfelachtig gehalte. De volgende in rang is de erkende handelaar, die geen voorraad wapens in een magazijn heeft, maar die een concessie heeft bij een van de grote wapenindustrieën, die vaak overheids- of semi-overheidsbedrijf zijn. Hij sluit een transactie af ten behoeve van een cliënt en ontvangt hiervoor zijn aandeel. Hij krijgt alleen vergunning als hij precies doet wat de regering van wie hij een concessie heeft gekregen, hem zegt. Dit weerhoudt sommige erkende wapenhandelaren niet om af en toe buiten hun boekje te gaan, hoewel twee erkende wapenhandelaren hun vergunning zijn kwijtgeraakt toen ze gesnapt werden.

Op de bodem, onder in de modder, zitten de zwarte wapenhandelaars. Die noemen zich zo, omdat ze geen vergunning hebben. Daarom mogen ze er officieel geen wapenvoorraden op na houden. Ze blijven in zaken, omdat ze waardevol zijn voor de geheime koper, een persoon of organisatie, die omdat hij niet tot een regering behoort, geen transactie tussen regeringen onderling kan sluiten; die niet stilzwijgend van een westerse regering toestemming krijgt om wapens te ontvangen en die niet een communistische regering op grond van politieke ideologie kan overhalen zijn zaak te steunen; maar die wel wapens nodig heeft.

Het document waar het bij een wapentransactie om draait, heet eindgebruikersverklaring. Hierin wordt verklaard, dat de wapenaankoop wordt gedaan door, of ten behoeve van, de eindgebruiker, die in de westerse wereld vrijwel zonder uitzondering een soevereine regering moet zijn. Alleen als het een zuivere schenking van een geheime dienst aan een ongeregelde strijdmacht of een pure zwarte handelstransactie betreft is er geen sprake van een eindgebruikersverklaring. Voorbeelden van het eerste waren de bewapening, zonder betaling, door de CIA van de anti-Castro-strijders van de Varkensbaai en de bewapening van de Kongo-huurlingen, eveneens door de CIA. Een voorbeeld van het tweede is de verscheping naar Ierland van wapens voor de Provisional IRA uit allerlei Europese en Amerikaanse particuliere wapenbronnen.

De eindgebruikersverklaring is een internationaal document en heeft geen bepaalde vorm of formaat of een vaste tekst. Het is een schriftelijke bevestiging van een erkende vertegenwoordiger van een nationale regering, dat hij, de houder, of meneer X, de handelaar, gemachtigd is om bij de leverende regering een aanvraag in te dienen tot aankoop *en export* van een hoeveelheid wapens.

De kwestie waar bij de eindgebruikersverklaring alles om draait is, dat sommige landen een zeer strenge controle uitoefenen op de echtheid van dit document, terwijl andere onder de rubriek vallen van leveranciers die 'geen vragen stellen'. Onnodig te zeggen dat eindgebruikersverklaringen even goed als andere documenten vervalst kunnen worden.

Deze wereld was het waarin Shannon zich voorzichtig begaf toen hij naar Hamburg vloog. Hij besefte wel dat hij geen rechtstreekse aanvraag kon doen voor vergunning tot aankoop van wapens aan een Europese regering, want die kreeg hij toch niet. En ook zou geen communistische regering zo vriendelijk zijn de wapens te schenken; ze zouden zelfs vierkant tegen de afzetting van Kimba zijn. Bovendien zou een rechtstreekse aanvraag de hele onderneming meteen verraden en aldus tot mislukking gedoemd zijn.

Om die redenen was het hem ook niet mogelijk, een der vooraanstaande wapenfabrieken te benaderen, die eigendom van de regering waren, zoals de Fabrique Nationale van België, want ieder verzoek aan een staatsbedrijf voor fabricage en verkoop van wapens zou aan de regering worden doorgegeven; daarom kon hij ook niet naar een grote particuliere wapenhandelaar gaan, zoals Cogswell & Harrison in Londen of Parker Hale in Birmingham. In die zelfde categorie waren ook Bofors in Zweden, Oerlikon in Zwitserland, CETME in Spanje, Werner en de andere in Duitsland, Omnipol in Tsjechoslowakije en Fiat in Italië uitgesloten.

Verder moest hij met zijn eigen omstandigheden om in te kopen rekening houden. Het bedrag dat hij te besteden had was te klein om interessant te zijn voor de grote, officieel erkende handelaren, die meestal miljoenenzaken deden. Hij zou ook niet interessant geweest zijn voor de vroegere koning der particuliere wapenhandelaars, Sam Cummings van Interarmco, die gedurende twintig jaar na de oorlog vanuit zijn daksuite in Monaco een particulier wapenrijk had geleid en zich terug had getrokken om van zijn rijkdom te genieten; evenmin voor dr. Strakaty in Wenen, de erkende concessiehouder van Omnipol voor het buitenland, in de Washingtonstraat 11 in Praag; of voor dr. Langenstein in München; of dr. Peretti in Rome; of de heer Cammermundt in Brussel.

Hij moest nog verder de ladder af naar de mensen die in kleinere bedragen en hoeveelheden handelden. Hij kende de namen van Günther Leinhauser, de Duitser, een vroegere compagnon van Cummings; in Parijs van Pierre Lorez, Maurice Herscu en Paul Favier. Maar bij nader inzien had hij besloten om naar twee mannen in Hamburg te gaan.

De moeilijkheid met het pakket wapens dat hij zocht was, dat het leek op wat het was: één enkel wapenpakket voor één enkele taak, en er was geen scherpzinnig militair verstand voor nodig om te begrijpen, dat die taak neerkwam op het in korte tijd veroveren van een gebouw. De hoeveelheden boden niet genoeg armslag om een beroepsmilitair wijs te maken dat er een ministerie van Defensie, al was het maar een klein, achter de bestelling zat.

Daarom had Shannon besloten het pakket in nog kleinere onderdelen te splitsen, zodat tenminste de artikelen die van elke handelaar gevraagd werden, hetzelfde waren.

Van een van de mensen waar hij naar toe ging, moest hij 400 000 9 mm standaardpatronen hebben, die in automatische pistolen en eveneens in machinegeweren passen. Zo'n partij was te groot en te zwaar om op de zwarte markt te kopen en te verschepen zonder allerlei ingewikkelde smokkelpraktijken om hem aan boord te krijgen. Maar het kon wel een partij zijn die men voor de politiemacht van een klein land nodig had, en omdat er geen bijbehorende vuurwapens in hetzelfde pakket zaten was het niet verdacht ook, zodat het bij kritisch onderzoek kon doorgaan voor een bestelling die slechts diende om voorraden aan te vullen.

Om hieraan te komen moest hij een erkende wapenhandelaar hebben, die zo'n ordertje met een stel grotere orders kon laten meelopen. Al heeft de handelaar vergunning om in wapens te handelen, hij moet toch bereid zijn een clandestien zaakje te doen met een valse eindgebruikersverklaring. Hier kwam een grondige kennis van de landen waar geen vragen werden gesteld goed van pas.

Tien jaar geleden waren er enorme hoeveelheden overtollig wapentuig overal in Europa in particuliere handen, die men 'zwart', dus onwettig in bezit had, en overgebleven waren uit koloniale oorlogen, zoals van de Fransen in Algerije en van de Belgen in Kongo.

Maar ze waren in een reeks kleine ongeregelde operaties en oorlogen in de jaren zestig opgebruikt, vooral in Jemen en Nigeria. Daarom moest hij iemand zien te vinden die een valse eindgebruikersverklaring wilde gebruiken om deze aan een leverende regering aan te bieden die weinig of geen vragen stelde. Nog maar vier jaar geleden was de bekendste van hen de Tsjechische regering, die al was ze communistisch, de oude Tsjechische traditie voortzette om aan iedereen wapens te verkopen. Vier jaar geleden kon men met een koffer vol dollars Praag binnenwandelen, naar het hoofdkantoor van Omnipol gaan om zijn wapens uit te zoeken en een paar uur later met de spullen aan boord van zijn gecharterde vliegtuig van het vliegveld vertrekken. Het was doodeenvoudig. Maar sinds de overname door de Sovjets in 1968 was de KGB ertoe overgegaan dergelijke aanvragen allemaal nauwkeurig te bekijken, en ze stelden veel te veel vragen.

Er waren twee andere landen die de reputatie hadden verworven niet al te nieuwsgierig te zijn naar waar de eindgebruikersverklaring precies vandaan kwam. Het ene was Spanje, dat er van oudsher op uit was buitenlandse valuta te verdienen en de CETME-fabrieken produceerden een grote verscheidenheid van wapens, die toen door het Spaanse ministerie van Leger aan vrijwel alle gegadigden werden verkocht. Het andere land, een nieuweling, was Joegoslavië.

Joegoslavië was nog maar een paar jaar geleden met het fabriceren van eigen wapens begonnen en had tenslotte het stadium bereikt waarin de eigen gewapende macht met binnenlandse wapens was uitgerust. De volgende stap was overproduktie (omdat fabrieken niet een paar jaar nadat ze met grote kosten van start zijn gegaan de produktie kunnen verminderen), vandaar de wens om te exporteren. Als nieuwelingen op de wapenmarkt, met wapens van onbekende kwaliteit en tuk op buitenlandse valuta, hadden de Joegoslaven tegenover gegadigden voor hun wapens de houding aangenomen van 'als je geen vragen stelt krijg je ook geen leugens te horen'. Ze vervaardigden een goed, licht compagniesmortier en een bruikbare bazooka, die sterk leek op de Tsjechische RPG-7.

Omdat het nieuwe goederen waren, nam Shannon aan dat hij een handelaar in Belgrado wel kon overhalen een kleine hoeveelheid van deze wapens te verkopen, bestaande uit twee 60 mm mortieren en 100 granaten, plus twee bazooka's met 40 raketten. Hij zou kunnen aanvoeren dat het om een nieuwe klant ging, die eerst wat proeven met de nieuwe wapens wilde nemen om daarna met een veel grotere order terug te komen.

Voor zijn eerste bestelling was Shannon van plan naar een handelaar te gaan, die vergunning had om met de CETME in Madrid handel te drijven, maar die er ook om bekend stond dat hij het niet beneden zich achtte met een valse eindgebruikersverklaring te werken. Voor de tweede had Shannon de naam van iemand anders in Hamburg gehoord, die de kersverse Joegoslavische wapenfabrikanten al heel in het begin te vriend had gehouden en een goede relatie met ze had opgebouwd, hoewel hij geen vergunning bezat.

Normaal gesproken heeft het geen zin om naar een niet erkende handelaar te gaan. Tenzij hij de bestelling kan uitvoeren uit eigen, illegale voorraden, zodat geen exportvergunning nodig is, kan hij alleen van nut zijn wanneer hij een valse, maar aannemelijke eindgebruikersverklaring weet te bemachtigen voor hen die er zelf niet aan kunnen komen, en dan een erkende handelaar kan bewegen dit papiertje te accepteren. De erkende handelaar kan dan met goedkeuring van de regering de bestelling uit zijn eigen officiële voorraden uitvoeren en een exportvergunning bemachtigen of de valse verklaring met zijn naam en zijn garantie als ondersteuning aan een regering overleggen. Maar soms heeft het ook nog een ander voordeel om hem in te schakelen; zijn grondige kennis van de marktsituatie en waar men op een bepaald ogenblik met een bepaalde eis naar toe moet om de beste kans van slagen te hebben. Om deze hoedanigheid ging Shannon naar de tweede man op zijn Hamburgse lijstje toe.

Toen hij in de Hanzestad aankwam, ging Shannon langs de Landesbank, waar hij vernam dat zijn £ 5000 er al lag. Hij nam alles op in de vorm van een bankcheque ten name van hemzelf en ging naar het Atlantic-hotel waar een kamer voor hem besproken was. Hij besloot de Reeperbahn over te slaan en omdat hij moe was, ging hij vroeg eten en naar bed.

Johann Schlinker, die Shannon de volgende morgen bezocht, was klein, rond en joviaal. Uit zijn ogen straalde zoveel hartelijke gastvrijheid, dat Shannon tien seconden nodig had om te beseffen dat de man niet verder te vertrouwen was dan tot de deur. Ze spraken beiden Engels maar hadden het over dollars, twee talen die op de wapenmarkt bij elkaar hoorden.

Shannon bedankte de wapenhandelaar dat hij hem had willen ontvangen en legde zijn paspoort op naam van Keith Brown over bij wijze van legitimatie. De Duitser bladerde het even door en gaf het terug.

'En wat voert u hierheen?' vroeg hij.

'Men heeft u aanbevolen, Herr Schlinker, als zakenman met een zeer goede reputatie van betrouwbaarheid in de handel in militaire en politionele wapens.'

Schlinker knikte glimlachend, maar hij was niet onder de indruk van de vleiende woorden.

'Door wie als ik vragen mag?'

Shannon noemde de naam van iemand in Parijs, die veel te maken had met Afrikaanse aangelegenheden ten behoeve van een bepaalde Franse, zij het clandestiene, regeringsdienst. Ze hadden elkaar tijdens één van Shannons vroegere Afrikaanse oorlogen ontmoet en een maand geleden had Shannon hem in Parijs opgezocht om herinneringen op te halen. Een week geleden had Shannon de man weer opgebeld en hij had Shannon inderdaad Schlinker aanbevolen voor de goederen die hij nodig had. Shannon had tegen die man gezegd dat hij de naam Brown zou gebruiken.

Schlinker trok zijn wenkbrauwen op.

'Wilt u me even excuseren?' vroeg hij en ging de kamer uit. In een aangrenzend hokje kon Shannon het geratel van een telex horen. Het duurde een half uur voor hij terugkwam. Hij glimlachte.

'Ik moest even een vriend van me in Parijs opbellen voor een zakelijke kwestie,' zei hij opgewekt. 'Gaat u alstublieft verder.'

Shannon wist maar al te goed dat hij naar een andere wapenhandelaar in Parijs had getelext om hem te vragen contact op te nemen met de Franse agent en te laten bevestigen dat Keith Brown goed was. Blijkbaar was de bevestiging net binnengekomen.

'Ik wil een partij 9 mm munitie kopen,' zei hij plompverloren. 'Ik weet wel dat het een kleine bestelling is, maar ik ben benaderd door een groep mensen in Afrika, die deze munitie voor hun eigen staatszaken nodig hebben, en als die goed lopen geloof ik dat er in de toekomst grotere bestellingen afkomen.'

'Hoe groot zou die bestelling dan zijn?' vroeg de Duitser.

'Vierhonderdduizend patronen.'

Schlinker trok een gezicht.

'Dat is niet veel,' zei hij alleen.

'Dat is zeker niet veel. Het budget is op het ogenblik niet zo groot. Wij hopen dat een kleine investering nu later tot iets groots kan uitgroeien.'

De Duitser knikte. Dat was wel vaker gebeurd. De eerste bestelling was meestal klein.

'Waarom zijn ze bij u gekomen? U bent toch geen handelaar in wapens of munitie?'

'Ze hebben me aangesteld als technisch adviseur voor militaire aangelegenheden van allerlei aard. Toen zich de vraag voordeed om voor hun behoeften een nieuwe leverancier te zoeken, hebben ze gevraagd of ik voor ze naar Europa wilde gaan,' zei Shannon.

'En u hebt geen eindgebruikersverklaring?' vroeg de Duitser.

'Nee, helaas niet. Ik hoopte dat er iets op gevonden kon worden.'

'O ja, dat kan,' zei Schlinker. 'Dat is geen probleem. Het duurt langer en het is duurder, maar het is mogelijk. Deze bestelling kan uit voorraad geleverd worden, maar die voorraad ligt in mijn zaak in Wenen. Dan is er geen eindgebruikersverklaring vereist. Of we zien in het bezit van zo'n document te komen en doen de aanvraag normaal via de wettelijke kanalen.'

'Ik geef de voorkeur aan de tweede mogelijkheid,' zei Shannon.

'De levering moet per schip plaatsvinden en om een dergelijke hoeveelheid via Oostenrijk naar Italië en van daaruit aan boord van een schip te brengen, zou gevaarlijk kunnen zijn. Het komt in een gebied waar ik niet bekend ben, en als de partij onderschept wordt kunnen zij die in het bezit ervan worden aangetroffen, een lange gevangenisstraf krijgen. Bovendien kan uit de lading worden afgeleid dat deze uit uw voorraden komt.'

Schlinker glimlachte. Hij wist inwendig dat daarvoor geen gevaar bestond, maar wat de grenscontrole betreft had Shannon gelijk. De dreiging van de Zwarte September-terroristen, die pas was opgekomen, had Oostenrijk, Duitsland en Italië uiterst nerveus gemaakt over buitenlandse vrachten die de grenzen passeerden.

Shannon van zijn kant dacht niet dat Schlinker de ene dag munitie verkocht en hem de volgende dag zou verraden. Met een valse eindgebruikersverklaring moest de Duitser zich wel aan zijn afspraak houden, want hij moest de valse verklaring aan de autoriteiten aanbieden.

'Misschien hebt u gelijk,' zei Schlinker tenslotte. 'Uitstekend. Ik kan u 9 mm standaardkogels aanbieden tegen vijfenzestig dollar per duizend. Daar zou een toeslag bijkomen voor de verklaring van tien procent en nog eens tien procent *free on board*.'

Shannon maakte een snel rekensommetje. *Free on board* betekende een vracht compleet met uitvoervergunning, uitklaren bij de douane en laden in het schip, terwijl het schip zelf nu buiten de haven lag. De prijs werd dan 26 000 dollar voor de munitie plus 5200 dollar toeslag.

'Hoe zou de betaling moeten plaatsvinden?' vroeg hij.

'Ik zou de 5200 dollar moeten hebben voor het werk begint,' zei Schlinker. 'Dat is voor de verklaring die betaald moet worden plus alle persoonlijke reis- en de administratiekosten. De totale koopprijs moet hier op dit kantoor betaald worden, als ik u de verklaring kan tonen, maar vóor de aankoop. Als erkend handelaar koop ik uit naam van mijn cliënt van de op de verklaring genoemde regering. Als het spul eenmaal is aangekocht, is het hoogst onwaarschijnlijk dat die regering het terugneemt en het geld terugbetaalt. Daarom moet ik het totale bedrag bij vooruitbetaling hebben. Ik zou ook de naam van het exporterende schip moeten weten om de aanvraag voor de uitvoervergunning in te vullen. Het moet een vaste lijnboot of vrachtboot zijn of een gewoon vrachtschip dat eigendom is van een geregistreerde scheepvaartmaatschappij.'

Shannon knikte. De voorwaarden waren niet mis, maar hij had niet veel keus. Als hij werkelijk een soevereine regering vertegenwoordigde, was hij hier helemaal niet geweest.

'Hoe lang duurt het vanaf het tijdstip dat ik u het geld geef tot de verscheping?' vroeg hij.

'Madrid is erg langzaam met dit soort dingen. Maar uiterlijk ongeveer veertig dagen,' zei de Duitser.

Shannon stond op. Hij liet Schlinker de bankcheque zien om zijn kredietwaardigheid te bewijzen en beloofde, dat hij over een uur terug was met 5200 dollar in contanten of de tegenwaarde in Duitse marken. Schlinker had liever Duitse marken en toen Shannon terugkwam gaf hij hem een kwitantie voor het geld.

Terwijl Schlinker de kwitantie aan het uitschrijven was, keek Shannon een stapeltje brochures op het koffietafeltje door. Daarin stonden artikelen die te koop werden aangeboden door een andere firma, welke kennelijk gespecialiseerd was in niet-militaire explosieven, niet vallend onder de rubriek 'wapens', alsmede in een uitgebreide sortering artikelen in gebruik bij bewakingsdiensten, waaronder gummiknuppels, wapenstokken, walkie-talkies, traangasgranaten en -pistolen, lichtkogels, signaalraketten en dergelijke.

Toen Schlinker hem zijn kwitantie overhandigde, vroeg Shannon: 'Bent u met deze firma gelieerd, Herr Schlinker?'

Schlinker glimlachte breed.

'Ik ben de eigenaar,' zei hij. 'Hiervoor sta ik bij het grote publiek het beste bekend.'

En een verdomd goede dekmantel om er een pakhuis vol kisten met het opschrift 'voorzichtig! explosieven' op na te houden, dacht Shannon. Maar zijn belangstelling was gewekt. Hij schreef vlug een lijstje artikelen uit en liet het aan Schlinker zien.

'Zou u deze bestelling voor export uit voorraad kunnen leveren?' vroeg hij.

Schlinker wierp een blik op het lijstje. Er stonden twee lanceerbuizen op van het type dat door de kustwacht gebruikt wordt om signaalraketten af te vuren, tien raketten met magnesiumlichtkogels van maximale sterkte en tijdsduur, bevestigd aan parachutes, twee doordringende misthoorns aangesloten op gascilinders, vier nachtveldkijkers, drie kristal-walkie-talkies met vaste golflengte en een bereik van niet minder dan acht kilometer, en vijf polskompassen.

'Jazeker,' zei hij. 'Dat heb ik allemaal in voorraad.'

'Ik wil graag een bestelling voor dit lijstje plaatsen. Ik neem aan dat er geen uitvoerproblemen zijn, omdat ze niet onder wapens vallen?'

'Geen enkel probleem. Ik kan ze overal naar toe sturen waar ik wil en zeker naar een schip.'

'Goed,' zei Shannon. 'Hoeveel zou alles bij elkaar kosten, met vracht, in entrepot naar een exportagent in Marseille?'

Schlinker liep zijn catalogus door en zette prijzen op het lijstje, waar hij tien procent vracht bij telde.

'Vierduizend achthonderd dollar,' zei hij.

'Ik neem over twaalf dagen contact met u op,' zei Shannon. 'Wilt u de hele partij in kisten laten verpakken om te verschepen. Ik zal u de naam van de exportagent in Marseille opgeven en u een bankcheque te uwen gunste sturen van 4800 dollar. Over dertig dagen verwacht ik u de resterende 26 000 dollar voor de aankoop van de munitie en de naam van het schip te kunnen geven.'

Hij had zijn tweede afspraak die avond voor het diner in het Atlantic-hotel. Alan Baker was een emigrant, een Canadees, die zich na de oorlog in Duitsland had gevestigd en met een Duits meisje was getrouwd. Tijdens de oorlog was hij bij de genie geweest. In de eerste naoorlogse jaren had hij zich beziggehouden met een reeks grensoverschrijdingen in en uit de Sovjet-zone, waarbij hij nylonkousen, horloges en vluchtelingen smokkelde. Van daaruit was hij verzeild geraakt in de wapensmokkel naar de talloze kleine benden nationalistische of anti-communistische partizanen die, uit de oorlog overgebleven, hun verzet in Midden- en Oost-Europa bleven voeren – met het enige verschil dat ze zich in de oorlog tegen de Duitsers hadden verzet, terwijl ze zich daarna tegen de communisten verzetten.

De meesten werden door de Amerikanen betaald, maar Baker vond er voldoening in om met behulp van zijn kennis van het Duits en de commandotactieken partijen wapens aan ze toe te spelen, en daarvoor een flinke salarischeque van de Amerikanen op te strijken. Toen deze groepen op den duur verliepen, in het begin van de jaren vijftig, zat hij in Tanger, waar hij het talent om te smokkelen dat hij in de oorlog en daarna had opgedaan, benutte om partijen parfum en sigaretten vanuit de destijds internationale vrijhaven aan de noordkust van Marokko naar Italië en Spanje te vervoeren. Toen hij tenslotte zonder werk kwam doordat zijn schip in een gangstervete door een bom getroffen werd en zonk, keerde hij naar Duitsland terug en ging scharrelen in alles waar maar een koper en een leverancier aan te pas kwamen. Zijn laatste kunststukje was een handel in Joegoslavische wapens, die hij ten behoeve van de Basken in Noord-Spanje tot stand had gebracht.

Hij en Shannon hadden elkaar ontmoet toen Baker in Ethiopië wapens binnensmokkelde en Shannon, nadat hij in april 1968 uit Bukavu terug was gekomen, niets te doen had. Hij kende Shannon onder zijn eigen naam.

Hij luisterde rustig, terwijl Shannon uitlegde wat hij moest hebben, de kleine gespierde man, en zijn ogen flitsten heen en weer tussen het eten en de ander.

'Ja, dat kan wel,' zei hij toen Shannon uitgesproken was. 'De Joegoslaven accepteren het wel, dat een nieuwe klant bij wijze van proef twee mortieren en twee bazooka's wil hebben om uit te proberen, alvorens, wanneer ze tevreden zijn, een grotere bestelling te plaatsen. Dat is aanvaardbaar. En voor mij is het geen probleem om het spul van ze te krijgen. Mijn relaties met die mensen in Belgrado zijn uitstekend. En ze zijn vlug. Maar toevallig heb ik op het moment juist een ander probleem.'

'En dat is?'

'De eindgebruikersverklaring,' zei Baker. 'Ik had altijd een mannetje in Bonn, een diplomaat van een zeker Oostafrikaans land, die alles ondertekende voor geld en een feestje met een paar lekkere stevige Duitse meiden, waar hij zo gek op was. Hij is twee weken geleden naar zijn eigen land overgeplaatst. Ik zit nu een beetje verlegen om een vervanger.'

'Zijn de Joegoslaven lastig met eindgebruikersverklaringen?'

Baker schudde zijn hoofd.

'Nee. Zolang de documenten in orde zijn, kijken ze niet verder. Maar er moet wel een verklaring zijn en daar moet het juiste regeringsstempel op staan. Ze kunnen er tenslotte niet met de pet naar gooien.'

Shannon dacht een ogenblik na. Hij had gehoord van iemand in Parijs, die eens erover opgeschept had dat hij een relatie bij een ambassade daar had, die eindgebruikersverklaringen kon opmaken.

'Als ik je er een zou kunnen bezorgen, die goed is, uit een Afrikaans land, heb je daar iets aan?' vroeg hij.

Baker trok aan zijn sigaar.

'Geen enkel probleem,' zei hij. 'Wat de prijs betreft, een 60 mm mortier zou je op 1100 dollar per stuk komen, dus zeg 2200 de twee. De granaten kosten 24 dollar per stuk. Het enige probleem met je bestelling is, dat de bedragen echt te klein zijn. Kun je het aantal mortiergranaten niet van honderd tot driehonderd verhogen? Dat zou de zaak aanzienlijk eenvoudiger maken. Niemand schiet maar honderd granaten af, ook al is het alleen bij wijze van proef.'

'Goed,' zei Shannon, 'ik neem er driehonderd, maar meer ook niet, anders kom ik boven mijn budget en dat wordt van mijn aandeel afgetrokken.'

Het ging helemaal niet van zijn aandeel af, want hij had een marge genomen voor als de kosten hoger waren, en zijn eigen salaris stond vast. Maar hij wist dat Baker met dit argument genoegen zou nemen.

'Goed,' zei Baker. 'Dat is dus 7200 voor de bommen. De bazooka's kosten 1000 per stuk, samen 2000. De raketten zijn 42,50 dollar per stuk. De veertig die je nodig hebt komen dus op ... laat eens kijken ...'

'1700 dollar,' zei Shannon. 'De hele partij komt dan op 13 100 dollar.'

'Plus tien procent om de boel *free on board* te leveren, Cat, zonder eindgebruikersverklaring. Als ik je er een had kunnen bezorgen, dan was het twintig procent geweest. Laten we eerlijk zijn, het is een kleine order, maar de reiskosten en andere onkosten voor mij blijven gelijk. Ik zou je voor zo'n kleine order eigenlijk vijftien procent moeten berekenen. Dus het is in totaal 14 400 dollar, laten we zeggen veertien en een half, hè?'

'Laten we zeggen 14 400,' zei Shannon. 'Ik zal voor de verklaring zorgen en hem aan je toesturen, tegelijk met de vijftig procent voorschot. Ik betaal nog eens vijfentwintig procent als de zaak in kisten verpakt en voor verzending gereed in Joegoslavië ligt en vijfentwintig procent als het schip van de kade afvaart. Reischeques in dollars, akkoord?'

Baker had het liefst het hele bedrag bij vooruitbetaling gehad, maar omdat hij geen erkend handelaar was, had hij geen kantoren, magazijnen of een zakenadres zoals Schlinker. Hij trad als tussenpersoon op en liet een andere handelaar die hij kende de eigenlijke aankoop uit zijn naam doen. Maar omdat hij een zwarthandelaar was, moest hij deze voorwaarden, het lagere winstaandeel en een kleiner voorschot, wel accepteren.

Een van de oudste trucs die bekend zijn is te beloven een wapenbestelling uit te voeren, met grote zelfverzekerdheid optreden, de klant doordringen van de onkreukbaarheid van de tussenhandelaar, een zo groot mogelijk voorschot opstrijken en verdwijnen. Dat is menig zwarte en bruine klant op zoek naar wapens in Europa overkomen. Hij wist dat Shannon daar nooit intrapte; bovendien is vijftig procent van 14 400 dollar een te klein bedrag om de benen voor te nemen.

'Goed. Zodra ik je eindgebruikersverklaring heb ga ik er meteen op af.'

Ze stonden op om weg te gaan.

'Hoe lang duurt het vanaf je eerste stappen tot de verschepingsdatum?' vroeg Shannon.

'Zo'n dertig tot vijfendertig dagen,' zei Baker. 'Tussen haakjes, heb je al een schip?'

'Nog niet. Je moet zeker de naam weten. Die zal ik je gelijk met de eindgebruikersverklaring sturen.'

'Als je er geen hebt, weet ik een goede boot te charteren. Tweeduizend Duitse marken per dag, alles inbegrepen. Bemanning, proviand, alles. Brengt je met de lading overal naar toe en discreet ook als je dat wilt.'

Shannon dacht erover na. Twintig dagen in de Middellandse Zee, twintig dagen naar het doel en twintig dagen terug. DM 120 000 of £ 15 000. Goedkoper dan een eigen schip kopen. Aanlokkelijk. Maar hij had bezwaar tegen het denkbeeld dat een man die niet aan de operatie deelnam, voor een deel van de wapentransactie zorgde én voor het schip, en ook nog op de hoogte was van het doel. Dat hield in, dat hij Baker of degene naar wie hij voor het charterschip toe moest, praktisch tot deelgenoot maakte.

'Ja,' zei hij voorzichtig. 'Hoe heet het?'

'De *San Andrea*,' zei Baker.

Shannon verstijfde. Hij had Semmler die naam horen noemen.

'Geregistreerd in Cyprus?' vroeg Shannon.

'Dat klopt.'

'Dat is niet geschikt,' zei hij kortaf.

Toen ze de eetzaal uitgingen, ving Shannon een glimp op van Johann Schlinker, die in een alkoofje zat te dineren. Even dacht hij, dat de Duitse handelaar hem misschien gevolgd was, maar de man zat met een andere man te eten, kennelijk een gewaardeerde cliënt. Shannon draaide zijn hoofd af en liep er vlug langs.

Op de stoep van het hotel gaf hij Baker een hand.

'Je hoort nog van mij,' zei hij. 'Ik kan toch op je rekenen?'

'Maak je geen zorgen, Cat. Op mij kun je vertrouwen,' zei Baker.

Hij draaide zich om en liep snel de straat uit. 'Je grootje,' mompelde Shannon en ging het hotel in.

Onderweg de trap op naar zijn kamer bleef het gezicht van de man, die hij met de Duitse wapenhandelaar had zien dineren, in zijn geheugen hangen. Hij had dat gezicht ergens gezien, maar kon het niet thuisbrengen. Toen hij in slaap viel schoot het hem te binnen. De man was de stafchef van de IRA.

De volgende ochtend, woensdag, vloog hij terug naar Londen. Het was het begin van dag Negen.

## 12

Martin Thorpe stapte het kantoor van sir James Manson binnen omstreeks het tijdstip dat Cat Shannon uit Hamburg vertrok.

'Lady Macallister,' zei hij bij wijze van inleiding en sir James gebaarde hem te gaan zitten.

'Ik heb haar helemaal uitgeplozen,' ging Thorpe verder. 'Zoals ik verwacht had, zijn er tweemaal mensen bij haar gekomen, die haar dertig procent aandelenbezit in Bormac Trading wilden kopen. Het schijnt, dat ze het allebei de keren verkeerd hebben aangepakt en afgewezen zijn. Ze is zesentachtig, half seniel en erg opvliegend. Zo staat ze tenminste bekend. Ze is ook ontzettend Schots en laat al haar zaken door een advocaat in Dundee behandelen. Hier is mijn volledige verslag over haar.'

Hij gaf sir James een bruine map en het hoofd van Manson Consolidated las het in een paar minuten door. Hij gromde een paar maal en mompelde eenmaal 'godverdomme'. Toen hij het uit had keek hij op.

'Ik wil toch die 300 000 aandelen in Bormac hebben,' zei hij. 'Je zegt dat de anderen het verkeerd hebben aangepakt. Waarom?'

'Ze schijnt in haar leven maar één obsessie te hebben en dat gaat niet om geld. Ze is rijk van zichzelf. Toen ze trouwde was ze de dochter van een Schotse grootgrondbezitter met meer land dan geld. Hun huwelijk was ongetwijfeld tussen de families gearrangeerd. Nadat haar ouweheer gestorven was, heeft ze alles geërfd, ontelbare kilometers troosteloze woeste grond. Maar de laatste twintig jaar hebben de vis- en jachtrechten een klein kapitaal ingebracht van sportmensen uit de City, en de verkoop van percelen land als industrieterrein bracht nog meer op. Het is door haar makelaar of hoe die lui daar heten, handig belegd. Ze heeft een aardig inkomen om van te leven. Ik vermoed dat andere gegadigden een hele hoop geld hebben geboden maar anders niets. Daar heeft ze geen belangstelling voor.'

'Waar dan in godsnaam wel voor?' vroeg sir James.

'Kijkt u even naar de tweede alinea op bladzijde twee, sir James. Ziet u wat ik bedoel? De kennisgevingen in *The Times* ieder jaar op de sterfdag, de poging om een standbeeld te laten oprichten, wat door de Londense graafschapsraad geweigerd is. Het gedenkteken dat ze in zijn geboorteplaats heeft laten zetten. Ik geloof, dat dát haar obsessie is: de herinnering aan die oude slavendrijver waar ze mee getrouwd is geweest.'

'Ja ja, misschien heb je gelijk. En wat stel je nu voor?'

Thorpe zette zijn denkbeeld uiteen en Manson luisterde nadenkend.

'Misschien lukt het,' zei hij tenslotte. 'Er zijn wel gekkere dingen voorgekomen. De moeilijkheid is dat je, als je het probeert en ze blijft weigeren, bijna niet met een nieuw aanbod terug kunt komen, dat op een andere manier is ingekleed. Maar ik neem aan, dat een zuiver geldaanbod in ieder geval dezelfde reactie zou krijgen als de twee vorige voorstellen. Nou goed, doe het maar zoals jezelf goeddunkt en zorg dat ze die aandelen verkoopt.'

Met deze woorden ging Thorpe op weg.

Shannon was na twaalven in zijn flat terug. Op de mat lag een telegram van Langarotti uit Marseille. Het was alleen getekend 'Jean' en geadresseerd aan Keith Brown. De boodschap behelsde niets anders dan een adres, een hotel in een straat even buiten het stadscentrum, waar de Corsicaan onder de naam Lavallon zijn intrek had genomen. Shannon vond dat een verstandige voorzorgsmaatregel. Iemand die in een Frans hotel aankomt, moet een formulier invullen dat later door de politie wordt ingenomen. Ze zouden zich eens kunnen afvragen, waarom hun oude vriend Langarotti zo ver van zijn vaste stamkroegen logeerde.

Het kostte Shannon tien minuten om van de continentale inlichtingendienst het nummer van het hotel los te krijgen en hij vroeg een gesprek aan. Toen hij bij het hotel naar de heer Lavallon vroeg kreeg hij te horen dat *monsieur* er niet was. Hij liet het verzoek achter aan meneer Lavallon om als hij terugkwam meneer Brown in Londen op te bellen. Hij had ze alle vier zijn eigen telefoonnummer opgegeven en het ze in hun geheugen laten prenten.

Hij stuurde, eveneens telefonisch, een telegram naar het poste-restante-adres van Endean onder de naam Walter Harris, waarin hij de projectleider meedeelde, dat hij in Londen terug was en graag iets wilde bespreken. Een ander telegram ging naar Janni Dupree in zijn zitslaapkamer met de instructie om zich, zodra hij het telegram ontving, bij Shannon te melden.

Hij belde zijn eigen Zwitserse bank op en vernam, dat de helft van het salaris voor hemzelf van £ 10 000 aan hem was overgemaakt, welk bedrag van een niet nader genoemde rekeninghouder bij de Handelsbank op zijn credit was gekomen. Hij wist dat dit Endean was. Hij haalde zijn schouders op. Het was normaal, dat in dit nog vroege stadium slechts de helft van het salaris werd betaald. Hij vertrouwde erop, alleen al vanwege de omvang van Manson en hun duidelijke wens Kimba de macht te zien ontnemen, dat de andere £ 5000 in zijn bezit kwam naarmate de operatie voortgang vond.

In de loop van de middag typte hij een compleet verslag van zijn reis naar Luxemburg en Hamburg, waaruit hij de namen van de accountantsfirma in Luxemburg en de twee wapenhandelaars wegliet. Aan deze vellen hechtte hij een volledig overzicht van de uitgaven.

Het was al over vieren toen hij klaar was en hij had sinds het elfuurtje, dat hem 's morgens door de Lufthansa op de vlucht uit Hamburg was geserveerd, niets gegeten. Hij vond een zestal eieren in de koelkast, maakte een omelet die volslagen mislukte, gooide hem weg en ging een dutje doen.

Door de komst van Janni Dupree die na zessen aan de deur was werd hij wakker, en vijf minuten later ging de telefoon. Het was Endean die het telegram aan het postkantoor had afgehaald.

Endean merkte al gauw dat Shannon niet in de gelegenheid was vrijuit te spreken.

'Is er iemand bij je?' vroeg Endean aan de telefoon.

'Ja.'

'Is het zakelijk?'

'Ja.'

'Wil je dat we een afspraak maken?'

'Dat lijkt me wel nodig,' zei Shannon. 'Kan het morgenochtend?'

'Best. Schikt het omstreeks elf uur?'

'Jazeker,' zei Shannon.

'Bij jou thuis?'

'Dat vind ik prima.'

'Dan ben ik er om elf uur,' zei Endean en hing op.

Shannon wendde zich tot de Zuidafrikaan.

'Hoe staat het ermee, Janni?' vroeg hij.

Dupree had in de drie dagen dat hij aan het werk was, enige vooruitgang geboekt. De honderd paar sokken, hemden en onderbroeken waren in bestelling en konden vrijdag worden afgehaald. Hij had een leverancier voor de vijftig gevechtsjacks gevonden en had de bestelling geplaatst. Bij dezelfde firma had hij de bijbehorende broeken kunnen krijgen, maar overeenkomstig zijn opdracht zocht Dupree een andere firma om de broeken te leveren, zodat geen enkele leverancier begreep, dat hij complete uniformen verschafte. Dupree zei, dat trouwens niemand iets scheen te vermoeden, maar Shannon besloot toch aan het oorspronkelijke denkbeeld vast te houden.

Janni zei, dat hij het bij verscheidene schoenenmagazijnen geprobeerd had, maar niet de canvaslaarzen gevonden had die hij zocht. Hij zou het de rest van de week blijven proberen en de volgende week op zoek gaan naar baretten, pukkels, ransels, alle mogelijke riemen en slaapzakken. Shannon raadde hem aan naar zijn eerste exportagent te gaan en de eerste zending ondergoed en jacks zo spoedig mogelijk naar Marseille te sturen. Hij beloofde Dupree, dat hij van Langarotti over achtenveertig uur de naam en adres van een geconsigneerde agent in Marseille kreeg.

Voor de Zuidafrikaan wegging, typte Shannon een brief aan Langarotti en adresseerde deze aan hem onder zijn eigen naam bij het hoofdpostkantoor van Marseille. In de brief herinnerde hij de Corsicaan aan een gesprek, dat ze zes maanden geleden onder de palmen hadden gevoerd, toen het over het kopen van wapens ging. De Corsicaan had gezegd, dat hij iemand in Parijs kende, die van een diplomaat in een van de Parijse ambassades van een Afrikaanse republiek eindgebruikersverklaringen kon krijgen. Shannon moest de naam van die man weten en waar hij te bereiken was.

Toen hij klaar was gaf hij de brief aan Dupree en droeg hem op dit dezelfde avond nog vanuit Trafalgar Square per expresse te verzenden. Hij verklaarde dat hij het zelf had willen doen, maar dat hij in de flat moest wachten tot Langarotti zelf hem uit Marseille opbelde.

Hij begon een geweldige honger te krijgen, toen Langarotti hem tegen achten eindelijk opbelde, en zijn stem kraakte aan een telefoonlijn, die waarschijnlijk persoonlijk was aangelegd door de uitvinder van het Franse telefoonnet, dat antieke meesterwerk.

Shannon vroeg hem in bedekte termen hoe het ermee stond. Voor zijn huurlingen waren vertrokken, had hij ze allemaal gewaarschuwd dat onder geen beding een telefoonlijn gebruikt mocht worden om openlijk te praten over wat ze aan het doen waren.

'Ik heb een hotel genomen en heb je een telegram met mijn adres gestuurd,' zei Langarotti.

'Dat weet ik. Ik heb het ontvangen,' schreeuwde Shannon.

'Ik heb een scooter gehuurd en ben alle winkels rondgegaan die in de goederen handelen die we zoeken,' kwam de stem. 'Er zijn in elke categorie drie fabrikanten. Ik heb de namen en adressen van de drie botenmakers en heb ze alle drie aangeschreven om hun brochures; die krijg ik over een week of zo. Dan kan ik de boten die het meest geschikt zijn, hier ter plaatse bij de handelaars bestellen, onder opgave van de naam van de fabrikant en van het merk van het artikel,' zei Langarotti.

'Een goed idee,' zei Shannon. 'En hoe staat het met het tweede artikel?'

'Dat hangt van het soort af dat we halen uit de brochures die ik krijg. Het een hangt van het ander af. Maar maak je geen zorgen. Van het tweede ding dat we nodig hebben zijn er duizenden in alle mogelijke soorten en omschrijving in de winkels hier langs de kust. Nu het voorjaar aankomt, zorgen alle winkels in alle havens dat ze de laatste modellen in voorraad hebben.'

'Goed. Mooi zo,' schreeuwde Shannon. 'Luister nu. Ik moet de naam hebben van een goede exporteur voor de verscheping. Die heb ik eerder nodig dan ik gedacht had. Er moeten binnenkort een paar kisten van hieruit verzonden worden en ook een uit Hamburg.'

'Daar kan ik heel gemakkelijk aan komen,' zei Langarotti aan de andere kant. Maar het lijkt me beter om dat in Toulon te doen. Je begrijpt wel waarom.'

Shannon begreep het. Langarotti kon in zijn hotel een andere naam aannemen, maar om goederen op een klein vrachtschip uit de haven uit te voeren, zou hij zich met zijn identiteitskaart moeten legitimeren. Bovendien had de politie van Marseille de laatste jaren de bewaking van de haven aanzienlijk verscherpt en er was een nieuw hoofd van de douane aangesteld, die een ware verschrikking moest zijn. Die twee maatregelen hadden ten doel het heroïneverkeer, dat Marseille tot het beginpunt maakte van de Franse verbinding met New York, de kop in te drukken, maar het doorzoeken van een schip naar verdovende middelen kon ook net zo goed wapens opleveren. Het zou wel een treurige ironie van het lot zijn te worden gesnapt voor iets waar men niets mee te maken had.

'Je hebt gelijk, jij kent die streek het beste,' zei Shannon. 'Telegrafeer mij zodra je naam en adres hebt. En dan nog iets. Ik heb vanavond aan jou persoonlijk via het hoofdpostkantoor in Marseille een expresbrief gestuurd. Als je die leest dan zie je wat ik moet hebben. Telegrafeer mij direct de naam van die man als je de brief krijgt, dat zal vrijdagochtend zijn.'

'Goed,' zei Langarotti. 'Is dat alles?'

'Op het ogenblik wel, ja. Stuur mij die brochures zodra je ze krijgt, met je eigen opmerkingen en de prijzen. We moeten binnen het budget blijven.'

'Goed. Da-ag,' riep Langarotti en Shannon hing op. Hij ging alleen in het Bois de St. Jean eten en ging vroeg naar bed.

Endean kwam de volgende ochtend om elf uur en bleef een uur om het verslag met de afrekeningen te lezen en ze allebei met Shannon te bespreken.

'Dat is niet slecht,' zei hij tenslotte. 'Hoe gaan de zaken?'

'Nou,' zei Shannon. 'Het is natuurlijk nog vroeg. Ik ben nog maar tien dagen met die zaak bezig, maar er is al heel wat werk verzet. Ik wil dat op dag Twintig alle bestellingen gedaan zijn, dan zijn er nog veertig dagen om ze uit te voeren. Daarna moeten er nog twintig dagen over zijn om alle bijbehorende onderdelen te verzamelen en ze veilig en discreet aan boord van het schip te krijgen. De datum van afvaart moet dag Tachtig zijn, willen we de aanval volgens schema doen. Tussen haakjes, ik heb eerdaags meer geld nodig.'

'Je hebt al 3500 in Londen en 7000 in België,' wierp Endean tegen.

'Ja, dat weet ik wel, maar er moeten binnenkort een massa betalingen gedaan worden.'

Hij legde uit dat hij aan Johann, de wapenhandelaar in Hamburg, binnen twaalf dagen de openstaande 26 000 dollar moest betalen, zodat hij veertig dagen de tijd had om de zending, met alle formaliteiten in Madrid, voor verscheping gereed te maken; dan kwam er 4800 dollar, eveneens voor Johann, voor de hulpgereedschappen die hij voor de aanval nodig had. Als hij de eindgebruikersverklaring in Parijs had, moest hij deze tegelijk met een overmaking van 7200 dollar naar 'Alan' sturen, dat was vijftig procent van de prijs van de Joegoslavische wapens.

'Het loopt allemaal op,' zei hij. 'De grote uitgaven zijn natuurlijk de wapens en het schip. Die maken meer dan de helft van het totale budget uit.'

'Goed,' zei Endean. 'Ik zal het bespreken en een wissel voor je Belgische rekening klaarmaken van nog eens £ 20 000. Dan kan na een telefoontje van mij naar Zwitserland de overmaking plaatsvinden. Op die manier is het, als je het nodig hebt, een kwestie van een paar uur.'

Hij stond op om weg te gaan.

'Verder nog iets?'

'Nee,' zei Shannon. 'Ik moet dit weekeind weer op reis en ben bijna de hele volgende week weg. Ik wil een oogje houden op het zoeken naar een schip, de keuze van de rubberboten en buitenboordmotoren in Marseille en van de machinegeweren in België.'

'Stuur me een telegram naar het gewone adres als je weggaat en als je terug bent,' zei Endean.

De zitkamer in het ruime appartement boven Cottesmore Gardens, niet ver van Kensington High Street, was buitengewoon somber, met zware gordijnen voor de ramen die het voorjaarszonlicht tegenhielden. Door een smalle kier ertussen kon een beetje daglicht door de dikke vitrages binnendringen. Tussen de vier stijf neergezette zwaar beklede stoelen, stuk voor stuk uit de laatvictoriaanse tijd, stonden honderden tafeltjes met allerlei snuisterijen. Er lagen knopen van lang geleden doorzeefde uniformen, medailles verdiend bij schermutselingen in oude tijden met sindsdien allang uitgeroeide heidense stammen. Glazen presse-papiers stonden tegen Dresden-porseleinen poppetjes aan, cameeën van eens zo zedige schoonheden uit de Schotse Hooglanden en waaiers, die gezichten verkoelden op bals waarvan de muziek niet meer gespeeld werd.

Aan de muren van verschoten brokaat hingen portretten van voorvaderen, Montroses en Monteagles, Farquhars en Frazers, Murrays en Mintoes. Zo'n gezelschap kon toch niet allemaal de voorvaders van de oude vrouw zijn? Maar je wist het nooit met die Schotten.

Groter dan allemaal stond, in een enorme lijst boven het haardvuur dat duidelijk nooit ontstoken werd, een man in een kilt, een schilderij dat kennelijk veel jonger was dan de andere donker geworden antieke voorstellingen, maar toch verkleurd van ouderdom. Het gezicht keek tussen twee borstelige rode bakkebaarden verbolgen de kamer in, alsof de eigenaar zojuist een koelie betrapte, die het lef had van het harde werken in elkaar te zakken, aan het andere eind van de plantage. Sir Ian Macallister, KBE, luidde het opschrift onder het portret.

Martin Thorpe wendde zijn blik moeizaam weer naar lady Macallister, die in een stoel gezakt hing en zoals ze altijd deed, met het gehoorapparaat dat op haar borst hing zat te spelen. Hij probeerde uit het onsamenhangende gemurmel, de plotselinge afdwalingen en het moeilijk verstaanbare accent op te maken wat ze zei.

'Er zijn al zo vaak mensen gekomen, meneer Martin,' zei ze; ze bleef hem hardnekkig meneer Martin noemen, hoewel hij zich tweemaal had voorgesteld. 'Maar ik zie niet in, waarom ik zou verkopen. Het was de firma van mijn man, ziet u. Hij heeft al die plantages opgericht, waar ze het geld mee verdienen. Het was allemaal zijn werk. Nu komen er mensen die zeggen, dat ze de firma af willen nemen om er andere dingen mee te doen . . . huizen bouwen en al die dingen meer. Ik begrijp er allemaal niets van, en ik wil niet verkopen . . .'

'Maar lady Macallister ...'

Ze ging verder alsof ze hem niet gehoord had, wat ook het geval was, want haar gehoorapparaat vertoonde steeds dezelfde kuren, doordat ze er voortdurend mee zat te spelen. Thorpe begon te begrijpen, waarom andere gegadigden tenslotte maar ergens anders naar toe waren gegaan voor hun lege vennootschappen.

'Mijn lieve man, zaliger nagedachtenis, kon me niet veel nalaten, ziet u, meneer Martin. Toen die afschuwelijke Chinezen hem ombrachten, was ik met verlof in Schotland en ik ben nooit teruggegaan. Ze hebben me aangeraden niet te gaan. Maar ze hebben me verteld dat de plantages aan de firma behoorden en hij had me een groot deel van de firma nagelaten. Dus dat was zijn nalatenschap aan mij, ziet u. Ik kan zijn eigen nalatenschap aan mij toch niet verkopen ...'

Thorpe stond op het punt te zeggen, dat de firma waardeloos was, maar begreep dat dit niet zo goed zou vallen.

'Lady Macallister ...' begon hij weer.

'U moet recht in het gehoorapparaat spreken. Ze is zo doof als een kwartel,' zei de huisgenote van lady Macallister.

Thorpe knikte als bedankje tegen haar en keek haar voor het eerst pas goed aan. Ze liep tegen de zeventig en had het door zorgen getekende uiterlijk van hen, die eens onafhankelijk zijn geweest, maar die door de vreemde grillen van het noodlot moeilijke tijden hebben doorgemaakt, en om zich hierdoor heen te slaan een verbond met anderen zijn aangegaan, dikwijls met slecht gehumeurde en lastige werkgevers, die met hun geld in staat zijn andere mensen te huren om ze te dienen.

Thorpe stond op en ging naar de kindse oude vrouw in de fauteuil. Hij sprak nu dicht in het gehoorapparaat.

'Lady Macallister, de mensen die ik vertegenwoordig willen de firma niet veranderen. Integendeel, ze willen er een heleboel geld instoppen en hem weer rijk en beroemd maken. Wij willen de plantages van Macallister weer nieuw leven inblazen, net zoals toen uw man ze nog exploiteerde ...'

Voor het eerst sinds het gesprek een uur geleden begonnen was, ontwaakte er iets van een lichtglans in de ogen van de oude vrouw.

'Toen mijn man ze nog exploiteerde ...?' vroeg ze.

'Ja, lady Macallister,' schreeuwde Thorpe. Hij wees omhoog naar de figuur van de tiran aan de muur. 'Wij willen zijn levenswerk nieuw leven inblazen, precies zoals hij het gewild zou hebben en van de Macallister-plantages een gedenkteken voor hem en zijn werk maken.'

Maar ze was alweer weg.

'Ze hebben nooit een gedenkteken voor hem opgericht,' zei ze met trillende stem. 'Dat heb ik namelijk geprobeerd. Ik heb aan de autoriteiten geschreven. Ik heb gezegd, dat ik het standbeeld zou betalen, maar ze zeiden dat er geen plaats was. Geen plaats. Ze richten massa's standbeelden op, maar niet voor mijn Ian.'

'Ze zullen een gedenkteken voor hem oprichten, als de plantages van de firma weer rijk worden,' schreeuwde Thorpe in het gehoorapparaat. 'Dat moeten ze wel. Als de firma rijk was, kon ze een gedenkteken eisen. Dan kon ze een beurs stichten of een fonds, dat zou dan de Sir Ian Macallister-stichting heten, zodat de mensen een herinnering aan hem hadden . . .'

Hij had die tactiek al een keer geprobeerd, maar ze had hem zeker niet verstaan of niet begrepen wat hij zei. Maar deze keer verstond ze hem wel.

'Het zou een hoop geld kosten,' zei ze bevend. 'Ik ben geen rijke vrouw . . .'

Ze was in werkelijkheid steenrijk, maar besefte dat blijkbaar niet.

'Dat hoeft u niet te betalen, lady Macallister,' zei hij. 'Dat zou de firma betalen. Maar dan moet de firma zich weer uitbreiden. En dat betekent geld; het geld dat mijn vrienden in de firma stoppen . . .'

'Ik weet het niet, ik weet het niet,' zei ze klaaglijk en begon te snikken, een batisten zakdoekje uit haar mouw halend. 'Ik begrijp zulke dingen niet. Was mijn lieve Ian maar hier, of meneer Dalgleish. Ik vraag hem altijd wat het beste is. Hij tekent altijd de papieren voor me. Mevrouw Barton, ik wil weer naar mijn kamer.'

'Het is hoog tijd,' zei de gezelschapsdame en huishoudster kortaf. 'Kom nu maar, het is tijd voor uw middagslaapje en voor uw medicijnen.'

Ze hielp de oude vrouw overeind en ondersteunde haar van de zitkamer naar de gang. Door de open deur hoorde Thorpe haar met zakelijke stem commanderen dat ze naar bed moest gaan, en de protesten van de oude vrouw toen ze haar medicijn innam.

Een poosje later kwam mevrouw Barton in de zitkamer terug.

'Ze ligt in bed, ze gaat een uurtje rusten,' zei ze.

Thorpe wierp haar zijn meest berouwvolle glimlach toe.

'Ik heb het blijkbaar verkeerd aangepakt,' zei hij spijtig. 'En toch zijn die aandelen die ze heeft volkomen waardeloos, als er geen nieuwe jonge leiding en een behoorlijk bedrag in contanten komt, dat mijn compagnons er graag in zouden willen steken.'

Hij stond op om naar de deur te gaan.

'Ik hoop dat ik u geen last hebt bezorgd,' zei hij.

'Ik ben wel gewend aan last,' zei mevrouw Barton, maar haar gezicht verzachtte. Het was lang geleden sinds iemand zich verontschuldigd had omdat hij haar moeite had bezorgd. 'Wilt u een kopje thee? Dat zet ik om deze tijd toch altijd.'

Een intuïtie achter in Thorpes geest drong hem het te accepteren. Toen ze in de keuken, die het domein van de gezelschapsdame was, achter een pot thee zaten, had Martin Thorpe bijna het gevoel dat hij thuis was. Het had veel weg van zijn moeders keuken in Battersea. Mevrouw Barton vertelde hem over lady Macallister, met haar gejammer en haar slechte humeur, haar koppigheid, en hoe moeilijk het was om het altijd weer op te nemen tegen de doofheid die ze tegen haar uitspeelde.

'Ze begrijpt al uw mooie argumenten toch niet, meneer Thorpe, ook al zou u aanbieden om een gedenkteken voor die ouwe schurk in de zitkamer op te richten.'

Thorpe verbaasde zich. Die norse mevrouw Barton had blijkbaar zo haar eigen ideeën als haar werkgeefster niet luisterde.

'Ze doet wat u zegt,' zei hij.

'Wilt u nog een kopje thee,' vroeg ze. Onder het inschenken zei ze rustig: 'Jazeker, ze doet wat ik zeg. Ze is van mij afhankelijk en dat weet ze. Als ik weg zou gaan, kreeg ze nooit meer een andere gezelschapsdame. Die zijn er tegenwoordig niet meer. Dat nemen de mensen nu niet meer.'

'Het is voor u niet zo'n leuk leven, mevrouw Barton.'

'Nee,' zei ze kortaf, 'maar ik heb een dak boven mijn hoofd en eten en wat kleren. Ik kan me redden. Dat is nu eenmaal de prijs die je betaalt.'

'Omdat u weduwe bent?' vroeg Thorpe zacht.

'Ja.'

Er stond een foto van een jongeman in het uniform van een piloot van de luchtmacht op de schoorsteenmantel naast de klok. Hij droeg een jasje van schaapsvacht, een gestippelde sjaal en had een brede grijns. Uit een bepaalde hoek gezien leek hij wel een beetje op Martin Thorpe.

'Uw zoon?' zei de financier met een hoofdbeweging.

Mevrouw Barton knikte en staarde naar de foto.

'Ja. In 1943 boven Frankrijk neergeschoten.'

'Wat vreselijk.'

'Het is al lang geleden. Je went eraan.'

'Dus dan kan hij niet voor u zorgen als zij dood is.'

'Nee.'

'Wie doet dat dan?'

'Ik red me wel. Ze laat me in haar testament vast wel iets na. Ik zorg al zestien jaar voor haar.'

'Ja, dat zal ze zeker doen. Ze zorgt wel voor u . . . daar twijfel ik niet aan.'

Hij bleef nog een uurtje in de keuken zitten en toen hij wegging, was hij in een opgewekte stemming. Het liep al tegen sluitingstijd voor winkels en kantoren, maar hij belde uit een telefooncel op de hoek het hoofdkantoor van ManCon op en tien minuten later had Endean gedaan wat zijn collega vroeg.

In het West End beloofde een verzekeringsagent die avond laat op zijn kantoor te blijven en de volgende ochtend om tien uur de heer Thorpe te ontvangen.

Die donderdagavond vloog Johann Schlinker uit Hamburg naar Londen. Hij had 's morgens in Hamburg telefonisch zijn afspraak voor de avond gemaakt, en zijn relatie in plaats van op kantoor, thuis opgebeld.

Hij ontmoette de diplomaat van de Iraakse ambassade om negen uur voor het diner. Het was een kostbaar diner, temeer toen de Duitse wapenhandelaar hem een envelop overhandigde, waarin de tegenwaarde van £ 1000 in Duitse marken zat. Daar tegenover nam hij een envelop van de Arabier aan en controleerde de inhoud, in de vorm van een brief op ambassadebriefpapier met een wapen. De brief was geadresseerd aan de belanghebbende en verklaarde, dat ondergetekende, als diplomaat van de staf van de Londense ambassade van de Republiek Irak, van het ministerie van Binnenlandse Zaken en Politie van zijn land de opdracht had ontvangen om Herr Johann Schlinker te machtigen de koop tot stand te brengen van 400 000 9 mm standaardpatronen ter verzending naar Irak, om de voorraden van de politiemacht van het land aan te vullen. Hij was ondertekend door de diplomaat en droeg het stempel en het zegel van de Republiek Irak, die normaliter op het bureau van de ambassadeur lagen. Verder stond er in de brief, dat de aankoop geheel en uitsluitend ten behoeve van de Republiek Irak plaatsvond en onder geen enkele voorwaarde geheel of gedeeltelijk aan een andere partij zou worden overgedragen. Het was een eindgebruikersverklaring.

Toen ze afscheid namen, was het te laat voor de Duitser om naar huis te gaan, daarom bleef hij 's nachts in Londen en vertrok de volgende ochtend.

Vrijdagochtend om elf uur belde Cat Shannon Marc Vlaminck in zijn flat boven de bar in Oostende op.

'Heb je die man gevonden die ik je heb gevraagd op te sporen?'

informeerde hij, nadat hij zich bekend had gemaakt. Hij had de Belg al gewaarschuwd om aan de telefoon heel voorzichtig te zijn.

'Ja, ik heb hem gevonden,' antwoordde Kleine Marc. Hij zat rechtop in bed terwijl Anna zachtjes naast hem lag te snurken. De bar ging meestal 's morgens tussen drie en vier uur dicht, zodat ze allebei 's middags pas opstonden.

'Is hij bereid over die goederen te onderhandelen?' vroeg Shannon.

'Ik denk het wel,' zei Vlaminck. 'Ik heb er nog niet met hem over gesproken, maar een zakenrelatie hier zegt, dat hij na een behoorlijke introductie via een wederzijdse kennis, wel zaken wil doen.'

'Heeft hij die goederen nog waar ik de laatste keer met je over gesproken heb?'

'Ja,' zei de stem uit België. 'Die heeft hij nog.'

'Mooi,' zei Shannon. 'Maak eerst zelf een afspraak met een introductie bij hem en zeg dan dat jij benaderd bent door een klant die spijkers met koppen wil slaan. Vraag of hij zich het volgende weekeind beschikbaar wil houden voor een ontmoeting met die klant. Zeg maar dat het een goede, betrouwbare klant is en dat het een Engelsman is die Brown heet. Je weet wel wat je moet zeggen. Als je maar zorgt dat zijn belangstelling voor een transactie gewekt wordt. Je moet zeggen, dat de klant bij die gelegenheid een exemplaar van de goederen wil onderzoeken en als dit aan de eisen voldoet, de voorwaarden en levertijd wil bespreken. Ik bel je tegen het weekeind op om je te laten weten waar ik ben en te zeggen wanneer ik kan komen om jou en hem samen te spreken. Begrepen?'

'Jazeker,' zei Marc. 'Ik zal dat de komende dagen regelen en de bijeenkomst voor een later te bevestigen tijdstip vaststellen, maar tijdens het aanstaande weekeind.'

Na uitwisseling van de gebruikelijke goede wensen hingen ze op.

Om half drie arriveerde er een telegram uit Marseille in de flat. Daarop stond de naam van een Fransman met een adres. Langarotti zei, dat hij die man zou opbellen en Shannon met een persoonlijke aanbeveling zou introduceren. Het telegram eindigde met het bericht dat er inlichtingen aangaande een scheepsagent onderweg waren en dat hij verwachtte over vijf dagen een naam en adres aan Shannon te kunnen opgeven.

Shannon pakte de telefoon en belde de kantoren van de luchtvaartmaatschappij UTA in Piccadilly op, om voor zichzelf een plaats te reserveren voor de vlucht van Le Bourget in Parijs naar Afrika op zondagavond om twaalf uur. Bij de BEA reserveerde hij een ticket voor de eerste vlucht van de volgende dag, zaterdag, naar Parijs. Aan het eind van de middag had hij ze allebei contant betaald.

Hij stopte £ 2000 van het geld dat hij uit Duitsland had meegebracht in een envelop en liet het in de voering op de bodem van zijn weekeindtas glijden, want de afgezanten van de schatkist op het Londense vliegveld hebben in het algemeen bezwaar tegen Britse onderdanen, die met meer dan de toegestane £ 25 contant of £ 300 in reischeques het land uittrekken.

Na de lunch liet sir James Manson Simon Endean op zijn kantoor komen. Hij had Shannons verslag doorgelezen en was aangenaam verrast over de snelheid, waarmee het door de huurling voorgestelde plan van twaalf dagen geleden werd uitgevoerd. Hij had de rekeningen gecontroleerd en de uitgaven goedgekeurd. Wat hem nog meer genoegen deed, was het lange telefoongesprek dat hij met Martin Thorpe gevoerd had, die de halve nacht en een groot deel van de ochtend bij een verzekeringsagent had gezeten.

'Je zegt, dat Shannon bijna de hele volgende week in het buitenland is,' zei hij tegen Endean, toen zijn medewerker het kantoor binnenkwam.

'Ja, sir James.'

'Goed. Dan is er een karweitje dat vroeg of laat gedaan moet worden, en het kan net zo goed nu gebeuren. Pak een van onze standaardcontracten, die we altijd gebruiken voor het aanstellen van Afrikaanse vertegenwoordigers. Plak een strook wit papier over de naam ManCon en vul daarvoor in de plaats de naam Bormac in, en schrijf het dan uit voor een dienstverband van een jaar met Antoine Bobi als Westafrikaanse vertegenwoordiger, tegen een salaris van £ 500 per maand. Als je daarmee klaar bent, laat je het mij zien.'

'Bobi?' vroeg Endean. 'Bedoelt u kolonel Bobi?'

'Die bedoel ik. Ik wil niet, dat de toekomstige president ergens naar toe gaat. De volgende week, te beginnen maandag, ga je naar Cotonou om een gesprek met de kolonel te voeren en hem ervan te doordringen, dat de Bormac Trading Company, waarvan jij de vertegenwoordiger bent, zo onder de indruk is van zijn scherpzinnigheid en zakelijk inzicht, dat zij hem graag als Westafrikaans adviseur in dienst zou willen nemen. Maak je geen zorgen, hij gaat toch niet na wie of wat Bormac is en of jij die vertegenwoordigt. Als ik iets van deze knapen af weet, interesseert hem alleen het ruime salaris. Als hij krap zit, moet het voor hem wel als manna uit de hemel zijn.

Je moet tegen hem zeggen, dat hij later wel hoort wat zijn taak is, maar de enige voorwaarde voor zijn aanstelling op het ogenblik is, dat hij de eerstvolgende drie maanden of totdat je hem weer komt bezoeken blijft waar hij is, in zijn huis in Dahomey. Je maakt hem duidelijk, dat hij een extra salarisbetaling krijgt als hij blijft wachten waar hij nu is. Zeg maar tegen hem, dat het geld in Dahomeyaanse francs op zijn rekening ter plaatse wordt overgemaakt. Hij mag onder geen voorwaarde harde valuta ontvangen, anders mocht hij er eens vandoor gaan. Nog één ding. Als het contract gereed is, laat het dan fotokopiëren, om de sporen van de naamsverandering van de firma die hem in dienst neemt uit te wissen, en neem alleen de fotokopieën mee. Wat de datum betreft die erop staat, zorg ervoor dat het laatste cijfer van het jaar onleesbaar is. Maak er zelf maar een vlek op.'

Endean nam de instructies in zich op en vertrok, om kolonel Antoine Bobi onder valse voorwendsels de aanstelling te bezorgen.

Die vrijdagmiddag na vieren kwam Thorpe uit het sombere huis in Kensington met de vier akten van aandelenoverdracht die hij nodig had, behoorlijk door lady Macallister en door mevrouw Barton als getuige getekend. Hij had ook een machtiging bij zich, getekend door de oude vrouw, met opdracht aan de heer Dalgleish, haar advocaat in Dundee, om aan de heer Thorpe op vertoon van de brief en legitimatiebewijs, alsmede de benodigde cheque, de aandelencertificaten te overhandigen.

De naam van de ontvanger van de aandelen was op de akten van overdracht opengelaten, maar dat had Lady Macallister niet opgemerkt, daarvoor was ze te veel in de war bij het idee, dat mevrouw Barton haar koffers pakte en vertrok. Voor de avond gevallen was, zou de naam van de maatschappij van de Zwinglibank, die ten behoeve van de heren Adams, Ball, Carter en Davies optrad, op de open plaats zijn ingevuld. Na een bezoek aan Zürich zou de maandag daarop het formulier compleet zijn met bankstempel en medeondertekening van dr. Steinhofer, en zouden vier gewaarmerkte cheques op de rekeningen van de vier stromannen, die elk zeven en een half procent van het aandelenbezit van Bormac kochten, uit Zwitserland mee teruggenomen worden.

De 300 000 aandelen, die toen op de effectenbeurs op een shilling en een penny genoteerd stonden, hadden sir James Manson twee shilling per stuk of in totaal £ 30 000 gekost. Het had hem nog eens £ 30 000 gekost, die die ochtend over drie verschillende bankrekeningen liepen, eenmaal in contanten werden opgenomen en een uur later weer op een heel nieuwe rekening gezet, om een lijfrente te kopen die een oudere gezelschapsdame en huishoudster aan een prettige, onbezorgde oude dag zou helpen.

Alles bij elkaar vond Thorpe dat hij er goedkoop was afgekomen. En wat belangrijker was, het was niet te achterhalen. Thorpes naam stond op geen enkel document, de lijfrente was door een advocaat betaald en advocaten worden ervoor betaald om hun mond te houden; Thorpe vertrouwde erop, dat mevrouw Barton verstandig genoeg was om hetzelfde te doen. En het mooiste was dat het nog legaal was ook.

# 13

Benoit Lambert, bij vrienden en politie bekend als Benny, was een onbelangrijk lid van de onderwereld en noemde zich huurling. In werkelijkheid was hij een keer in de wereld van de huursoldaten opgedoken toen hij, omdat de politie hem in de buurt van Parijs op de hielen zat, een vliegtuig naar Afrika nam en getekend had voor het Zesde commando in Kongo onder leiding van Denard.

Om de een of andere merkwaardige reden had de huurlingenleider sympathie voor het bangelijke mannetje opgevat en hem een baantje op het hoofdkantoor gegeven, waardoor hij ver van de strijd bleef. Hij had zich in zijn baan verdienstelijk gemaakt, omdat hij met goed resultaat het enige talent kon uitbuiten dat hij werkelijk bezat; hij kon overal aankomen. Hij kon eieren te voorschijn toveren waar geen kippen waren en whisky waar geen distilleerketel was. In het hoofdkwartier van een militaire eenheid komt zo'n man altijd van pas en bij de meeste eenheden hebben ze er wel een.

Hij zat bijna een jaar bij het Zesde commando, tot mei 1967, toen hij merkte dat er moeilijkheden broeiden, in de vorm van een opstand van Schrammes Tiende commando tegen de Kongolese regering, die op handen was. Hij had het gevoel, terecht zoals bleek, dat Denard met het Zesde wel eens bij die vechtpartij betrokken zou kunnen raken, zodat iedereen inclusief het personeel van het hoofdkwartier, in de gelegenheid was een echte strijd mee te maken. Voor Benny Lambert was dit het tijdstip om haastig in de andere richting te verdwijnen.

Tot zijn verbazing hadden ze hem laten gaan.

Weer in Frankrijk, had hij er zich op laten voorstaan dat hij een huurling was en later noemde hij zich wapenhandelaar. Het eerste was hij zeker niet, maar met zijn verscheidenheid van relaties had hij af en toe kans gezien hier en daar een wapen te leveren, meestal pistolen voor de onderwereld en soms een kist geweren. Hij had ook een Afrikaanse diplomaat leren kennen, die bereid was tegen betaling een betrekkelijk bruikbare eindgebruikersverklaring te verschaffen, in de vorm van een brief van het bureau van de ambassadeur zelf, compleet met stempel van de ambassade. Achttien maanden geleden had hij dit in een bar tegen een Corsicaan gezegd die Langarotti heette.

Toch was hij die vrijdagavond verbaasd dat hij de Corsicaan

aan de telefoon hoorde, die interlokaal opbelde om te zeggen, dat hij de volgende dag of zondag Cat Shannon bij hem thuis op bezoek kreeg. Hij had wel van Shannon gehoord, maar hij was zich nog meer bewust van de dodelijke haat die Charles Roux tegen de Ierse huurling koesterde, en hij had allang het gerucht gehoord, dat onder de huurlingen in Parijs de ronde deed, dat Roux bereid was geld te betalen aan iedereen die hem een tip gaf over het verblijf van Shannon, indien de Ier ooit in Parijs kwam opdagen. Na even te hebben nagedacht zei Lambert dat hij thuis zou zijn om met Shannon te spreken.

'Ja, ik denk wel dat ik aan die verklaring kan komen,' zei hij, toen Shannon uitgelegd had wat hij hebben wou. 'Mijn relatie zit nog in Parijs. Ik doe namelijk vrij veel zaken met hem.'

Dat was een leugen, want het kwam juist zelden voor, maar hij was ervan overtuigd dat hij het wel voor elkaar kreeg.

'Hoeveel?' vroeg Shannon kortaf.

'Vijftienduizend franc,' zei Benny Lambert.

'*Bollocks*,' zei Shannon in het Frans. Het was een van die vele uitdrukkingen, die hij in Kongo had opgepikt, al was hij in de beste Franse woordenboeken van Larousse nog niet te vinden. 'Ik betaal je duizend pond en dat is boven het tarief.'

Lambert rekende. Het was bij de huidige koers een bedrag van iets meer dan elfduizend franc.

'Goed,' zei hij.

'Als je er met een woord over rept, snijd ik je strot door, net als bij een kip,' zei Shannon. 'Of liever, ik laat het de Corsicaan doen en die begint bij de knie.'

'Geen woord, echt niet,' protesteerde Benny. 'Duizend pond, en ik heb over vier dagen die brief voor je. En geen woord, tegen niemand.'

Shannon legde vijfhonderd pond neer.

'Je krijgt het in ponden sterling,' zei hij. 'De helft nu en de andere helft als ik het kom halen.'

Lambert wilde protesteren, maar begreep dat het toch geen zin had. De Ier vertrouwde hem niet.

'Ik kom hier woensdag terug,' zei Shannon. 'Zorg dat je die brief hebt, dan geef ik je de andere vijfhonderd.'

Toen hij weg was, dacht Benny Lambert erover na wat hij zou doen. Tenslotte besloot hij voor de brief te zorgen, de rest van zijn honorarium op te strijken en het later aan Roux te vertellen.

De volgende avond nam Shannon de nachtvlucht naar Afrika,

waar hij bij het aanbreken van de dag aankwam.

Het was een lange rit landinwaarts. Het was heet in de taxi, die ontzettend rammelde. Het was nog midden in de droge moesson en de lucht boven de oliepalmplantages was zo blauw als een lijsterei, zonder één wolkje. Het kon Shannon niets schelen. Het was goed om weer anderhalve dag in Afrika te zijn, zelfs na zes uur vliegen zonder te slapen.

Het was hem vertrouwd, meer dan de steden van West-Europa. Vertrouwd waren de geluiden en de geuren, de dorpelingen die langs de kant van de weg naar de markt liepen, rijen vrouwen achter elkaar, met hun kalebassen en bundels koopwaar die ze rotsvast op hun hoofd in evenwicht hielden.

In elk dorp dat ze doorkwamen, was de dagelijkse ochtendmarkt uitgestald in de schaduw van de met palmbladeren bedekte afdakjes van de gammele kraampjes, en de dorpsbewoners waren aan het afpingelen en kletsen, kopen en verkopen; de vrouwen pasten op de kraampjes, terwijl de mannen in de schaduw zaten te praten over belangrijke zaken die alleen zij konden begrijpen; en de naakte, bruine kindertjes renden door het stof tussen de benen van hun ouders en de kraampjes door.

Shannon had de beide raampjes openstaan. Hij zat achterover en rook de vochtige lucht van de palmen, de houtrook en de bruine stilstaande rivieren die ze overstaken. Vanaf het vliegveld had hij het nummer dat de schrijver hem had opgegeven al gebeld en hij wist dat hij verwacht werd. Hij kwam tegen twaalven bij de villa aan, die iets van de weg af in een, zij het klein, privé-park lag.

De bewakers controleerden hem bij de ingang, waar ze hem van de enkels tot de oksels fouilleerden, voor hij de taxi mocht betalen en het hek binnengaan. Binnen herkende hij een gezicht, van een van de persoonlijke oppassers van de man voor wie hij gekomen was. De bediende grijnsde breed en knikte een paar maal met zijn hoofd. Hij bracht Shannon naar een van de drie huizen op het terrein van het park en liet hem in een lege zitkamer. Hij wachtte een half uur alleen.

Shannon zat het raam uit te staren en voelde door de koelte van de luchtverversingsinstallatie zijn kleren uitdrogen, toen hij een deur hoorde kraken en het zachte geluid van een sandaal op tegels achter hem hoorde klikken. Hij draaide zich om.

De generaal zag er nog bijna net zo uit als toen ze elkaar de laatste keer op het verduisterde vliegveldje hadden ontmoet, dezelfde weelderige baard, dezelfde diepe basstem.

'Zo, majoor Shannon, bent u daar alweer. Kon u het niet meer uithouden?'

Hij maakte gekheid, zoals altijd. Shannon grinnikte toen ze elkaar een hand gaven.

'Ik ben gekomen omdat ik iets nodig heb, generaal. En omdat er iets is waar we naar mijn mening over moeten praten, een denkbeeld ergens in mijn achterhoofd.'

'Een verarmde banneling heeft u niet veel te bieden,' zei de generaal, 'maar ik wil altijd naar uw denkbeelden luisteren, want die waren altijd nogal goed, als ik me wel herinner.'

Shannon zei: 'U hebt zelfs nog in ballingschap één ding dat ik gebruiken kan; u hebt nog steeds de aanhankelijkheid van uw volk. En wat ik nodig heb is mensen.'

De twee mannen praatten onder het lunchuur en de hele verdere middag. Ze waren nog in gesprek toen de duisternis inviel en ze met Shannons nieuw getekende schetsen over de tafel uitgespreid zaten. Hij had niets anders meegebracht dan schoon wit papier en een serie gekleurde viltstiften, voor geval ze hem bij de douane grondig zouden fouilleren.

Ze kwamen tegen zonsondergang tot overeenstemming over de hoofdzaken en werkten in de avond en nacht het plan verder uit. Pas om drie uur 's morgens werd de auto besteld om Shannon weer naar het vliegveld aan de kust terug te rijden voor de eerste vlucht tegen zonsopgang naar Parijs.

Toen ze op het terras boven de klaarstaande auto met zijn slaperige chauffeur afscheid namen, gaven ze elkaar weer een hand.

'Ik houd u op de hoogte, generaal,' zei Shannon.

'En ik zal onmiddellijk mijn afgezanten moeten sturen,' antwoordde de generaal. 'Maar over zestig dagen zijn de mannen er.'

Shannon was doodop. De vermoeidheid van het voortdurende reizen deed zich voelen, de nachten zonder slaap, de eindeloze opeenvolging van vliegvelden en hotels, onderhandelingen en bijeenkomsten, hadden hem uitgeput. In de auto naar het zuiden sliep hij voor het eerst in twee dagen en gedurende de vliegreis naar Parijs deed hij ook een dutje. Het vliegtuig landde zo vaak dat hij niet behoorlijk kon slapen, een uur in Ouagadougou, nog een uur op een godverlaten veldje in Mauretanië en nog eens in Marseille. Hij kwam tegen zes uur in de namiddag op Le Bourget aan. Het was het eind van dag Vijftien.

Terwijl hij in Parijs landde, stapte Martin Thorpe in de nachttrein naar Glasgow, Stirling en Perth. Van daaruit kon hij overstappen op een trein naar Dundee, waar de vanouds bestaande kantoren van Dalgleish & Dalgleish, advocaten, gevestigd waren. Hij had in zijn aktentas het document bij zich, dat vóór het weekeinde door lady Macallister met mevrouw Barton als getuige getekend was, gelijk met de door de Zwinglibank in Zürich afgegeven cheques, vier stuks, elk ten bedrage van £ 7500 en elk genoeg om 75 000 aandelen van lady Macallister in Bormac te kopen.

Vierentwintig uur, dacht hij en trok de rolgordijnen van zijn eersteklas slaapcoupé dicht, zodat het voorbijsnellende perron van King's Cross Station uit het gezicht verdween. Over vierentwintig uur kon het voor elkaar zijn en dan zaten ze op rozen, en dan was er drie weken later een nieuwe beheerder in de Raad, een stroman die de touwtjes gehoorzaamde, die door sir James Manson en hem getrokken werden. Hij nestelde zich in zijn kooi en met de aktentas onder het hoofdkussen lag Martin Thorpe, genietend van dat gevoel, omhoog te kijken.

Later op die dinsdagavond had Shannon in een hotel niet ver van de Madeleine in het hart van het Achtste arrondissement in Parijs zijn intrek genomen. Hij had van zijn gewone onderkomen in Montmartre waar hij als Carlo Shannon bekend stond, moeten afzien, omdat hij nu de naam Keith Brown had aangenomen. Maar het Plaza-Surene was een goed alternatief. Hij had een bad genomen en zich geschoren en stond op het punt te gaan eten. Hij had opgebeld om een tafeltje te reserveren in zijn favoriete eethuisje in die buurt, restaurant Mazagran, en madame Michelle had hem een *filet mignon* beloofd op de manier waar hij van hield, met een aangemaakte sla erbij en een Pot de Chirouble om bij te drinken.

De twee gesprekken met voorbericht die hij had aangevraagd kwamen vrijwel tegelijkertijd. De eerste aan de lijn was een zekere heer Lavallon uit Marseille, die hij beter kende als Jean-Baptiste Langarotti.

'Heb je die scheepsagent al,' vroeg Shannon, na het uitwisselen van begroetingen.

'Ja,' zei de Corsicaan. 'Hij zit in Toulon. Een hele goeie, heel fatsoenlijk en bekwaam. Ze hebben in de haven hun eigen entrepot.'

'Spel het even,' zei Shannon. Hij had potlood en papier klaar.

'Agence Maritime Duphot,' spelde Langarotti en hij dicteerde het adres. 'Stuur de zendingen naar het agentschap, duidelijk gemerkt als het eigendom van monsieur Langarotti.'

Shannon hing op en de telefoniste van het hotel kwam meteen aan de lijn om te zeggen dat een meneer Dupree uit Londen opbelde.

'Ik heb net je telegram ontvangen,' schreeuwde Janni Dupree.

Shannon spelde hem naam en adres van de agent in Toulon letter voor letter en Dupree schreef het op.

'Goed zo,' zei hij tenslotte. 'Ik heb de eerste van de vier kisten hier al klaar en in entrepot opgeslagen. Ik zal tegen de Londense agenten hier zeggen, dat ze het spul zo gauw mogelijk moeten verschepen. O, tussen haakjes, ik heb de laarzen ook gevonden.'

'Prachtig,' zei Shannon, 'goed werk.'

Hij vroeg nog een gesprek aan, nu met een bar in Oostende. Er was een kwartier oponthoud voor de stem van Marc doorkwam.

'Ik zit in Parijs,' zei Shannon. 'Die man met dat monster van de waren die ik wil onderzoeken . . .'

'Ja,' zei Marc. 'Daar heb ik contact mee gehad. Hij is bereid een afspraak met je te maken om de prijzen en voorwaarden te bespreken.'

'Goed. Ik ben donderdagavond of vrijdagochtend in België. Zeg maar tegen hem, dat ik voorstel vrijdagochtend onder het ontbijt op mijn kamer in het Holiday Inn bij het vliegveld.'

'Dat ken ik,' zei Marc. 'Goed, ik zal het hem voorstellen en je terugbellen.'

'Bel me dan morgen tussen tien en elf,' zei Shannon en hing op.

Daarna pas trok hij zijn jasje aan om nu eindelijk eens te gaan eten en uitgebreid een hele nacht te slapen, waar hij zo naar verlangd had.

Terwijl Shannon sliep, was Simon Endean op weg naar het zuiden met de nachtvlucht naar Afrika. Hij was maandagochtend met het eerste vliegtuig in Parijs aangekomen en had meteen een taxi naar de ambassade van Dahomey in de Avenue Victor Hugo genomen. Hier had hij een uitvoerig rose aanvraagformulier ingevuld voor een zesdaags toeristenvisum. Hij kon het dinsdagmiddag vlak voor de sluiting van het consulaat afhalen en had 's avonds om twaalf uur het vliegtuig via Niamey naar Cotonou genomen. Shannon zou niet zo heel erg verbaasd zijn geweest als hij wist dat Endean naar Afrika ging, want hij nam aan dat de verbannen kolonel Bobi wel een rol in sir James Mansons plannen zou spelen en dat de oudcommandant van het Zangarese leger ergens langs de mangrovenkust zijn tijd afwachtte. Maar indien Endean geweten had, dat Shannon net van een geheim bezoek aan de generaal in dezelfde streek van Afrika terug was gekomen, had hij die hele nacht aan boord van de UTA DC-8 geen oog meer dichtgedaan, ondanks de pil die hij geslikt had om zich van een ongestoorde slaap te verzekeren.

Marc Vlaminck belde Shannon de volgende ochtend om kwart

over tien in zijn hotel op.

'Hij gaat met de afspraak akkoord en hij brengt het monster mee,' zei de Belg. 'Wil je dat ik ook meekom?'

'Jazeker,' zei Shannon. 'Als je in het hotel komt moet je bij de receptie naar de kamer van meneer Brown vragen. Maar iets anders. Heb je die bestelwagen nog gekocht zoals ik je gevraagd heb?'

'Ja, waarom?'

'Heeft deze heer hem al gezien?'

Het was even stil terwijl Marc Vlaminck nadacht.

'Nee.'

'Kom er dan niet mee naar Brussel. Huur een auto en rijd er zelf mee. Pik hem onderweg maar op. Duidelijk?'

'Ja,' zei Vlaminck, die er nog niets van begreep. 'Zoals je wilt.'

Shannon, die nog in bed lag maar zich stukken beter voelde, belde om het ontbijt en ging zoals zijn gewoonte was vijf minuten onder de douche, vier minuten in gloeiend heet water en zestig seconden onder een ijskoude straal. De koffie met broodjes stond al op het tafeltje toen hij eruit kwam. Hij vroeg aan de telefoon naast het bed twee gesprekken aan, met Benny Lambert in Parijs en met meneer Stein van Lang & Stein in Luxemburg.

'Heb je die brief al voor me,' vroeg hij Lambert.

De stem van de kleine boef klonk geforceerd.

'Ja, die heb ik gisteren gekregen. Gelukkig had mijn relatie maandag dienst en ik heb hem 's avonds gesproken. Hij heeft gisteravond die introductiebrief afgegeven. Wanneer moet u hem hebben?'

'Vanmiddag,' zei Shannon.

'Goed. Hebt u mijn honorarium?'

'Wees gerust, dat heb ik bij me.'

'Kom dan tegen drieën bij mij langs,' zei Lambert.

Shannon dacht even na.

'Nee, ik wil je hier spreken,' zei hij en gaf Lambert de naam van zijn hotel op. Hij ontmoette het mannetje liever in een openbare gelegenheid. Nogal tot zijn verbazing stemde Lambert er, met iets in zijn stem dat op enthousiasme leek, in toe naar het hotel te komen. Er klopte iets niet helemaal met dit zaakje, maar Shannon kon niet precies zeggen wat het was. Hij wist dan ook niet dat hij de schurk in Parijs de inlichting had gegeven die deze later aan Roux zou verkopen.

Meneer Stein was aan de andere telefoon in gesprek toen de oproep kwam, en liever dan te wachten zei Shannon, dat hij terug zou bellen. Dit deed hij een uur later.

'Wat betreft die bijeenkomst voor de oprichting van mijn holding-maatschappij, Tyrone Holdings,' begon hij.

'Ah, juist, meneer Brown,' zei Steins stem aan de lijn. 'Alles is voor elkaar. Wanneer zou u willen voorstellen?'

'Morgenmiddag,' zei Shannon. Ze kwamen overeen, dat de bijeenkomst om drie uur op het kantoor van Stein zou plaatsvinden.

Shannon liet het hotel een plaats op de exprestrein van Parijs naar Luxemburg reserveren voor de volgende ochtend om negen uur.

'Ik moet zeggen, dat ik dit allemaal heel vreemd vind, heel erg vreemd zelfs.'

De heer Duncan Dalgleish senior paste in uiterlijk en manieren precies bij zijn kantoor en zijn kantoor zag eruit, alsof het de entourage was geweest voor het voorlezen van het testament van sir Walter Scott.

Hij bestudeerde de vier akten van aandelenoverdracht, getekend door lady Macallister met mevrouw Barton als getuige, zorgvuldig en langdurig. Hij had herhaaldelijk op droevige toon 'aye' gemompeld en de blikken die hij op de jongeman uit Londen wierp, waren misprijzend. Hij was kennelijk helemaal niet gewend met gewaarmerkte cheques van een bank in Zürich om te gaan en hij hield ze onder het lezen tussen duim en wijsvinger vast. Hij bekeek de vier akten opnieuw terwijl hij sprak.

'U begrijpt wel, dat lady Macallister al vaker benaderd is over de verkoop van deze aandelen. In het verleden heeft ze het altijd nodig gevonden de firma Dalgleish te raadplegen en ik heb het altijd nodig gevonden haar te adviseren de aandelen niet te verkopen,' ging hij verder.

Thorpe dacht bij zichzelf, dat andere cliënten van meneer Duncan Dalgleish dan op grond van zijn advies ongetwijfeld hele stapels waardeloze effecten bewaarden, maar zijn gezicht bleef in de plooi.

'Meneer Dalgleish, u zult moeten toegeven, dat de heren die ik vertegenwoordig, aan lady Macallister bijna tweemaal de nominale waarde hebben betaald. Zij heeft van haar kant vrijwillig de akten getekend, en mij gemachtigd op vertoon van een of meer cheques voor een totale waarde van £ 30 000, die u nu in handen hebt, de aandelen over te nemen.'

De oude man zuchtte weer.

'Het is juist zo vreemd dat ze mij niet eerst geraadpleegd heeft,' zei hij treurig. 'Ik adviseer haar altijd over al haar financiële aangelegenheden. Daarvoor heb ik haar algemene volmacht.'

'Maar haar eigen handtekening is toch volkomen geldig,' hield Thorpe vol.

'Ja, ja, mijn volmacht doet hoegenaamd niets af aan haar eigen recht om voor zichzelf te tekenen.'

'Dan zou ik het op prijs stellen, indien u mij die aandelencertificaten zou willen geven, zodat ik naar Londen terug kan gaan,' zei Thorpe.

De oude man stond langzaam op.

'Wilt u mij even verontschuldigen, meneer Thorpe,' zei hij waardig en trok zich in zijn heiligdom terug. Thorpe wist, dat hij naar Londen ging opbellen en hoopte vurig, dat het gehoorapparaat van lady Macallister het nodig zou maken, dat mevrouw Barton voor hen samen aan de telefoon het woord deed. Het duurde een half uur voor de oude advocaat terugkwam. Hij had een groot pak oude, vergeelde aandelencertificaten in zijn hand.

'Lady Macallister heeft bevestigd wat u zegt, meneer Thorpe. Niet dat ik aan uw woorden twijfelde, dat begrijpt u natuurlijk wel. Ik achtte mij verplicht met mijn cliënte te spreken, alvorens zo'n grote transactie af te sluiten.'

'Vanzelfsprekend,' zei Thorpe, die opstond en zijn hand uitstak. Dalgleish deed afstand van de aandelen alsof ze van hemzelf waren.

Een uur later zat Thorpe in zijn trein, die door het lichte voorjaarslandschap van Angus County naar Londen terugreed.

Op negenduizend kilometer van de met heide begroeide heuvels van Schotland zat Simon Endean, met de logge gestalte van kolonel Bobi, in een kleine huurvilla in de betere wijk van Cotonou. Hij was met het ochtendvliegtuig aangekomen en had een kamer genomen in Hotel du Port, waar de Israëlische hotelhouder hem geholpen had bij het opsporen van het huis, waar de Zangarese legerofficier in de benarde omstandigheden van zijn ballingschap woonde.

Bobi was een onbehouwen reus van een kerel met enorme handen, in wie een dierlijke wreedheid smeulde. De combinatie beviel Endean wel. Het kon hem niet schelen met welke noodlottige gevolgen Bobi als opvolger van de niet minder noodlottige Jean Kimba over Zangaro zou heersen. Hij kwam om iemand te zoeken, die voor een appel en een ei, plus een flinke steekpenning op zijn privé-rekening schriftelijk afstand deed van de exploitatierechten van de Kristalberg, aan de Bormac Trading Company. Hij had gevonden wat hij zocht.

In ruil voor een salaris van £ 500 per maand zou de kolonel

met het grootste genoegen de post van Westafrikaanse adviseur bij Bormac accepteren. Hij had net gedaan of hij het contract dat Endean had meegebracht, doorlas maar de Engelsman zag tot zijn vreugde dat Bobi, toen hij de tweede bladzijde opsloeg, die Endean tussen de eerste en derde bladzijde ondersteboven had vastgeniet, geen spier vertrok. Hij was praktisch analfabeet.

Endean legde de voorwaarden van het contract langzaam uit in het taaltje dat ze spraken, een mengeling van simpel Frans en Negerengels van de kust. Bobi knikte ernstig en bestudeerde met zijn kleine, bloeddoorlopen ogen aandachtig het contract. Endean drukte hem op het hart, dat Bobi de eerste twee of drie maanden in of om zijn villa moest blijven en dat Endean in die tijd terugkwam om hem op te zoeken.

De Engelsman kwam erachter, dat Bobi nog een geldig Zangarees diplomatiek paspoort had, overblijfsel van een bezoek dat hij eens aan de zijde van de minister van Defensie, Kimba's neef, buiten Zangaro gebracht had.

Vlak voor zonsondergang krabbelde hij iets wat voor een handtekening doorging onder het document, al kwam de handtekening er niet echt op aan. Pas later zou Bobi te horen krijgen, dat Bormac hem in ruil voor mijnexploitatierechten weer aan de macht zou brengen. Endean meende dat Bobi niet lastig zou zijn, als het geld maar goed was.

De volgende ochtend tegen zonsopgang zat Endean op een ander vliegtuig met bestemming Parijs en Londen.

De bijeenkomst met Benny Lambert vond plaats zoals afgesproken in het hotel, en was kort en ter zake. Lambert overhandigde een envelop, die Shannon openscheurde. Hij haalde er twee velletjes papier uit, allebei gelijk, en op allebei stond het wapen en het briefhoofd van de ambassadeur van de Republiek Togo in Parijs gedrukt.

Het ene velletje was blanco, op een handtekening onderaan en het ambassadestempel na. Het andere velletje was een brief, waarin de schrijver verklaarde, dat hij door zijn regering gemachtigd was, om ten behoeve van ... een aanvraag in te dienen bij de regering van ... tot de aankoop van militaire wapens, op aangehechte lijst vermeld. De brief eindigde met gebruikelijke verzekering, dat de wapens uitsluitend bestemd waren voor gebruik door de gewapende strijdkrachten van de republiek Togo en niet aan derden gegeven of verkocht zouden worden. Hieronder prijkte eveneens een handtekening en het zegel van de republiek.

Shannon knikte. Hij was ervan overtuigd, dat Alan Baker zijn eigen naam zo kon invullen als de gemachtigde en de Federale Republiek Joegoslavië als de verkopende regering, dat er niets van te zien was dat deze later waren toegevoegd. Hij overhandigde Lambert de verschuldigde £ 500 en verliet de lounge.

Zoals de meeste zwakkelingen was Lambert besluiteloos. Hij stond nu al drie dagen op het punt Charles Roux op te bellen en tegen hem te zeggen, dat Shannon in de stad was en een eindgebruikersverklaring zocht. Hij wist, dat de Franse huurling bijzonder veel belangstelling voor dat nieuws had, maar hij wist niet waarom. Hij vermoedde dat het was, omdat Roux Parijs met de daar wonende huurlingen als zijn privé-domein beschouwde. Hij zou niet veel op hebben met een vreemdeling, die hier kwam om een operatie te ondernemen met wapens of mannen, zonder Roux als gelijkwaardige partner, of wenselijker nog, als *patron*, de baas van de onderneming, eraan te laten meedoen. Het kwam helemaal niet bij Roux op, dat niemand hem zou willen financieren om een operatie te ondernemen, omdat hij er al te veel verraden had en te veel steekpenningen had aangenomen om een project te doen mislukken en te veel mensen hun salaris niet had uitbetaald.

Maar Lambert was bang voor Roux en vond wel dat hij het hem moest vertellen. Hij had 's middags op het punt gestaan dat te doen en zou dat ook gedaan hebben, als Shannon het saldo van £ 500 niet bij zich had gehad. Maar als hij Roux onder deze omstandigheden had gewaarschuwd, zou dat de kleine schurk die £ 500 hebben gekost en hij wist wel zeker dat Roux hem zo'n groot bedrag niet zou hebben vergoed, alleen maar voor een tip. Lambert wist echter niet, dat Roux een overeenkomst was aangegaan om de Ier te laten vermoorden. Daarom bedacht hij in zijn onwetendheid een ander plan.

Benny Lambert was wel niet zo erg pienter, maar hij meende dat hij een volmaakte oplossing had gevonden. Hij kon het hele bedrag van duizend pond van Shannon aanpakken en tegen Roux zeggen, dat de Ier bij hem was geweest met het verzoek om een eindgebruikersverklaring, die hij prompt geweigerd had. Maar er was één nadeel. Hij had genoeg over Shannon gehoord om ook voor hem bang te zijn en hij vreesde, dat wanneer Roux te snel na Lamberts eigen onderhoud in het hotel met de Ier in contact kwam, Shannon zou vermoeden van wie de tip afkomstig was. Hij besloot tot de volgende ochtend te wachten.

Toen hij tenslotte de tip aan Roux doorgaf, was het te laat. Roux belde meteen onder een andere naam het hotel op en vroeg of de heer Shannon daar logeerde. De hoofdreceptionist antwoordde geheel naar waarheid dat er niemand van die naam in het hotel was.

Nader aan de tand gevoeld, verklaarde een doodsbenauwde Lambert, dat hij niet echt in het hotel was geweest, maar alleen een telefoontje van Shannon had ontvangen die het hotel had opgegeven als de plaats waar hij verblijf hield.

Even over negenen was de medewerker van Roux, Henri Alain, bij de receptie van het Plaza-Surene, waar hij vaststelde dat het signalement van de enige Engelsman of Ier die de vorige nacht in het hotel had gelogeerd, precies klopte met dat van Cat Shannon; dat hij onder de naam en met het paspoort van Keith Brown was ingeschreven, en dat hij via de receptie een kaartje voor de exprestrein van negen uur 's morgens naar Luxemburg had gereserveerd. Henri Alain hoorde nog meer; van een bespreking die meneer Brown de vorige middag in de lounge had gevoerd en het signalement van een Fransman met wie men hem had zien praten. Dit alles bracht hij om twaalf uur aan Roux over.

In de flat van de Franse huurling hielden Roux, Henri Alain en Raymond Thomard een oorlogsbespreking. Roux nam het doorslaggevende besluit.

'Henri, we zijn hem deze keer misgelopen, maar de kans is groot dat hij er nog niets van weet. Dus het kan best zijn dat hij, als hij weer in Parijs over moet blijven, ook naar dat hotel gaat. Nu moet je zorgen dat je met iemand van het personeel bevriend raakt, goed bevriend. De eerstvolgende keer dat die man daar aankomt, wil ik het weten, maar direct. Begrepen?'

Alain knikte.

'Jazeker, *patron*. Ik zal er door iemand van binnenuit oog op laten houden en zodra hij opbelt om te reserveren weten we het.'

Roux richtte zich tot Thomard.

'Als hij weer komt, Raymond, dan neem jij hem te pakken. Intussen is er nog een ander karweitje. Die zak van een Lambert heeft zwaar gelogen. Als hij me gisteravond die tip had gegeven, was die zaak al achter de rug geweest. Dus hij heeft waarschijnlijk van Shannon geld aangepakt en daarna geprobeerd van mij ook geld los te krijgen voor achterhaalde inlichtingen. Jij zorgt dat Benny Lambert de eerstkomende zes maanden niet meer kan lopen.'

De oprichting van de firma die Tyrone Holdings zou gaan heten, ging sneller dan Shannon voor mogelijk had gehouden. Het ging zo vlug, dat het al bijna afgelopen was voor het begonnen was. Hij werd in het privé-kantoor van meneer Stein genodigd, waar meneer Lang en een jongere firmant al zaten. Langs de ene muur zaten drie secretaressen, die de secretaressen van de drie aanwezige accountants bleken te zijn. Met de vereiste zeven aandeelhouders bij de hand, richtte meneer Stein in vijf minuten de firma op. Shannon overhandigde het saldo van £ 500 en de duizend aandelen werden uitgegeven. Elke aanwezige ontving er één en tekende ervoor, en gaf ze vervolgens aan meneer Stein, die bereid was ze in de kluis van de firma te bewaren. Shannon ontving 994 aandelen in één blok, dat uit één vel papier bestond, en tekende ervoor. Zijn eigen aandelen stak hij in zijn zak. De statuten en de akte van oprichting werden door de voorzitter en de secretaris van de firma getekend en een kopie van elk werd later bij de Registratie van Vennootschappen van het Groothertogdom Luxemburg opgeborgen. Daarna werden de drie secretaressen weer aan het werk gezet, de driehoofdige Raad van beheer nam kennis van de doelstellingen van de firma en keurde deze goed, de notulen werden op een vel papier opgeschreven, voorgelezen door de secretaris en getekend door de voorzitter. Dat was alles. Tyrone Holdings S.A. bestond voor de wet.

De twee andere commissarissen gaven Shannon een hand en zeiden meneer Brown tegen hem, en vertrokken. Meneer Stein vergezelde hem naar de deur.

'Als u en uw medefirmanten een firma willen kopen op het gekozen werkterrein, die eigendom van Tyrone Holdings moet worden,' zei hij tegen Shannon, 'dan is het noodzakelijk dat u hier komt, ons een cheque voor het vereiste bedrag geeft en de nieuwe uitgifte koopt tegen £ 1 per aandeel. De formaliteiten kunt u aan ons overlaten.'

Shannon begreep het. Eventuele verzoeken om inlichtingen kwamen niet verder dan meneer Stein als directeur van de firma. Twee uur later nam hij het avondvliegtuig naar Brussel en kwam tegen acht uur in het Holiday Inn aan.

De man, die Kleine Marc Vlaminck vergezelde, toen ze de volgende ochtend om tien uur op de kamer van Shannon klopten, werd voorgesteld als meneer Boucher. Het tweetal dat op de drempel stond toen hij de deur opendeed, zag eruit als een komisch duo. Marc was groot en zwaar en stak hoog boven zijn metgezel uit en hij was overal gespierd. De andere man was dik, uitzonderlijk dik, het type dat vaak voorkomt in lachfilms en kermisattracties. Hij leek bijna rond, in evenwicht gehouden als die plastic kinderpoppetjes die niet kunnen omvallen omdat ze bolrond zijn. Alleen als men goed keek bleek, dat er twee voetjes in glimmend gepoetste schoenen onder uitstaken en dat de klomp, die de onderste helft vormde, uit twee benen bestond. In rust zag het eruit als één geheel.

Het hoofd van meneer Boucher bleek het enige voorwerp te zijn, dat de overigens gelijkmatige bolvormige omvang verstoorde. Het was klein van boven en liep breeduit naar beneden waar het over zijn boord welfde en deze aan het gezicht onttrok, en het vlees van de wangen rustte dankbaar op de schouders. Even later ontdekte Shannon dat hij aan beide zijden ook armen had, en in de ene had hij een glimmend diplomatenkoffertje van zo'n twaalf centimeter dik.

'Komt u binnen,' zei Shannon, die achteruit week.

Boucher trad eerst binnen, een beetje zijwaarts draaiend om als een grote grijze bal kamgaren op wieltjes de deur door te glijden. Marc volgde met een knipoog naar Shannon toen hij diens blik opving. Ze stelden zich aan elkaar voor en gaven elkaar een hand. Shannon wees naar een fauteuil, maar Boucher verkoos de rand van het bed. Hij was verstandig en ervaren. Hij was wellicht nooit meer uit de fauteuil gekomen.

Shannon schonk voor iedereen koffie in en ging meteen over op zaken. Kleine Marc ging zitten en zweeg.

'Meneer Boucher, mijn vriend en compagnon heeft u misschien al verteld dat mijn naam Brown is. Mijn nationaliteit is de Engelse en ik vertegenwoordig hier een groepje vrienden, die belangstelling hebben voor de aankoop van een partij machinegeweren of machinepistolen. De heer Vlaminck was zo vriendelijk mij te vertellen, dat hij mij aan iemand voor kon stellen, die misschien een partij machinepistolen te koop heeft. Ik heb begrepen dat dit 9 mm Schmeisser machinepistolen zijn, die in de oorlog gefabriceerd maar nooit gebruikt zijn. Ik begrijp ook en ik accepteer, dat het niet mogelijk zal zijn er een uitvoervergunning voor te krijgen, maar mijn mensen gaan hiermee akkoord en zijn bereid alle verantwoordelijkheid dienaangaande te aanvaarden. Is dat een juiste weergave?'

Boucher knikte langzaam. Hij kon niet vlug knikken.

'Ik ben in staat een hoeveelheid van deze wapens beschikbaar te stellen,' zei hij voorzichtig. 'Het is inderdaad onmogelijk er een uitvoervergunning voor te verkrijgen. Om die reden moet de identiteit van mijn eigen mensen beschermd worden. Mochten wij tot een zakelijke overeenkomst komen, dan zou dat op basis van contante betaling moeten zijn, met veiligheidsmaatregelen voor mijn eigen mensen.'

Hij liegt, dacht Shannon. Boucher heeft geen mensen achter zich. Hij is de eigenaar van dat spul en hij werkt alleen.

Meneer Boucher was in zijn jonge en slankere jaren eigenlijk een Belgische SS-er geweest en had als kok in de SS-kazernes in Namen gewerkt. Omdat hij gek, om niet te zeggen bezeten was van eten, was hij kok geworden en voor de oorlog was hij heel wat baantjes kwijtgeraakt, omdat hij meer proefde dan door het luikje serveerde. Toen er in België in oorlogstijd voedselgebrek heerste, koos hij voor de keuken van de Belgische SS-eenheid, een van de vele SS-troepen die de nazi's in verschillende bezette landen rekruteerden. Bij de SS viel er volgens de jonge Boucher wel iets te eten. In 1944, toen de Duitsers uit Namen wegtrokken naar het front, was er een lading ongebruikte Schmeissers uit het arsenaal op weg naar het oosten, toen de vrachtwagen onklaar raakte. Er was geen tijd om de vrachtwagen te repareren, zodat de lading naar een bunker in de buurt werd overgebracht en de ingang werd met dynamiet opgeblazen. Boucher was erbij toen het gebeurde. Jaren later was hij teruggekomen, had het puin weggeschept en de duizend wapens eruit gehaald.

Sindsdien lagen ze onder een luik in de vloer van de garage van zijn buitenhuisje, dat zijn ouders die in het midden van de jaren vijftig waren overleden, hem hadden nagelaten. Hij had zo nu en dan ongeregelde partijen Schmeissers verkocht en de helft van zijn voorraad aan de man gebracht.

'Als deze wapens schietklaar zijn zou ik er wel honderd van willen kopen,' zei Shannon. 'De betaling vindt natuurlijk contant plaats, onverschillig in welke valuta. Bij het overdragen van de lading wordt aan alle redelijke door u gestelde voorwaarden voldaan. Wij verwachten eveneens volstrekte geheimhouding.'

'Wat de toestand van de wapens betreft, monsieur, ze zijn allemaal gloednieuw. Ze zitten nog in het vet van de fabriek en ze zijn allemaal verpakt in een vetvrij-papieren zak waarvan de sluiting niet verbroken is, net zoals ze dertig jaar geleden uit de fabriek zijn gekomen, en het is ondanks hun ouderdom waarschijnlijk nog steeds het mooiste machinepistool dat ooit gemaakt is.'

Hij hoefde Shannon niets over de 9 mm Schmeisser te vertellen. Persoonlijk vond hij dat de Israëlische Uzi beter was, maar die was zwaar. De Schmeisser was stukken beter dan de Sten en minstens zo goed als de veel modernere Britse Sterling. Het Amerikaanse machinepistool of de Russische en Chinese automatische pistolen vond hij maar niets. Maar Uzi's en Sterlings zijn vrijwel niet te krijgen en nooit in optimale toestand.

'Mag ik hem zien' vroeg hij.

Zwaar ademhalend trok Boucher het zwarte koffertje dat hij

bij zich had op zijn knieën en knipte de sloten open, nadat hij aan de schijven van het combinatieslot had gedraaid. Hij tilde het deksel op en hield het koffertje naar voren, zonder een poging te doen om overeind te komen.

Shannon stond op, liep de kamer door en nam het koffertje van hem aan. Hij legde het op het tafeltje naast het bed en haalde de Schmeisser eruit.

Het was een prachtig exemplaar. Shannon liet zijn handen over het gladde blauwzwarte metaal glijden, pakte de pistoolkolf en voelde hoe licht die was. Hij trok de slede terug en liet hem weer los, probeerde een paar maal het afvuurmechanisme en tuurde van de voorkant af door de loop. Het inwendige was ongebruikt en zonder schrammen.

'Dat is het monstermodel,' hijgde Boucher. 'Het fabrieksvet is er natuurlijk af en er zit alleen een dun laagje olie op. Maar de andere zijn precies zo. Ongebruikt.'

Shannon legde het neer.

'Er moet 9 mm standaardmunitie in, daar is gemakkelijk aan te komen,' zei Boucher hulpvaardig.

'Dank u, dat weet ik. Hoe staat het met de patroonhouders? Die kun je namelijk niet overal zo maar krijgen.'

'Ik kan er bij elk wapen vijf leveren,' zei Boucher.

'Vijf?' zei Shannon met geveinsde verbazing. 'Ik heb er meer dan vijf nodig. Minstens tien.'

Het onderhandelen was begonnen; Shannon klaagde dat de wapenhandelaar niet genoeg patroonhouders kon leveren; de Belg wierp tegen, dat dit het maximum was dat hij voor elk wapen kon verschaffen zonder zich te ruïneren. Shannon stelde 75 dollar per Schmeisser voor bij aankoop van 100 stuks en Boucher beweerde, dat hij die prijs alleen kon toestaan voor aankoop van niet minder dan 250 wapens en dat hij voor 100 stuks 125 dollar per stuk moest hebben. Twee uur later werden ze het eens over honderd Schmeissers tegen honderd dollar per stuk. Ze stelden de plaats en het tijdstip vast voor de woensdagavond daarop, als het donker was, en spraken de methode van overdracht af. Toen het achter de rug was, bood Shannon Boucher een lift terug aan in de auto van Vlaminck naar de plaats waar hij vandaan kwam, maar het dikke mannetje gaf er de voorkeur aan een taxi te bellen en zich naar het centrum van Brussel te laten brengen om zelf naar huis te gaan. Hij was niet overtuigd dat de Ier, die volgens hem vast van de IRA was, hem niet naar een stil plekje zou brengen om hem net zo lang te bewerken tot hij de plaats van de geheime opslagplaats te weten was gekomen. Boucher had volkomen gelijk. Vertrouwen is een dwaze en overbodige luxe op de zwarte wapenmarkt.

Vlaminck vergezelde de dikzak met zijn dodelijke koffertje naar de hal beneden en bracht hem naar zijn taxi. Toen hij terugkwam, was Shannon aan het inpakken.

'Begrijp je wat ik bedoel met die bestelwagen die je gekocht hebt?' vroeg hij aan Marc.

'Nee,' zei de ander.

'We zullen die bestelwagen moeten gebruiken om woensdag de zaak op te halen,' legde Shannon uit. 'Ik vind het niet nodig, dat Boucher de echte nummerborden ziet. Wil je zorgen dat er vóor woensdagavond een extra stel klaar is? Het is maar voor een uurtje, maar als Boucher iemand een tip wil geven, dan hebben ze de verkeerde wagen.'

'Goed Cat, ik zal zorgen dat het in orde komt. Ik heb twee dagen geleden een garage gevonden die afgesloten kan worden. En het andere spul is in bestelling. Kan ik je ergens naar toe brengen? Ik heb de huurauto nog de hele dag.'

Shannon liet zich door Vlaminck naar Brugge in het westen rijden en liet hem in een café wachten, terwijl hij zelf naar de bank ging. Monsieur Goossens was gaan lunchen, daarom ging het tweetal zelf in het restaurantje aan de grote markt eten en Shannon ging om half drie weer naar de bank.

Er stond nog £ 7000 op de rekening van Keith Brown, maar over negen dagen verviel er een debetpost van £ 2000 voor het salaris van de vier huurlingen. Hij schreef een bankcheque ten gunste van Johann Schlinker en stopte hem in een envelop, waarin een brief van hem aan Schlinker zat, die hij de vorige avond laat in zijn hotelkamer geschreven had. Hierin werd Schlinker meegedeeld, dat de ingesloten cheque van 4800 dollar bestemd was voor de volledige betaling van het assortiment scheepvaart- en reddingsartikelen die hij een week tevoren besteld had en gaf de Duitser de naam en het adres op van de scheepsagent in Toulon, aan wie de gehele zending gestuurd moest worden in entrepot bestemd voor export, om door de heer Jean-Baptiste Langarotti te worden afgehaald. Tenslotte deelde hij Schlinker mee, dat hij hem komende week zou opbellen om te informeren of de eindgebruikersverklaring voor de bestelde 9 mm munitie in orde was.

De andere brief was aan Alan Baker, geadresseerd aan zijn huis in Hamburg. De cheque die erin zat was ten gunste van Baker voor een bedrag van 7200 dollar en Shannon verklaarde in zijn brief, dat dit de volledige betaling was van de vereiste vijftig procent voorschot voor de aankoop van goederen, waarover ze een week geleden tijdens het diner in het Atlantic hadden gesproken.

Hij sloot de eindgebruikersverklaring van de regering van Togo en het blanco velletje uit dezelfde bron in. Tenslotte droeg hij Baker op achter elkaar door te gaan met de aankoop en beloofde, dat hij regelmatig telefonisch contact zou opnemen om te horen hoe het ermee stond.

De twee brieven werden aangetekend per expresse uit het postkantoor in Brugge verzonden. Van daaruit liet Shannon zich door Vlaminck naar Oostende verder rijden, dronk met de Belg een paar biertjes in een bar bij de haven en kocht een enkele reis voor de veerboot naar Dover.

De boottrein zette hem 's avonds om twaalf uur bij Victoria Station af en hij lag zaterdagochtend om één uur in bed te slapen. Het laatste wat hij voor het slapen gaan deed, was een telegram naar het poste-restante-adres van Endean sturen met de boodschap dat hij terug was en vond dat ze elkaar moesten spreken.

De zaterdagochtendpost bracht een brief die per expresse uit Malaga in het zuiden van Spanje verzonden was. Hij was geadresseerd aan Keith Brown, maar begon met 'Beste Cat'. Hij kwam van Kurt Semmler en hij berichtte daarin kort, dat hij een boot had gevonden, een omgebouwd motorschip voor de visvangst, dat twintig jaar geleden op een Engelse scheepswerf gebouwd was, eigendom van een Brits staatsburger en in Londen geregistreerd. Het voer onder Britse vlag, was in totaal dertig meter lang met tachtig ton doodgewicht en had een groot ruim midscheeps en een klein achter. Het stond als privé-jacht geklasseerd maar kon opnieuw als coaster worden geregistreerd.

Verder schreef Semmler dat het schip te koop was voor een prijs van £ 20 000 en dat twee man van de bemanning geschikt waren om onder de nieuwe leiding in dienst te nemen. Hij was ervan overtuigd, dat hij voor de andere twee bemanningsleden een goede vervanging zou kunnen vinden.

Tenslotte zei hij, dat hij in het Palacio-hotel in Malaga logeerde en vroeg Shannon hem daar op te bellen om hem te zeggen wanneer hij kwam om de boot te inspecteren.

Het schip heette de *Albatross*.

Shannon deed navraag bij de BEA en boekte een vlucht voor maandagochtend naar Malaga, een open retour, dat hij op het vliegveld contant zou betalen. Daarna stuurde hij Semmler in zijn hotel een telegram, waarin hij het tijdstip van aankomst en het vluchtnummer opgaf.

Endean belde Shannon die middag op, nadat hij naar zijn post was gaan kijken en het telegram ontvangen had. Ze spraken elkaar 's avonds omstreeks etenstijd in de flat en Shannon gaf aan Endean zijn derde uitvoerige verslag van de vorderingen, met een afrekening van de gemaakte kosten.

'Je moet nog meer geld overmaken, willen we in de komende weken verder kunnen,' zei Shannon. 'We komen nu op het terrein van de grote uitgaven: de wapens en het schip.'

'Hoeveel heb je direct nodig?' vroeg Endean.

Shannon zei: '2000 voor salarissen, 4000 voor boten en motoren, 4000 voor machinepistolen en meer dan 10 000 voor 9 mm munitie. Dat is al ruim 20 000. Maak er maar 30 000 van, anders kom ik volgende week weer terug.'

Endean schudde zijn hoofd.

'Ik maak er 20 000 van,' zei hij. 'Je kunt altijd contact met me opnemen als je meer nodig hebt. Tussen haakjes, ik zou wel iets van het spul willen zien. Dat wordt nu £ 50 000 die je in een maand hebt opgemaakt.'

'Dat kan niet,' zei Shannon. 'De munitie is nog niet gekocht, evenmin als de boten, de motoren, enzovoort. En ook de mortieren en de bazooka's niet, noch de machinepistolen. Al deze transacties moeten contant betaald worden, boter bij de vis, of bij vooruitbetaling. Dat heb ik in mijn eerste verslag al aan je collega's uiteengezet.'

Endean keek hem koel aan.

'Het wordt tijd dat er met al dat geld eens iets gekocht wordt,' kraste hij.

Shannon staarde hem scherp aan.

'Je moet niet gaan dreigen, Harris. Dat hebben al zoveel mensen geprobeerd; dat kost een kapitaal aan bloemen. Maar hoe moet het nu met dat schip?'

Endean stond op.

'Als je me opgeeft welk schip en van wie het gekocht wordt, zal ik de kosten rechtstreeks van mijn Zwitserse rekening laten overmaken.'

'Zoals je wilt,' zei Shannon.

Hij ging 's avonds ergens alleen goed eten en ging vroeg naar bed. Zondag was een vrije dag en hij had gemerkt, dat Julie Manson al thuis bij haar ouders in Gloucestershire was. Hij zat in gedachten verzonken achter zijn koffie-met-cognac, maakte plannen voor de komende weken en trachtte zich een voorstelling te vormen van de aanval op het paleis van Zangaro.

In de loop van zondagochtend besloot Julie Manson de flat van haar nieuwe vriend in Londen op te bellen om te kijken of hij thuis was. Buiten viel de voorjaarsregen in een dicht gordijn op het land van Gloucestershire. Ze had gehoopt de mooie, nieuwe ruin te kunnen opzadelen, die ze een maand geleden van haar vader gekregen had, en ermee door het park te galopperen, dat om het familielandgoed lag. Ze had gehoopt dat dit een prikkel zou zijn voor het gevoel dat haar doorstroomde als ze aan de man dacht, voor wie ze gevallen was. Maar door de regen ging de gedachte aan paardrijden over. In plaats daarvan kon ze niet veel anders doen dan om het oude huis zwerven en naar haar moeders gebabbel luisteren over liefdadigheidsbazaars en commissies voor hulp aan wezen, of naar de regen turen die in de tuin viel.

Haar vader had in zijn studeerkamer zitten werken, maar ze had hem een paar minuten geleden naar de stallen zien gaan om met de chauffeur te praten. Omdat haar moeder binnen het gehoor van de telefoon in de gang was, besloot ze het toestel in de studeerkamer te gebruiken.

Ze had de telefoon naast het bureau in de lege kamer opgenomen, toen haar oog op de papieren viel die over het vloeiblad verspreid lagen. Er bovenop lag een enkele map. Ze zag de titel en sloeg doelloos het omslag op om een blik op de eerste bladzijde te werpen. Een naam die daar stond deed haar verstijven, terwijl de telefoon nog hevig in haar oor zoemde. Die naam was Shannon.

Zoals de meeste jonge meisjes had ze, als ze op kostschool in de duisternis van de slaapzaal lag, haar dagdromen gehad, waarin ze zichzelf zag in de rol van heldin in talloze gevaarlijke avonturen, en altijd de man die ze liefhad van een verschrikkelijk lot redde, om dan door zijn eeuwige toewijding beloond te worden. In tegenstelling tot de meeste meisjes was ze nooit helemaal volwassen geworden. Als gevolg van Shannons hardnekkige ondervraging over haar vader, had ze zichzelf al half en half de rol van spionne ten behoeve van haar minnaar toegedacht. De moeilijkheid was dat het enige wat ze van haar vader wist, óf persoonlijk was, in zijn rol van toegeeflijke papa, óf erg vervelend. Van zijn zakelijke aangelegenheden wist ze niets af. En toen lag daar op een regenachtige zondag haar kans.

Ze liet haar blik over de eerste bladzijde van de map dwalen en begreep niets. Er stonden cijfers, berekeningen, nog eens een keer de naam Shannon in, er werden allerlei banken met name genoemd, en twee vermeldingen van iemand die Clarence heette. Verder kwam ze niet. Het omdraaien van de deurknop onderbrak haar.

Verschrikt liet ze het omslag van de map vallen, deed een paar stappen naar achteren en begon in de zwijgende telefoon te ratelen. Haar vader stond in de deuropening.

'Nou Christine, dat zal fantastisch zijn, lieverd. Dan zie ik je maandag dus. Dag hoor,' babbelde ze in de telefoon en hing op.

Het strakke gezicht van haar vader verzachtte zich, toen hij zag dat het zijn dochter was die in de kamer stond, en hij liep over het tapijt om achter zijn bureau te gaan zitten.

'Zo, wat voer jij in je schild?' zei hij, gemaakt streng.

Als antwoord sloeg ze van achteren haar zachte armen om zijn hals en kuste hem op zijn wang.

'Even een vriendin in Londen opgebeld, pappie,' zei ze met haar hoge kleine meisjesstemmetje. 'Mammie was in de gang bezig, daarom ben ik maar hier in gegaan.'

'Hm. Je hebt anders een telefoon in je eigen kamer, dus neem die maar voor je privé-gesprekken alsjeblieft.'

'Goed, papaatje.' Ze wierp haar blik over de papieren, die onder de map op het bureau lagen, maar ze waren te klein gedrukt om te kunnen lezen en bestonden hoofdzakelijk uit cijferkolommen. Ze kon alleen de opschriften lezen. Het ging over mijnexploitatieprijzen. Toen draaide haar vader zich om en keek op.

'Waarom schei je niet uit met dat stomme werk en kom je mij helpen Tamerlane op te zadelen?' vroeg ze. 'Dadelijk houdt het op met regenen en dan kan ik gaan rijden.'

Hij glimlachte op naar het meisje dat zijn oogappel was.

'Omdat dit stomme werk toevallig dient om ons allemaal kleren en eten te geven,' zei hij. 'Maar ik kom eraan. Nog een paar minuutjes en dan kom ik bij je in de stal.'

Buiten op de gang bleef Julie Manson even staan en haalde diep adem. Mata Hari had het er niet beter af kunnen brengen, daar was ze van overtuigd.

# 14

De Spaanse autoriteiten zijn tegenover toeristen veel inschikkelijker dan men over het algemeen denkt. De miljoenen Scandinaviërs, Duitsers, Fransen en Engelsen in aanmerking genomen, die ieder voorjaar en zomer Spanje binnenstromen, waarvan volgens de wet van het gemiddelde een bepaald percentage weinig goeds in de zin heeft, hebben de autoriteiten er de handen vol aan. Onbelangrijke overtredingen van de voorschriften, zoals de invoer van twee sloffen sigaretten in plaats van de toegestane ene slof, waar men op het Londense vliegveld tegen optreedt, worden in Spanje door de vingers gezien.

De houding van de Spaanse autoriteiten is altijd geweest, dat een toerist het wel heel erg bont moet maken wil hij in Spanje moeilijkheden krijgen, maar als hij het eenmaal zover heeft gebracht, zijn de Spanjaarden wel zo goed om het hem bijzonder onaangenaam te maken. De vier artikelen die ze beslist niet in de bagage van de passagiers willen aantreffen zijn wapens en/of explosieven, verdovende middelen, pornografie en communistische propaganda. Andere landen kunnen bezwaar maken tegen twee belastingvrije flessen cognac, maar laten het tijdschrift *Penthouse* ongemoeid. In Spanje niet. Andere landen hebben weer andere prioriteiten, maar, zoals een Spanjaard opgewekt toegeeft, Spanje is anders.

De douaneambtenaar op het vliegveld van Malaga wierp op die stralende maandagochtend een onverschillige blik op het pakje van £ 1000 in gebruikte biljetten van £ 20, die hij in Shannons reistas aantrof en haalde zijn schouders op. Als het bij hem opkwam dat Shannon het geld om het in Malaga te krijgen, door de douane van het Londense vliegveld had mee moeten nemen, wat verboden is, liet hij het niet merken. Dat was trouwens het probleem van Londen. Hij vond geen exemplaren van *Sexy Girls* of *Sovjet News* en wuifde dat de reiziger kon doorlopen.

Kurt Semmler zag er, na drie weken rond de Middellandse Zee zwerven op zoek naar schepen die te koop waren, bruin en gezond uit. Hij was nog steeds broodmager en rookte nerveus de ene sigaret na de andere, een gewoonte die zijn koele zelfbeheersing als hij in actie was logenstrafte. Maar die bruine gelaatskleur gaf hem een gezond aanzien en stak schril af tegen zijn kortgeknipte bleke haar en ijsblauwe ogen.

Terwijl ze van het vliegveld in de taxi, die Semmler klaar had staan, naar de stad Malaga reden, vertelde hij Shannon, dat hij in Napels, Genua, Valletta, Marseille, Barcelona en Gibraltar was geweest, waar hij oude relaties op het gebied van kleine schepen had opgezocht, de lijsten van volstrekt bonafide scheepsmakelaars en agenten voor de verkoop van schepen had nagekeken, en er een paar bezichtigd had, die voor anker lagen. Hij had er heel wat gezien, maar ze waren geen van alle geschikt. Hij had gehoord over nog tien andere in havens waar hij niet geweest was en had ze laten schieten, omdat hij uit de namen van de kapiteins afleidde, dat ze geen betrouwbare herkomst hadden. Uit al zijn gegevens had hij een lijstje van een zevental opgemaakt en de *Albatross* was de derde. Van de kwaliteiten ervan was het enige wat hij zeggen kon, dat hij er goed uitzag.

Hij had voor Shannon in het Palacio een kamer op naam van Brown gereserveerd en Shannon ging zich eerst laten inschrijven. Het was over vieren, toen ze door de brede hekken aan de zuidkant van het Acera de la Marina-plein de havens inslenterden.

De *Albatross* lag langs een kade helemaal aan het eind van de haven. Hij zag eruit zoals Semmler hem beschreven had en de witte verf glom in de zon en de hitte. Ze gingen aan boord en Semmler stelde Shannon voor aan de eigenaar en kapitein, George Allen, die ze het schip liet zien. Shannon kwam al gauw tot de slotsom dat het voor zijn doel te klein was. Er was een grote hut, waarin twee man konden slapen, twee eenpersoons hutten en een grote kajuit, waar je matrassen en slaapzakken op de vloer kon leggen.

In het achterruim kon desnoods slaapplaats voor nóg zes man gemaakt worden, maar met de bemanning van vier leden plus de vijf van Shannon zou het wel heel erg krap zijn. Hij verweet zichzelf dat hij Semmler niet gewaarschuwd had, dat er nog zes man bij zou komen, die ook ingepast moesten worden.

Shannon controleerde de papieren van het schip, die in orde bleken te zijn. Het was in Engeland geregistreerd, wat ook uit de papieren van het ministerie van Handel bleek. Shannon zat een uur bij kapitein Allen, om de betalingsvoorwaarden te bespreken, de facturen en kwitanties na te kijken, waarop de hoeveelheid werk stond dat de laatste maanden aan de *Albatross* was verricht, en om het scheepsjournaal te controleren.

Hij vertrok tegen zes uur met Semmler en wandelde in gedachten verzonken naar het hotel terug.

'Wat is er aan de hand?' vroeg Semmler. 'Die boot is oké.'

'Daar gaat het niet om,' zei Shannon. 'Hij is te klein. Hij staat als privé-jacht geregistreerd. Hij behoort niet aan een scheepvaartmaatschappij. Wat mij dwars zit is dat hij misschien niet door de exportautoriteiten geaccepteerd wordt als een geschikt vaartuig om een lading wapens aan boord te nemen.'

Teruggekomen in het hotel was het te laat voor de telefoongesprekken die hij wilde voeren en daarom wachtten ze tot de volgende ochtend. Na negenen belde Shannon Lloyds in Londen en vroeg of het op de lijst van jachten stond. De *Albatross* stond er inderdaad op vermeld als jacht met hulpstoomvermogen van 74 ton NRT, met als thuishaven Milford en als haven van vestiging Hooe, beide in Engeland.

'Wat doet het dan hier in godsnaam?' vroeg hij zich af en herinnerde zich de betalingswijze die gevraagd was. Zijn tweede telefoongesprek, naar Hamburg, gaf de doorslag.

'*Nein*, alstublieft geen particulier jacht,' zei Johann Schlinker aan de telefoon. 'Dan is de kans groot dat het niet geaccepteerd wordt om vracht te vervoeren op commerciële basis.'

'Goed. Wanneer moet u de naam van het schip weten?' vroeg Shannon.

'Zo spoedig mogelijk. Ik heb tussen haakjes uw overmaking ontvangen voor de artikelen die u op mijn kantoor besteld hebt. Ze worden nu in kisten verpakt en naar het adres in Frankrijk dat u hebt opgegeven in entrepot verstuurd. Ten tweede, ik heb de voor de andere zending benodigde formaliteiten rond en zodra ik de rest van het verschuldigde bedrag krijg, zal ik meteen de bestelling opgeven.'

'Wanneer moet u uiterlijk de naam van het vervoerende schip weten?' schreeuwde Shannon in de telefoon.

Het was even stil terwijl Schlinker nadacht.

'Als ik binnen vijf dagen uw cheque ontvang, kan ik onmiddellijk een aanvraag tot aankoopvergunning indienen. De naam van het schip heb ik voor de uitvoervergunning nodig, binnen een dag of vijftien daarna.'

'Dan hebt u het,' zei Shannon en legde de haak erop. Hij wendde zich tot Semmler en legde uit wat het geval was.

'Het spijt me, Kurt. Het moet een bij de koopvaardij geregistreerde firma en een erkend vrachtschip zijn, geen particulier jacht. Je zult verder moeten zoeken. Maar ik moet uiterlijk over twaalf dagen de naam hebben, want ik moet die man in Hamburg binnen twintig dagen de naam van het schip opgeven.'

De beide mannen namen 's avonds op het vliegveld afscheid, Shannon om naar Londen terug te keren en Semmler om naar Madrid te vliegen en vandaar via Rome naar Genua, de volgende haven die hij ging bezoeken.

Het was laat toen Shannon weer in zijn flat aankwam. Voor hij naar bed ging, belde hij de BEA op en boekte een vlucht op het vliegtuig voor de volgende middag om twaalf uur naar Brussel. Daarna belde hij Marc Vlaminck op, die hij vroeg hem bij zijn aankomst op het vliegveld te komen afhalen, hem eerst naar Brugge te brengen voor een bezoek aan de bank en daarna naar de afspraak met Boucher voor de overdracht van de uitrusting.

Het was het eind van dag Tweeëntwintig.

De heer Harold Roberts was een nuttig mens. Tweeënzestig jaar geleden uit een Engelse vader en een Zwitserse moeder geboren, was hij na de vroegtijdige dood van zijn vader in Zwitserland opgegroeid en had een dubbele nationaliteit behouden. Nadat hij op jeugdige leeftijd in het bankwezen was gegaan, zat hij twintig jaar op het hoofdkantoor in Zürich van een van de grootste banken in Zwitserland, voor hij als onderdirecteur naar het Londense bijkantoor werd gezonden.

Dat was vlak na de oorlog en in de tweede twintigjarige periode van zijn loopbaan was hij opgeklommen tot hoofd van de afdeling investering en later tot algemeen directeur van het Londense bijkantoor, waarna hij op zestigjarige leeftijd met pensioen ging. Daarna had hij besloten zijn oude dag met zijn pensioen in Zwitserse francs in Engeland te slijten.

Sinds zijn pensionering was hij beschikbaar voor allerlei delicate taken, niet alleen ten behoeve van zijn vroegere werkgevers, maar ook van andere Zwitserse banken. Die woensdagmiddag hield hij zich met zo'n taak bezig.

Er was een officiële brief van de Zwinglibank aan de voorzitter en secretaris van de Raad van beheer van Bormac nodig om meneer Roberts bij ze te introduceren, en hij had brieven kunnen overleggen waaruit zijn aanstelling als agent van de Zwinglibank in Londen bleek.

Er hadden nog twee bijeenkomsten plaats tussen meneer Roberts en de secretaris; de tweede werd bijgewoond door de voorzitter, majoor Luton, de jongere broer van de overleden onderdirecteur van sir Ian Macallister in het Verre Oosten.

Men had besloten een buitengewone Raadsvergadering te beleggen, die gehouden werd ten kantore van de secretaris in de City. Behalve de raadsman en majoor Luton, was er nóg een lid van de Raad aanwezig die ermee had ingestemd naar Londen te komen. Hoewel twee leden al voldoende waren, vormden drie een uitgesproken meerderheid voor het nemen van besluiten. Ze overwogen het door de secretaris ingediende voorstel en de documenten die hij ze had voorgelegd. De vier onzichtbare aandeelhouders, wier belangen door de Zwinglibank werden behartigd, bezaten samen zonder enige twijfel dertig procent van het aandelenbezit van de vennootschap. Ze hadden wel degelijk de Zwinglibank gemachtigd in hun naam op te treden en de bank had daartoe uitdrukkelijk de heer Roberts benoemd.

Het doorslaggevende punt bij de bespreking was het eenvoudige argument, dat indien een consortium van zakenlieden onderling was overeengekomen, zo'n grote hoeveelheid Bormac-aandelen te kopen, en als hun bank uit hun naam zei, dat het in hun voornemen lag nieuw kapitaal in de firma te injecteren en deze te verjongen, men het rustig kon aannemen. Een dergelijke gedragslijn deed de aandelenkoers geen kwaad en alle drie de leden van de Raad waren aandeelhouders. Het voorstel werd ingediend, gesteund en aangenomen. Meneer Roberts werd in de Raad opgenomen als gedelegeerd lid, die de belangen van de Zwinglibank behartigde. Niemand nam de moeite de statuten van de vennootschap te wijzigen, die voorschreven dat een aantal van twee leden nodig was om besluiten goed te keuren, hoewel de Raad van beheer nu uit zes en niet meer uit vijf leden bestond.

Meneer Keith Brown werd nu een vrij regelmatige bezoeker van Brugge en een gewaardeerde cliënt bij de Kredietbank. Hij werd met de gewone vriendelijkheid door meneer Goossens ontvangen en deze bevestigde, dat er die ochtend een krediet van £ 20 000 uit Zwitserland was binnengekomen. Shannon nam 10 000 dollar in contanten op en een gewaarmerkte bankcheque van 26 000 dollar ten gunste van Johann Schlinker in Hamburg.

Uit het naburige postkantoor stuurde hij de cheque per aangetekende post naar Schlinker, vergezeld door een brief van hemzelf met het verzoek aan de wapenhandelaar de Spaanse aankoop tot stand te brengen.

Hij en Marc Vlaminck hadden nog bijna vier uur de tijd voordat ze naar Boucher zouden gaan en de eerste twee uur gingen ze op hun gemak in een café in Brugge een pot thee drinken, voor ze tegen het invallen van de duisternis op pad gingen.

Er ligt tussen Brugge en Gent een eenzame weg, die zich vierenveertig kilometer naar het oosten uitstrekt. Omdat de weg met allerlei bochten door vlak bouwland kronkelt, geven de meeste automobilisten er de voorkeur aan de nieuwe autoweg E5 te nemen die, omdat hij van Oostende naar Brussel loopt, eveneens de twee Vlaamse steden met elkaar verbindt. Halverwege langs de oude weg vonden de twee huurlingen de verlaten boerderij, die Boucher beschreven had, of liever ze vonden het verbleekte naambordje, dat naar het pad naar de boerderij wees, die door een groepje bomen aan het gezicht onttrokken werd.

Shannon reed voorbij de plek en parkeerde de auto, terwijl Marc uitstapte om de boerderij te inspecteren. Hij kwam twintig minuten later terug om te zeggen, dat de boerderij inderdaad leeg was en er waren geen tekens dat er de laatste tijd iemand geweest was. Er werden ook geen voorbereidingen getroffen om de twee kopers een onprettige ontvangst te bereiden.

'Is er iemand in het huis of in de bijgebouwen?' vroeg Shannon.

'Het huis is aan de voor- en achterkant afgesloten. Niets wijst op enige tussenkomst. Ik heb in de schuren en stallen gekeken en daar is niemand te bekennen.'

Shannon keek op zijn horloge. Het was al donker en ze moesten nog een uur wachten.

'Ga er weer naar toe en houdt de wacht zonder dat je gezien wordt,' beval hij. 'Ik let hier vandaan op de ingang aan de voorkant.'

Toen Marc weg was, inspecteerde Shannon nogmaals de bestelwagen. Het was een oude rammelkar maar hij deed het best en was door een goede monteur nagekeken. Shannon haalde de twee valse nummerborden te voorschijn en plakte ze met isolatieband op de echte nummerplaten. Ze konden er met gemak afgetrokken worden als de bestelwagen eenmaal een eind van de boerderij af was, maar hij vond het niet nodig dat Boucher de echte nummerborden zag. Aan weerszijden van de auto zat een grote reclamesticker, waardoor het voertuig opviel, maar die er ook zo weer afgehaald kon worden. Achterin lagen zes grote zakken aardappelen, die hij Vlaminck had laten meebrengen, en de brede houten plank die zo was gezaagd, dat hij als tussenschot kon dienen als hij werd vastgeklemd. Voldaan hervatte hij de wacht aan de kant van de weg.

De bestelwagen die hij verwachtte, kwam om vijf voor achten opdagen. Toen hij vaart minderde en het pad naar de boerderij indraaide, zag Shannon de gedaante van de bestuurder over het stuur gebogen zitten en naast hem een vlek met een puist van een hoofd erop, dat alleen maar van meneer Boucher kon zijn. De rode achterlichtjes van het voertuig verdwenen over het pad en achter de bomen uit het gezicht. Blijkbaar hield Boucher zich aan zijn woord.

Shannon gaf hem drie minuten de tijd, daarna reed hij ook met zijn bestelwagen van de harde weg af het pad in. Toen hij bij het erf kwam, stond de wagen van Boucher met de parkeerlichten aan in het midden. Hij zette zijn motor af en stapte uit, zijn eigen parkeerlichten aanlatend, met de neus van zijn auto drie meter van de achterkant van die van Boucher.

'Monsieur Boucher,' riep hij in de duisternis. Hij stond zelf in het donker, een eind naast het licht van zijn eigen lampen.

'Monsieur Brown,' hoorde hij Boucher hijgen en de dikzak waggelde te voorschijn. Hij had kennelijk zijn 'helper' meegebracht, een grote, gespierd uitziende figuur, die Shannon goed leek in het optillen van dingen maar langzaam in zijn bewegingen. Van Marc wist hij dat hij zich kon bewegen als een balletdanser als hij wou. Hij voorzag geen problemen als het tot moeilijkheden kwam.

'Hebt u het geld?' vroeg Boucher, die naderbij kwam. Shannon maakte een gebaar naar de plaats achter het stuur van zijn auto.

'Daar. Hebt u de Schmeissers?'

Boucher wuifde met een plompe hand naar zijn eigen bestelwagen.

'Achterin.'

'Ik stel voor, dat we allebei onze spullen op de grond tussen de twee auto's leggen,' zei Shannon. Boucher draaide zich om en zei iets tegen zijn helper, dat Shannon niet kon verstaan. De man ging naar de achterkant van zijn eigen bestelwagen en maakte hem open. Shannon zette zich schrap. Als er verrassingen op komst waren, kwamen ze als de deuren opengingen. Er kwam niets. In het flauwe licht van de lampen van zijn eigen bestelwagen waren tien platte, vierkante kisten en een open doos zichtbaar.

'Is uw vriend er niet?' vroeg Boucher. Shannon floot. Kleine Marc kwam achter een naburige schuur vandaan naar ze toe. Er viel een stilte. Shannon schraapte zijn keel.

'Laten we de boel overgeven,' zei hij. Hij deed een greep in de bestuurscabine en haalde er de dikke, bruine envelop uit. 'Contant geld, zoals u gevraagd hebt. Biljetten van twintig dollar, in pakjes van vijftig. Tien pakjes.'

Hij bleef vlak bij Boucher staan, terwijl de dikke man elk pakje doorbladerde, die hij met voor zulke plompe handen verrassende snelheid telde, en hij stopte de pakjes in zijn zijzakken. Toen hij bij het laatste was gekomen, trok hij alle bundeltjes er weer uit en koos uit elk pakje willekeurig een biljet. Bij het licht van een zaklantaarntje onderzocht hij ze nauwkeurig, om de monsters te controleren op vervalsingen. Die waren er niet. Tenslotte knikte hij.

'Het is in orde,' zei hij en riep iets tegen zijn helper. De man ging opzij van de deuren staan. Shannon knikte even tegen Marc, die naar de auto ging en de eerste kist op het gras tilde. Hij haalde een bandenlichter uit zijn zak en wrikte het deksel open. Bij het schijnsel van zijn eigen lantaarn inspecteerde hij de tien Schmeissers, die naast elkaar in de kist lagen. Hij haalde er één uit en controleerde het afvuurmechanisme, en spande en ontspande een paar keer. Hij legde het machinepistool er weer in en sloeg het deksel er weer stevig op.

Hij had twintig minuten nodig om alle tien de kisten te controleren. Terwijl hij dat deed stond de helper die meneer Boucher had meegebracht vlak bij hem. Shannon stond bij de elleboog van Boucher vier meter van hem vandaan. Tenslotte keek Marc in de doos zonder deksel. Daarin zaten 500 patroonhouders voor de Schmeissers. Hij probeerde een houder om te kijken of hij paste en of ze niet voor een ander model pistool waren. Toen draaide hij zich naar Shannon om en knikte.

'Alles in orde,' riep hij.

'Zou u uw vriend willen vragen mijn vriend met inladen te helpen?' vroeg Shannon aan Boucher. De dikkerd bracht de instructie aan zijn assistent over. Vijf minuten later waren de tien kisten en de doos met patroonhouders in Marcs bestelwagen geladen. Voor het inladen haalden de twee gespierde Vlamingen de aardappelzakken eruit en Shannon hoorde ze in het Vlaams iets tegen elkaar zeggen. Toen lachte de helper van Boucher.

Toen de kisten met wapens waren ingeladen, zette Marc de plank op zijn plaats bij wijze van tussenschot, dat ongeveer halverwege de achterkant van de bestelwagen kwam. Met een mes sneed hij de eerste zak open, tilde hem op zijn schouder en leegde de inhoud in de achterkant van de auto. De losse aardappelen rolden overal in het rond, in de kieren tussen de kisten en de zijkanten van de auto en vulden deze. Lachend begon de andere Belg hem te helpen.

De aardappelen die ze hadden meegebracht, bedekten volkomen ieder spoor van de tien kisten en de doos houders. Iemand die achterin keek werd geconfronteerd met een zee van aardappelen. De zakken werden in de heg gegooid.

Toen ze klaar waren kwamen de twee mannen samen van de achterkant van de bestelwagen vandaan.

'Nou, dan gaan we maar,' zei Marc.

'Als u het goedvindt gaan wij het eerst weg,' zei Shannon tegen Boucher. 'Wij hebben nu tenslotte de belastende goederen bij ons.'

Hij wachtte tot Marc de motor had gestart en de wagen zo gekeerd, dat hij met zijn neus naar het pad naar de weg toe stond, voor hij van de zijde van Boucher wegliep en in de bestelwagen sprong. Halverwege het pad was een heel diep gat in de weg, waar de auto heel langzaam en voorzichtig over heen moest rijden. Bij deze plek mompelde Shannon iets tegen Marc, leende zijn mes en sprong van de auto af om zich in de struiken aan de kant van de weg te verbergen.

Twee minuten later kwam de bestelwagen van Boucher langs. Deze reed eveneens heel langzaam tot hij bijna stilstond om over de kuil heen te manoeuvreren. Shannon glipte uit de struiken toen de auto langskwam, haalde hem in, hurkte diep en stootte de punt van het mes in de rechter achterband. Hij hoorde hem als een gek sissen en verdween weer in de struiken. Hij kwam op de grote weg weer bij Kleine Marc, waar de Belg net de stickers van de zijkanten van hun voertuig had getrokken en voor en achter de valse nummerborden eraf had gehaald. Shannon had niets tegen Boucher; hij wilde alleen een halfuur voorsprong hebben.

Om half elf was het tweetal in Oostende terug. De met nieuwe aardappelen geladen bestelauto stond in de afgesloten garage, die Vlaminck in opdracht van Shannon had gehuurd, en ze zaten samen in Marcs bar in de Kleinstraat met schuimende bierpullen tegen elkaar te toosten, terwijl Anna het eten klaarmaakte. Het was voor het eerst dat hij de welgevormde vrouw ontmoette, die de vriendin van zijn vriend was, en zoals onder huurlingen traditie is als ze elkaars vrouwvolk tegenkomen, behandelde hij haar buitengewoon hoffelijk.

Vlaminck had in een hotel in het centrum een kamer voor hem besproken, maar ze bleven tot 's avonds laat zitten drinken en ze praatten over vroegere veldslagen en schermutselingen, haalden herinneringen op aan gebeurtenissen en mensen, gevechten en ontsnappingen door het oog van een naald, beurtelings lachend over dingen die achteraf bekeken grappig leken en somber knikkend bij herinneringen die nog steeds knaagden. De bar bleef open zolang Kleine Marc dronk, en de mindere goden zaten er omheen te luisteren.

De dag brak al bijna aan toen ze naar bed gingen.

Kleine Marc kwam hem in de loop van de volgende ochtend halen en ze gebruikten samen een laat ontbijt. Shannon legde de Belg uit, dat hij de Schmeissers zodanig verpakt wilde hebben, dat ze over de Belgische grens naar Frankrijk gesmokkeld konden worden om ze in het schip in een haven aan de Franse zuidkust te kunnen laden.

'We zouden ze in kisten nieuwe aardappelen kunnen sturen,' opperde Marc. Shannon schudde zijn hoofd.

'Aardappelen zitten in zakken, niet in kisten,' zei hij. 'We hebben er geen enkele behoefte aan, dat er onderweg of bij het overladen een kist wordt omgegooid zodat de hele boel eruit valt. Ik weet iets beters.'

Een half uur lang vertelde hij de Vlaming, wat hij wilde dat er met de machinepistolen gebeurde en de Belg knikte.

'Akkoord,' zei hij, toen hij precies begreep wat er verlangd werd. 'Ik kan 's morgens voor de bar opengaat in de garage werken. Wanneer brengen we ze naar het zuiden?'

'Omstreeks 15 mei,' zei Shannon. 'We nemen de champagneroute. Ik zal Jean-Baptiste hier laten komen om te helpen en in Parijs gaan we over in een bestelwagen met een Frans kentekenbewijs. Ik wil graag dat je op 15 mei alles ingepakt en voor verzending gereed hebt.'

Marc ging met hem in een taxi mee naar de haven, want de bestelwagen zou niet meer gebruikt worden, tot hij met zijn vracht illegale wapens zijn laatste rit van Oostende naar Parijs maakte. Het kopen van een enkele reis op de autoveerboot naar Londen leverde geen moeilijkheid op, ook al was Shannon te voet. Hij was vroeg in de avond in Londen terug.

Hij besteedde de verdere avond aan het schrijven van een volledig verslag voor Endean, zonder te vermelden van wie hij de wapens gekocht had of waar ze waren opgeslagen. Hij hechtte aan het verslag een overzicht van de uitgaven en een strookje, van wat er nog op de rekening in Brugge over was. Dit stuurde hij naar het poste-restante-adres, waardoor hij met de organisator van sir James Manson in verbinding stond.

Met de eerste ochtendpost kwam die vrijdag een groot pakket van Jean-Baptiste Langarotti. Er zat een stapeltje brochures van drie Europese firma's in, die de opblaasbare halfharde rubberboten fabriceerden van het type dat hij moest hebben. Ze werden afwisselend geadverteerd als bruikbaar als zeereddingssloepen, motorboten, speedboten voor het trekken van waterskiërs, plezier-vaartuigen, boten voor de duiksport, motorjachtjes en snelle sloepen voor jachten en dergelijke. Er werd niet gerept over het feit, dat ze allemaal voortkwamen uit een origineel ontwerp dat diende om marinierscommando's een snel, wendbaar type landingsboten te verschaffen.

Shannon las alle brochures aandachtig. Er was één Italiaanse, één Engelse en één Franse firma bij. De Italiaanse firma, met zes leveranciers langs de Cote d'Azur, leek voor Shannons doel het meest geschikt en de beste leveringsmogelijkheden te hebben. Van hun grootste model, een sloep van vijf en een halve meter lang, waren er twee direct leverbaar. De ene was in Marseille en de andere in Cannes. Op de brochure van de Franse fabrikant stond een afbeelding van hun grootste model, een scheepje van vijf meter, dat met de staart naar beneden en de neus omhoog een blauwe zee doorkliefde.

Langarotti schreef in zijn brief dat er een te krijgen was in een winkel voor scheepsuitrustingen in Nice. Hij voegde eraan toe, dat alle modellen van Engels fabrikaat speciaal besteld moesten worden en tenslotte, dat hoewel er van elk type nog meer te krijgen waren in feloranje, hij zich alleen maar bezighield met de zwarte. Hij schreef erbij, dat ze allemaal voorzien konden worden van een buitenboordmotor van meer dan 50 pk en dat er zeven verschillende merken die geschikt waren, onmiddellijk ter plaatse verkrijgbaar waren.

Shannon antwoordde met een lange brief, waarin hij Langarotti instructies gaf, de twee modellen van de Italiaanse firma die direct geleverd konden worden en de derde van Frans fabrikaat te kopen. Hij drong erop aan, dat de Corsicaan meteen na ontvangst van de brief de leveranciers zou bellen om een vaste bestelling te plaatsen, en ze per aangetekende brief een voorschot van tien procent zou sturen. Hij moest ook drie motoren van het beste merk kopen, maar in verschillende winkels.

Hij keek naar de prijzen van de artikelen en zag dat het totaal iets boven de £ 4000 kwam. Dit betekende, dat hij zijn geschatte budget van £ 5000 voor hulpuitrusting overschreed, maar daar maakte hij zich niet ongerust over. Hij zou onder het budget voor wapens blijven en naar hij hoopte voor het schip. Hij schreef Langarotti, dat hij de tegenwaarde van £ 4500 op de rekening van de Corsicaan zou overmaken en met wat er overbleef moest deze een behoorlijke tweedehands eentons bestelwagen kopen en ervoor zorgen dat hij van een kentekenbewijs voorzien en verzekerd was.

Hiermee moest hij langs de kust rijden, om zijn drie in kratten verpakte opblaasbare landingsboten en zijn drie buitenboordmotoren te kopen en ze persoonlijk bij zijn bevrachtingsagent in Toulon afleveren om ze voor export in entrepot op te slaan. De hele zending moest op 15 mei in het pakhuis voor verscheping gereed liggen. Op de ochtend van die dag zouden Langarotti en Shannon bijeenkomen in het hotel in Parijs waar Shannon meestal logeerde. Dan zou hij de bestelwagen meebrengen.

De huurlingenleider verzond die dag nog een andere brief. Deze was aan de Kredietbank in Brugge gericht, met het verzoek £ 2500 in Franse francs over te maken op de rekening van de heer Jean-Baptiste Langarotti bij het hoofdkantoor van de bank

Société Générale in Marseille. De twee brieven werden die zelfde middag per expresse gepost.

Toen hij in zijn flat terug was ging Cat Shannon op zijn bed liggen en staarde naar het plafond. Hij voelde zich moe en lusteloos, de spanning van de afgelopen dertig dagen eiste zijn tol. Zo op het oog schenen de dingen volgens plan te verlopen. Alan Baker zou bezig zijn met de aankoop van mortieren en bazooka's uit Joegoslavië, die begin juni werden afgehaald; Schlinker zou in Madrid moeten zijn om genoeg 9 mm munitie te kopen om een jaar lang met de Schmeissers te kunnen schieten. De enige reden dat hij zo'n overdreven grote hoeveelheid kogels had besteld was, om de aankoop voor de Spaanse autoriteiten aannemelijk te maken. Tussen half en eind juni moesten ze voor de export zijn uitgeklaard, als hij tenminste half mei de naam van het schip aan de Duitser kon opgeven en het schip met de bemanning de goedkeuring van de ambtenaren in Madrid kon wegdragen.

Vlaminck moest de machinepistolen al gepakt hebben voor transport door België en Frankrijk naar Marseille, waar ze op 1 juni werden ingeladen. De landingsboten en motoren moesten op dezelfde datum in Toulon worden ingeladen, samen met de andere hulpuitrusting die hij bij Schlinker had besteld.

Behalve het smokkelen van de Schmeissers was alles legaal en eerlijk. Dat betekende nog niet dat er niet iets mis kon gaan. Misschien zou een van de twee regeringen moeilijkheden veroorzaken door de zaak te traineren of omdat ze op grond van de overgelegde documenten niet wilden verkopen.

Dan waren de uniformen er nog, die Dupree naar hij aannam nog bezig was in Londen te kopen. Die moesten ook uiterlijk eind mei in een pakhuis in Toulon zijn.

Maar het grootste probleem dat nog opgelost moest worden was het schip. Semmler moest het geschikte schip vinden en hij was al bijna een maand vergeefs aan het zoeken.

Shannon liet zich van zijn bed glijden en gaf telefonisch een telegram op naar Duprees zitslaapkamer in Bayswater, dat hij zich moest melden. Toen hij de telefoon neerlegde, rinkelde deze weer.

'Dag, met mij.'

'Dag Julie,' zei hij.

'Waar heb je gezeten, Cat?' vroeg ze.

'Ergens in het buitenland.'

'Ben je dit weekeind in de stad?' vroeg ze.

'Ja, ik denk het wel.' Hij kon eigenlijk toch niets meer doen en hij kon nergens naar toe gaan, totdat hij iets van Semmler hoorde of er een schip te koop was. Hij wist niet eens waar de Duitser op het ogenblik was.

'Mooi,' zei het meisje aan de telefoon. 'Laten we dan in het weekeind iets leuks gaan doen.'

Het kwam zeker van vermoeidheid. Hij was langzaam van begrip.

'Wat voor leuks?' vroeg hij.

Ze begon het hem nauwkeurig met alle klinische bijzonderheden te vertellen, tot hij haar onderbrak en zei dat ze het direct moest komen demonstreren.

Hoewel ze een week geleden nog overborrelde van haar nieuwtje, vergat Julie in het enthousiasme over het weerzien met haar minnaar helemaal wat ze hem te vertellen had. Het liep al tegen middernacht toen het haar inviel. Ze boog haar hoofd diep over het gezicht van de half slapende huurling en zei: 'O, wat ik zeggen wou, ik zag laatst je naam staan.'

Shannon bromde.

'Op een papiertje,' hield ze aan. Hij toonde nog steeds geen belangstelling en lag met zijn gezicht diep in het kussen tussen zijn gevouwen armen.

'Zal ik zeggen waar?'

Zijn reactie was teleurstellend. Hij bromde weer.

'In een map op papa's bureau.'

Als ze hem had willen verrassen, dan was ze daarin geslaagd. Hij kwam met een zwaai van het laken af en wendde zich naar haar toe terwijl hij haar bovenarmen stevig vastgreep. Hij staarde haar zo doordringend aan dat ze er bang van werd.

'Je doet me pijn,' zei ze onlogisch.

'Wat voor een map op je vaders bureau?'

'Een map,' snoof ze, bijna in tranen. 'Ik wou je alleen maar helpen.'

Hij ontspande merkbaar en zijn uitdrukking verzachtte zich.

'Waarom ging je kijken?' vroeg hij.

'Nou, omdat je altijd naar hem vraagt en toen ik die map zag liggen, keek ik gewoon even, en toen zag ik je naam staan.'

'Vertel het me helemaal vanaf het begin,' zei hij vriendelijk.

Toen ze uitgesproken was stak ze haar armen uit en sloeg ze om zijn hals.

'Ik hou van je, meneer Cat,' fluisterde ze. 'Daarom alleen heb ik het gedaan. Was dat verkeerd?'

Shannon dacht even na. Ze wist al veel te veel en er waren maar twee manieren om zich van haar stilzwijgen te verzekeren.

'Hou je echt van me?'

'Ja, echt.'

'Zou je willen dat me iets overkwam door iets wat je gedaan of gezegd hebt?'

Ze maakte zich uit zijn armen los en keek hem diep in de ogen. Dit leek veel meer op de scènes in haar schoolmeisjesdromen.

'Nooit,' zei ze uit de grond van haar hart. 'Ik zou nooit iets zeggen. Wat ze ook met me deden.'

Shannon knipperde een paar maal verbaasd met zijn ogen.

'Niemand doet je iets,' zei hij. 'Vertel alleen niet aan je vader dat je me kent of dat je zijn papieren hebt gelezen. Kijk, hij heeft me aangenomen om inlichtingen voor hem in te winnen over de vooruitzichten van mijnexploitatie in Afrika. Als hij erachter zou komen dat we elkaar kennen, ontslaat hij me. Dan zou ik een ander baantje moeten zoeken. Er is mij een baan aangeboden, ver weg in Afrika. Dus je begrijpt dat ik van je weg moet gaan als hij ooit iets over ons te weten kwam.'

Dat kwam hard aan. Ze wilde niet dat hij wegging. In zijn hart wist hij, dat het niet lang zou duren of hij moest vertrekken, maar dat hoefde hij haar nu nog niet te vertellen.

'Ik zal niets zeggen,' beloofde ze.

'Nog een paar punten,' zei Shannon. 'Je zei dat je de titel op de vellen papier met de mineraalprijzen hebt gezien. Hoe was die titel?'

Ze trok rimpels in haar voorhoofd, terwijl ze probeerde op het woord te komen.

'Dat goedje dat ze in vulpennen doen. Het staat altijd in advertenties voor hele dure.'

'Inkt?' vroeg Shannon.

'Platigna,' zei ze.

'Platina,' verbeterde hij, nadenkend kijkend. 'En tot slot, wat stond er voor een titel op de map?'

'O, dat weet ik nog wel,' zei ze blij. 'Dat was net iets uit een sprookje. De Kristalberg.'

Shannon zuchtte diep.

'Als je een kopje koffie voor me maakt, ben je een schat.'

Toen hij het gerammel van kopjes in de keuken hoorde, leunde hij achterover tegen het hoofdeinde van het bed en keek uit over Londen.

'Wat een uitgekookte schoft,' zei hij zachtjes. 'Maar zo goedkoop kom je er niet af, sir James, reken daar maar niet op.'

Toen lachte hij in het donker.

Die zelfde zaterdagavond wandelde Benny Lambert naar zijn

huurkamer, nadat hij 's avonds in een van zijn stamcafés met vrienden had zitten drinken. Hij had zijn boezemvrienden een heleboel rondjes gegeven met het geld, nu omgewisseld in francs, dat Shannon hem betaald had. Het gaf hem een prettig gevoel om te kunnen praten over de 'grote slag' die hij zojuist geslagen had, en champagne te kopen voor de barmeisjes die aan zijn lippen hingen. Hij had zelf genoeg gehad, meer dan genoeg, en schonk geen aandacht aan de auto, die op tweehonderd meter afstand langzaam achter hem aan reed. Hij had nog geen vermoeden, toen de auto, een halve kilometer van zijn huis af bij een onbebouwd stuk grond, hem snel inhaalde.

Tegen dat het tot hem doordrong en hij begon te protesteren, dreef de reusachtige figuur die uit de auto was gekomen, hem over het stuk land heen achter een schutting die tien meter van de weg af stond.

Zijn protesten werden gesmoord toen de figuur hem omdraaide en, hem nog steeds bij het nekvel vasthoudend, met de vuist in de maag stompte. Benny Lambert zakte in elkaar en toen de greep op zijn boord losser werd, stortte hij op de grond in. De figuur die boven hem stond, het gezicht overschaduwd door de duisternis achter de schutting, haalde een halve meter lange ijzeren staaf uit zijn riem. De grote man bukte zich, en greep de kronkelende Lambert bij de linkerdij die hij omhoog rukte. Er klonk een dof gekraak toen de ijzeren staaf met de volle kracht van de aanvaller op de onbeschermde knieschijf neerdaalde en deze meteen verbrijzelde. Lambert gaf één doordringende gil, als een doorstoken rat, en viel flauw. Hij voelde niet eens dat de tweede knieschijf ook gebroken werd.

Twintig minuten later belde Thomard uit de telefooncel in een nachtcafé een kilometer verderop zijn werkgever op. Aan de andere kant luisterde Roux en knikte.

'Goed zo,' zei hij. 'Nu heb ik een nieuwtje voor je van het hotel waar Shannon meestal logeert. Henri Alain vertelt me zojuist, dat ze een brief van meneer Keith Brown hebben ontvangen. Daarin wordt voor de avond van de vijftiende een kamer gereserveerd. Heb je dat?'

'De vijftiende,' zei hij. 'Ja. Dan komt hij dus daar.'

'En jij ook,' zei de stem aan de telefoon. 'Henri blijft in het hotel contact met zijn relatie houden en jij blijft die dag vanaf twaalf uur 's middags niet ver van het hotel om bij te springen.'

'Tot wanneer?' vroeg Thomard.

'Tot hij naar buiten komt, alleen,' zei Roux. 'En dan neem je hem te pakken. Voor vijfduizend dollar.'

Thomard glimlachte een beetje toen hij de cel uit kwam. Terwijl hij aan de bar zijn bier stond te drinken kon hij de druk van het pistool onder zijn linkeroksel voelen. Dat maakte zijn glimlach nog breder. Over een paar dagen zou het hem een klein kapitaal opbrengen. Daar was hij volkomen van overtuigd. Het was een koud kunstje, zo hield hij zichzelf voor, iemand te pakken te nemen, zelfs al was het Cat Shannon, die hem nog nooit gezien had en die niet wist dat hij er was.

In de loop van zondagochtend belde Kurt Semmler op. Shannon lag naakt op zijn rug op het bed, terwijl Julie in de keuken rondscharrelde en het ontbijt klaarmaakte.

'Meneer Keith Brown?' vroeg de telefoniste.

'Ja, spreekt u mee.'

'Ik heb een telefoongesprek met voorbericht van een zekere heer Semolina in Genua.'

Shannon zwaaide van het bed af en ging in elkaar gedoken op de rand zitten met de telefoon aan zijn oor.

'Verbind hem door,' beval hij.

De stem van de Duitser was ver weg maar hij was duidelijk te verstaan.

'Carlo?'

'Ja. Kurt?'

'Ik zit in Genua.'

'Dat weet ik. Wat is er voor nieuws?'

'Ik heb het. Ik weet het nu zeker. Het is precies wat je hebben moet. Maar er is iemand anders die het ook wel wil kopen. Wij moeten ze overbieden als we het schip willen hebben. Maar het is goed. Voor ons uitstekend. Kun je hier komen om het te bezichtigen?'

'Weet je het heel zeker, Kurt?'

'Ja, absoluut. Geregistreerd vrachtschip, eigendom van een in Genua gevestigde scheepvaartmaatschappij. Precies op maat.'

Shannon dacht even na.

'Ik kom morgen. In welk hotel zit je?'

Semmler zei het hem.

'Dan kom ik daar met het eerste vliegtuig dat vertrekt. Ik weet niet wanneer dat zal zijn. Blijf 's middags in het hotel, dan bel ik je op zodra ik er ben. Bespreek een kamer voor me.'

Enkele minuten later sprak hij met de BEA en hoorde dat het eerste vliegtuig naar Milaan de volgende morgen om 9.05 uur vertrok, een Alitalia-vlucht die in Milaan aansluiting had op Genua en 's middags om één uur in de havenstad aankwam. Hij boekte een enkele reis voor die vlucht.

Hij grinnikte toen Julie met de koffie binnenkwam. Als het schip goed was, kon hij de komende twaalf dagen de transactie afsluiten en op de vijftiende in Parijs zijn voor zijn onderhoud met Langarotti, met de zekerheid dat Semmler het schip gereed zou maken om zee te kiezen en zou zorgen dat het de eerste juni van een goede bemanning en compleet van brandstof en proviand was voorzien.

'Wie was dat?' vroeg het meisje.

'Een vriend.'

'Wat voor een vriend?'

'Een zakenvriend.'

'Wat moest hij?'

'Ik moet naar hem toe.'

'Wanneer?'

'Morgenochtend. In Italië.'

'Hoe lang blijf je weg?'

'Dat weet ik niet. Veertien dagen; misschien langer.'

Ze keek verongelijkt boven haar koffiekopje.

'En wat moet ik dan al die tijd doen?' vroeg ze.

Shannon grinnikte.

'Je vindt vast wel iets. Het ligt voor het opscheppen.'

'Je bent een zak,' zei ze vriendelijk. 'Maar als je weg moet, moet je weg. Dan hebben we nog maar tot morgenochtend de tijd, dus dan zal ik er maar het beste van maken, Tom Cat van me.'

Terwijl hij zijn koffie over het hoofdkussen morste, bedacht Shannon, dat het gevecht om het paleis van Kimba een spelletje was in vergelijking met de poging het lieve dochtertje van sir James Manson te bevredigen.

# 15

De haven van Genua baadde in het licht van de late namiddagzon, toen Cat Shannon en Kurt Semmler hun taxi betaalden en de Duitser zijn werkgever over de kaden voerde, waar het motorschip *Toscana* gemeerd lag. De oude kustvaarder verdween in het niet bij de twee 3000-tons vrachtschepen, die aan weerskanten lagen, maar dat was geen probleem. In de ogen van Shannon was het voor zijn doel groot genoeg.

Er zat een kleine voorpiek op en een verlaging van één meter twintig naar het eerste tussendek, waar in het midden een groot vierkant luik naar het enige laadruim midscheeps was. Achter was de kleine brug en daaronder kennelijk de bemanningskajuiten en de kapiteinshut. Er zat een korte dikke mast op, waaraan slechts één laadboom zat, bijna verticaal getuigd. Helemaal achteraan boven de achtersteven hing de enige reddingsboot van het schip.

Het was roestig, de verf was op veel plaatsen door de zon afgebladderd en op andere plaatsen door het verstuivende zoute water afgestroopt. Klein, oud en rommelig, had het de eigenschap die Shannon zocht – het was anoniem. Er zijn duizenden van zulke vrachtscheepjes, die de handelsvaart langs de kust onderhouden van Haifa naar Gibraltar, van Tanger naar Dakar, van Monrovia naar Simonstown. Ze lijken allemaal op elkaar, trekken geen aandacht en worden er zelden van verdacht, dat ze iets anders doen dan kleine vrachten van de ene haven naar de andere vervoeren.

Semmler ging met Shannon aan boord. Ze liepen naar achteren, waar een kajuitstrap in de duisternis van de bemanningsverblijven afdaalde en Semmler riep iets. Toen gingen ze de trap af. Beneden werden ze opgewacht door een gespierde, norse man van een jaar of vijfenveertig, die tegen Semmler knikte en strak naar Shannon keek.

Semmler gaf hem een hand en stelde hem aan Shannon voor.

'Carl Waldenberg, eerste stuurman.'

Waldenberg knikte kortaf en gaf hem een hand.

'U komt onze oude *Toscana* zeker eens bekijken?' vroeg hij.

Shannon was blij te horen dat hij goed Engels sprak, zij het met een accent, en er uitzag, of hij bereid was een vracht te vervoeren die niet op het scheepsmanifest stond, zolang er maar betaald werd. Hij begreep wel, waarom de Duitser belang in hem stelde. Semmler had hem al op de hoogte gesteld, zodat hij tegen de bemanning had gezegd dat Semmlers werkgever kwam om het schip te bezichtigen met het oog op eventuele aankoop. Voor de eerste stuurman was de nieuwe eigenaar interessant. Afgezien van alles moest Waldenberg zijn eigen toekomst in de gaten houden.

De Joegoslavische machinist was even aan land, maar ze kwamen een matroos tegen, een jonge Italiaanse jongen, die in zijn kooi een seksblaadje lag te lezen. Zonder op de Italiaanse kapitein te wachten, liet de eerste stuurman het tweetal de *Toscana* zien.

Er waren drie dingen waar Shannon belang in stelde: of er op de boot ergens nog twaalf man bij kon, al moeten ze op het dek in de openlucht slapen; het grote ruim en de mogelijkheid om een paar kisten beneden het ruim onder de vloer te verstoppen; en of de motoren betrouwbaar genoeg waren om ze helemaal naar Zuid-Afrika te brengen.

Waldenbergs ogen vernauwden zich iets, toen Shannon zijn vragen stelde, maar hij beantwoordde ze beleefd. Hij kon zelf wel nagaan, dat er geen betalende passagiers aan boord van de *Toscana* kwamen vanwege het voorrecht om in dekens gewikkeld boven het ruim onder de zomersterren te slapen; en ook zou de *Toscana* voor een reis naar het andere eind van Afrika niet veel vracht oppikken. Vracht voor zo'n grote afstand wordt in een groter vaartuig verscheept. Het voordeel van een kleine kustvaarder is, dat hij vaak op zeer korte termijn lading kan innemen en twee dagen later een paar honderd kilometer verder kan afleveren. Grote schepen liggen langer in de haven om te laden en te lossen. Maar op een lange reis zoals van de Middellandse Zee naar Zuid-Afrika maakt een groter schip in snelheid goed wat het in de haven voor het uitvaren verloren heeft. Voor de exporteur overzee hebben de *Toscana*'s van de zee voor afstanden boven de 800 kilometer geen aantrekkingskracht.

Nadat ze de boot bezichtigd hadden gingen ze naar het bovendek en Waldenberg bood ze flesjes bier aan, die ze opdronken in de schaduw van het linnen zonnescherm, dat op het achterdek was gespannen. Daar begonnen de eigenlijke onderhandelingen. De twee Duitsers ratelden in hun eigen taal, de zeeman stelde kennelijk de vragen en Semmler gaf antwoord. Tenslotte keek Waldenberg onderzoekend naar Shannon, keek weer naar Semmler en knikte langzaam.

'Het is mogelijk,' zei hij in het Engels.

Semmler wendde zich tot Shannon en legde het hem uit.

'Waldenberg wil graag weten, waarom iemand als jij, die kennelijk niet op de hoogte is van charterladingen, een vrachtschip voor een lading stukgoederen wil kopen. Ik heb gezegd, dat je zakenman bent en geen zeeman. Hij vindt dat de handel in lading stukgoederen veel te riskant is voor iemand met geld, tenzij hij iets speciaals op het oog heeft.'

Shannon knikte.

'Daar zit iets in. Kurt, ik wil je even alleen spreken.'

Ze gingen naar de achtersteven en leunden over de railing, terwijl Waldenberg zijn bier dronk.

'Wat vind jij van die vent?' mompelde Shannon.

'Hij is oké,' zei Semmler zonder te aarzelen.

'De kapitein is tevens de eigenaar en hij is een oude man en wil stil gaan leven. Daarvoor moet hij de boot verkopen om van het geld te kunnen leven. Zodoende is er een kapiteinsplaats open. Ik denk dat Waldenberg er wel voor voelt en ik heb er niets tegen. Hij heeft het diploma van gezagvoerder en hij kent de boot van haver tot gort. Hij kent ook de zee. Dan blijft alleen de vraag, of hij een lading wil vervoeren waar risico aan zit. Ik denk het wel, als het de moeite loont.'

'Vermoedt hij al iets?' vroeg Shannon.

'Natuurlijk. Hij denkt eigenlijk dat het je werk is, illegale immigranten naar Engeland te vervoeren. Hij wil niet gearresteerd worden, maar als de betaling goed is, geloof ik wel dat hij het risico wil nemen.'

'Maar in de eerste plaats moeten we natuurlijk het schip kopen. Hij kan later wel beslissen of hij wil aanblijven. Als hij weg wil, kunnen we een andere kapitein zoeken.'

Semmler schudde zijn hoofd.

'Nee. Want dan moeten we hem van tevoren genoeg vertellen, zodat hij een beetje weet om wat voor werk het gaat. Als hij dan wegloopt, loopt onze veiligheid gevaar.'

'Als hij hoort wat voor werk het is en hij gaat weg, kan hij maar één kant uit,' zei Shannon en hij wees met zijn vinger naar het water met olievlekken onder de achtersteven.

'Dan is er nóg iets, Cat. Het zou een voordeel zijn om hem op onze hand te hebben. Hij kent het schip en als hij besluit te blijven, zal hij de kapitein proberen te bewegen de *Toscana* aan ons te verkopen in plaats van aan de scheepvaartmaatschappij die aan het rondsnuffelen is. Zijn mening legt bij de kapitein gewicht in de schaal, omdat de ouwe wil, dat de *Toscana* in goede handen komt en hij vertrouwt Waldenberg.'

Shannon overwoog de logica hiervan die hem wel aansprak. De tijd drong en hij wilde de *Toscana* hebben. De eerste stuurman kon hem daarbij helpen en kon er in ieder geval mee omgaan. Hij kon ook zijn eigen eerste stuurman werven en zorgen dat het een verwante geest was. Bovendien is er een nuttige regel over het omkopen van mensen: koop ze nooit allemaal om; koop alleen de man die macht heeft over zijn eigen ondergeschikten en laat hem de rest in het gareel houden. Shannon besloot Waldenberg als hij kon tot bondgenoot te maken. Ze slenterden weer naar het zonnescherm.

'Ik zal open kaart met u spelen, meneer,' zei hij tegen de Duitser. 'Het is natuurlijk zo, dat als ik de *Toscana* koop, hij niet dient om apenootjes mee te vervoeren. Het is ook zo, dat er een klein element van risico in zit als de vracht aan boord komt. Er zal geen risico zijn als de vracht aan land gaat, want dan is het schip buiten de territoriale wateren. Ik heb een goede kapitein nodig en Kurt Semmler zegt dat u goed bent. Dus laten we spijkers met koppen slaan. Als ik de *Toscana* neem, bied ik u de post van kapitein aan. U krijgt zes maanden een gegarandeerd salaris van tweemaal uw huidige salaris, plus een extra uitkering van 5000 dollar voor de eerste verscheping, die vandaag over tien weken plaatsvindt.'

Waldenberg luisterde zonder een woord te zeggen. Toen grinnikte hij en kwam overeind van de plaats waar hij zat. Hij stak zijn hand uit.

'Meneer, u hebt een kapitein.'

'Mooi,' zei Shannon. 'Alleen moeten we wel eerst even de boot kopen.'

'Geen probleem,' zei Waldenberg. 'Hoeveel hebt u er voor over?'

'Hoeveel is het waard?' vroeg Shannon.

'Wat de markt ervoor vraagt,' antwoordde Waldenberg. 'De tegenpartij heeft hun eigen plafond op £ 25 000 gesteld en geen cent meer.'

'Ik ga tot £ 26 000,' zei Shannon. 'Zal de kapitein daarmee akkoord gaan?'

'Vast. Spreekt u Italiaans?'

'Nee.'

'Spinetti spreekt geen Engels. Dan zal ik wel tolk voor u zijn. Ik maak het wel met de ouwe in orde. Met die prijs en mij als kapitein zal hij het aan u verkopen. Wanneer kunt u met hem spreken?'

'Morgenochtend?' vroeg Shannon.

'Goed. Morgen om tien uur, hier aan boord.'

Ze gaven elkaar weer een hand en de twee huurlingen vertrokken.

Kleine Marc Vlaminck was in de garage die hij gehuurd had tevreden aan het werk, terwijl de afgesloten bestelwagen buiten in de gang langs de garages stond. Marc had de deur van de garage ook op slot gedaan, zodat hij niet gestoord werd onder het werk. Het was zijn tweede middag alleen in de garage en hij was bijna klaar met het eerste deel van zijn taak.

Langs de achterste muur van de garage had hij van zware houten balken een werkbank gemaakt en deze voorzien met wat hij nodig had, de gereedschappen die hij gekocht had van de £ 500 van Shannon, waar ook de bestelwagen en de rest van de benodigde artikelen van waren betaald. Langs de ene muur stonden vijf grote vaten. Ze waren hardgroen, met het handelsmerk van de Castrol-oliemaatschappij erop. Ze waren leeg, want zo had Marc ze heel goedkoop bij een grote scheepvaartmaatschappij in de haven op de kop getikt en er had vroeger zware smeerolie ingezeten, wat ook duidelijk op elk vat stond.

Van het eerste exemplaar had Marc een ronde schijf uit de bodem van het vat gesneden, en het stond ondersteboven met het gapende gat omhoog en met de schroefdop op de bovenkant van het vat op de vloer. Om het gat was een vier centimeter brede rand, het enige dat nog van de oorspronkelijke bodem van het vat over was gebleven.

Uit de bestelwagen had Marc twee kisten Schmeissers gehaald en de twintig machinepistolen waren bijna klaar om in hun nieuwe bergplaats te worden gestopt. Elk pistool was van het ene tot het andere eind zorgvuldig met plakstroken omwikkels en aan elk wapen zaten met tape vijf patroonhouders geplakt. Nadat ze waren ingepakt, had Marc elk machinepistool in een stevige plastic zak gestopt, waar hij de lucht had uitgezogen en die hij aan het uiteinde stevig met touw had dichtgebonden. Daarna had hij ze stuk voor stuk weer in een tweede omhulsel van plastic gedaan, dat ook weer aan het uiteinde dichtgebonden werd. Met een zodanige verpakking nam hij aan dat de wapens droog bleven tot ze later weer werden uitgepakt.

Hij nam de twintig korte, dikke pakjes en pakte ze met twee stevige riemen samen tot één grote bundel. Deze stopte hij in het gat boven in het vat en liet hij op de bodem zakken. De vaten waren van het gewone 44-gallon- of 200-liter-formaat en er was in elk vat voldoende ruimte voor twintig Schmeissers met de bijbehorende magazijnen, terwijl er rondom nog wat ruimte overbleef.

Toen de eerste bundel was opgeborgen, begon Marc aan het karwei om het vat opnieuw dicht te maken. Hij had in een machinewerkplaats nieuwe schijven van blik laten snijden en de eerste ervan legde hij op de bovenkant van het open vat. Hij was een half uur aan het vijlen en schuren, voor de schijf eindelijk precies op het vat paste en overal keurig over de vier centimeter brede rand tot aan de zijkant van het vat kwam. Hij zette zijn stoomapparaat aan, verhit door een brander die aan een gasfles was gekoppeld, en met behulp van een staaf zachte soldeer begon hij de ene plaat blik op de andere te 'stomen'.

Metaal kan op metaal worden gelast en dat gebeurt dan ook meestal om de sterkste verbinding te krijgen. Maar in een vat, waarin eens olie of ontbrandbare stoffen hebben gezeten, blijft altijd een dun laagje op de binnenkant van het metaal zitten. Als dit verwarmd wordt, zoals bij het lassen, gaat dit laagje verdampen en dan kan gemakkelijk een zeer gevaarlijke ontploffing ontstaan. Het 'stomen' van het ene stukje blik op het andere, levert niet alleen dezelfde sterke verbinding op, maar kan plaatsvinden met stoomhitte van lagere temperatuur. Zolang de vaten niet op hun kant werden gelegd en rondgehusseld werden, waardoor inwendig een krachtige stuwing ontstaat, konden ze wel een stootje verdragen.

Toen hij klaar was, sloot Marc de overblijvende naden af met soldeer en toen alles was afgekoeld, bespoot hij de hele onderkant met verf in exact dezelfde kleur als de Castrol-olievaten in de hele wereld. Nadat hij de verf had laten drogen, zette hij het vat voorzichtig op de nieuwe onderkant, haalde de schroefdop van de bovenkant af, nam een grote jerrycan van de rij die klaarstond en begon de smeerolie erin te gieten.

De smaragdgroene vloeistof, dik, kleverig en taai, stroomde in de opening en verdween klokkend naar de bodem van het vat. Langzaam vulde de olie de ruimte tussen de zijkanten van het vat en de bundel machinepistolen die erin zat, gleed geruisloos in alle hoeken en gaten tussen de afzonderlijke wapens en doortrok riemen en touw. Hoewel Marc de plastic zakken had leeggezogen voor hij de uiteinden dichtbond, zaten er nog luchtbellen in de zakken, die in de patroonhouders, lopen en sluitstukken waren achtergebleven. Hierdoor werd het gewicht van het metaal opgeheven, zodat naarmate het vat zich vulde, de zware bundel wapens bijna gewichtloos werd en in de dikke olie op en neer deinde als een lijk op de golven en tenslotte langzaam onder het oppervlak verdween.

De Belg leegde twee jerrycans en toen het vat tot de rand toe vol was, schatte hij dat zeven tiende van het inwendige in beslag werd genomen door de bundel en drie tiende door olie. Hij had zestig liter in het tweehonderd-litervat gegoten. Tenslotte pakte hij een zaklantaarntje en tuurde naar de oppervlakte van de vloeistof. De olie glom hem bij het schijnsel tegemoet, groen glanzend met gouden vlekjes. Van wat er op de bodem van het vat lag was niets te zien. Hij wachtte nog een uur voor hij de rand aan de onderkant controleerde. Er had niets gelekt, de nieuwe bodem van het vat zat stevig dicht.

Hij had iets joligs over zich, toen hij de garagedeuren openschoof en de bestelwagen naar binnen reed. Hij moest het hout van de twee platte kistjes met Duitse letters nog vernietigen en een schijf blik, die nu overbodig was, weggooien. Het laatste zou in de haven verdwijnen en van het eerste ging hij een vuurtje stoken. Hij wist nu, dat het de goede methode was en dat hij om de twee dagen een vat kon ombouwen. Hij zou op 15 mei voor Shannon gereed zijn zoals hij beloofd had. Het was goed om weer aan het werk te zijn.

Doctor Ivanov was laaiend, niet voor het eerst en zonder enige twijfel niet voor het laatst.

'Die ambtenarij hier,' mompelde hij tegen zijn vrouw aan de ontbijttafel, 'die belachelijke, domme, kortzichtige ambtenarij in dit land, verdomd, het is niet te geloven.'

'Natuurlijk, je hebt gelijk, Michajl Michajlovitsj,' zei zijn vrouw kalmerend en schonk nog twee kopjes thee in, sterk, donker en bitter, zoals haar man het graag had. Gelijkmatig en tevreden als ze was, wenste ze dat haar opvliegende geleerde echtgenoot voorzichtig was met zijn uitbarstingen of ze tenminste binnenshuis hield.

'Als ze in de kapitalistische wereld wisten hoe lang het duurde, om een paar moeren en bouten het land in te krijgen, zouden ze zich doodlachen.'

'Stil, lieverd,' zei ze tegen hem, de suiker in haar eigen kopje omroerend. 'Je moet geduld hebben.'

Het was al weken geleden, sinds de directeur hem in het met vurehout betimmerde kantoor in het hart van een uitgestrekt complex van laboratoria en woonwijken had laten komen, waaruit het Instituut in het centrum van het Siberische Nieuwe Land bestond, om hem mee te delen dat hij de leiding kreeg van een exploratieploegje dat naar West-Afrika werd gezonden, en dat hij zelf alle voorbereidingen moest treffen.

Dat betekende dat hij een project moest opgeven dat hem na aan het hart lag en hetzelfde gold voor twee van zijn jongere collega's. Hij had de benodigde uitrusting voor een Afrikaans klimaat besteld en zijn aanvragen gestuurd naar de zes verschillende leveringsinstanties die daarvoor in aanmerking kwamen, en inmiddels beantwoordde hij de onnozele vragen zo beleefd mogelijk en wachtte, wachtte al maar tot de uitrusting kwam en in kisten verpakt werd. Hij wist van zijn deelname aan een exploratieploeg in Ghana, toen Nkrumah daar aan de macht was, wat er bij het werken diep in de wildernis allemaal kwam kijken.

'Geef mij de sneeuw maar,' had hij toen tegen zijn ploegleider gezegd. 'Ik ben meer iemand voor een koud klimaat.'

Maar hij had het gedaan, volgens de orders en op tijd. Zijn ploeg was gereed, zijn uitrusting ingepakt en verzorgd, tot op het laatste waterzuiveringstablet en veldbed toe. Met een beetje geluk, had hij gedacht, kon hij daar zijn, de exploratie uitvoeren en met zijn monsters terug zijn voordat de korte, heerlijke dagen van de Siberische zomer door de bittere herfst werden verzwolgen. De brief in zijn hand zei hem dat het niet zo mocht zijn.

Hij kwam van zijn directeur persoonlijk en hij droeg de man geen kwaad hart toe, want hij wist, dat deze slechts de instructies uit Moskou doorgaf. Helaas had het Transportdirectoraat aldaar beslist, dat de vertrouwelijke aard van de exploratie het gebruik van openbaar transport uitsloot, maar het ministerie van Buitenlandse Zaken achtte zich niet bevoegd Aeroflot instructies te geven om een vliegtuig ter beschikking van de ploeg te stellen. Met het oog op de ontwikkelingen in het Midden-Oosten was het evenmin mogelijk van een militair Antonov-transportvliegtuig gebruik te maken.

Als gevolg hiervan, zo luidden de instructies van Moskou, had men het nodig geacht, met het oog op de omvang van de voor de exploratie benodigde uitrusting en de nog grotere hoeveelheden monsters die uit West-Afrika mee teruggebracht moesten worden, van transport over zee gebruik te maken. Er was besloten, dat de ploeg het beste vervoerd kon worden met een Sovjet-vrachtschip, dat langs de kust van West-Afrika naar het Verre Oosten ging. Bij hun terugkeer zouden ze eenvoudig ambassadeur Dobrovolski ervan in kennis stellen dat zij met hun onderzoek gereed waren, en op diens instructie zou een vrachtschip op de thuisreis van de koers afwijken om de ploeg van drie man met hun kisten monsters aan boord te nemen. Er zou te zijner tijd bericht volgen omtrent de datum en haven van vertrek en er zouden machtigingsbrieven voor het gebruik van staatstransport naar de haven van inscheping worden verschaft.

'De hele zomer,' schreeuwde Ivanov, terwijl zijn vrouw hem zijn overjas met bontkraag en bontmuts aangaf. 'Ik loop verdomme de hele zomer mis. En dáar kom ik midden in de natte moesson.'

Cat Shannon en Kurt Semmler waren de volgende ochtend weer op het schip en maakten voor het eerst kennis met kapitein Alessandro Spinetti. Het was een knokig oud mannetje met een gezicht als een walnoot, een T-shirt over een nog ronde buik en een witte pet scheef op het hoofd.

De onderhandelingen begonnen meteen, en werden later voortgezet in het kantoor van de advocaat van de kapitein, een zekere Giulio Ponti, die zijn praktijk hield in een van de smalle zijstraatjes van de drukke, lawaaiige Via Gramschi. Om de signor recht te doen, hij zat wel aan de betere kant van de Via Gramschi en de hoeren in de bars waar ze langs kwamen, zagen er hoe langer hoe toonbaarder en duurder uit, naarmate ze dichter bij het kantoor van de advocaat kwamen.

Alles wat met juridische aangelegenheden heeft te maken gaat in Italië met een slakkegangetje, en dan meestal nog dat van een jichtige slak.

Over de voorwaarden waren ze het al eens geworden. Terwijl Carl Waldenberg vertaalde, had kapitein Spinetti de koppeltransactie geaccepteerd die Shannon aanbood: £ 26 000 contant voor het schip, te betalen in een valuta en een land naar keuze van de kapitein; zijn eigen eerste stuurman kreeg een contract van minstens zes maanden als de nieuwe kapitein, tegen het dubbele van het salaris dat hij als eerste stuurman ontvangen had; de gelegenheid voor de andere twee mannen, de machinist en de matroos, om zes maanden tegen het huidige salaris te blijven of hun eigen weg te gaan met een gouden handdruk van £ 500 voor de matroos en £ 1000 voor de machinist.

Shannon had al bij zichzelf besloten de matroos te bepraten om weg te gaan, maar alles te doen om de machinist te behouden, een norse Serviër, van wie Waldenberg zei, dat hij die machines helemaal naar zijn hand kon zetten, die niets zei en nooit iets vroeg; en bovendien waren zijn papieren waarschijnlijk ook niet in orde, zodat hij om de baan verlegen zat.

Om belastingtechnische redenen had de kapitein lang geleden £ 100 geïnvesteerd in de oprichting van een kleine vennootschap, de scheepvaartmaatschappij Spinetti Maritimo, met honderd gewone aandelen, waarvan hij er negenennegentig en zijn advocaat, signor Ponti, er één bezat, en deze was tevens aangesteld als secretaris. De verkoop van de boot, het ms. *Toscana*, de enige bezitting van de vennootschap, was daarom gekoppeld aan de verkoop van de scheepvaartmaatschappij Spinetti Maritimo, wat Shannon uitstekend uitkwam.

Wat hem minder goed uitkwam was, dat er vijf dagen besprekingen met de advocaat gevoerd moesten worden, voordat alle punten geregeld waren. En dat was nog maar voor de eerste fase.

Na de eerste week in mei, op dag Eenendertig van Shannons privé-kalender van honderd dagen, kon Ponti pas beginnen met het opmaken van de contracten. Omdat de transactie in Italië plaatsvond en de *Toscana* in Italië geregistreerd stond, moest het contract aan de Italiaanse wet voldoen, die gecompliceerd is. Er waren drie contracten; een voor de verkoop van Spinetti Maritimo met alle activa aan Tyrone Holdings in Luxemburg; een waarbij door Tyrone Holdings aan Carl Waldenberg de betrekking van kapitein werd aangeboden voor zes maanden tegen het overeengekomen salaris; en het derde waarbij aan de twee andere bemanningsleden hun huidige salaris of een betaling bij vertrek werd gegarandeerd. Deze procedure kostte vier dagen en Ponti vond duidelijk, dat hij alle snelheidsrecords brak, hoewel alle belanghebbende partijen erop gebrand waren de verkoop zo snel mogelijk af te handelen.

Grote Janni Dupree vond die stralende meimorgen het leven nog niet zo kwaad, toen hij uit de kampeerartikelenzaak kwam, waar hij zijn laatste bestelling had opgegeven. Hij had een waarborgsom gestort voor het benodigde aantal pukkels en slaapzakken. Ze zouden de volgende dag geleverd worden en hij was van plan dezelfde middag twee grote kartonnen dozen vol militaire ransels en baretten uit een pakhuis in Londen-oost op te halen.

Er waren al drie omvangrijke partijen bestaande uit diverse uitrustingsstukken afgestuurd naar Toulon. De eerste moest volgens zijn schatting al zijn aangekomen en de andere twee waren onderweg. De vierde zou de volgende middag ingepakt en in handen van de bevrachter worden gegeven, zodat hij nog een week over had. De vorige dag had hij een brief van Shannon gekregen, met de opdracht zijn Londense flatje op te zeggen en op 15 mei naar Marseille te vliegen. Hij moest een kamer nemen in een opgegeven hotel in de Franse havenstad en daar wachten op bericht. Hij had graag nauwkeurige instructies; die lieten weinig kans op vergissingen en als er iets misging lag het tenminste niet aan hem. Hij had zijn vliegticket gereserveerd en hoopte dat die ene week gauw om was, zodat hij weg kon. Hij verheugde zich erop weer in actie te kunnen komen.

Toen signor Ponti eindelijk alle noodzakelijke formaliteiten in orde had gemaakt, verzond Cat Shannon uit zijn hotel in Genua een serie brieven. De eerste was gericht aan Johann Schlinker, om hem te zeggen dat het schip waarmee de munitie uit Spanje werd vervoerd, het ms. *Toscana* was, eigendom van de scheepvaartmaatschappij Spinetti Maritimo in Genua. Zelf had hij van Schlinker de gegevens nodig, waar de wapenzending naar toe ging, zodat de kapitein het in zijn manifest kon vermelden.

Hij sloot bij zijn brief alle bijzonderheden van de *Toscana* in, die hij aan de hand van Lloyds Scheepvaartlijst had gecontroleerd, waarvan hij een exemplaar op het kantoor van de Engelse viceconsul in Genua kon bestuderen, om zich ervan te overtuigen dat de *Toscana* erop vermeld stond. Hij deelde Schlinker mee, dat hij over veertien dagen contact met hem zou opnemen.

Een andere brief ging naar Alan Baker, zodat ook hij de Joegoslavische autoriteiten de naam en de bijzonderheden van het vervoerende schip kon opgeven voor de toewijzing van de uitvoervergunning. Hij wist al wat er in het manifest moest staan. Er zou in staan, dat het schip met de vracht van de Joegoslavische haven van inscheping op weg was naar Lomé, de hoofdstad van Togo.

Hij schreef een lange brief aan de heer Stein, als voorzitter van Tyrone Holdings, met instructies om de papieren gereed te maken voor een vergadering van de Raad van beheer over vier dagen op zijn kantoor, met twee voorstellen op de agenda. De ene was dat de vennootschap Spinetti Maritimo kocht, met alle activa, voor £ 26 000, en de andere om nog eens 26 000 aandelen van £ 1 aan toonder uit te geven aan de heer Keith Brown in ruil voor een gewaarmerkte cheque van £ 26 000.

Hij schreef een haastig briefje aan Marc Vlaminck, dat het ophalen van de vracht in Oostende tot 20 mei moest worden uitgesteld, en nog een aan Langarotti om de afspraak in Parijs tot de negentiende uit te stellen.

Tenslotte stuurde hij Simon Endean in Londen een brief met het verzoek om over vier dagen in Luxemburg met hem een bespreking te houden en gelden ten bedrage van £ 26 000 ter beschikking te stellen voor de aankoop van het schip, teneinde de hele onderneming naar het actiegebied te vervoeren.

De avond van de dertiende was zacht en koel en Jean-Baptiste Langarotti reed met zijn bestelwagen al enige honderden kilometers langs dezelfde kust, nu van Hyères in westelijke richting, het laatste stukje naar Toulon. Hij had het raampje naar beneden gedraaid en snoof de geur van coniferen en struikgewas op die van de heuvels aan zijn rechterhand kwam. Evenals Dupree in Londen, die zich die avond voorbereidde om naar Marseille te vliegen, evenals Vlaminck in Oostende, die de laatste hand legde aan zijn vijfde en laatste vat met wapens, had Langarotti plezier in het leven.

Hij had achter in de bestelwagen de laatste twee buitenboordmotoren liggen, contant betaald en voorzien van onderwateruitlaten om geruisloos te varen. Hij was op weg terug naar Toulon om ze in het entrepot af te leveren. In het pakhuis van Maritime Duphot lagen al drie zwarte opblaasbare rubberboten, elk in een krat verpakt en ongeopend, plus de derde motor. Er lagen eveneens vier grote kisten met diverse kledingstukken, die de afgelopen veertien dagen uit Londen op zijn eigen naam waren aangekomen. Hij zou eveneens op tijd klaar zijn.

Het was jammer dat hij uit zijn hotel weg had gemoeten. Doordat hij drie dagen geleden toevallig een oude vriend uit de onderwereld tegen het lijf liep toen hij de deur uitging, was hij gedwongen geweest snel een uitvlucht te bedenken en de volgende ochtend te verhuizen. Hij zat nu in een nieuw hotel en zou Shannon op de hoogte hebben gebracht als hij maar wist waar Shannon was. Het deed er niet toe. Over achtenveertig uur, op de vijftiende, zou hij zijn afspraak met zijn baas in het Plaza Surene-hotel in Parijs nakomen.

De vergadering op 14 mei in Luxemburg was verrassend kort. Shannon was niet aanwezig. Hij had meneer Stein al tevoren op zijn kantoor gesproken en hem de documenten overhandigd voor de koop van Spinetti Maritimo en het vaartuig de *Toscana*, tegelijk met een gewaarmerkte cheque van £ 26 000, betaalbaar aan Tyrone Holdings S.A.

Een half uur later kwam meneer Stein uit de Raadsvergadering en overhandigde Shannon 26 000 gewone aandelen aan toonder in Tyrone Holdings. Hij liet hem ook een envelop zien, die de documenten bevatte betreffende de verkoop van het schip aan Tyrone en de cheque van Tyrone Holdings ten gunste van signor Allesandro Spinetti. Hij verzegelde de aan signor Giulio Ponti op zijn kantoor te Genua geadresseerde envelop en gaf hem aan Shannon. Het laatste document dat hij overhandigde was een besluit van de Raad, om Herr Kurt Semmler te benoemen tot directeur van de scheepvaartmaatschappij Spinetti Maritimo.

Twee dagen later werd de transactie op het kantoor van de Italiaanse advocaat bekrachtigd. De cheque voor de aankoop van de *Toscana* was overdragen en Tyrone Holdings was voor honderd procent de wettige eigenaar van Spinetti Maritimo. In verband hiermee verzond signor Ponti per aangetekende post de honderd gewone aandelen in Spinetti Maritimo aan het kantoor van Tyrone in Luxemburg. Los hiervan accepteerde signor Ponti een pakje van Shannon en borg het ter bewaring in zijn kluis op. Hij nam twee handtekeningen van Shannon op de naam van Keith Brown als voorbeeld, om later de echtheid van een brief van Shannon betreffende de beschikking over het pakje te kunnen waarborgen. Ponti wist niet, dat het pakje de 26 994 preferente aandelen van Tyrone bevatte.

Carl Waldenberg werd aangesteld als kapitein en ontving zijn zesmaandelijks contract, evenals de Servische machinist. Ieder bemanningslid ontving een maand salaris contant en de overige vijf maanden salaris voor ieder werd als garantie in handen van signor Ponti gegeven.

De Italiaanse matroos liet zich zonder moeite overhalen om zijn £ 500 afscheidsbetaling plus een extra bedrag van £ 100 te accepteren, waarna hij vertrok. Semmler werd geïnstalleerd als directeur.

Shannon liet nog eens £ 5000 uit Brugge ten gunste van hemzelf in Genua overmaken, waarmee hij de salarissen van de twee bemanningsleden die op de *Toscana* bleven kon betalen. Voor hij op de achttiende uit Genua vertrok, overhandigde hij de rest aan Semmler en gaf hem zijn instructies.

'Hoe staat het met de vervanging van de twee bemanningsleden?'

'Daar zorgt Waldenberg al voor,' zei Semmler. 'Hij gelooft, dat het in de haven wemelt van mannen die willen aanmonsteren. Hij kent de stad door en door en hij weet ook wat we nodig hebben. Kerels die voor geen kleintje vervaard zijn, geen vragen stellen en doen wat ze gezegd wordt, vooral als ze weten dat er aan het slot een extra betaling op staat. Maak je niet ongerust, vóor het eind van de week komt hij met een goed stel aan.'

'Mooi. Prachtig. Wat ik nu wil is het volgende. Laat de *Toscana* gereedmaken om uit te varen. De machines helemaal nagekeken en gereviseerd. De havenrechten betaald, de papieren in orde met de naam van de nieuwe kapitein. Het scheepsmanifest voor elkaar om in Toulon een lading stukgoederen voor Marokko op te halen. Laat het schip van brandstof en levensmiddelen voorzien. Neem voldoende voorraden mee voor de bemanning plus twaalf man. Extra zoet water, bier, wijn en sigaretten. Als het klaar is breng je het naar Toulon. Daar moet je uiterlijk 1 juni zijn. Ik kom daar met Marc, Jean-Baptiste en Janni. Houd contact met mij via de scheepsbevrachter, het agentschap Maritime Duphot. Ze zitten in de havenwijk. Dan zie ik je daar dus. Veel succes.'

# 16

Jean Baptiste leefde nog, wat althans gedeeltelijk te danken was aan zijn vermogen het gevaar te ruiken voor het op hem af kwam. De eerste dag, dat hij zich in het hotel in Parijs kwam melden, zat hij op het afgesproken uur in de lounge gewoon rustig een tijdschrift te lezen. Hij gaf Shannon twee uur de tijd, maar de huurlingenleider kwam niet opdagen.

Op goed geluk informeerde de Corsicaan bij de receptie, want al had Shannon er niets over gezegd dat hij bleef logeren, het kon zijn dat hij al vroeg was aangekomen en een kamer genomen had. De receptionist keek het register na en deelde Langarotti mee, dat er geen monsieur Brown uit Londen in het hotel was. Langarotti nam aan, dat Shannon opgehouden was en de afspraak op hetzelfde tijdstip de volgende dag hield.

Daarom zat de Corsicaan op de zestiende op hetzelfde tijdstip weer in de lounge. Er was nog steeds geen Shannon, maar wel iets anders. Tweemaal gluurde hetzelfde personeelslid van het hotel de zaal in en verdween zodra Langarotti opkeek. Weer na twee uur, toen Shannon nog steeds niet gekomen was, verliet hij het hotel. Toen hij de straat doorliep, ving hij een glimp op van een man in de hoek van een portiek, die een zonderlinge belangstelling vertoonde voor een etalage, waar hij geobsedeerd naar stond te staren. De etalage lag vol corsetten. Langarotti had het gevoel dat die man een element was, dat niet in het patroon van dat stille achterafstraatje op een voorjaarsochtend paste.

De volgende vierentwintig uur ging de Corsicaan zijn licht eens opsteken in de bars in Parijs, waar huurlingen bij elkaar komen en papte aan met zijn oude relaties van de Corsicaanse Unie in de Parijse onderwereld. Hij ging trouw iedere morgen naar het hotel en op de vijfde ochtend, die van de negentiende, was Shannon er.

Hij was de vorige avond met het vliegtuig via Milaan uit Genua aangekomen en had 's nachts in het hotel gelogeerd. Hij zag er opgewekt uit en vertelde zijn collega onder een kopje koffie in de lounge, dat hij een schip voor hun onderneming had gekocht.

'Geen problemen?' vroeg Langarotti. Shannon schudde het hoofd.

'Geen problemen.'

'Maar hier in Parijs hebben we wel een probleem.'

Omdat hij in zo'n openbare gelegenheid zijn mes niet kon wetten, zat de kleine Corsicaan met zijn lege handen in zijn schoot. Shannon zette zijn koffiekopje neer. Hij wist, als Langarotti over problemen begon, dan voorspelde dat moeilijkheden.

'Zoals?' vroeg hij zachtjes.

'Er staat een premie op je hoofd,' zei Langarotti.

De beide mannen bleven een poosje zwijgend zitten, terwijl Shannon het bericht overdacht. Zijn vriend onderbrak hem niet. Hij beantwoordde meestal alleen vragen als ze gesteld werden.

'Weet je wie erachter zit?' vroeg Shannon.

'Nee. En ook niet wie het op zich heeft genomen. Maar het is een hoop geld, zo'n 5000 dollar.'

'Kort geleden?'

'Ze zeggen, dat de premie ergens in de laatste zes weken is uitgeloofd. Het schijnt niet zeker te zijn of het gedaan is door de persoon die in Parijs gevestigd moet zijn, of dat hij voor iemand achter de schermen handelt. Ze zeggen dat alleen een goede schutter het op zich zou nemen, of een domme. Maar iemand heeft het op zich genomen. Er wordt naar je geïnformeerd.'

Shannon vloekte inwendig. Hij twijfelde er niet aan, dat de Corsicaan het bij het rechte eind had. De man was te voorzichtig om zomaar in het wilde weg geruchten te verspreiden. Hij probeerde terug te denken aan een of ander voorval, dat aanleiding kon zijn geweest om een premie op zijn hoofd te zetten. De moeilijkheid was dat er alle mogelijke redenen waren, waarvan hij sommige zoals hij wist niet eens kon raden.

Systematisch begon hij de mogelijkheden die hij kon bedenken na te gaan. Óf de opzet om hem te vermoorden kwam voort uit iets dat te maken had met de onderneming waar hij mee bezig was, óf het kwam voort uit een motief van langer geleden. Hij overwoog eerst de eerste mogelijkheid.

Was er een lek geweest? Had een regeringsbureau er lucht van gekregen dat hij een coup in Afrika voorbereidde en besloten er voorgoed een eind aan te maken door de commandant van de operatie koud te maken? De gedachte kwam zelfs bij hem op, dat sir James Manson op de hoogte was gekomen van de veelvuldige ontmaagding – als je het bij zo'n door de wol geverfde Lolita zo kon noemen – van zijn dochter. Hij verwierp dat allemaal. Het kon zijn, dat hij in de duistere wereld van zwarte-markthandelaars iemand beledigd had, die besloten had de rekening hardhandig te vereffenen, terwijl hij zelf op de achtergrond bleef. Maar zo'n stap zou zijn voorafgegaan door een meningsverschil over een handeltje, herrie over geld, een flinke ruzie of bedreigingen. Die waren er geen van alle geweest.

Hij schroefde zijn herinnering verder terug, naar voorbije oorlogen en gevechten. De moeilijkheid was dat je nooit wist of je op een of ander moment niet een grote organisatie had kwaad gemaakt zonder het te bedoelen. Misschien was een van de mannen die hij had neergeschoten in het geheim wel een agent van de CIA of de KGB geweest. Allebei de organisaties koesterden altijd heel lang wrok, en omdat ze bemand werden door de hardvochtigste mensen ter wereld, stonden ze erop rekeningen te vereffenen, ook al was het niet om een zakelijk motief maar louter en alleen uit wraak. Hij wist, dat de CIA nog steeds een premie van onbeperkte termijn had staan op het hoofd van Bruce Rossiter, die in een bar in Leopoldville een Amerikaan had doodgeschoten, omdat die man hem zo aanstaarde. De Amerikaan was zoals later bleek iemand van de bende van de CIA aldaar, al had Rossiter dat niet geweten. Maar dat hielp hem niets. Er werd toch een premie op zijn hoofd gesteld en Rossiter was nog steeds op de vlucht.

De KGB was al net zo erg. Die stuurden sluipmoordenaars door de hele wereld om vluchtelingen onschadelijk te maken, buitenlandse agenten door wie ze beledigd waren en die in het openbaar aan de kaak werden gesteld, zodat hun eigen vroegere opdrachtgevers ze niet konden beschermen. En de Russen hadden geen bruikbaar motief nodig, zoals de inlichtingen in het hoofd van de man die hij nog niet gespuid had; ze deden het alleen uit wraak.

Dan bleef nog over de Franse SDECE en de Engelse SIS. De Fransen hadden hem de laatste twee jaar wel honderd maal te pakken kunnen nemen en zorgen, dat het in de oerwouden van Afrika gebeurde. Bovendien zouden ze de opdracht niet aan een Parijse huurmoordenaar geven en een lek riskeren. Ze hadden zelf goede mensen in dienst. Van de Engelsen was het nog minder waarschijnlijk. Die hielden zich zo streng aan de wet, dat ze bijna van regeringswege toestemming zouden moeten hebben en ze pasten de methode alleen toe in uiterste noodgevallen, om een gevaarlijk lek te voorkomen, of om een afschrikwekkend voorbeeld te stellen en bij anderen het vertrouwen in de dienst te bevorderen, of soms om een rekening te vereffenen wanneer een van hun eigen mensen opzettelijk door een aanwijsbare moordenaar was neergeschoten. Shannon wist zeker, dat hij nog nooit een Engelse agent had neergeschoten, zodat het enige motief nog kon zijn dat men onaangenaamheden wilde voorkomen. De Russen en de Fransen zouden om die reden iemand doden, maar de Engelsen niet. Ze hadden Stephen Ward in leven gelaten om terecht te staan, waardoor de regering MacMillan bijna moest aftreden; ze hadden Philby laten leven nadat hij door de mand was gevallen en Blake eveneens; zowel in Frankrijk als in Rusland zouden de twee verraders in de statistiek van verkeersongevallen terecht zijn gekomen.

Dan bleef er alleen een particuliere firma over. De Corsicaanse Unie? Nee, Langarotti had niet bij hem kunnen blijven als het de Unie was geweest. Voor zover hij wist had hij de maffia in Italië of het Syndicaat in Amerika nooit last bezorgd. Hierdoor werd de kwestie teruggebracht tot een privé-persoon met een persoonlijke wrok. Als het geen regeringsdienst en geen grote particuliere onderneming was, kon het alleen maar een persoon zijn. Maar wie in godsnaam?

Langarotti zat hem nog steeds aan te kijken in afwachting van zijn reactie. Shannon hield zijn gezicht in de plooi en nam een onverschillige houding aan.

'Weten ze dat ik hier in Parijs ben?'

'Ik denk het wel. Ik geloof dat ze van dit hotel lucht hebben gekregen. Je logeert hier altijd. Dat is fout. Ik was hier vier dagen geleden, zoals je gezegd had . . .'

'Heb je mijn brief dan niet gekregen waarin ik de afspraak naar vandaag heb verschoven?'

'Nee. Ik moest vorige week uit mijn hotel in Marseille weg.'

'O. Ga door.'

'De tweede keer dat ik hier kwam stond iemand het hotel in de gaten te houden. Ik had al naar jou, als Brown, gevraagd. Daarom denk ik dat het lek uit het hotel zelf komt. Die man stond gisteren en vandaag te loeren.'

'Dan moet ik dus een ander hotel nemen,' zei Shannon.

'Misschien kun je hem afschudden, misschien ook niet. Er is iemand die de naam Keith Brown kent, dus dan vinden ze je misschien ergens anders wel. Hoe vaak moet je de komende dagen in Parijs zijn?'

'Vrij vaak,' gaf Shannon toe. 'Ik moet er een paar maal op doorreis zijn en we moeten over twee dagen de spullen van Marc uit België via Parijs naar Toulon brengen.'

Langarotti haalde zijn schouders op.

'Misschien vinden ze je niet. We weten niet of ze goed zijn of met hoeveel ze zijn, of wie het zijn. Maar misschien vinden ze je een tweede keer wel. Dan kunnen er moeilijkheden komen, misschien met de politie.'

'Dat moet ik niet hebben. Zeker nu niet, nu Marcs zending in de bestelwagen zit,' zei Shannon.

Hij was een redelijk mens en zou veel liever hebben gepraat met degene die het op zijn leven gemunt had. Maar wie het ook was, hij had nu eenmaal verkozen het zó te doen.

Shannon zou toch getracht hebben de man te spreken te krijgen, maar eerst moest hij erachter komen wie dat was. Er was er maar één die hem dat kon vertellen en dat was de man, die het op zich had genomen hem te doden. Hij legde dit aan de Corsicaan voor, die somber knikte.

'Ja, *mon ami*, je hebt denk ik wel gelijk. Wij moeten de moordenaar te pakken zien te krijgen. Maar hij moet eerst uit zijn tent worden gelokt.'

'Wil je me helpen, Jean-Baptiste?'

'Natuurlijk,' zei Langarotti. 'Wie het ook mag zijn, het is niet de Unie. Het zijn niet mijn mensen, dus je kunt op me rekenen.'

Ze zaten bijna een uur met een stadsplan van Parijs op het tafeltje voor zich. Daarna vertrok Langarotti.

Overdag parkeerde hij zijn in Marseille geregistreerde bestelauto op een tevoren afgesproken plaats. Aan het eind van de middag ging Shannon naar de receptie en vroeg de weg naar een bekend restaurant, anderhalve kilometer er vandaan. Hij was binnen gehoorsafstand van de hotelbediende, die Langarotti hem had beschreven. De hoofdreceptionist vertelde hem waar het restaurant was.

'Kan ik er naar toe lopen?' vroeg Shannon.

'Jazeker, m'sieu. Een kwartier, twintig minuten.'

Shannon bedankte hem en maakte gebruik van de telefoon op de balie om voor tien uur die avond op naam van Brown een tafeltje te bespreken. Hij bleef de hele dag in het hotel.

Om negen uur veertig precies, verliet hij het hotel met zijn reistas in de ene hand en een lichte regenjas over de andere arm en ging de straat op in de richting van het restaurant. Hij nam niet de kortste weg. Hij ging door twee straten die nog kleiner waren dan die waar het hotel stond. Onderweg liet hij de andere voetgangers achter zich en hij sloeg straten in het Eerste arrondissement in, die matig verlicht waren en waar geen voorbijgangers zijn kant uit kwamen. Hij treuzelde en stond lang voor verlichte etalages te kijken om de tijd te doden tot het tijdstip van zijn reservering in het restaurant allang verstreken was. Hij keek geen enkele keer om. Soms meende hij in de stilte ergens achter zich in de flauw verlichte straten het zachte flappen van een mocassin te horen. Het was in ieder geval niet Langarotti. De Corsicaan kon zich voortbewegen zonder enig geluid te maken.

Het was over elven, toen hij in het stikdonkere steegje kwam, dat daar zoals hij gehoord had, moest zijn. Het lag links van hem en er brandde totaal geen licht in. Aan het andere eind werd het geblokkeerd door een rij paaltjes, zodat het een doodlopend straatje was. De muren aan weerszijden waren hoog en zonder ramen. Enig licht dat van de andere kant in het steegje zou kunnen binnendringen, werd tegengehouden door de omvang van de Franse bestelwagen die daar stond, leeg, maar met de achterdeuren open. Shannon liep naar de gapende achterkant van de wagen en daar aangekomen, draaide hij zich om.

Zoals de meeste vechters gaf hij er altijd de voorkeur aan het gevaar onder ogen te zien, liever dan het ergens achter zich te weten. Hij wist uit vroegere ervaring, dat zelfs als men achteruit ging het altijd veiliger is het gevaar tegenover zich te hebben. Dan kun je het tenminste zien. Toen hij met zijn rug naar de ingang de steeg inliep, had hij de haartjes in zijn nek voelen prikken. Als zijn berekening niet juist was, kon hij morsdood zijn. Maar hij had goed gegokt. In de lege straten was de man achter hem op een behoorlijke afstand gebleven, in de hoop op een kans zoals deze zich nu voordeed.

Shannon gooide zijn tas en regenjas op de grond en keek naar de logge schaduw die in de verticale strook lamplicht aan het andere eind van de steeg stond. Hij wachtte geduldig. Hij hoopte dat er geen geluid kwam, hier midden in Parijs. De schaduw bleef staan, nam de toestand in ogenschouw en ging kennelijk na of Shannon gewapend was. Maar de openstaande bestelauto stelde de moordenaar gerust. Hij nam aan, dat Shannon hem daar eenvoudig uit voorzichtigheid had neergezet en al die tijd bezig was geweest ernaar terug te keren.

De schaduw in het steegje bewoog zich zachtjes naar voren. Shannon kon de rechterarm onderscheiden, die nu uit de zak van de regenjas naar voren was gestoken, met iets in de hand. Het gezicht was in de schaduw, de hele man was een silhouet, maar hij was groot. Zijn gedaante, pal in het midden op de keien van het doodlopende straatje, stond nu stil en hief zijn pistool op. Hij wachtte enkele tellen terwijl hij richtte, en liet het toen met gestrekte arm weer langzaam langs zijn zij zakken. Het leek haast of hij van gedachten veranderd was.

Terwijl hij Shannon uit het schaduwzwarte gezicht bleef aanstaren, leunde de man langzaam voorover en ging op de knieën liggen. Sommige schutters doen dit om beter te kunnen richten. De gewapende bandiet schraapte zijn keel, leunde weer voorover en zette zijn beide handen met de knokkels naar beneden op de keien voor zich. Het metaal van de Colt .45 kletterde op de stenen. Langzaam, zoals een mohammedaan zich in het gebedsuur naar Mekka wendt, boog de bandiet zijn hoofd en staarde voor de eerste keer in twintig seconden niet naar Shannon maar naar de keien. Er klonk een zacht gutsend geluid, als van een snel op keien stromende vloeistof, en tenslotte zakten de armen en dijen van de man door. Hij tuimelde voorover in de poel van bloed uit zijn eigen hartslagader en viel in slaap, heel stil, als een kind.

Shannon stond nog steeds tegen de deuren van de bestelauto. Nu de man lag, kwam er een straal lamplicht uit het verlichte eind van het steegje. Het glinsterde op het zwartglanzende, decimeterlange, benen handvat van het mes, dat uit de in een regenjas gehulde rug van de man op straat omhoogstak, iets links van het midden, tussen de vierde en vijfde rib.

De Cat keek op. Er stond nog een figuur tegen het lamplicht, klein, mager en roerloos, nog steeds vijftien meter van het lichaam af op de plek vanwaar hij het geworpen had. Shannon siste en Langarotti liep geruisloos over de keien.

'Ik dacht al dat je te lang gewacht had,' bromde Shannon.

'*Non*. Helemaal niet te laat. Sinds je uit het hotel bent gegaan heeft hij op geen enkel moment de trekker van die Colt kunnen overhalen.'

Achter in de auto lag al een groot stuk zwaar industrieplastic over een canvas dekzeil. In de rand van het dekzeil zaten overal gaten, zodat het gemakkelijk bij elkaar tot een bundel kon worden gebonden en achterin lag een heleboel touw, en een stapel bakstenen. De twee mannen namen elk een arm en een been en zwaaiden het lijk omhoog en naar binnen. Langarotti klom erin om zijn mes terug te pakken, terwijl Shannon de deuren sloot. Langarotti hoorde dat ze van binnen stevig op slot werden gedaan.

Langarotti klom op de voorbank en startte. Hij reed langzaam achteruit het steegje door, de straat op. Terwijl hij de bestelwagen keerde voor hij wegreed, liep Shannon naar het raampje van de bestuurder.

'Heb je goed naar hem gekeken?'

'Nou en of.'

'Ken je hem?'

'Ja. Hij heet Thomard, Raymond. Is nog eens heel kort in Kongo geweest, maar is meer een stadstype. Beroepsmoordenaar. Maar niet van klasse. Niet het slag waarvan grote opdrachtgevers zich zouden bedienen. Werkt waarschijnlijk voor zijn eigen baas.'

'Wie is dat?' vroeg Shannon.

'Roux,' zei Langarotti. 'Charles Roux.'

Shannon vloekte zachtjes, uit de grond van zijn hart.

'Die schoft, die stompzinnige idioot. Hij had een hele onderneming kunnen verpesten, alleen omdat hij er niet bij was uitgenodigd.'

Hij zweeg een poosje en dacht na. Roux moest afgeschrikt worden maar op zo'n manier, dat hij de Zangaro-affaire voorgoed uit zijn hoofd zette.

'Maak een beetje voort,' zei de Corsicaan, met draaiende motor. 'Ik wil die vrijer naar bed brengen voor er iemand langskomt.'

Shannon nam een besluit en sprak enkele seconden snel en dringend. Langarotti knikte.

'Goed. Ik vind dat wel leuk. Dan is die smeerlap voorlopig tenminste koest. Maar het kost wel extra. Vijfduizend franc.'

'Afgesproken,' zei Shannon. 'Schiet op en kom dan over drie uur bij het metrostation Porte de la Chapelle.'

Ze zagen Marc Vlaminck volgens afspraak in het kleine Zuidbelgische plaatsje Dinant bij de lunch. Shannon had hem de vorige dag opgebeld om hem instructies te geven en de afspraak te maken. Kleine Marc had Anna 's morgens een afscheidskus gegeven en ze had hem zijn liefdevol ingepakte koffertje met kleren en zijn lunchtrommeltje met een half brood, boter en een homp kaas voor de ochtendpauze gegeven. Zoals haar gewoonte was had ze gezegd, dat hij voorzichtig moest zijn.

Hij was met de bestelwagen, die achterin vijf 200-litervaten motorolie van Castrol vervoerde, door België gereden zonder te zijn aangehouden. Daar was ook geen reden voor. Zijn rijbewijs was in orde, evenals de papieren voor de bestelwagen en de verzekering.

Terwijl ze met z'n drieën in een café in de hoofdstraat aan de lunch zaten, vroeg Shannon aan de Belg:

'Wanneer gaan we de grens over?'

'Morgenochtend, vlak voor zonsopgang. Dat is de stilste tijd. Hebben jullie vannacht allebei geslapen?'

'Nee.'

'Dan zou ik maar even gaan rusten,' zei Marc. 'Ik zal wel een oogje op de twee bestelwagens houden. Jullie hebben tot vannacht twaalf uur de tijd.'

Charles Roux was eveneens moe. Hij had de hele vorige avond, sinds hij een telefoontje van Henri Alain had gekregen dat Shannon naar het restaurant liep om te eten, op bericht zitten wachten. Om twaalf uur 's nachts, toen er een telefoontje van Thomard had moeten zijn dat alles voor elkaar was, had hij niets gehoord. Om drie uur 's morgens had hij nog niets gehoord en bij zonsopgang ook niet.

Roux was ongeschoren en hij begreep er niets van. Hij wist, dat Thomard geen gelijke partij was voor Shannon, maar hij was ervan overtuigd, dat hij de Ier van achteren zou aanvallen, als hij door een van de stille straten op weg naar zijn avondeten was.

In de loop van de ochtend, toen Langarotti en Shannon in hun lege bestelwagen zonder moeilijkheden ten noorden van Valenciennes de grens naar België overgingen, trok Roux eindelijk een broek en een hemd aan en nam de lift vijf verdiepingen naar beneden om in zijn brievenbus op de gang te kijken.

Er scheen niets te mankeren aan het slot van zijn brievenbus, een bak van zo'n dertig centimeter hoog, tweeëntwintig breed en tweeëntwintig diep, die met nog een hele rij andere voor de andere huurders tegen de muur geschroefd zat.

Er was geen aanwijzing dat hij geopend was en als dat wel zo was, moest de inbreker het slot hebben opengepeuterd. Maar hij was wel open geweest, dat stond vast.

Roux nam zijn privé-sleuteltje om het slot open te maken en zwaaide het deurtje open.

Hij stond ruim tien seconden bewegingloos. Er veranderde niets aan hem, behalve de normale rode kleur van zijn gezicht, die in een kalkachtig grijs overging. Nog steeds gehypnotiseerd starend, begon hij te mompelen: '*Mon Dieu, O mon Dieu . . .*' steeds weer opnieuw als een bezwering. Zijn maag draaide om, hetzelfde gevoel als dat ogenblik in Kongo, toen hij hoorde hoe de Kongolese soldaten aan zijn identiteit twijfelden, terwijl hij in verband gewikkeld op een brancard lag, en John Peters hem van een zekere dood wegsmokkelde. Hij voelde dat hij wilde urineren, maar hij kon slechts zweten van angst. Met een uitdrukking van bijna slaperige droefenis, de ogen half gesloten, de lippen op elkaar geplakt, staarde het hoofd van Raymond Thomard hem uit de brievenbus aan.

Roux was niet bangelijk, maar hij was ook geen held. Hij deed de brievenbus dicht, ging weer naar zijn flat en stortte zich op de cognacfles, alleen voor medisch gebruik. Hij had een krachtig geneesmiddel nodig.

Alan Baker was erg ingenomen met de gang van zaken, toen hij uit het kantoor van het Joegoslavische staatsbedrijf voor fabricage van wapens in de heldere zonneschijn van Belgrado kwam. Nadat hij de vooruitbetaling van 7200 dollar en de eindgebruikersverklaring van Shannon ontvangen had, was hij naar een erkende wapenhandelaar gegaan, voor wie hij vroeger wel eens als tussenpersoon was opgetreden. Net als Schlinker had deze man de hoeveelheid wapens en geld die aan de voorgestelde transactie te pas kwam, bespottelijk gevonden, maar hij was gezwicht voor Bakers argument, dat de kopers als ze tevreden waren over de eerste partij, waarschijnlijk terugkwamen om een hele grote order te plaatsen.

Daarom had hij goedgevonden dat Baker naar Belgrado vloog om toestemming tot aankoop te vragen, met overlegging van de verklaring van Togo, waarop de juiste namen behoorlijk waren ingevuld, en een machtiging van de groothandelaar, waarin hij Baker als zijn vertegenwoordiger benoemde.

Dat betekende dat Baker een deel van zijn winst moest afstaan, maar het was de enige manier om in Belgrado te worden ontvangen, en voor zo'n kleine transactie had hij toch al honderd procent op de inkoopprijs van de wapens gelegd.

De besprekingen die hij vijf dagen lang met meneer Pavlovic had gevoerd, hadden vrucht afgeworpen en hielden een bezoek in aan het staatsmagazijn, waar hij de twee mortiers en twee bazooka's had uitgezocht. Er hoorde standaardmunitie bij, die geleverd werd in kratten van twintig bazookaraketten en tien mortiergranaten.

De Joegoslaven hadden zonder meer de Togolese eindgebruikersverklaring geaccepteerd en hoewel Baker, de erkende wapenhandelaar, en misschien meneer Pavlovic ook wel begrepen, dat de verklaring niets anders dan een stukje papier was, werd de schijn opgehouden, dat de regering van Togo zat te popelen om Joegoslavische wapens te kunnen kopen om te testen.

Meneer Pavlovic verlangde eveneens volledige betaling vooruit en Baker moest meer betalen dan wat er van de 7200 dollar die Shannon hem gegeven had, na aftrek van zijn reiskosten plus 1000 dollar van hemzelf, overbleef. Hij vertrouwde erop, dat de andere 7200 dollar van Shannon hem schadeloos zou stellen en dat Baker, zelfs nadat de erkende handelaar zijn aandeel had genomen, nog 4000 dollar in zijn eigen zak kon steken.

In de gesprekken die hij 's morgens had gevoerd, was afgesproken, dat voor de goederen een uitvoervergunning werd verleend en dat ze met legerwagens naar een entrepot in de haven van Ploce werden gebracht, in het noordwesten in de buurt van de vakantieplaatsen Dubrovnik en Split. Daar zou dan de *Toscana* ergens na 10 juni aanleggen om de partij aan boord te nemen.

Opgelucht nam Baker het eerstvolgende vliegtuig naar München en Hamburg.

Johann Schlinker was de ochtend op 20 mei in Madrid. Hij had ruim een maand tevoren alle bijzonderheden van de 9 mm munitie-transactie, die hij aan zijn partner in Madrid, een Spanjaard, wilde doorgeven, getelext en was later, zodra hij de 26 000 dollar van Shannon als volledige betaling ontvangen had, met zijn Iraakse eindgebruikersverklaring naar de Spaanse hoofdstad gevlogen.

De Spaanse formaliteiten waren ingewikkelder dan die, welke Alan Baker in Belgrado had ondervonden. Er waren twee aanvragen nodig, één om de munitie te kopen, de tweede om het te exporteren. De aanvraag tot inkoop was drie weken geleden ingediend en was in de laatste twintig dagen nauwkeurig bekeken door de drie ministeries in Madrid die zich met deze kwesties bezighouden. Eerst was het ministerie van Financiën nodig om te bevestigen, dat de totale koopprijs van 18 000 dollar in harde valuta op de daarvoor aangewezen bank was ontvangen. Een paar jaar geleden werden alleen Amerikaanse dollars geaccepteerd, maar de laatste tijd nam Madrid maar al te graag Duitse marken aan.

Het tweede departement was het ministerie van Buitenlandse Zaken. Het was hun taak te bevestigen, dat het land van aankoop geen staat was waar Spanje bezwaar tegen had. Met Irak bestond er geen probleem, omdat het grootste deel van de Spaanse wapenuitvoer meestal naar de Arabieren gaat, met wie Spanje altijd nauwe en vriendschappelijke betrekkingen onderhoudt. Het ministerie van Buitenlandse Zaken aarzelde niet toestemming te verlenen voor Irak als ontvanger van Spaanse 9 mm kogels.

Tenslotte had men het ministerie van Defensie verzocht te bevestigen, dat er niets in de voorgestelde aankoop op de geheime lijst of onder de categorieën wapens stond, die niet voor export bestemd zijn. Met eenvoudige munitie voor kleine wapens had dit ook geen probleem opgeleverd.

Hoewel zich met zo'n partij geen onoverkomelijke problemen voordeden, duurde het achttien dagen voor de papieren alle drie de departementen gepasseerd waren, terwijl de papierwinkel onderweg steeds aangroeide, tot het definitieve dossier met het stempel van goedkeuring eruit kwam. Op dat moment werden de kratten munitie uit de CETME-fabriek gehaald en in een pakhuis van het Spaanse leger aan de rand van Madrid opgeslagen. Vandaar af nam het ministerie van Leger de zaak over en wel speciaal het hoofd van de afdeling Wapenexport, kolonel Antonio Salazar.

Schlinker was naar Madrid gegaan om persoonlijk de aanvraag voor de exportvergunning in te dienen. Hij was bij zijn aankomst in bezit van de volledige gegevens van het ms. *Toscana*, en het vragenformulier van zeven pagina's was ingevuld en aangeboden. In zijn kamer in Hotel Mindanao teruggekomen, verwachtte de Duitser hier evenmin problemen. De *Toscana* was een schoon schip, klein, maar het behoorde aan een geregistreerde scheepvaartmaatschappij, Spinetti Maritimo, zoals uit Lloyd's Scheepvaartlijst bleek. Volgens het aanvraagformulier zou het tussen 16 en 20 juni in Valencia voor anker willen gaan, om de vracht aan boord te nemen en daarna rechtstreeks door te varen naar Latakia aan de kust van Syrië, waar de partij aan de Irakezen werd overgedragen om per vrachtauto naar Bagdad te worden vervoerd. De exportvergunning nam zeker niet meer dan nog eens veertien dagen in beslag, waarna een marsorder zou worden aangevraagd, wat inhield dat de kratten uit de wapenopslagplaats werden gehaald en er een legerofficier werd aangewezen om ze met tien soldaten tot aan de kade van Valencia te escorteren. Deze voorzorgsmaatregel, die al drie jaar van kracht was, diende om elk risico van roof door de Baskische terroristen uit te schakelen. De regering van de Caudillo had er geen enkele behoefte aan, dat de kogels uit Madrid tegen de Guardia Civil in Coruna werden gebruikt.

Terwijl Schlinker aanstalten maakte om naar Hamburg te vertrekken, dacht hij eraan, dat zijn partner in Madrid uitstekend in staat was te zorgen, dat de verbinding die hij met het ministerie van Leger onderhield, vriendschappelijk bleef en dat de kratten op tijd in Valencia klaarlagen als de *Toscana* aankwam.

In Londen vond een derde vergadering plaats, die schijnbaar los stond van de andere. In de afgelopen drie weken had de heer Harold Roberts, vertegenwoordigend lid van de Raad van beheer van de Bormac Trading Company, die dertig procent van de maatschappij-aandelen bezat, moeite gedaan op goede voet te komen met de voorzitter, majoor Luton. Hij was een paar maal met hem gaan lunchen en had hem een keer thuis in Guildford bezocht. Ze waren zeer bevriend geraakt.

Tijdens al hun gesprekken had Roberts hem duidelijk gemaakt, dat als men de firma van de grond wilde krijgen, zodat er weer zaken konden worden gedaan, hetzij in rubber of een andere tak van handel, er een flinke hoeveelheid nieuw kapitaal ingepompt moest worden. Dat begreep majoor Luton heel goed. Toen de tijd rijp was, stelde meneer Roberts de voorzitter voor, dat de maatschappij een nieuwe aandelenuitgifte zou doen van een op twee, dus in totaal een half miljoen nieuwe effecten.

Eerst was de majoor verbluft over zo'n stoutmoedige stap, maar meneer Roberts verzekerde hem dat de bank, die hem had aangesteld, de benodigde nieuwe financiering kon verzorgen. Meneer Roberts voegde eraan toe, dat ingeval de nieuwe aandelen niet allemaal door de bestaande of nieuwe aandeelhouders werden afgenomen, de Zwinglibank ten behoeve van zijn cliënten tegen de volle waarde de rest overnam.

Het doorslaggevende argument was, dat als het bericht van de nieuwe aandelenuitgifte op de markt bekend raakte, de koers van de gewone aandelen van Bormac beslist zou stijgen, misschien wel met net zo veel als de huidige koers, die nu op een shilling en drie pence stonden. Majoor Luton dacht aan zijn eigen 100 000 aandelen en stemde toe. Zoals vaak het geval is als iemand eenmaal door de knieën is gegaan, deed hij zonder verder tegenspartelen met het voorstel van meneer Roberts mee.

Het nieuwe lid van de Raad wees erop, dat het voldoende was als zij met z'n tweeën een vergadering hielden, om een besluit te kunnen nemen dat voor de firma bindend was. Op aandringen van de majoor werd er toch een brief aan de andere vier leden gestuurd, waarin alleen stond dat men voornemens was een vergadering van de Raad van beheer te beleggen, om de vennootschapsaangelegenheden, waaronder de mogelijkheid tot uitgifte van aandelen, te bespreken.

Tenslotte kwam alleen de secretaris, de raadsman uit de City, opdagen. Het voorstel werd aangenomen en de nieuwe aandelenuitgifte werd bekendgemaakt. Er hoefde geen aandeelhoudersvergadering plaats te vinden, omdat in het verre verleden machtiging tot kapitaalsvergroting was verleend, die nooit was uitgevoerd.

Bestaande aandeelhouders kregen het eerst de gelegenheid om de aandelen te kopen en kregen toewijzingsbrieven voor het beschikbare aantal nieuwe aandelen toegestuurd. Ze kregen ook het recht die aandelen aan te vragen, waarop door degenen aan wie ze in eerste instantie waren aangeboden, niet was ingeschreven.

Een week later kreeg de secretaris door de heren Adams, Ball, Carter en Davies getekende papieren en cheques in handen, die door de Zwinglibank aan hem waren doorgestuurd. Ze wensten elk 50 000 nieuwe aandelen te kopen, met inbegrip van die waar ze vanwege hun bestaande aandelenbezit reeds recht op hadden.

De aandelen moesten tegen pari worden uitgegeven, dat was vier shilling per stuk, en omdat de bestaande aandelen op minder dan een derde van deze koers stonden, was het geen aantrekkelijk aanbod. Twee speculanten in de City lazen de aankondiging in de pers en deden een poging de niet geplaatste aandelen te kopen, omdat ze vermoedden dat er iets in de lucht zat. Het zou ze gelukt zijn, als meneer Roberts er niet was geweest. Zijn eigen aanbod ten behoeve van de Zwinglibank, dat hij alle aandelen die na de sluiting van de aanbieding niet door de bestaande aandeelhouders van Bormac waren gekocht, wilde kopen, was al binnen.

Een of andere gek in Wales had besloten om duizend aandelen te kopen, zelfs tegen de te hoge koers, en er werden er nog drieduizend door achttien andere overal in het land verspreide aandeelhouders gekocht, die blijkbaar geen eenvoudig rekensommetje konden maken of helderziend waren. Meneer Roberts had als vertegenwoordigend lid niet de gelegenheid voor zichzelf te kopen, omdat hij geen aandelen bezat. Maar voor alle 296 000 aandelen die op 20 mei 's middags om drie uur, de sluitingsdatum van het aanbod, nog niet verkocht waren, schreef hij in uit naam van de Zwinglibank, die ze op haar beurt kocht ten behoeve van twee cliënten, die Edwards en Frost bleken te heten. Ook hier maakte de bank gebruik van de daartoe bestemde rekeningen van de firma die zij vertegenwoordigde.

De regels van de Wet op de Vennootschap werden nergens overtreden. De heren Adams, Ball, Carter en Davies waren ieder eigenaar van 75 000 aandelen van hun eerste koop en 50 000 van hun tweede. Maar omdat het aantal aandelen dat nu in omloop was, was gestegen van een miljoen tot anderhalf miljoen, had elkeen minder dan tien procent en kon daarom anoniem blijven. De heren Edwards en Frost waren ieder in het bezit van 148 000 aandelen, net onder de grens van tien procent.

Wat niet tot het publiek en zelfs niet tot de commissarissen doordrong was, dat sir James Manson 796 000 aandelen Bormac, een overstelpende meerderheid, bezat. Via Martin Thorpe had hij zeggenschap over de zes niet bestaande aandeelhouders, die zo zwaar gekocht hadden. Zij konden via Martin Thorpe de Zwinglibank in haar transacties met de firma besturen en de bank hield toezicht op zijn gecontracteerde dienaar, meneer Roberts. Gebruik makend van hun volmacht konden de zes onzichtbare lieden achter de Zwinglibank, optredend via Harold Roberts, de firma alles laten doen wat ze wilden.

Het had sir James Manson £ 60 000 gekost om de oorspronkelijke 300 000 aandelen te kopen en £ 100 000 voor de gehele nieuwe uitgifte van een half miljoen. Maar als de aandelen de voorspelde koers van £ 100 per stuk bereikten, waar hij na de toevallige 'ontdekking' van de Kristalberg in het hartje van de Zangarese concessie van Bormac van overtuigd was, dan verdiende hij £ 80 miljoen.

Meneer Roberts was een tevreden man toen hij de kantoren van Bormac verliet, nadat hij gehoord had, hoeveel aandelen zijn zes in Zwitserland gevestigde aandeelhouders waren toegewezen. Hij wist dat als hij dr. Martin Steinhofer de aandelencertificaten ter hand stelde, er een aardig extraatje voor hem in zat. Hoewel hij niet arm was, kon hij nu van een onbezorgde oude dag verzekerd zijn.

In Dinant ontwaakten Shannon en Langarotti even na het invallen van de duisternis uit hun sluimer en merkten, dat Marc ze wakker schudde. Ze lagen allebei languit achter in de lege Franse bestelauto.

'Tijd om weg te gaan,' zei de Belg.

Shannon keek op zijn horloge.

'Ik dacht dat je gezegd had vóor zonsopgang,' mopperde hij.

'Dan gaan we de grens over,' zei Marc. 'We moeten met die bestelwagens de stad uit zijn voor ze te veel in de gaten lopen. We kunnen de verdere nacht wel langs de kant van de weg parkeren.'

Daar parkeerden ze ook, maar ze sliepen geen van allen meer. In plaats daarvan gingen ze zitten roken en kaarten met het pakje kaarten, dat Vlaminck in het handschoenenkastje van zijn wagen had liggen. Zoals ze daar langs de Belgische weg onder de bomen in het donker op het aanbreken van de dag zaten te wachten en de nachtlucht op hun wangen voelden, konden ze zich allemaal bijna weer terug in het Afrikaanse oerwoud wanen, als niet steeds de lichten van de auto's die over de weg in zuidelijke richting naar Frankrijk reden tussen de bomen door hadden geflitst.

Toen ze daar in de kleine uurtjes zaten te wachten en geen zin meer hadden in kaarten en te gespannen waren om te slapen, verviel ieder weer in zijn oude gewoonte. Kleine Marc kauwde op de laatste stukjes brood met kaas, die zijn Anna voor hem had klaargemaakt; Langarotti sleep het lemmet van zijn mes nog wat scherper; Shannon tuurde naar de sterren en floot zacht.

## 17

Het levert technisch weinig moeilijkheden op om een illegale lading, dus ook een partij uit de zwarte handel afkomstige wapens in beide richtingen over de Belgisch-Franse grens te smokkelen.

Tussen de zee in La Panne en het verkeersknooppunt met Luxemburg bij Longwy is deze grens, die in de zuidoostelijke hoek grotendeels door zwaar bebost jachtgebied voert, honderden kilometers lang. Hier wordt de grens door talloze zijwegen en bospaden doorkruist, en daar zijn lang niet overal douaneposten.

De twee regeringen trachten een vorm van controle uit te oefenen door het instellen van wat zij noemen *douanes volantes* of vliegende douane. Dit zijn eenheden douanemensen, die een willekeurig pad of zijweggetje uitzoeken om daar een grenspost op te zetten. Als men gebruik maakt van de bestaande douaneposten, kan men redelijkerwijs aannemen, dat één op de tien voertuigen kans loopt aangehouden en onderzocht te worden. Op de overige grensovergangen wordt, als daar die dag toevallig de vliegende douane van een van beide landen zit, ieder voertuig dat daarlangs gaat gecontroleerd. Men kan kiezen.

De derde mogelijkheid is een weg uit te zoeken, waar beslist geen douanepost is opgericht en rechtstreeks door te rijden. Dit systeem om vrachten over de grens te vervoeren is vooral geliefd bij de smokkelaars van Franse champagne, die niet inzien, waarom drank, waarmee vrolijkheid en plezier gepaard gaat, iets met de bijzonder humorloze Belgische invoerrechten te maken zou moeten hebben. Als caféhouder was Marc Vlaminck van deze route op de hoogte. De zogeheten Champagneroute.

Als men uit Namen, het oude vestingstadje in België, de loop van de Maas volgend, naar het zuiden rijdt, komt men eerst in Dinant en vandaar loopt de weg vrijwel rechtstreeks naar het zuiden, de grens over naar de eerste Franse stad, Givet. Langs deze weg ligt een strook Frans territorium, die als een vinger naar boven in Belgiës onderbuik steekt, en deze Franse corridor wordt aan drie zijden door Belgisch gebied omringd. Het is eveneens een bosachtig jachtterrein en wordt door talloze landwegen en paden doorsneden. Aan de hoofdweg van Dinant naar Givet ligt een douanepost – of liever, een Belgische en een Franse post, die vierhonderd meter van elkaar binnen in elkaars gezichtsveld liggen.

Even voor zonsopgang haalde Marc zijn wegenkaarten te voorschijn en legde Shannon en Jean-Baptiste uit wat er gebeuren moest om te zorgen dat ze ongezien de grens overkwamen. Toen de twee mannen precies begrepen wat er verlangd werd, gingen ze in konvooi op weg, de Belgische bestelwagen bestuurd door Marc voorop, de beide anderen in de Franse bestelwagen tweehonderd meter erachter.

Ten zuiden van Dinant is de weg nog vrij dicht bebouwd, met een reeks dorpjes waarvan de buitenwijken praktisch in elkaar overgaan. In de duisternis van de vroege ochtend waren die gehuchten stil en donker. Zes kilometer ten zuiden van Dinant is er een zijweg rechtsaf en die sloeg Marc in. Ze zagen de Maas voor het laatst. Ze reden vier en een halve kilometer door een golvend land van allemaal eendere ronde heuvels, dicht begroeid met bossen in de weelderige bladertooi van eind mei. De weg liep evenwijdig met de grens, midden door het jachtgebied. Zonder waarschuwing maakte Vlaminck met zijn wagen een bocht naar links, weer in de richting van de grens en na drie- of vierhonderd meter stopte hij aan de kant. Hij stapte uit en liep naar de Franse bestelauto toe.

'Maak wat voort,' zei hij. 'Ik wil hier niet zo lang blijven staan. Met die nummerborden van Oostende ligt het er dik bovenop waar ik naar toe ga.' Hij wees de weg af.

'De grens is daarginds, precies anderhalve kilometer verderop. Ik geef jullie twintig minuten de tijd en intussen doe ik net of ik een band verwissel. Dan ga ik terug naar Dinant en daar zien we elkaar in het café.'

De Corsicaan knikte en liet de koppeling opkomen. De bedoeling is dat als de Belgische of de Franse douaneambtenaren een vliegende barricade hebben opgericht, het eerste voertuig stopt en zich laat onderzoeken. Nadat het schoon is bevonden, rijdt het verder naar het zuiden, waar het weer op de hoofdweg komt, gaat naar Givet, maakt een bocht naar het noorden en keert via de vaste douanepost naar Dinant terug. Als een van de twee douaneposten in werking is, kan het niet in twintig minuten weer over de weg terug zijn.

Na anderhalve kilometer zagen Shannon en Langarotti de Belgische post. Aan weerskanten van de weg stond een verticaal paaltje op een betonnen voetstuk. Naast de rechter paal stond een hokje van hout en glas, waarin de douanemensen beschutting vonden terwijl de chauffeurs hun papieren door het luikje schoven. Als de post bemand was, lag er op de twee paaltjes een rood met wit gestreepte balk, die de weg versperde. Er lag niets.

Langarotti reed er langzaam voorbij, terwijl Shannon scherp

in het hokje tuurde. Geen teken van leven. De Franse zijde was riskanter. Over een halve kilometer slingerde de weg zich tussen de berghellingen door, uit het gezicht van de Belgische posten. Daarna kwam de Franse grens. Geen posten, geen hokje. Alleen een parkeerinham aan de linkerkant, waar de Franse douaneauto altijd staat. Er stond niets. Ze waren vijf minuten onderweg. Shannon gebaarde naar de Corsicaan dat hij nog twee bochten verder moest rijden, maar er was niets te zien. Een lichtschijnsel kwam in het oosten boven de bomen.

'Omkeren,' snauwde Shannon. '*Allez.*'

Langarotti maakte een scherpe bocht met de wagen, haalde het bijna, reed even achteruit en schoot als een kurk uit een fles prima kwaliteit champagne voorwaarts naar België. Van nu af aan was de tijd kostbaar. Ze vlogen langs de Franse parkeerinham, voorbij de Belgische post en zagen 1500 meter verder de omtrekken van Marc's bestelwagen. Langarotti knipperde met zijn lichten, tweemaal lang, éénmaal kort en Marc zette zijn motor aan. Een seconde later was hij ze voorbij, in volle vaart op weg naar Frankrijk.

Jean-Baptiste keerde wat kalmer aan en volgde. Als Marc snel reed kon hij zelfs met de zware lading van een ton in vier minuten door de gevarenzone zijn. Als er in die kritieke vijf minuten douanemensen opdoken, hadden ze pech gehad. Marc zou proberen ze te overdonderen en zeggen dat hij de weg was kwijtgeraakt, in de hoop dat de olievaten tegen een grondig onderzoek bestand waren.

Er waren geen ambtenaren, ook niet de tweede keer. Ten zuiden van de Franse parkeerinham is een stuk weg zonder bochten van vijf kilometer. Zelfs hier patrouilleert soms de Franse *gendarmerie*, maar die ochtend was er niemand. Langarotti haalde de Belgische bestelwagen in en volgde hem op tweehonderd meter afstand. Na vijf kilometer sloeg Marc bij een andere parkeerinham rechtsaf en reed nog zes kilometer over allerlei buitenweggetjes tot hij eindelijk op een vrij grote verkeersweg kwam. Er stond een wegwijzer aan de kant van de weg. Shannon zag Marc met zijn arm uit het raam zwaaien en ernaar wijzen. Op het bord stond 'Givet' in de richting waar ze vandaan kwamen en het wees naar de weg waar ze naar toe gingen met het woord 'Reims'. Er kwam een gedempt gejuich uit de voorste bestelwagen.

Ten zuiden van Soissons verwisselden ze op een hard betonnen parkeerterrein bij een chauffeurscafé de lading. De twee bestelwagens werden met geopende deuren met de achterzijden vlak tegen elkaar gezet en Marc bracht de vijf vaten uit de Belgische in de Franse bestelwagen over. Het zou van Shannon en Langarotti al hun krachten hebben gevergd, vooral omdat de veren van de volgeladen wagen in elkaar gedrukt waren, zodat de vloeren van de beide voertuigen op ongelijke hoogte waren. Er was een opstapje van vijftien centimeter om in de lege wagen te komen. Marc speelde het alleen klaar, hij greep elk vat met enorme handen van boven vast en draaide het rond terwijl het op de onderste rand steunde.

Jean-Baptiste ging naar het café en kwam terug met lange, knapperige stokbroden, kaas, fruit en koffie. Shannon had geen mes, daarom gebruikten ze allemaal het mes van Marc. Langarotti zou nooit zijn mes gebruiken om mee te eten, daar was hij te fijngevoelig voor. Zijn mes was te goed om er mee in een sinaasappelschil te snijden.

Na tienen gingen ze weer op weg. Ze pakten het nu anders aan. De Belgische bestelauto, die oud en traag was, werd al spoedig in een grindkuil gereden en achtergelaten, nadat ze de nummerborden en de vergunning op de voorruit eraf hadden gehaald en in een riviertje gegooid. De bestelauto was toch van Franse origine. Daarna ging het drietal samen verder. Langarotti zat aan het stuur. De wagen was zijn rechtmatig eigendom. Hij had er de papieren voor. Als ze werden aangehouden, zou hij zeggen, dat hij vijf vaten smeerolie naar een vriend in het zuiden bracht, die in de buurt van Toulon een boerderij met drie trekkers had. De twee anderen waren lifters die hij had opgepikt.

Ze sloegen de autoweg A1 af, namen de rondweg om Parijs en kwamen op de A6 in zuidelijke richting naar Lyon, Avignon, Aix en Toulon.

Even ten zuiden van Parijs zagen ze de wegwijzer aan de rechterkant die naar het vliegveld Orly wees.

Shannon stapte uit en ze gaven elkaar een hand.

'Jullie weten wat je doen moet?' vroeg hij.

Ze knikten allebei.

'We zetten hem op een veilig en beschut plekje tot je in Toulon bent. Maak je niet ongerust, als ik die schat verstopt heb kan niemand hem vinden,' zei Langarotti.

'De *Toscana* moet uiterlijk 1 juni aankomen, misschien eerder. Voor die tijd ben ik weer bij jullie. Je weet waar we hebben afgesproken? Veel succes.'

Hij pakte zijn tas op en wandelde weg, terwijl de auto naar het zuiden reed. In de garage in de buurt ging hij opbellen om een taxi van het vliegveld te laten komen, waar hij een uur later heen reed. Hij kocht met contant geld een enkele reis naar Londen en was met zonsondergang thuis in St. John's Wood. Van zijn honderd dagen waren er nu zesenveertig om.

Hoewel hij Endean na zijn terugkomst een telegram had gestuurd, belde Endean hem pas vierentwintig uur later, zondag, in zijn flat op. Ze spraken af elkaar dinsdagochtend te ontmoeten.

Het kostte hem een uur om Endean alles uit te leggen wat er sinds ze elkaar voor het laatst gezien hadden gebeurd was. Hij legde ook uit, dat hij al het geld had opgemaakt, zowel het bedrag in contanten dat hij in Londen had ontvangen, als het geld van de Belgische rekening.

'Wat is de volgende fase?' vroeg Endean.

'Ik moet uiterlijk over vijf dagen in Frankrijk terug zijn, om toezicht te houden op het inladen van het eerste deel van de lading op de *Toscana*,' zei Shannon. 'De hele verscheping is wettig, behalve wat er in die olievaten zit. De vier afzonderlijke kratten met de collectie uniformen en bepakking komen wel zonder problemen aan boord, ook al worden ze door de douane geïnspecteerd. Hetzelfde geldt voor het niet-militaire spul, dat in Hamburg gekocht is. Alles in die afdeling zijn artikelen die een schip normaal als scheepsvoorraad inneemt; signaalraketten, nachtkijkers enzovoort.

De opblaasbare rubberboten en buitenboordmotoren zijn bestemd voor verscheping naar Marokko, dat staat tenminste in het manifest. Dat is ook weer volkomen legaal. De vijf olievaten moeten als scheepsvoorraad aan boord komen. De hoeveelheid is nogal overdreven, maar dat is toch niet echt een probleem.'

'En als dat wel zo is?' vroeg Endean. 'Als douaniers in Toulon die vaten al te nauwkeurig inspecteren?'

'Dan hangen we,' zei Shannon eenvoudig. 'Dan wordt het schip in beslag genomen, tenzij de kapitein kan aantonen, dat hij er geen idee van had wat er loos was. De exporteur wordt gearresteerd. De onderneming is mislukt.'

'Verdomd duur grapje,' merkte Endean op.

'Wat had je dan verwacht? Die wapens moeten toch op de een of andere manier aan boord komen. In die olievaten is het verreweg de beste manier. Dat risico heeft er steeds in gezeten.'

'Je had die machinepistolen legaal kunnen kopen, via Spanje,' zei Endean.

'Dat wel,' gaf Shannon toe, 'maar dan was de kans groot geweest dat de order geweigerd was. De pistolen samen met de munitie passen precies bij elkaar. Dan had het net geleken op een order, precies voor de uitrusting van een troep mannen, met andere woorden, een kleine oorlogsoperatie. Madrid had het op die gronden kunnen afwijzen of de eindgebruikersverklaring al te nauwkeurig controleren. Ik had ook de wapens in Spanje kunnen bestellen en de munitie zwart kunnen kopen. Dan had ik de munitie aan boord moeten smokkelen en dat was een nog veel grotere partij geweest. Er komt hoe dan ook een element van smokkel en dus van risico bij. En als alles fout gaat, ben ik het met mijn mensen die het gelag betaalt, niet jij. Voor jou staan er allerlei uitwegen open.'

'Toch bevalt het me niet,' snauwde Endean.

'Wat is er aan de hand,' zei Shannon spottend. 'Je wordt toch niet bang?'

'Nee.'

'Nou, bedaar dan. Het enige wat je te verliezen hebt is een beetje geld.'

Endean stond op het punt Shannon te vertellen, hoeveel hij en zijn chef nu juist te verliezen hadden, maar hij bedacht zich. Het was logisch dat de huurling met de kans op gevangenisstraf in het vooruitzicht, zo voorzichtig mogelijk te werk zou gaan.

Ze spraken nog een uur over geldzaken. Shannon zette uiteen, dat de rekening in Brugge was opgegaan aan de betaling van het volle bedrag aan Johann Schlinker, van de helft aan Alan Baker, samen met de tweede maand salaris van de huurlingen, de £ 5000 die hij naar Genua had overgemaakt om de *Toscana* uit te rusten en aan zijn eigen reizen.

'En ik wil ook het tweede deel van mijn salaris,' voegde hij er aan toe.

'Waarom nu?' vroeg Endean.

'Omdat aanstaande maandag het risico van arrestatie begint en ik daarna niet meer in Londen terugkom. Als het schip zonder uitstel wordt geladen, vaart het uit naar Brindisi, terwijl ik ervoor zorg dat de Joegoslavische wapens worden opgepikt. Daarna naar Valencia voor de Spaanse munitie. Dan gaan we op weg naar het doel. Als ik op het tijdschema voor ben, verdoe ik de tijd die over is liever midden op zee dan in een haven te liggen wachten. Vanaf het moment dat het schip wapens aan boord heeft wil ik het zo min mogelijk in havens hebben.'

Endean overwoog het argument.

'Ik zal het aan mijn compagnons voorleggen,' zei hij.

'Ik wil dat de poen voor het weekeinde op mijn Zwitserse bankrekening staat,' antwoordde Shannon, 'en de rest van het budget dat afgesproken is moet naar Brugge worden overgemaakt.'

Ze rekenden uit dat er, nadat Shannons salaris helemaal betaald was, nog £ 20 000 van het oorspronkelijke bedrag in Zwitserland overbleef.

Shannon legde uit waarom hij het hele bedrag nodig had.

'Van nu af aan moet ik grote geldsommen in Amerikaanse dollars aan reischeques bij me hebben. Als er nog iets misgaat, kan het alleen maar van dien aard zijn, dat het onmiddellijk met een heleboel steekpenningen opgelost moet worden. Ik wil alle overblijvende sporen uitwissen, zodat er geen aanwijzingen meer zijn als we allemaal in de pan worden gehakt. Het kan ook zijn dat ik de bemanning op zee extra premies in contanten moet geven om ze te bewegen door te gaan, als ze er eenmaal achter komen om wat voor werk het eigenlijk gaat. Met de tweede helft van de betaling voor de Joegoslavische wapens, heb ik denkelijk wel £ 20 000 nodig.'

Endean beloofde dat hij dit alles aan zijn 'compagnons' zou overbrengen en Shannon op de hoogte zou stellen.

De volgende dag belde hij op om te zeggen dat de twee geldovermakingen waren goedgekeurd en dat de instructiebrieven aan de Zwitserse bank verzonden waren.

Shannon reserveerde zijn vliegreis van Londen naar Brussel voor de volgende vrijdag en een zaterdagochtendvlucht van Brussel via Parijs naar Marseille.

Hij bleef die nacht bij Julie en eveneens die donderdag en donderdagnacht. Toen pakte hij zijn koffers, stuurde de sleutels van de flat met een begeleidend briefje aan de makelaars en vertrok. Julie bracht hem in haar rode MGB naar het vliegveld.

'Wanneer kom je terug?' vroeg ze, terwijl ze voor de ingang 'Uitsluitend vertrekkende passagiers' naar de douaneafdeling van gebouw Twee stonden.

'Ik kom niet terug,' zei hij en gaf haar een zoen.

'Laat me dan met je meegaan.'

'Nee.'

'Je komt wel terug. Ik heb niet gevraagd waar je naar toe gaat, maar ik begrijp dat het gevaarlijk moet zijn. Het is niet alleen maar voor zaken, voor gewone zaken. Maar je komt wel terug. Dat moet.'

'Ik kom niet terug,' zei hij rustig. 'Zoek maar iemand anders, Julie.'

Ze begon te snuiven.

'Ik wil niemand anders. Ik hou van je. Je houdt niet van me. Daarom zeg je, dat je me niet meer wilt zien. Je hebt een andere vrouw, dat is het. Je gaat naar een andere vrouw . . .'

'Er is geen andere vrouw,' zei hij, over haar haar strijkend. Een politieagent van het vliegveld keek discreet de andere kant uit.

Tranen in de vertrekhal zijn nergens ongewoon. Shannon wist, dat er geen andere vrouw in zijn armen zou liggen. Alleen een pistool, de koele, troostende liefkozing van het blauwe staal tegen zijn borst in de nacht. Ze huilde nog steeds toen hij haar op het voorhoofd kuste en doorliep naar de paspoortencontrole.

Een half uur later maakte het Sabena-straalvliegtuig zijn laatste bocht over Londen en vloog in de richting van zijn thuishaven in Brussel. Onder de vleugel aan stuurboord lag het graafschap Kent in het zonlicht. Wat het weer betreft was het een prachtige meimaand. Door de patrijspoorten kon men de landerijen zien, waar de appel-, peren- en kersenboomgaarden het land met rose en witte bloesem bedekten.

Langs de landwegen die door het hart van de Weald slingeren, bloeide nu de meidoorn, stonden de wilde kastanjebomen in stralend wit en groen, en fladderden de duiven in de eiken. Hij kende het land goed uit de tijd toen hij jaren geleden in Chatham gestationeerd was en een oude motorfiets had gekocht om de eeuwenoude dorpscafés tussen Lamberhurst en Smarden te verkennen. Een goed land, een goed land om te gaan wonen, als je op je rust was gesteld.

Tien minuten later riep een passagier achterin de stewardess om zich te beklagen over iemand vooraan, die een eentonig deuntje zat te fluiten.

Cat Shannon was vrijdagmiddag twee uur bezig om het geld dat uit Zwitserland was overgemaakt op te nemen en zijn rekening op te heffen. Hij nam twee gewaarmerkte bankcheques, elk van £ 5000, die ergens anders op een bankrekening konden worden gezet en vervolgens in reischeques omgezet; en de andere £ 10 000 in vijftig cheques van 500 dollar, die alleen medeondertekend moesten worden om als contant geld gebruikt te kunnen worden.

Hij bleef 's nachts in Brussel over en vloog de volgende ochtend via Parijs naar Marseille.

Een taxi van het vliegveld bracht hem naar het hotelletje in de buitenwijken, waar Langarotti onder de naam Lavallon had gewoond en waar Janni Dupree, nog altijd volgens opdracht, verblijf hield. Hij was op dat moment weg, daarom wachtte Shannon tot hij 's avonds terugkwam en samen reden ze in een auto die Shannon gehuurd had naar Toulon. Het was het eind van dag Tweeënvijftig en de uitgestrekte Franse marinehaven baadde in de hete zon.

Op zondag was het kantoor van het scheepvaartagentschap niet open, maar dat gaf niet. Ze hadden afgesproken op het trottoir ervoor en hier ontmoetten Shannon en Dupree, Marc Vlaminck en Langarotti elkaar om klokslag negen uur. Het was voor het eerst sinds weken dat ze samen waren geweest en alleen Semmler ontbrak. Hij moest een paar honderd kilometer verderop langs de kust met de *Toscana* ergens op zee in de richting van Toulon varen.

Op voorstel van Shannon belde Langarotti uit een café in de buurt het kantoor van de havenmeester op, om zich ervan te vergewissen, dat de agenten van de *Toscana* in Genua getelegrafeerd hadden, dat het schip maandagochtend zou aankomen en dat er een ligplaats was gereserveerd.

Er viel die dag verder niets te doen, dus reden ze in Shannons auto over de kustweg naar Marseille, waar ze in het met keien bestrate vissershaventje van Sanary gingen zwemmen. Ondanks het warme weer en de vakantiesfeer van het schilderachtige plaatsje, kon Shannon zich er niet aan overgeven. Alleen Dupree kocht een zwembroekje en dook van het eind van de pier van de jachthaven. Hij zei later dat het water nog verdomd koud was. Het zou later warmer worden, in juni en juli, als de toeristen uit Parijs naar het zuiden gestroomd kwamen. Tegen die tijd bereidden zíj zich allemaal voor om zich op een ander havenstadje te storten dat niet veel groter was en vele kilometers hier vandaan lag.

Shannon zat bijna de hele dag met de Belg en de Corsicaan op het terrasje van Charley's bar, de Pot d'Etain, zich in de zon te koesteren en aan de volgende ochtend te denken. Misschien kwam de Joegoslavische of de Spaanse partij wel niet opdagen, of kwamen ze te laat of werden ze om een tot nu toe onbekende bureaucratische reden opgehouden, maar er was geen reden om ze in Joegoslavië of in Spanje te arresteren. Ze werden misschien een paar dagen vastgehouden als de boot doorzocht werd, maar dat was alles. De volgende ochtend was het een andere zaak. Als iemand er op stond diep in die olievaten te turen, dan zouden ze maanden, misschien jaren, zwetend in Les Baumettes moeten zitten, die grote, afschrikwekkende vesting, waar hij zaterdags was langsgekomen toen hij van Marseille naar Toulon reed.

Het wachten was altijd het ergste, peinsde hij, terwijl hij de rekening voldeed en zijn drie collega's naar de auto riep.

Het bleek allemaal vlotter te verlopen dan ze gedacht hadden. Toulon staat bekend als een enorme marinebasis en het silhouet van de haven wordt beheerst door de bovenbouw van de Franse oorlogsschepen die voor anker liggen. De grote attractie voor de toeristen en wandelaars van Toulon was die maandag de slagkruiser *Jean Bart*, thuis van een reis naar het Franse Caraïbische gebied, vol met matrozen met achterstallige gage op zak die op zoek waren naar meisjes.

Langs de brede esplanade tegenover de plezierhaven zaten de cafés vol met mensen die zich overgaven aan het geliefde tijdverdrijf in alle Middellandse-Zeelanden – kijken naar het leven dat voorbijging. Ze zaten in felgekleurde groepen onder de zonneschermen over de dobberende jachten uit te kijken, vanaf de kleine bootjes met buitenboordmotor tot aan de dure zeehazewinden van de vermogenden.

Aan de oostelijke kade lag een twaalftal vissersboten die liever niet de zee opgegaan waren en daarachter lagen de lange, lage douaneloodsen, pakhuizen en havenkantoren.

Daarachter, in de kleine handelshaven die bijna niet opviel, gleed de *Toscana* 's middags tegen twaalven naar zijn ligplaats.

Shannon wachtte tot hij aangemeerd was en op een paaltje op vijftig meter afstand gezeten kon hij Semmler en Waldenberg over het dek zien scharrelen. Er was niets te zien van de Servische machinist, die blijkbaar nog in zijn geliefde machinekamer zat, maar er waren ook twee andere figuren op het dek, die de trossen vastmaakten. Dit waren zeker de twee nieuwe bemanningsleden die Waldenberg gemonsterd had.

Er snorde een Renaultje over de kade dat bij de loopplank stopte. Er stapte een gezette Fransman in een donker pak uit, die aan boord van de *Toscana* ging. De vertegenwoordiger van de Agence Maritime Duphot. Even later kwam hij er weer af, gevolgd door Waldenberg en samen liepen ze naar de douaneloods. Het duurde bijna een uur voor de beide mannen naar buiten kwamen, de scheepvaartagent om naar zijn auto te gaan en de stad in te rijden, de Duitse kapitein om naar zijn schip terug te keren.

Shannon gaf ze nog een half uur de tijd en toen slenterde hij eveneens over de loopplank de *Toscana* op. Semmler wenkte hem naar de trap, die naar de kajuit van de bemanning voerde.

'En hoe is het afgelopen?' vroeg Shannon, toen hij met Semmler beneden zat. Semmler grinnikte.

'Alles liep gesmeerd,' zei hij. 'Ik heb de naam van de nieuwe kapitein op de papieren laten zetten, de machines een complete onderhoudsbeurt laten geven, en een onnodig grote hoeveelheid dekens en twaalf schuimrubber matrassen gekocht. Niemand heeft iets gevraagd en de kapitein denkt nog steeds, dat we immigranten naar Engeland gaan smokkelen.

Ik heb door de gewone scheepsagent van de *Toscana* in Genua een ligplaats hier laten reserveren en in het manifest staat, dat we een gemengde partij sportartikelen en vrijetijdsuitrusting voor een vakantiekamp aan de kust van Marokko inladen.'

'Hoe zit het met die smeerolie?'

Semmler grinnikte.

'Die was allemaal al besteld en toen heb ik opgebeld om het af te zeggen. Toen de olie niet aankwam, wilde Waldenberg een dag uitstel om erop te wachten. Dat heb ik voorkomen en gezegd, dat we die wel hier in Toulon zouden krijgen.'

'Mooi,' zei Shannon. 'Laat Waldenberg het niet bestellen. Zeg maar tegen hem dat je het zelf gedaan hebt, zodat hij het verwacht als het komt. Die man die aan boord kwam . . .'

'De scheepsagent. Die heeft alle rommel nog in entrepot en de papieren worden klaargemaakt. Hij stuurt het vanmiddag in een paar bestelwagens hier naar toe. De kratten zijn zo klein, dat we ze zelf wel met de laadboom kunnen inladen.'

'Goed. Laat hem met Waldenberg de papieren maar in orde maken. Een uur nadat de hele rommel aan boord is, komt de bestelwagen van de brandstofmaatschappij met olie. De chauffeur is Langarotti. Heb je nog geld genoeg om die te betalen?'

'Ja.'

'Dan betaal je die helemaal contant en vraagt een getekende kwitantie. Zorg vooral dat niemand er te hard mee smakt als hij aan boord komt. We moeten niet hebben dat er een bodem van een vat uitvalt. Dan staan we dadelijk tot ons middel in de Schmeissers.'

'Wanneer komen je mannen aan boord?'

'Vanavond als het donker is. Een voor een. Alleen Marc en Janni. Ik laat Jean-Baptiste nog een poosje hier. Hij heeft de bestelwagen en er moet hier nog een karweitje worden opgeknapt. Wanneer kun je uitvaren?'

'Wanneer je maar wilt. Vanavond. Dat regel ik wel. Het is eigenlijk best leuk om directeur te zijn.'

'Als je er maar niet aan gewend raakt. Het is maar voor de schijn.'

'Best, Cat. Tussen haakjes, waar gaan we als we vertrekken naar toe?'

'Brindisi. Weet je waar dat ligt?'

'Natuurlijk weet ik dat. Ik heb meer sigaretten uit Joegoslavië naar Italië gesmokkeld dan jij in je leven gerookt hebt. Wat gaan we daar halen?'

'Niets. Je wacht op mijn telegram. Dan zit ik in Duitsland. Ik geef je via het havenkantoor in Brindisi telegrafisch de volgende plaats van bestemming op, met de dag dat je daar moet aankomen.

Dan moet je een agent aldaar een telegram naar de bewuste Joegoslavische haven laten sturen om een ligplaats te reserveren. Heb je alles in orde om naar Joegoslavië te gaan?'

'Ik geloof het wel. Ik ga trouwens toch niet van boord af. Halen we daar nog meer wapens op?'

'Ja, dat is tenminste het plan. Ik hoop alleen, dat mijn wapenhandelaar en de Joegoslavische autoriteiten geen roet in het eten gooien. Heb je alle zeekaarten die je nodig hebt?'

'Ja, die heb ik zoals je gezegd hebt allemaal in Genua gekocht. Maar Waldenberg zal wel begrijpen wat we in Joegoslavië aan boord nemen. Dan weet hij dat we geen illegale immigranten smokkelen. Hij accepteert de speedboten en motoren, de walkietalkies en de kleren als iets doodgewoons, maar wapens zijn iets heel anders.'

'Dat begrijp ik,' zei Shannon. 'Het zal wat geld kosten. Maar we brengen het hem wel aan het verstand. Daar zijn jij en ik en Janni en Marc aan boord. Bovendien kunnen we hem dan ook wel vertellen wat er in die olievaten zit. Tegen die tijd zit hij er al zover in dat hij wel mee zal moeten doen. Hoe zijn die twee nieuwe bemanningsleden?'

Semmler knikte en drukte zijn vijfde sigaret uit. De lucht in de kleine kajuit was blauw van de rook.

'Oké. Twee Italianen. Harde jongens, maar gehoorzaam. Ik vermoed dat ze allebei door de *carabinieri* gezocht worden. Ze waren zo blij dat ze zich aan boord gedekt konden houden. Ze barsten van ongeduld om de zee op te gaan.'

'Mooi. Dan willen ze niet in een vreemd land van boord worden gezet, want dan worden ze zonder papieren opgepikt en naar hun eigen land teruggestuurd, waar ze in handen van hun eigen politie vallen.'

Waldenberg had het goed gedaan. Shannon had een korte ontmoeting met de beide mannen waarbij ze elkaar vluchtig toeknikten. Semmler stelde hem eenvoudig voor als iemand van het hoofdkantoor en Waldenberg vertaalde het. De mannen, Norbiatto de eerste stuurman en Cipriani de dekknecht, toonden verder geen belangstelling. Shannon gaf Waldenberg nog enkele instructies en vertrok.

In de loop van de middag kwamen de twee bestelwagens van Agence Maritime Duphot voor de *Toscana* tot stilstand, vergezeld door dezelfde man die 's morgens al verschenen was. Een Franse douanebeambte kwam met een klembord in de hand uit het douanekantoor en bleef erbij staan, terwijl de kratten met de laadboom van het schip aan boord werden gehesen. Vier kratten met een sortering ruwe kleding, riemen, laarzen en petten voor de Marokkaanse arbeiders in het vakantiedorp; drie in kisten verpakte opblaasbare rubberboten, groot formaat, voor sport en vrijetijdsbesteding; drie bijbehorende buitenboordmotoren; twee kratten met signaalraketten, kijkers, scheepsmisthoorns die op gas werkten, radio-onderdelen en kompassen. De laatste kratten stonden vermeld onder scheepsvoorraden.

De douanebeambte streepte ze op de lijst aan als ze aan boord gingen en stelde bij de scheepvaartagent vast dat ze óf voor doorvoer in entrepot hadden gelegen, afkomstig uit Duitsland of Engeland, óf ter plaatse gekocht waren zonder dat er uitvoerrechten op waren. Hij hoefde niet eens in de kratten te kijken, hij kende het agentschap goed omdat hij er dagelijks mee te maken had.

Toen alles aan boord was, zette de douanier een stempel op het scheepsmanifest. Waldenberg zei in het Duits iets tegen Semmler, die het vertaalde. Hij legde het agentschap uit, dat Waldenberg smeerolie voor zijn machines moest hebben. Deze was in Genua besteld, maar niet op tijd afgeleverd.

De man van het agentschap noteerde het in zijn boekje.

'Hoeveel hebt u nodig?'

'Vijf vaten,' zei Semmler. Waldenberg verstond het Frans niet.

'Dat is een heleboel,' zei de agent.

Semmler lachte. 'Die ouwe schuit verbruikt net zo veel olie als diesel. Bovendien kunnen we die net zo goed hier innemen, dan kunnen we voorlopig voort.'

'Hoe laat wilt u het hebben?' vroeg de agent.

'Schikt het vanmiddag om vijf uur?' vroeg Semmler.

'Laten we zeggen zes uur,' zei de agent, die de soort en hoeveelheid in zijn boekje opschreef, met het tijdstip van aflevering. Hij keek naar de douanebeambte. Deze knikte. Het liet hem koud en hij slenterde weg. Even later reed de man van het agentschap in zijn auto weg, gevolgd door de twee bestelwagens.

Om vijf uur verliet Semmler de *Toscana*, ging naar een telefoon in een café aan de wal, belde het agentschap op en trok de oliebestelling in. De schipper, zei hij, had een vol vat achter in de voorraadkast gevonden en had de eerste weken niets meer nodig. De man van het agentschap mopperde wat maar stemde toe.

Om zes uur reed een bestelwagen voorzichtig over de kade en stopte voor de *Toscana*. Hij werd bestuurd door Jean-Baptiste Langarotti in helgroene overal met het woord Castrol op de rug.

Hij maakte de achterkant van de bestelwagen open en rolde voorzichtig vijf grote olievaten van de plank af die hij aan de achterklep had vastgemaakt. In de douaneloods gluurde de douanebeambte uit het raam.

Waldenberg ving zijn blik op en zwaaide. Hij wees naar de vaten en vandaar naar zijn schip.

'Oké?' riep hij, en daarna met een zwaar accent: '*Ça va?*'

De douanier knikte achter het raam en hij trok zich terug om een aantekening op zijn klembord te maken. Op aanwijzing van Waldenberg schoven de twee Italiaanse bemanningsleden netten om de vaten en takelden ze een voor een aan boord. Semmler was ongewoon behulpzaam, hield de vaten tegen als ze over de railing zwaaiden en schreeuwde in het Duits tegen Waldenberg bij de laadboom, dat hij ze zachtjes neer moest zetten. Ze zakten in het donkere, koele ruim van de *Toscana* uit het gezicht en even later lag het luik weer op zijn plaats vastgeklampt.

Langarotti was nadat hij zijn vrachtje had afgeleverd allang weer met zijn bestelwagen vertrokken. Een paar minuten later lag de overal onder in een vuilnisvat in het hartje van de stad. Vanaf zijn paaltje aan de overkant van de kade had Shannon met ingehouden adem het inladen gadegeslagen. Hij was er liever zelf bij geweest, net als Semmler, want het wachten deed hem bijna lichamelijk pijn en was erger dan actie ondernemen.

Na afloop keerde de rust op de *Toscana* terug. De kapitein en zijn drie mannen waren benedendeks en de machinist was een keertje het schip rondgewandeld om de zilte lucht op te snuiven en was daarna weer naar zijn dieseldampen teruggegaan. Semmler wachtte een half uurtje en glipte daarna de kade op om zich bij Shannon te voegen. Nadat ze drie hoeken waren omgeslagen ontmoetten ze elkaar buiten het zicht van de haven.

Semmler grinnikte.

'Wat heb ik je gezegd? Geen vuiltje aan de lucht.'

Shannon knikte en grinnikte opgelucht terug. Hij wist beter dan Semmler wat er op het spel stond, en in tegenstelling tot de Duitser wist hij niet hoe het in havens toeging.

'Wanneer kun je de mannen aan boord nemen?'

'Het douanekantoor sluit om negen uur. Ze moeten vannacht tussen twaalf en één uur komen. We varen om vijf uur uit, dat is afgesproken.'

'Goed,' zei Shannon, 'laten we ze dan gaan zoeken en iets drinken. Ik wil dat je gauw weer teruggaat voor geval er toch vragen worden gesteld.'

'Dat gebeurt niet.'

'Dat geeft niet. We moeten geen risico nemen. Ik wil dat je op die lading let als een kloek op haar kuikens. Je laat niemand in de buurt van die vaten komen tot ik het zeg en dat is in een haven in

Joegoslavië. Dan vertellen we Waldenberg wat hij vervoert.'

Ze troffen de drie andere huurlingen in een tevoren afgesproken café en dronken een aantal biertjes om af te koelen. De zon ging onder en de zee in het enorme bekken waaruit de ankergrond en de rede van Toulon bestaan, werd slechts door een zacht briesje gerimpeld. Enkele jachten draaiden als balletdanseressen ver op de achtergrond als de bemanning ze liet wenden om de volgende windvlaag op te vangen. Semmler ging om acht uur weg om naar de *Toscana* terug te keren.

Janni Dupree en Marc Vlaminck glipten tussen twaalf en een uur 's nachts stilletjes aan boord en om vijf uur gleed de *Toscana*, nagekeken door Shannon en Langarotti, weer naar zee.

Langarotti bracht Shannon in de loop van de ochtend naar het vliegveld om zijn vliegtuig te pakken. Bij het ontbijt had Shannon de Corsicaan zijn laatste serie instructies gegeven met genoeg geld om ze uit te voeren.

'Ik zou liever met jou meegaan,' zei Jean-Baptiste, 'of met het schip.'

'Dat begrijp ik,' zei Shannon. 'Maar voor dit onderdeel heb ik een goeie man nodig. Het is van kardinaal belang. Zonder dat kunnen we het niet klaren. Ik moet iemand hebben die betrouwbaar is en jij hebt bovendien nog het voordeel dat je Fransman bent. Daarbij ken je twee van die mensen goed en de ene spreekt een woordje Frans. Janni komt er met een Zuidafrikaans paspoort nooit in en Marc heb ik nodig om de bemanning koest te houden als ze opstandig worden. Ik weet wel dat jij beter bent met een mes dan hij met zijn handen, maar ik wil geen vechtpartij, alleen genoeg overwicht om de bemanning te overreden om te doen wat ze gezegd wordt. En ik heb Kurt nodig om de navigatie te controleren, voor het geval dat Waldenberg bang wordt. In het ergste geval, als Waldenberg het loodje legt, moet Kurt het commando over het schip overnemen. Daarom moet jij het doen.'

Langarotti stemde erin toe de missie te ondernemen.

'Het zijn goeie jongens,' zei hij met iets meer geestdrift. 'Het is wel leuk om ze weer terug te zien.'

Toen ze op het vliegveld afscheid namen, herinnerde Shannon hem nog eens: 'Alles kan mislukken als we daar komen zonder dat we een leger hebben dat ons steunt. Dus het hangt van jou af om het voor elkaar te brengen. Alles is al voorbereid. Je doet gewoon wat ik gezegd heb en als zich kleine moeilijkheden voordoen los je die op. Tot over een maand.'

Hij liet de Corsicaan alleen, liep door de douane en ging aan boord van zijn vliegtuig, Parijs-Hamburg.

# 18

'Ik heb gehoord dat je de mortieren en bazooka's na 10 juni kunt halen en dat is gisteren per telex nog eens bevestigd,' zei Alan Baker tegen hem.

Het was de dag na Shannons aankomst in Hamburg en ze zaten in een restaurant te lunchen, nadat hij in de loop van de ochtend had opgebeld om de afspraak te maken.

'In welke haven?' vroeg Shannon.

'Ploce?'

'Waar?'

'Ploce. Gespeld P-l-o-c-e, uitgesproken Plotsjee. Het is een kleine haven, bijna precies midden tussen Split en Dubrovnik.'

Shannon dacht na. Hij had Semmler opdracht gegeven toen hij in Genua was om de benodigde zeekaarten van de hele Joegoslavische kust mee te nemen, maar hij was ervan uitgegaan dat de wapens in een van de grotere havens zouden worden opgepikt. Hij hoopte dat de Duitser een kaart had waarop de zeeroute naar Ploce stond of dat hij er in Brindisi een kon krijgen.

'Hoe klein?'

'Heel klein en heel onopvallend. Een stuk of zes werven en twee grote loodsen. De Joegoslaven gebruiken het meestal voor hun wapenexporten. De laatste verscheping uit Joegoslavië heb ik per vliegtuig gedaan, maar ze hebben me toen gezegd dat als het overzee verscheept werd, dit vanuit Ploce zou zijn. Een klein haventje is beter. Daar is bijna altijd wel plaats en er kan sneller geladen worden. Bovendien zullen ze daar maar een kleine douaneafdeling hebben, waarschijnlijk met één chef van lage rang, en als die zijn cadeautje krijgt, zorgt hij dat alles binnen een paar uur aan boord is.'

'Goed, Ploce dan. Op 11 juni,' zei Shannon. Baker schreef de datum op.

'Is de *Toscana* goed?' vroeg hij. Hij vond het nog steeds jammer dat de koop van de *San Andrea* van zijn vrienden toen niet door was gegaan, maar besloot de *Toscana* in gedachten te houden voor later. Hij wist zeker dat Shannon er na afloop van de operatie waar hij mee bezig was toch niets meer aan had en Baker was altijd op zoek naar een goed schip om met zijn vrachtjes stille inhammen in te varen.

'Uitstekend,' zei Shannon. 'Hij is nu op weg naar een Italiaanse haven, waar ik schriftelijk of per telex moet berichten waar hij naar toe moet gaan. Van jouw kant nog problemen?'

Baker verschoof even.

'Eentje,' zei hij. 'De prijs.'

'Wat is daarmee?'

'Ik weet wel dat ik je vaste prijzen heb opgegeven, in totaal 14 400 dollar. Maar het systeem is in Joegoslavië het laatste halfjaar veranderd. Om de hele papierwinkel op tijd klaar te krijgen, moest ik een Joegoslavische compagnon in dienst nemen. Zo noemen ze dat tenminste, maar in werkelijkheid is het gewoon een extra tussenpersoon.'

'Dus?' vroeg Shannon.

'Dus moet hij een honorarium of een salaris hebben om de papieren in Belgrado in orde te krijgen. Ik heb per slot aangenomen, dat het je iets waard is dat de verscheping op tijd plaatsvindt, zonder allerlei tijdrovend gezeur van ambtenaren. Daarom heb ik erin toegestemd hem aan te nemen. Hij is de zwager van de ambtenaar op het ministerie van Handel. Het is gewoon een foefje om iemand te dwingen ze een bedrag terug te betalen. Maar wat kun je tegenwoordig anders verwachten? De Balkan is nog altijd de Balkan en ze zijn ook wijzer geworden.'

'Hoeveel gaat dat extra kosten?'

'Duizend pond sterling.'

'In dinars of dollars?'

'In dollars.'

Shannon dacht na. Het kon waar zijn of het kon ook zijn dat Baker iets meer van hem los wou krijgen. Als het waar was en hij weigerde te betalen, dan was Baker wel gedwongen de Joegoslaaf van zijn eigen winst te betalen. Dan werd de marge van Baker zo klein, dat hij alle belangstelling voor de transactie verloor en het hem niets meer kon schelen of het doorging of niet. En hij had Baker toch nodig en zou hem nodig blijven hebben tot hij het witte kielzog van de *Toscana* uit de haven van Ploce in de richting van Spanje zag verdwijnen.

'Akkoord,' zei hij. 'Wie is die compagnon?'

'Die kerel heet Ziljak. Hij is daar nu en zorgt dat de zending rechtstreeks naar Ploce en in het pakhuis daar komt. Als het schip binnenkomt, haalt hij de spullen uit het pakhuis en brengt het door de douane heen op het schip.'

'Ik dacht dat dat jouw werk was.'

'Dat is het ook, maar nu moet ik een Joegoslaaf nemen om me te helpen. Echt waar, Cat, ik had geen andere keus.'

'Dan betaal ik hem persoonlijk, in reischeques.'

'Dat zou ik niet doen,' zei Baker.
'Waarom niet?'
'De kopers van deze partij zijn toch zogenaamd de regering van Togo, niet? Zwarten. Als er dan weer een blanke op de proppen komt, kennelijk de betaalmeester, dan ruiken ze misschien onraad. We kunnen naar Ploce gaan als je wilt of ik kan ook alleen gaan. Maar als je met me mee wilt, moet je net doen of je mijn assistent bent. Bovendien moeten reischeques bij een bank ingewisseld worden en in Joegoslavië betekent dat, dat ze de naam en het nummer van de identiteitskaart van die man noteren. Als degene die ze inwisselt een Joegoslaaf is, gaan ze vragen stellen. Het is beter als Ziljak contant geld krijgt zoals hij gevraagd heeft.'
'Goed. Ik zal hier in Hamburg een paar cheques inwisselen en dan betaal ik hem in dollarbiljetten,' zei Shannon. 'Maar jij krijgt je geld in cheques. Ik ga niet met grote bedragen in dollars op zak lopen. Zeker niet in Joegoslavië. Die zijn daar erg gevoelig voor. De veiligheidsdienst bemoeit zich ermee en straks denken ze nog dat je een spionagekomplot gaat opzetten. Dus we gaan als toeristen met reischeques.'
'Mij best,' zei Baker. 'Wanneer wil je vertrekken?'
Shannon keek op zijn horloge. De volgende dag was het 1 juni.
'Overmorgen,' zei hij. 'We vliegen naar Dubrovnik en gaan een week in de zon liggen. Ik moet toch eens even uitrusten. Of je kunt de achtste of negende naar me toe komen, maar geen dag later. Ik zal een auto huren en dan kunnen we de tiende langs de kust naar Ploce rijden. Ik zal de *Toscana* dan 's avonds laten binnenkomen of de elfde 's morgens vroeg.'
'Ga maar alleen,' zei Baker. 'Ik heb nog werk in Hamburg. Ik kom de achtste naar je toe.'
'Zonder mankeren,' zei Shannon. 'Als je er niet bent, kom ik je halen en dan ben ik goed kwaad.'
'Ik kom echt wel,' zei Baker. 'Vergeet niet dat ik de rest van mijn geld wil hebben. Tot nu toe moet ik er op deze handel geld bij leggen. Ik heb er net zo veel belang bij als jij dat het doorgaat.'
Dat was precies zoals Shannon het wilde hebben.
'Je hebt het geld toch wel,' vroeg Baker, met een klontje suiker spelend.
Shannon liet een pakje dollarcheques met grote bedragen onder Bakers neus ritselen. De wapenhandelaar glimlachte.
Ze stonden op en op weg naar buiten belden ze bij de telefoon van het restaurant een Hamburgse chartermaatschappij op, die gespecialiseerd was in geheel verzorgde reizen voor de duizenden Duitsers die hun vakantie aan de Adriatische kust doorbrengen.

Van deze firma vernamen ze de namen van de drie beste hotels in de Joegoslavische badplaats. Baker kreeg te horen dat hij Shannon in een ervan onder de naam Keith Brown zou aantreffen.

Johann Schlinker was er net zo van overtuigd als Baker, dat hij zijn wapentransactie kon uitvoeren, hoewel hij er geen idee van had dat Baker ook zaken met Shannon deed. De mannen wisten ongetwijfeld van elkaars bestaan af en ze kenden elkaar misschien zelfs, maar er was geen kwestie van dat ze met elkaar over hun zaken spraken.

'De haven moet Valencia worden, hoewel dit nog vastgesteld moet worden en het is in ieder geval de keus van de Spaanse autoriteiten,' zei hij tegen Shannon. 'Madrid zegt, dat de datum tussen de zestiende en de twintigste juni moet vallen.'

'Ik geef de voorkeur aan de twintigste om te laden,' zei Shannon. 'De *Toscana* moet toestemming hebben op of in de nacht van de negentiende aan te leggen en de volgende ochtend te laden.'

'Goed,' zei Schlinker. 'Ik zal mijn partner in Madrid op de hoogte stellen. Hij zorgt altijd voor het vervoer en het laden van de vracht en heeft een eersteklas vrachtagent in Valencia in dienst, die al het douanepersoneel heel goed kent. Dat levert geen probleem op.'

'Dat moet ook niet,' bromde Shannon. 'Het schip heeft al een keer vertraging gehad en als er op de twintigste geladen wordt, heb ik wel genoeg tijd om te varen, maar er is geen speling om aan mijn eigen verplichting te voldoen.'

Dat was niet waar, maar hij zag niet in waarom Schlinker niet zou geloven dat het wel waar was.

'Ik wil ook op het inladen toezien,' zei hij tegen de wapenhandelaar.

Schlinker kneep zijn lippen samen. 'U kunt er natuurlijk uit de verte op toezien,' zei hij. 'Ik kan u niet tegenhouden. Maar aangezien de klant zogenaamd een Arabische regering is, kunt u zich niet als de koper van de goederen voordoen.'

'Ik wil in Valencia ook aan boord van het schip gaan,' zei Shannon.

'Dat zal nog moeilijker zijn. Het hele havengebied is met kettingen afgesloten. Je kunt er alleen met een machtiging in. Om aan boord van een schip te gaan moet je door een paspoortencontrole. En omdat het munitie vervoert staat er ook een Guardia Civil onder aan de loopplank.'

'Als de kapitein nu nog een bemanningslid nodig heeft, kan hij dan ter plaatse een zeeman monsteren?'

Schlinker dacht na.

'Dat zal wel. Hebt u relaties met de maatschappij waarvan het schip behoort?'

'Niet op papier,' zei Shannon.

'Als de kapitein bij aankomst aan de agent meedeelt, dat hij een van zijn bemanningsleden verlof heeft gegeven het schip in de laatste aanloophaven te verlaten om naar huis te vliegen en daar de begrafenis van zijn moeder bij te wonen en dat dit bemanningslid in Valencia weer op het schip komt, denk ik niet dat er bezwaar tegen zal zijn. Maar dan hebt u wel een monsterboekje nodig om aan te tonen dat u zeeman bent, op uw eigen naam, meneer Brown.'

Shannon dacht even na.

'Goed. Dat maak ik wel in orde,' zei hij.

Schlinker raadpleegde zijn agenda.

'Toevallig ben ik op 19 en 20 juni in Madrid,' zei hij. 'Daar heb ik nog een paar andere zaken te doen. Ik logeer in het Mindanao-hotel. Als u contact met me wilt opnemen, kunt u me daar vinden. Als er de twintigste ingeladen wordt, dan zal het escorte van het Spaanse leger waarschijnlijk in de nacht van de negentiende met de zending naar de kust rijden en daar bij het krieken van de ochtend aankomen. Als u echt aan boord van het schip gaat geloof ik dat u dat moet doen voordat het militaire konvooi in de havens aankomt.'

'Ik kan de negentiende in Madrid zijn,' zei Shannon. 'Dan kan ik bij u informeren of het konvooi inderdaad op tijd vertrokken is. Als ik snel naar Valencia rijd kan ik ze daar voor zijn en als de teruggekomen zeeman aan boord van de *Toscana* zijn voor het konvooi er is.'

'Dat moet u helemaal zelf weten,' zei Schlinker. 'Ik zal van mijn kant mijn agenten voor zonsopgang van de twintigste voor de bevrachting, het transport en het inladen laten zorgen, zoals normaal gebruikelijk. Dat heb ik officieel op me genomen. Als u in de haven aan boord van het schip wilt gaan, is dat uw eigen risico. Daar kan ik geen verantwoordelijkheid voor aanvaarden. Ik kan u er alleen op wijzen, dat schepen die wapens uit Spanje vervoeren, door het leger en de douaneautoriteiten aan een nauwkeurig onderzoek worden onderworpen. Als er iets misgaat bij het laden van het schip en de toestemming om uit te varen vanwege u, dan is dat niet voor mijn verantwoording. En dan nog iets. Nadat de wapens ingeladen zijn, moet een schip binnen zes uur een Spaanse haven verlaten hebben en mag het de Spaanse wateren niet meer binnenkomen voor de vracht is uitgeladen. En het manifest moet ook feilloos in orde zijn.'

'Dat komt voor elkaar,' zei Shannon. 'Ik ben de negentiende 's morgens bij u in Madrid.'

Voor Kurt Semmler uit Toulon vertrok had hij aan Shannon een brief meegegeven om te posten. Hij was van Semmler aan de scheepsagenten van de *Toscana* in Genua, met de mededeling dat er een kleine wijziging in het plan was gekomen en dat de *Toscana* van Toulon niet rechtstreeks naar Marokko zou varen, maar eerst naar Brindisi om daar nog een vrachtje op te pikken. Hij had, zo berichtte Semmler de agenten, die order in Toulon afgesloten en het was winstgevend voor hem, omdat het een haastorder was, terwijl de gemengde partij uit Toulon naar Marokko geen haast had. Omdat Semmler directeur van Spinetti Maritimo was, waren zijn instructies die van de baas. Hij droeg de agenten in Genua op naar Brindisi te telegraferen om voor 7 en 8 juni een ligplaats te reserveren en het havenkantoor opdracht te geven alle aan de *Toscana* geadresseerde post te bewaren tot hij aankwam.

Shannon schreef de volgende brief die hij uit Hamburg verstuurde. Hij was gericht aan Signor Kurt Semmler, ms. *Toscana*, p.a. het Havenkantoor, Brindisi, Italië.

Daarin deelde hij Semmler mee, dat hij van Brindisi naar Ploce aan de Adriatische kust van Joegoslavië moest varen, en als hij geen zeekaarten had om door de verraderlijke zeestraten ten noorden van het eiland Korcula te manoeuvreren, moest hij die ter plaatse aanschaffen. Hij moest ervoor zorgen, dat de *Toscana* daar op 10 juni 's avonds was; de ligplaats was al gereserveerd. Hij hoefde de agenten in Genua niet van de extra etappe van Brindisi naar Ploce op de hoogte te stellen.

Zijn laatste instructie aan Semmler was heel belangrijk. Hij schreef de Duitse ex-smokkelaar, dat hij hem een geldig monsterboekje moest verschaffen voor een matroos, Keith Brown genaamd, gestempeld en afgegeven door de Italiaanse autoriteiten. Het tweede dat hij voor het schip nodig had was een laadmanifest, waaruit bleek dat de *Toscana* rechtstreeks zonder onderbreking van Brindisi naar Valencia was gevaren en van Valencia door zou gaan naar Latakia in Syrië, na in Valencia lading aan boord te hebben genomen. Semmler zou om aan deze documenten te komen een beroep moeten doen op zijn vroegere relaties in Brindisi.

De laatste brief van Shannon voor hij uit Hamburg naar Joegoslavië vertrok, was gericht aan Simon Endean in Londen. Daarin werd Endean verzocht Shannon op 16 juni ergens in Rome te ontmoeten en bepaalde zeekaarten mee te brengen.

Omstreeks dezelfde tijd ronkte het ms. *Toscana* gestadig door de Straat van Bonifacio, het smalle kanaal van helderblauw water, dat de zuidelijke punt van Corsica van het noordelijke eind van Sardinië scheidt. De zon was verschroeiend, maar werd door een licht briesje verzacht. Marc Vlaminck lag naakt tot het middel languit op het luik van het grote ruim met een natte handdoek onder zich en leek met zijn met zonnebrandolie ingesmeerde lijf op een rose nijlpaard.

Janni Dupree, die in de zon altijd knalrood werd, zat onder het zonnescherm tegen het achterdek geleund zijn tiende flesje bier van die ochtend leeg te slurpen. Cipriani, de matroos, was een gedeelte van de reling om de voorplecht aan het witschilderen en de eerste stuurman, Norbiatto, lag na afloop van de nachtwacht beneden in zijn kooi te snurken.

Eveneens beneden, in de gloeiend hete machinekamer, was Grubic de machinist bezig een machineonderdeel te oliën, dat alleen hij kon begrijpen maar ongetwijfeld van vitaal belang was om de *Toscana* met een regelmatige snelheid van acht knopen door de Middellandse Zee te laten varen. In de stuurhut zaten Kurt Semmler en Carl Waldenberg koud bier te drinken en herinneringen op te halen aan hun wederzijdse loopbaan.

Jean-Baptiste had er graag bij willen zijn. Vanaf de bakboordreling had hij naar de grijswitte, door de zon gebleekte kust van zijn vaderland kunnen kijken, dat aan de overkant van het water op nog geen zes kilometer afstand voorbijgleed. Maar hij was kilometers ver weg, in West-Afrika, waar de natte moesson al begonnen was en waar ondanks de koortshitte, de wolken loodgrijs waren.

Alan Baker kwam op 8 juni 's avonds in Shannons hotel in Dubrovnik, net toen de huurling terugkwam van het strand. Hij zag er moe en stoffig uit.

Cat Shannon daarentegen zag er goed uit en voelde zich prima. Hij had zijn week in de Joegoslavische badplaats net als alle andere toeristen doorgebracht met alle dagen zonnebaden en een paar kilometer zwemmen. Hij was magerder geworden maar gezond en bruin. Hij was ook optimistisch gestemd.

Nadat hij zich in zijn hotel geïnstalleerd had, had hij Semmler in Brindisi een telegram gestuurd met het verzoek de aankomst van het schip en de ontvangst van de uit Hamburg gestuurde brief te bevestigen. Hij had die ochtend Semmlers telegrafisch antwoord ontvangen. De *Toscana* was behouden in Brindisi aangekomen, de brief was ontvangen en de instructies daarin uitgevoerd en ze zouden de negende 's morgens vertrekken en de tiende te middernacht op de plaats van bestemming zijn.

Onder een glaasje op het terras van hun hotel, waar Shannon voor Baker een kamer voor de nacht had besproken, vertelde hij de handelaar uit Hamburg het nieuws. Baker glimlachte en knikte.

'Mooi. Ik heb achtenveertig uur geleden een telegram van Ziljak uit Belgrado gekregen. De kratten zijn in Ploce aangekomen en liggen onder bewaking in het regeringspakhuis bij de kade.'

Ze verbleven 's nachts in Dubrovnik en huurden de volgende ochtend een taxi, om ze de honderd kilometer langs de kust naar Ploce te rijden. Het was een oude rammelkast met vierkante wielen en een gietijzeren vering, maar de rit langs de kust was prachtig, een kilometers lange ongerepte kustlijn, met halverwege het plaatsje Slano, waar ze stopten om een kopje koffie te drinken en de benen te strekken.

Tegen de lunch hadden ze hun intrek in een hotel genomen en in de schaduw van een terras wachtten ze tot het havenkantoor 's middags om vier uur weer openging.

De haven lag aan een grote diepblauwe watervlakte, aan de zeezijde beschut door een lang schiereiland, Peliesac, dat ten zuiden van Ploce in een bocht naar het noorden evenwijdig met de kust liep. In het noorden werd de opening tussen de punt van het schiereiland en de kust bijna geblokkeerd door het rotseilandje Hvar en het was maar een smalle tussenruimte die toegang gaf tot de lagune waaraan Ploce lag. Deze lagune van bijna vijfenveertig kilometer lang, die voor negen tiende door land omringd werd, was een paradijs om te zwemmen, te vissen en te zeilen.

Toen zij het havenkantoor naderden, kwam er enkele meters van hen vandaan een gammel Volkswagentje met gierende remmen tot stilstand en toeterde luidruchtig. Shannon verstijfde. Zijn eerste opwelling was dat er iets mis was, iets waar hij al die tijd al bang voor was geweest, een vergissing in de papieren, de autoriteiten die hun voet dwars hadden gezet zodat de hele zaak niet doorging en een verlengd verblijf met verhoor in het politiebureau ter plaatse.

De man die uit het wagentje stapte en vrolijk wuifde kon een politieagent geweest zijn, als het de politie in de meeste totalitaire staten zowel van het Oosten als van het Westen, niet volgens de regels verboden scheen te lachen. Shannon wierp een blik naar Baker en zag zijn schouders opgelucht zakken.

'Ziljak,' mompelde hij met gesloten mond en hij ging naar de Joegoslaaf om hem te begroeten. Het was een grote, ruige man, die op een vriendelijke zwarte beer leek en hij omhelsde Baker met beide armen. Toen hij voorgesteld werd bleek dat zijn voornaam Kemal was en Shannon vermoedde dat er een flinke scheut Turks bloed in de man zat. Dat kwam Shannon uitstekend uit; hij mocht dat type wel, het waren doorgaans goede vechters en kameraden, met een gezonde afkeer van bureaucratie.

'Mijn medewerker,' zei Baker en Ziljak gaf hem een hand en mompelde iets dat volgens Shannon wel Servokroatisch zou zijn. Baker en Ziljak onderhielden zich in het Duits, dat veel Joegoslaven een beetje kennen. Hij sprak geen Engels.

Met behulp van Ziljak trommelden ze het hoofd van het douanekantoor op, die met ze meeging om het pakhuis te inspecteren. De douaneman brabbelde een paar woorden tegen de wacht bij de deur en in de hoek van het gebouw troffen ze de kratten aan. Er waren er dertien; in de ene zaten kennelijk de twee bazooka's en twee andere bevatten elk een mortier met inbegrip van de grondplaten en het richtmechanisme. In de overige zat de munitie, vier kisten met tien bazookaraketten en in de andere zes zaten de driehonderd bestelde mortiergranaten. De kratten waren van nieuw hout, en er stond niets op over wat erin zat, alleen in sjabloonletters de serienummers en het woord *Toscana.*

Ziljak en de douanechef babbelden in hun eigen dialect en ze bleken allebei hetzelfde te spreken, wat handig uitkwam, want er zijn in Joegoslavië tientallen talen, waaronder zeven hoofdtalen, wat dikwijls moeilijkheden oplevert.

Tenslotte wendde Ziljak zich tot Baker en zei een paar zinnen in zijn hakkelend Duits. Baker gaf antwoord en Ziljak vertaalde het voor de douaneman. Hij glimlachte en ze gaven elkaar allemaal een hand en namen afscheid. Buiten sloeg het zonlicht als een moker op ze neer.

'Waar ging het allemaal over?' vroeg Shannon.

'De douaneman vroeg aan Kemal of er een cadeautje voor hem aan zat,' legde Baker uit. 'Kemal heeft gezegd dat hij een aardige verrassing kreeg, als de papieren vlot afkwamen en het schip morgenochtend op tijd geladen wordt.'

Shannon had Baker de eerste helft van het extraatje van £ 1000 voor Ziljak gegeven om de transactie te helpen doordrukken en Baker nam de Joegoslaaf terzijde om het hem in de hand te stoppen. Met uitbundige hartelijkheid omhelsde de man ze allebei opnieuw en ze verkasten naar het hotel om het met een glaasje slivovits te vieren. Een glaasje was het woord dat Baker gebruikte. Ziljak had misschien hetzelfde woord gebruikt, maar hij meende het niet. Gelukkige Joegoslaven drinken nooit een glaasje slivovits. Met £ 500 onder zijn riem bestelde Ziljak een fles van de koppige pruimenjenever en de ene schaal na de andere met amandelen en olijven. Terwijl de zon onderging en de Adriatische avond door de straten drong, beleefde hij opnieuw zijn jaren in de oorlog, toen hij jaagde in de Bosnische heuvels in het noorden waar hij zich met Tito's partizanen verborgen hield.

Baker had grote moeite met alles te vertalen, terwijl de geestdriftige Kemal van zijn strooftochten in Montenegro achter Dubrovnik vertelde, in de bergen waarachter ze zaten, aan de kust van Hercegovina en in de koelere, vruchtbaardere, beboste landstreek in Bosnië ten noorden van Split. Hij genoot bij het idee, dat hij eens bijna op staande voet was neergeschoten, omdat hij zich in een van de steden had gewaagd, waar hij nu voor zijn zwager werkte, die in de regering zat. Shannon vroeg of hij een toegewijd communist was, omdat hij partizaan was geweest, en Ziljak luisterde terwijl Baker vertaalde, die in plaats van 'toegewijd' het woord 'goed' gebruikte. Ziljak sloeg met zijn vuist op zijn borst.

'*Guter Kommunist*,' riep hij, met grote ogen op zichzelf wijzend. Daarna bedierf hij het effect door een vette knipoog te geven, terwijl hij met het hoofd achterover brulde van het lachen, en weer een glas slivovits door zijn keelgat goot. De opgevouwen briefjes van zijn eerste premie van £ 500 vormden een bult onder zijn broekriem en Shannon lachte ook en wou dat de reus met ze meeging naar Zangaro. Daar was hij juist de geschikte man voor.

Ze gingen niet eten, maar zwierven 's nachts om twaalf uur met onvaste stap naar de haven om de *Toscana* te zien binnenkomen. Hij voer om de havenmuur heen en lag een uur later vastgemeerd aan de enige natuurstenen kade uit de streek. Vanaf de voorplecht keek Semmler in het flauwe licht van de havenlampen naar beneden. Ze knikten elkaar langzaam toe en Waldenberg stond boven aan de loopplank met de stuurman te overleggen. Hij had uit Shannons brief al instructie gekregen, dat Semmler het woord zou doen.

Nadat Baker met Ziljak weer naar het hotel terug was gegaan, sloop Shannon de loopplank op naar de kleine kapiteinshut. Niemand op de kade had er erg in. Semmler nam Waldenberg mee naar binnen en ze deden de deur op slot.

Langzaam en omzichtig vertelde Shannon aan Waldenberg, waarom hij nu eigenlijk precies met de *Toscana* naar Ploce was gekomen. De Duitse kapitein nam het goed op. Hij bleef onbewogen kijken tot Shannon uitgesproken was.

'Ik heb nog nooit wapens vervoerd,' zei hij. 'U zegt, dat deze vracht legaal is. Hoe legaal?'

'Volkomen legaal,' zei Shannon. 'De goederen zijn in Belgrado gekocht, met vrachtwagens hierheen vervoerd en de autoriteiten zijn natuurlijk op de hoogte van de inhoud van de kratten. Anders was er geen uitvoervergunning. De vergunning is niet vervalst en er is ook niemand omgekocht. Het is onder de wetten van Joegoslavië een volkomen legale zending.'

'En de wetten van het land waar het naar toe gaat?' vroeg Waldenberg.

'De *Toscana* komt helemaal niet in de wateren van het land waar deze wapens gebruikt zullen worden,' zei Shannon. 'Na Ploce komen er nog twee aanloophavens, beide keren alleen om vracht aan boord te nemen. U weet dat schepen nooit doorzocht worden voor wat ze vervoeren als ze alleen een haven aandoen om meer lading in te nemen, tenzij de autoriteiten een tip hebben gekregen.'

'Maar het is toch voorgekomen,' zei Waldenberg. 'Als ik deze dingen aan boord heb en het staat niet in het manifest en er komt een onderzoek en ze worden ontdekt, wordt het schip in beslag genomen en ik ga de gevangenis in. Ik heb niet op wapens gerekend. Met de Zwarte September en de IRA tegenwoordig is iedereen op zoek naar wapens.'

'In de inscheephaven van nieuwe vracht niet,' zei Shannon.

'Ik heb niet op wapens gerekend,' herhaalde Waldenberg.

'U hebt wel gerekend op illegale immigranten naar Engeland,' wierp Shannon tegen.

'Die zijn niet illegaal voor ze met hun voeten op Engelse bodem staan,' verklaarde de kapitein. 'En de *Toscana* zou buiten de territoriale wateren zijn. Ze kunnen dan in snelle boten naar de kust gaan. Met wapens is het anders. Die zijn op dit schip illegaal als er in het manifest staat dat ze er niet zijn. Waarom zet u ze niet in het manifest? U zegt gewoon, dat deze wapens legaal van Ploce naar Togo worden vervoerd. Niemand kan bewijzen dat we later van koers veranderen.'

'Omdat als er al wapens aan boord zijn, de Spaanse autoriteiten niet toestaan dat het schip in Valencia of een andere Spaanse haven blijft, zelfs niet in doorvoer, en zeker niet om nog meer wapens in te nemen. Daarom moeten ze in het manifest onvermeld blijven.'

'En waar kwamen we dan vandaan om in Spanje te komen?' vroeg Waldenberg.

'Uit Brindisi,' antwoordde Shannon. 'Daar zijn we naar toe gegaan om vracht in te laden maar die was niet op tijd klaar. Toen hebben de eigenaars u naar Valencia geroepen om een nieuwe lading voor Latakia op te pikken en daar hebt u natuurlijk gehoor aan gegeven.'

'Stel dat de Spaanse politie het schip doorzoekt?'

'Daar is niet de minste reden voor,' zei Shannon. 'Maar als ze het toch doen, moeten de kratten benedendeks onder het ruim liggen.'

'Als ze die daar vinden is er geen enkele hoop voor ons,' verklaarde Waldenberg. 'Dan denken ze dat we de spullen naar de Baskische opstandelingen brengen. Dan worden we voorgoed opgesloten.'

Het gesprek werd tot drie uur 's morgens voortgezet. Het kostte Shannon het ronde bedrag van £ 5000, de helft vóor het inladen en de helft na vertrek uit Valencia. Er werd niets extra gerekend voor het aandoen van de Afrikaanse haven. Dat leverde geen probleem op.

'U neemt de bemanning voor uw rekening?' vroeg Shannon.

'Die neem ik voor mijn rekening,' zei Waldenberg beslist.

Shannon wist dat hij dat ook zou doen.

Terug in zijn hotel, betaalde Shannon aan Baker het derde kwart van zijn rekening voor de wapens, 3600 dollar, en probeerde de slaap te vatten. Dat was niet gemakkelijk. Het zweet droop in de hitte van de nacht van hem af en hij zag in gedachten de *Toscana* in de haven en de wapens in de loods liggen en hoopte vurig dat alles goed ging. Hij voelde dat hij nu zo dicht bij zijn doel was; er scheidde hem nog maar drie korte formaliteiten van het tijdstip waarop niemand hem meer kon tegenhouden, wat ze ook probeerden.

Het inladen begon om zeven uur en de zon was al lang op. Terwijl een met een geweer gewapende douaneambtenaar naast de kratten liep, werden ze op lorries naar de haven gereden en de *Toscana* hees ze met zijn eigen kraan aan boord. De kratten waren geen van alle erg groot en beneden in het ruim konden Vlaminck en Cipriano ze op hun gemak op hun plaats laten zakken, voor ze op de vloer van het ruim werden losgehaakt. Om negen uur 's morgens was het klaar en gingen de luiken erop.

Waldenberg had de machinist bevolen er vaart achter te zetten en hoefde het hem geen tweemaal te zeggen. Shannon hoorde later, dat hij erg spraakzaam was geworden, toen hij drie uur voor ze in Brindisi waren, hoorde dat ze op weg waren naar zijn vaderland. Hij werd daar blijkbaar voor iets gezocht. Hij bleef veilig in zijn machinekamer en niemand kwam hem daar zoeken.

Toen hij de *Toscana* de haven uit zag ronken, gaf Shannon aan Baker de laatste 3600 dollar en de andere £ 500 voor Ziljak. Zonder dat ze het een van tweeën wisten, had hij Vlaminck stiekem de deksels van vijf willekeurige kratten, toen die aan boord kwamen, los laten wrikken. Vlaminck had gekeken of de inhoud klopte, naar Semmler op het dek boven hem gezwaaid en Semmler had zijn neus gesnoten, het teken waar Shannon op wachtte; enkel voor het geval dat er in de kratten alleen schroot zat. Zulke dingen komen in de wereld van de wapenhandel vaak voor.

Nadat hij zijn geld ontvangen had, gaf Baker de £ 500 aan Ziljak alsof het van hem zelf afkomstig was, en de Joegoslaaf ging met de douanechef uitgebreid eten. Daarna vertrokken Alan Baker met zijn Engelse 'medewerker' onopvallend uit de stad.

Op Shannons kalender van de honderd dagen die sir James Manson hem gegeven had om zijn staatsgreep uit te voeren, was het dag Zevenenzestig.

Zodra de *Toscana* op zee was begon kapitein Waldenberg zijn schip te organiseren. Een voor een werden de drie andere bemanningsleden in zijn hut gebracht voor een rustig onderhoud. Hoewel ze het geen van drieën wisten zouden er, als ze geweigerd hadden nog verder op de *Toscana* te blijven dienen, een paar tragische ongevallen aan boord gebeurd zijn. Er zijn weinig plaatsen zo geschikt om iemand volkomen te laten verdwijnen als een schip in donkere nacht op zee, en Vlaminck en Dupree samen konden iedereen aan boord met een grote boog van de zijkant van het schip gooien tot hij in het water terechtkwam. Misschien gaf hun aanwezigheid de doorslag. In ieder geval maakte niemand bezwaar.

Waldenberg deelde duizend pond uit van de twee en een half die hij van Shannon in reischeques had ontvangen. De Joegoslavische machinist, dolblij dat hij weer uit zijn eigen land weg was, pakte zijn £ 250 aan, propte die in zijn zak en ging naar zijn machines terug. Hij gaf geen enkel commentaar. De eerste stuurman, Norbiatto, raakte helemaal opgewonden bij de gedachte aan een Spaanse gevangenis, maar borg zijn £ 600 in zijn zak en dacht eraan, dat zijn kans om eens een eigen schip te hebben nu iets groter was geworden. Het leek wel of de matroos, Cipriani, het juist leuk vond dat hij op een schip vol contrabande zat; hij nam zijn £ 150 aan, zei verheugd 'dank u wel' en vertrok onder het mompelen van 'dit is pas leven'. Hij had weinig fantasie en had geen flauw benul van Spaanse gevangenissen.

Toen dit achter de rug was, werden de kratten opengebroken en de hele middag inspecteerden ze de inhoud, verpakten alles in plastic en stouwden het diep in de kimmen, onder de vloer van het ruim in de kromming van de scheepsromp. De planken die waren weggehaald om erbij te kunnen, werden teruggelegd en bedekt met de onschuldige vracht van kleding, rubberboten en buitenboordmotoren.

Tenslotte zei Semmler tegen Waldenberg, dat hij de Castrololievaten beter achter in de voorraadkast kon zetten en toen hij zijn landgenoot vertelde waarom, verloor Waldenberg eindelijk zijn zelfbeheersing. Hij verloor ook zijn humeur en bezigde een paar uitdrukkingen die men het beste kan omschrijven als betreurenswaardig.

Semmler kalmeerde hem en ze gingen een biertje drinken, terwijl de *Toscana* de zee doorkliefde op weg naar de Straat van Otranto en de Ionische Zee in het zuiden. Tenslotte begon Waldenberg te lachen.

'Schmeissers,' zei hij. 'Verdomde Schmeissers. *Mensch*, het is lang geleden dat ze die in de wereld hebben gehoord.'

'Nou, dan horen ze ze nu weer,' zei Semmler. Waldenberg keek treurig.

'Ach, weet je,' zei hij tenslotte. 'Ik wou dat ik met jullie mee aan land kon.'

# 19

Toen Shannon aankwam zat Simon Endean een nummer van *The Times* te lezen, dat hij 's morgens in Londen had gekocht voor hij naar Rome vertrok. De lounge van het Excelsior-hotel was bijna leeg, want de meeste mensen zaten buiten op het terras hun late ochtendkoffie te drinken en naar het chaotische verkeer van Rome te kijken dat zich moeizaam voortbewoog, en trachtten zich boven het lawaai uit verstaanbaar te maken.

Shannon had die plaats alleen uitgezocht, omdat die vanaf Dubrovnik, ten oosten, gemakkelijk bereikbaar was en op de lijn naar Madrid, ten westen, lag. Het was de eerste keer dat hij in Rome was en hij vroeg zich af waar de reisgidsen zo'n drukte over maakten. Er waren tenminste zeven verschillende stakingen aan de gang, waaronder een van de vuilnismannen en in de zon stonk het overal in de stad van het fruit en ander afval dat in de straten en steegjes lag te bederven.

Hij ging op zijn gemak naast de man uit Londen zitten in de aangename koele binnenruimte, na de hitte en de ergernis in de taxi die er een uur over gedaan had. Endean keek hem scherp aan.

'Je hebt een hele tijd niets laten horen,' zei hij koel. 'Mijn compagnons begonnen al te geloven dat je er vandoor was gegaan. Dat was niet zo verstandig.'

'Het had geen zin om iets te laten horen voor ik iets te vertellen had. Dat schip vliegt nu niet bepaald over het water. Het duurt even voor het van Toulon naar Joegoslavië is gevaren en in die tijd was er niets te melden,' zei Shannon. 'Tussen haakjes, heb je de zeekaarten meegebracht?'

'Natuurlijk.'

Endean wees naar zijn uitpuilende aktentas bij zijn stoel.

Nadat hij Shannons brief uit Hamburg ontvangen had, had hij in een paar dagen de drie voornaamste firma's op het gebied van zeekaarten in Leadenhall Street in Londen bezocht, waar hij in afzonderlijke pakken kaarten had gekocht van de kustwateren van de hele Afrikaanse kust van Casablanca naar Kaapstad.

'Waarom moet je er in godsnaam zoveel hebben?' vroeg hij nijdig. 'Een of twee zijn toch wel genoeg.'

'Voor de veiligheid,' zei Shannon kortaf. 'Als jij of ik in de haven door de douane worden onderzocht of als ze aan boord van het schip komen en het doorzoeken, dan zou een enkele kaart waarop de bestemming van het schip staat, ons verraden. Maar nu kan niemand, ook de kapitein en de bemanning niet, erachter komen welk deel van de kust mij precies interesseert, tenminste tot het laatste ogenblik als ik het ze wel moet vertellen. Dan is het te laat. Heb je ook de dia's bij je?'

'Ja, natuurlijk.'

Endean had ook tot taak gehad dia's te maken van alle foto's die Shannon uit Zangaro had meegebracht, evenals van de kaarten en schetsen van Clarence en van de rest van de kust van Zangaro.

Shannon had zelf al een diaprojector, die hij belastingvrij op het Londense vliegveld gekocht had, naar de *Toscana* in Toulon gestuurd.

Hij gaf Endean een compleet overzicht van de vorderingen, vanaf het ogenblik dat hij uit Londen vertrokken was, en vertelde over zijn verblijf in Brussel, over het inladen van de Schmeissers en de andere uitrusting op de *Toscana* in Toulon, over de gesprekken met Schlinker en Baker in Hamburg en over de Joegoslavische verscheping van een paar dagen geleden in Ploce.

Endean luisterde zwijgend en maakte ondertussen een paar aantekeningen voor het verslag dat hij later aan sir James Manson moest uitbrengen.

'Waar is de *Toscana* nu?' vroeg hij tenslotte.

'Die moet nu ten zuiden en iets westelijk van Sardinië, op weg naar Valencia zijn.'

Shannon vertelde verder wat de plannen voor over drie dagen waren, het inladen van de 400 000 9 mm patronen voor de machinepistolen in Valencia en daarna het vertrek naar het einddoel. Hij repte niet over het feit dat een van zijn mensen al in Afrika was.

'Nu wil ik van jou ook iets weten,' zei hij tegen Endean. 'Wat gebeurt er na de aanval? Wat gebeurt er bij het aanbreken van de dag? Wij kunnen het niet zo erg lang volhouden, tot een of ander nieuw bewind het overneemt, zich in het paleis installeert en het bericht van de staatsgreep en de nieuwe regering over de radio bekendmaakt.'

'Daar is allemaal aan gedacht,' zei Endean vlot. 'De nieuwe regering is eigenlijk het punt waar alles om draait.'

Hij haalde uit zijn aktentas drie dichtgetypte foliovellen.

'Dit zijn je instructies, vanaf het moment waarop je het paleis in handen hebt en het leger en de lijfwacht vernietigd of verdreven zijn. Lees deze vellen, leer ze van buiten en vernietig ze hier in Rome, voor we uit elkaar gaan. Je moet alles in je hoofd hebben.'

Shannon liet zijn blik snel over de eerste bladzijde gaan. Er stond niet veel verrassend voor hem in. Hij had al een vermoeden, dat de man die Manson tot president wou bombarderen, kolonel Bobi moest zijn, en al werd de nieuwe president alleen maar aangeduid als X, hij twijfelde er niet aan dat Bobi de bewuste man was. De rest van het plan was vanuit zijn standpunt gezien eenvoudig.

Hij keek even naar Endean.

'Waar zit jij dan?' vroeg hij.

'Honderdvijftig kilometer ten noorden van jou,' zei Endean.

Shannon wist dat Endean bedoelde, dat hij in de hoofdstad van de republiek ten noorden van Zangaro zou wachten, waar een weg doorheen liep recht langs de kust naar de grens en vandaar naar Clarence.

'Weet je zeker dat je mijn boodschap ontvangt?' vroeg hij.

'Ik neem een draagbare radio van behoorlijk bereik en sterkte mee, een Braun, de beste die ze maken. Als het op het goede kanaal en frequentie wordt uitgezonden, vang ik alles binnen dat bereik op. Een scheepsradio is krachtig genoeg om op minstens tweemaal die afstand duidelijk uit te zenden.'

Shannon knikte en las verder. Toen hij ze uit had, legde hij de vellen op tafel.

'Dat klinkt niet gek,' zei hij. 'Maar laten we één ding duidelijk stellen. Ik zal op die frequentie op die tijdstippen vanaf de *Toscana* uitzenden en die ligt dan ergens in de buurt van de kust bijgedraaid, waarschijnlijk een kilometer of acht, negen uit de kust. Maar als je me niet hoort, als er te veel luchtstoring is, dan ben ik daar niet verantwoordelijk voor. Het is aan jou om te zorgen dat je me hoort.'

'Het is aan jou om uit te zenden,' zei Endean. 'De frequentie is van tevoren in de praktijk getoetst. Van de radio van de *Toscana* moet het over een afstand van honderdvijftig kilometer door mijn radiotoestel worden opgevangen. Misschien niet de eerste keer, maar als je het een half uur lang herhaalt, moet ik het zeker horen.'

'Goed,' zei Shannon. 'Dan nog iets. Misschien is het nieuws van wat er in Clarence gebeurt nog niet tot de Zangarese grenspost doorgedrongen. Dat betekent dat hij door Vindoe bemand wordt. Het is jouw zaak om erdoor te komen. Over de grens en vooral in de buurt van Clarence, kunnen er op de wegen verdreven Vindoe zijn die naar de bossen vluchten maar toch gevaarlijk zijn. Stel dat je er niet door komt?'

'We komen er wel doorheen,' zei Endean. 'We hebben hulp.'

Shannon veronderstelde terecht, dat die verleend werd door het kleine mijnexploitatieproject dat Manson, zoals hij wist, in die republiek liet uitvoeren. Voor een hoofdemployé van de firma konden ze een vrachtwagen of een jeep en misschien een paar jachtgeweren ter beschikking stellen. Voor het eerst kwam het bij hem op dat Endean misschien ook nog wel lef had, om hem bij zijn gemene streken te steunen.

Shannon leerde de codewoorden en de radiofrequentie die hij nodig had van buiten en verbrandde met Endean de vellen in het herentoilet. Ze gingen een uur later uit elkaar. Er viel niets meer te zeggen.

Op de vijfde verdieping boven de straten van Madrid zat kolonel Antonio Salazar, hoofd van het uitvoerbureau van het Spaanse ministerie van Leger (afdeling Wapenexport) aan zijn bureau en las aandachtig een map papieren die voor hem lag. Het was een eenvoudige, grijsharige man, wiens aanhankelijkheid star en ongecompliceerd was. Zijn trouw gold Spanje, zijn geliefde Spanje, en voor hem was alles dat goed en eerlijk was, alles dat waarlijk Spaans was, belichaamd in één man, de kleine, oude generalissimo die in het Prado zat. Antonio Salazar was tot in de hielen van zijn laarzen een Franco-aanhanger.

Nu achtenvijftig jaar oud – over twee jaar werd hij gepensioneerd – had hij tot degenen behoord die vele jaren geleden met Francisco Franco op het zand van Fuengirola aan land waren gestapt toen de Caudillo van het moderne Spanje een opstandeling en een banneling was, die tegen de bevelen in terugkeerde om tegen de republikeinse regering in Madrid oorlog te voeren. Ze waren toen met slechts weinigen en werden door Madrid ter dood veroordeeld en waren bijna geëxecuteerd.

Sergeant Salazar was een goed soldaat. Hij voerde zijn orders uit, welke die ook waren, ging tussen de veldslagen en executies door naar de mis en geloofde vurig in God, de Maagd, Spanje en Franco.

In een ander leger in een andere tijd zou hij als sergeant-majoor met pensioen zijn gegaan. Hij kwam als kapitein uit de oorlog, een van de ultra's, de kring van getrouwen. Hij kwam uit een degelijk milieu van arbeiders en boeren en zijn opleiding was vrijwel nihil. Maar ze hadden hem kolonel gemaakt en hij was er dankbaar voor. Ze hadden hem ook een taak toevertrouwd, waar men in Spanje niet over spreekt en die diep geheim is. Geen Spanjaard verneemt ooit, onder geen enkele voorwaarde, dat Spanje aan vrijwel alle gegadigden grote hoeveelheden wapens uitvoert.

In het openbaar betreurt Spanje de internationale wapenhandel als onzedelijk, omdat het de oorlogvoering in een reeds door oorlog verscheurde wereld bevordert. Heimelijk verdient het er een hoop geld aan. Men kon erop vertrouwen, dat Antonio Salazar de papieren controleerde, besloot of uitvoervergunningen verleend of geweigerd moesten worden en zijn mond hield.

Het dossier voor hem had hij al vier weken ter beoordeling. Afzonderlijke papieren uit het dossier waren door het ministerie van Defensie gecontroleerd, dat bevestigd had zonder te weten waarom de vraag gesteld werd, dat 9 mm kogels niet op de geheime lijst stonden; door het ministerie van Buitenlandse Zaken, dat bevestigd had zonder te weten waarom, dat het niet tegen het vaste buitenlandse beleid indruiste dat de republiek Irak in het bezit was van 9 mm munitie; en door het ministerie van Financiën, dat zonder meer bevestigd had, dat een bepaald bedrag in dollars, dat op een bepaalde rekening bij de Banco Popular gestort was, ontvangen en goedgekeurd was.

Het bovenste papier op de stapel was een aanvraag om een aantal kisten van Madrid naar Valencia te mogen vervoeren en op een schip, het ms. *Toscana* uit te voeren. Onder dit vel lag de uitvoervergunning die door middel van zijn eigen handtekening verleend was.

Hij keek op naar de ambtenaar die voor hem stond.

'Vanwaar die wijziging?' vroeg hij.

'Kolonel, dat komt alleen doordat er in de haven van Valencia twee weken lang geen ligplaats is. Er is helemaal geen ruimte meer.'

Kolonel Salazar bromde. Het was een aannemelijke verklaring. In de zomermaanden was het in Valencia altijd druk, met al die miljoenen sinaasappelen uit Gandia daar in de buurt die werden geëxporteerd. Maar hij had een hekel aan wijzigingen. Hij hield zich liever aan de regels. En deze order beviel hem ook niet. Hij was klein, veel te klein voor een heel nationaal politiekorps. Als duizend politieagenten ermee op een doelwit gingen oefenen was het in een uur op. En hij vertrouwde Schlinker ook niet, die hij goed kende, en die deze order samen met een reeks andere orders, waaronder ruim 10 000 artilleriegranaten voor Syrië, door zijn ministerie mee liet lopen.

Hij keek de papieren weer door. Buiten sloeg een kerkklok één uur. Lunchtijd. Er mankeerde nog steeds niets aan de papieren, de eindgebruikersverklaring inbegrepen. Overal stond het juiste stempel op. Als hij maar iets had kunnen vinden dat niet klopte, in de verklaring, in het vervoerende schip van de maatschappij

waarvan het eigendom was. Maar alles was in orde. Hij nam een definitief besluit, krabbelde zijn handtekening onder de marsorder en gaf de map aan de ambtenaar terug.
'Goed,' snauwde hij. 'Castellon.'

'Wij hebben het inladen van Valencia naar Castellon moeten verplaatsen,' zei Johann Schlinker twee avonden later. 'Er was geen keus als we de ladingsdatum van de twintigste wilden aanhouden. Valencia was nog weken bezet.'
Cat Shannon zat op het bed in de kamer van de Duitse wapenhandelaar in het Mindanao-hotel.
'Waar ligt Castellon?' vroeg Shannon.
'Zestig kilometer hoger aan de kust. Het is een kleinere haven en stiller. Het is voor u misschien wel beter dan Valencia. Het binnenlopen, laden en vertrekken zal waarschijnlijk vlugger gaan. De scheepsagent in Valencia is op de hoogte gesteld en zal zelf naar Castellon gaan om op het laden toezicht te houden. Zodra de *Toscana* zich radiografisch bij de havenautoriteiten van Valencia meldt, wordt hij van de verandering op de hoogte gesteld. Als hij nu meteen van koers verandert hoeft hij maar een paar uur extra te varen.'
'Ik zou toch aan boord gaan?'
'Dat is uw zaak,' zei Schlinker. 'Maar ik heb tegen de agent gezegd, dat een matroos van de *Toscana*, die tien dagen geleden in Brindisi is achtergebleven, weer aan boord kwam en heb hem de naam Keith Brown opgegeven. Hoe staat het met uw papieren?'
'Best,' zei Shannon. 'Die zijn in orde, paspoort en monsterboekje.'
'U kunt de agent aantreffen bij het douanekantoor in Castellon, zodra het de twintigste 's morgens opengaat,' zei Schlinker. 'Hij heet señor Moscar.'
'En hoe is het van de kant van Madrid geregeld?'
'Met de marsorder kan de vrachtwagen morgen, de negentiende, 's avonds tussen acht en twaalf onder toezicht van het leger worden ingeladen. Hij vertrekt 's nachts om twaalf uur met een escorte, zodat hij 's morgens om zes uur bij de ingangshekken van de haven aankomt, die op dat uur opengaan. Als de *Toscana* op tijd is, dan is hij 's nachts aangemeerd. De vrachtwagen waarmee de kratten vervoerd worden is een niet-militair voertuig, van dezelfde expeditiefirma die ik altijd heb. Ze zijn heel goed, hebben veel ervaring. Ik heb het hoofd van het transportbedrijf instructie gegeven dat hij mij moest opbellen zodra hij het konvooi van het pakhuis ziet vertrekken.'

Shannon knikte. Hij kon niets bedenken dat mis zou kunnen gaan.

'Ik kom hier weer terug,' zei hij en ging weg.

's Middags huurde hij een snelle Mercedes van een van de internationaal bekende autoverhuurbedrijven, die kantoren in Madrid hebben.

De volgende ochtend om half elf was hij weer bij Schlinker in het Mindanao-hotel terwijl ze op het telefoontje zaten te wachten. De beide mannen waren zenuwachtig, zoals mensen altijd zijn, als het welslagen of de catastrofale mislukking van een zorgvuldig beraamd plan in handen van anderen ligt. Schlinker was net zo ongerust als Shannon, maar om andere redenen. Hij wist dat als er iets ernstig mis ging, er een uitgebreid onderzoek van de door hem overgelegde eindgebruikersverklaring bevolen kon worden en die verklaring kon een uitgebreid onderzoek, waartoe ook verificatie bij het ministerie van Binnenlandse Zaken in Bagdad zou horen, niet doorstaan. Als ze hem bij deze zaak betrapten, dan gingen andere, voor hem veel voordeliger transacties met Madrid zijn neus voorbij. Voor de zoveelste keer wenste hij dat hij die order nooit aangenomen had, maar zoals alle wapenhandelaren was hij zo inhalig, dat hij geen enkel geldelijk aanbod kon afslaan. Dat veroorzaakte hem bijna lichamelijk pijn.

Het werd middernacht en nog steeds was er geen telefoontje. Dan half één. Shannon liep heen en weer en schold boos en teleurgesteld op de dikke Duitser die whisky zat te drinken. Om twaalf uur veertig rinkelde de telefoon. Schlinker sprong erop af. Hij zei een paar woorden in het Spaans en wachtte.

'Wat is er?' snauwde Shannon.

'*Moment*,' antwoordde Schlinker, die met zijn hand wuifde dat hij stil moest zijn. Toen kwam er iemand anders aan de telefoon en er volgde nog meer Spaans, dat Shannon niet kon verstaan. Tenslotte grinnikte Schlinker en hij zei een paar keer achter elkaar '*Gracias*' in de telefoon.

'Het is onderweg,' zei hij, toen hij de telefoon neerlegde. 'Het konvooi is een kwartier geleden onder escorte van het depot naar Castellon vertrokken.'

Maar Shannon was al weg.

De Mercedes kon het konvooi gemakkelijk inhalen, ook al kon het konvooi op de lange autoweg van Madrid naar Valencia een regelmatige snelheid van 100 kilometer per uur aanhouden. Shannon deed er veertig minuten over om in de uitgestrekte voorsteden van Madrid de weg te zoeken en hij nam aan dat het konvooi de weg beter wist. Maar op de autoweg kon hij de Mercedes tot

180 kilometer per uur opvoeren. Hij lette scherp op terwijl hij honderden vrachtwagens in volle vaart passeerde, die met luid geraas door de nacht naar de kust reden en vond even voorbij de stad Requena, zestig kilometer ten westen van Valencia, wat hij zocht.

In zijn koplampen ving hij de legerjeep, die op vaste afstand achter een gesloten achttons vrachtauto reed, en terwijl hij er voorbij flitste keek hij naar de naam op de zijkant van de vrachtwagen. Het was de naam van de vervoersmaatschappij die Schlinker hem had opgegeven. Vóor de vrachtwagen reed nog een legervoertuig, een vierdeurs personenwagen, kennelijk met een officier die alleen achterin zat. Hij drukte het gaspedaal in en de Mercedes schoot er voorbij naar de kust.

In Valencia nam hij de rondweg om de slapende stad, de wegwijzers naar de autobaan E 26 naar Barcelona volgend. De autoweg hield vlak ten noorden van Valencia op en hij kroop weer verder achter vrachtwagens met sinaasappelen en vroege boerenkarren, langs het wonderbaarlijke Romeinse fort Sagunto, door de legioensoldaten uit de rotsen gehouwen en later door de Moren tot een citadel omgebouwd. Hij reed over vieren Castellon binnen en volgde de wegwijzers waarop stond *'Puerto'*.

De havenplaats Castellon ligt vijf kilometer van de stad zelf af, aan het eind van een smalle kaarsrechte weg van de stad naar de zee. Men kan de haven onmogelijk missen, want er is niets anders.

Zoals bij Middellandse-Zeehavens gebruikelijk is, zijn er drie afzonderlijke havens, een voor vrachtschepen, een voor jachten en pleziervaartuigen en een voor vissersschepen. In Castellon ligt, als men met het gezicht naar de zee staat, de handelshaven links en hij wordt zoals alle Spaanse havens omringd door een schutting en de hekken worden dag en nacht door de gewapende Guardia Civil bewaakt. In het midden ligt het kantoor van de havenmeester en daarnaast de schitterende jachtclub, waar men in de eetzaal aan de ene kant op de handelshaven en de jachthaven uitzicht heeft en aan de andere kant op de vissershaven. Achter het havenkantoor naar het land toe staat een rij loodsen.

Shannon sloeg linksaf en parkeerde de auto aan de kant van de weg, stapte uit en begon te lopen. Toen hij halverwege om de schutting van het havengebied was gelopen vond hij de hoofdingang, met een schildwacht die in zijn huisje zat te dommelen. Het hek was afgesloten. Een eindje verder gluurde hij door de kettingschakels en met een opgelucht gevoel zag hij de *Toscana*, die helemaal achteraan in de haven gemeerd lag. Hij maakte zich op om tot zes uur te wachten.

Hij stond om kwart voor zes bij de hoofdingang, en glimlachte en knikte tegen de schildwacht van de Guardia Civil, die kil terugstaarde. In het licht van de opkomende zon kon hij honderd meter van hem af de stafwagen van het leger, de vrachtauto en de jeep zien, met zeven of acht soldaten die er steeds omheen liepen. Om tien over zes kwam er een auto aanrijden, die bij het hek stilhield en op zijn claxon drukte. Er stapte een kleine, kwieke Spanjaard uit. Shannon ging naar hem toe.

'Señor Moscar?'

'*Si.*'

'Mijn naam is Brown. Ik ben de matroos die hier weer op zijn schip zou gaan.'

De Spanjaard fronste zijn voorhoofd.

'*Por favor? Que?*'

'Brown,' hield Shannon vol. '*Toscana.*'

Het begon de Spanjaard te dagen.

'*Ah, si. El marinero.* Komt u maar mee.'

Het hek was opengegaan en Moscar liet zijn pasje zien. Hij babbelde even met de wacht en de douaneman die het hek had opengedaan, wees op Shannon. Cat ving een paar keer het woord '*marinero*' op en ze bekeken zijn pas en monsterboekje. Daarop volgde hij Moscar naar het douanekantoor. Een uur later was hij aan boord van de *Toscana.*

Het onderzoek begon om negen uur, zonder waarschuwing. Het manifest van de kapitein was overgelegd en gecontroleerd. Het klopte precies. Beneden op de kade werd de vrachtwagen uit Madrid geparkeerd, evenals de auto en de jeep. De kapitein van het militaire escorte, een magere, bleke man met een gezicht als van een Moor en een mond zonder lippen, overlegde met twee douanebeambten. Toen kwamen deze aan boord. Moscar volgde. Ze controleerden de lading om zich ervan te overtuigen, dat het was wat er op het manifest stond en niets meer. Ze gluurden in alle hoeken en gaten, maar niet onder de vloerplanken van het grote ruim. Ze keken in de voorraadkast, staarden naar de wirwar van kettingen, olievaten en verfblikken en sloten de deur. Het duurde een uur. Wat ze het meest interesseerde was, waarom kapitein Waldenberg zeven man op zo'n klein schip nodig had. Hij legde uit, dat Dupree en Vlaminck employés van de scheepvaartmaatschappij waren, die in Brindisi hun schip hadden gemist en op weg naar Latakia in Malta werden afgezet. Ze hadden geen monsterboekjes bij zich, omdat ze hun bezittingen aan boord van hun eigen schip hadden achtergelaten. Toen ze een naam vroegen, gaf Waldenberg de naam van een schip op, dat hij in de haven van Brindisi had zien liggen. Er volgde een stilzwijgen van de Spanjaarden die, ten einde raad naar hun chef keken. Die keek even naar de legerkapitein beneden op de kade, haalde de schouders op en verliet het schip. Twintig minuten later begon het laden.

Om half één 's middags gleed de *Toscana* de haven van Castellon uit en wendde het roer zuidwaarts naar kaap San Antonio. Cat Shannon die zich misselijk voelde nu alles achter de rug was en die wist, dat hij van nu af aan praktisch niet meer tegen te houden was, leunde over de achterrailing en zag de lage groene sinaasappelbosjes ten zuiden van Castellon wegglijden terwijl ze de zee op voeren. Carl Waldenberg kwam achter hem staan.

'Is dat de laatste tussenhaven?' vroeg hij.

'De laatste waar we onze luiken moesten openmaken,' zei Shannon. 'We moeten aan de kust van Afrika een paar mensen oppikken, maar we gaan voor anker op de rede. De mannen komen er met een barkas naar toe. Deklading inheemse arbeiders. Als zodanig worden ze tenminste verscheept.'

'Ik heb alleen maar zeekaarten tot de Straat van Gibraltar,' wierp Waldenberg tegen.

Shannon stak zijn hand in de ritssluiting van zijn windjack en haalde er een rol kaarten uit, de helft van het aantal dat Endean hem in Rome had gegeven.

'Hiermee,' zei hij, ze aan de kapitein gevend, 'komt u tot Freetown in Sierra Leone. Daar gaan we voor anker om die mensen op te pikken. Wilt u zorgen dat u op 2 juli 's middags om twaalf uur aankomt. Dat is de afgesproken tijd.'

Terwijl de kapitein naar zijn hut ging om zijn koers en snelheid te gaan bepalen, bleef Shannon alleen bij de reling achter. Er zwenkten zeemeeuwen om de achtersteven, op zoek naar etensresten die uit de kombuis werden gegooid, waar Cipriani met de lunch bezig was, schreeuwend en krijsend als ze naar het schuimend kielzog doken om een stukje brood of groente op te pikken.

Als iemand geluisterd had, zou hij tussen hun geschreeuw door een ander geluid hebben gehoord, het geluid van iemand die *Spanish Harlem* floot.

In het hoge noorden gleed een ander schip van zijn ligplaats weg en zocht onder leiding van een havenloods zijn weg uit de haven van Archangel. Het motorschip *Komarov* was nog maar tien jaar oud en mat ruim 5000 ton.

Er heerste een warme, gezellige sfeer op de brug. De kapitein en de loods stonden naast elkaar recht vooruit te staren, terwijl de kaden en pakhuizen langs bakboord voorbijgleden, en keken naar het kanaal voor hen naar de open zee. De mannen hadden allebei een dampende kop koffie in de hand. De roerganger hield het schip op de koers, die de loods hem had opgegeven en links van hem lichtte het radarscherm onafgebroken op en bij elke draai van de rusteloos bewegende veelkleurige wijzer verscheen de gestippelde oceaan voor hen met daarachter de rand van ijs die nooit smolt, zelfs niet in het hartje van de zomer.

Op het achterschip leunden twee mannen onder de vlag met hamer en sikkel over de reling en zagen de Russische poolhaven wegglijden. Dr. Ivanov hield het gedeukte kartonnen filter van zijn zwarte sigaret tussen zijn tanden geklemd en snoof de frisse, zilte lucht op. De twee mannen waren dik ingepakt tegen de kou, want zelfs in juni is de wind uit de Witte Zee geen uitnodiging om in hemdsmouwen te lopen. Een van zijn technische medewerkers die naast hem stond, jong en benieuwd naar zijn eerste buitenlandse reis, richtte zich tot hem.

'Kameraad doctor,' begon hij.

Ivanov haalde het stompje *papiross* van zijn tanden en gooide het in het schuimende kielzog.

'Mijn vriend,' zei hij, 'nu we aan boord zijn vind ik dat je me wel Michajl Michajlovitsj kunt noemen.'

'Maar op het Instituut . . .'

'We zijn niet op het Instituut. We zijn aan boord van een schip. En in de komende maanden zullen we hier of in het oerwoud dicht genoeg op elkaar zitten.'

'Juist,' zei de jongere man, maar hij was niet te stuiten. 'Bent u wel eens in Zangaro geweest?'

'Nee,' zei zijn meerdere.

'Maar wel in Afrika?' hield de jongere man aan.

'In Ghana wel, ja.'

'Hoe is het daar?'

'Allemaal oerwoud, moerassen, muggen, slangen en mensen die geen barst begrijpen van wat je zegt.'

'Maar ze verstaan toch Engels,' zei de assistent. 'We spreken allebei Engels.'

'In Zangaro spreken ze geen Engels.'

'O.' De jonge technicus had in de encyclopedie, die hij uit de omvangrijke bibliotheek in het Instituut geleend had, alles gelezen wat hij over Zangaro kon vinden en dat was niet veel.

'De kapitein heeft gezegd dat we, als we opschieten, over tweeëntwintig dagen in Clarence zijn. Dat is op hun Onafhankelijkheidsdag.'

'Prachtig,' zei Ivanov en wandelde weg.

Voorbij Kaap Spartel stuurde het ms. *Toscana*, dat voorzichtig zijn weg zocht van de Middellandse Zee naar de Atlantische Oceaan, een radiotelegram van het schip naar de kust ter doorzending naar Londen. Het was gericht aan de heer Walter Harris op een adres in Londen. Er stond alleen in: 'Uw broer gelukkig geheel hersteld.' Dat was het teken waaruit bleek dat de *Toscana* volgens het tijdschema op weg was. Kleine variaties van de boodschap over de gezondheid van de broer van de heer Harris hadden kunnen betekenen dat het op de koers lag maar te laat of met een of andere moeilijkheid te kampen had. Helemaal geen telegram betekende dat het geen toestemming had gekregen uit de Spaanse wateren te vertrekken.

Die middag vond er in het kantoor van sir James een conferentie plaats.

'Mooi,' zei de magnaat, toen Endean hem het nieuws overbracht. 'Hoeveel tijd heeft hij nog om het doel te bereiken?'

'Tweeëntwintig dagen, sir James. Het is nu dag Achtenzeventig van de honderd die voor het project gepland zijn. Shannon had dag Tachtig aangenomen voor zijn vertrek uit Europa, dan had hij twintig dagen over gehad. Voor de tijd op zee heeft hij tussen de zestien en achttien dagen uitgetrokken met speling voor slecht weer of twee dagen averij. Zelfs in zijn eigen planning had hij nog vier dagen speling.'

'Valt hij eerder aan?'

'Nee, meneer. De aanvalsdag blijft dag Honderd. Als het nodig is, blijft hij zolang op zee voor anker wachten.'

Sir James Manson ijsbeerde door zijn kantoor.

'Hoe staat het met die huurvilla?' vroeg hij.

'Dat is geregeld, sir James.'

'Dan heeft het geen zin dat je nog in Londen rond blijft hangen. Ga maar weer naar Parijs, daar haal je een visum voor Cotonou, je vliegt er naar toe en neemt je nieuwe employé, kolonel Bobi, met je mee naar een streek vlak bij Zangaro. Als hij gaat sputteren, bied je hem meer geld.

Dan ga je je installeren, zorgt ervoor dat de vrachtwagen en de jachtgeweren klaarstaan en als je het sein van Shannon krijgt, dat hij 's avonds van plan is aan te vallen, stel je Bobi van het nieuws op de hoogte. Dan laat je hem als president Bobi die mijnconcessie tekenen die een maand later gedateerd is en stuurt alle drie de exemplaren in drie afzonderlijke enveloppen per aangetekende post hier naar mij.

Je houdt Bobi letterlijk achter slot en grendel tot Shannons tweede sein, dat hij geslaagd is. Dan ga je er meteen naar toe. Tussen haakjes, die lijfwacht die je meeneemt, is hij klaar?'

'Ja, sir James. Voor al dat geld dat hij krijgt is hij kant en klaar.'

'Wat is het er voor een?'

'Een ploert. Daar heb ik ook naar gezocht.'

'Maar je kunt evengoed moeilijkheden krijgen. Shannon zal al zijn mensen om zich heen hebben, voor zover ze de slag tenminste overleefd hebben. Hij zou wel eens lastig kunnen zijn.'

Endean grinnikte.

'Shannons mensen volgen Shannon,' zei hij. 'En ik weet hoe ik met hem om moet springen. Zoals alle huurlingen heeft hij zijn prijs. Die bied ik hun gewoon aan ... maar in Zwitserland, buiten Zangaro.'

Toen hij weg was, staarde sir James Manson naar de City beneden zich en vroeg zich af of er iemand was, die niet zijn prijs had, hetzij in geld, of door intimidatie. Hij was er nog nooit een tegengekomen. 'Je kunt iedereen kopen, en als je ze niet kunt kopen, kun je ze kapotmaken,' had een van zijn raadgevers eens tegen hem gezegd. En na al zijn jaren als grootmagnaat, waarin hij politici, generaals, journalisten, uitgevers, zakenlieden, ministers, ondernemers en aristocraten, arbeiders en vakbondsleiders, zwarten en blanken, in hun werk en hun spel had gezien, was hij die mening nog steeds toegedaan.

Jaren geleden had een Spaanse zeeman, die vanaf de zee naar het land keek, een berg gezien met de zon in het oosten erachter, waarvan hij vond dat hij net de vorm van een leeuwekop had. Hij noemde het land Leeuweberg en voer door. Die naam bleef hangen en het land werd bekend als Sierra Leone. Later noemde iemand anders, die dezelfde berg in een ander licht of met andere ogen zag, hem Berg Aureole. Die naam bleef ook hangen. Nog later noemde een blanke de stad die in de schaduw ervan was gesticht, in een nog fantasierijker bui, Freetown en die naam draagt hij heden ten dage nog. Op 2 juli, 's middags om twaalf uur, dag Achtentachtig op Shannons privé-kalender, liet het motorschip *Toscana* vijfhonderd meter uit de kust op de hoogte van Freetown, Sierra Leone, het anker vallen.

Op de reis vanaf Spanje had Shannon erop gestaan dat de lading precies bleef waar hij was, onaangeraakt en ongeopend. Dit was alleen voor het geval men in Freetown het schip zou doorzoeken, al was dat zonder dat er iets te lossen of te laden viel, hoogst ongebruikelijk geweest. Van de munitiekratten waren de Spaanse merktekens afgeschrobd en ze waren met een schuurschijf tot blinkend wit hout geschuurd. Ze hadden er schabloonletters op geschilderd, waaruit bleek dat er in de kratten boorbeitels zaten voor de booreilanden bij de kust van Cameroun.

Hij had onderweg naar het zuiden maar één karwei laten uitvoeren. De pakken gemengde kleren waren gesorteerd en het pak met de pukkels en de riemen hadden ze opengemaakt. Cipriani, Vlaminck en Dupree hadden de dagen besteed met het in repen snijden van de pukkels om er met behulp van canvasnaalden rugbepakking van te maken met allemaal lange, smalle zakken, die elk één bazookaraket konden bevatten. Deze nu vormloze en onverklaarbare bundels werden in de verfkast tussen het poetskatoen opgeborgen. De rugzakken moesten ook veranderd worden. De zakken werden eraf gesneden, zodat alleen de schouderriemen met draagriemen over de borst en om het middel overbleven. Op de schouderriemen en aan die om het middel werden klemmen bevestigd en later zouden ze een hele krat mortiergranaten kunnen dragen, waardoor er twintig tegelijk vervoerd konden worden.

Toen de *Toscana* nog negen kilometer uit de kust was, had hij bij het kantoor van de havenmeester van Freetown zijn aanwezigheid kenbaar gemaakt en toestemming gekregen om de haven binnen te lopen en in de baai voor anker te gaan. Omdat er niets te laden of te lossen viel, hoefde hij geen ruimte aan de dure Koningin Elizabeth II-kade in beslag te nemen. Hij was alleen maar gekomen om dekpersoneel aan boord te nemen.

Freetown is een geliefkoosde haven aan de Westafrikaanse kust om deze potige arbeiders op te nemen, die omdat ze goed met takels en lieren kunnen omgaan, door de vrachtzoekers worden gebruikt die regelmatig in de kleinere houthavens aan de kust komen. Ze gaan in Freetown op de heenreis aan boord en worden op de terugweg met hun loon weer afgezet. In honderd inhammen en kreken langs de kust, waar kranen en steigers schaars zijn, moeten de schepen met hun eigen kranen vracht laden. Het is zwaar beulen en zweten in de tropische koortshitte en blanke zeelieden worden betaald om zeeman te zijn en geen stuwadoor. Ter plaatse zijn misschien geen arbeiders te krijgen en ze weten waarschijnlijk ook niet hoe ze met vracht moeten omgaan, daarom neemt men inwoners van Sierra Leone mee. Ze slapen gedurende de reis op het scheepsdek in de open lucht en koken hun potje en wassen zich op het achterschip. Het wekte in Freetown geen bevreemding toen de *Toscana* dit als reden van bezoek opgaf.

Terwijl de ankerketting naar beneden ratelde, zocht Shannons blik de hele kustlijn om de baai heen af, die bijna helemaal in beslag genomen werd door de huttenwijken aan de buitenkant van de hoofdstad van het land.

De lucht was bedekt, er viel geen regen, maar onder de wolken hing de hitte als in een broeikas en hij voelde dat zijn hemd aan zijn lijf kleefde van het zweet. Van nu af aan zou dat zo blijven. Zijn blik was onafgebroken op het middengedeelte van de stad aan het water gericht, waar een groot hotel stond dat over de baai uitzag. Als Langarotti ergens was, zou hij hier wachten en over de zee uitkijken. Misschien was hij nog niet aangekomen. Maar ze konden hier niet eeuwig blijven. Als hij er met zonsondergang nog niet was, zouden ze een reden moeten verzinnen om te blijven, een kapotte koelkast bijvoorbeeld. Het was ondenkbaar om te varen zonder dat de koude voorraadkast werkte. Hij wendde zijn blik van het hotel af en keek naar de passagiersschepen die om het grote schip, de *Elder Dempster*, dat aan de kade gemeerd lag, heen voeren.

Aan de kust had de Corsicaan de *Toscana* al gezien voor hij het anker had laten vallen en was de stad in gegaan. Hij was er al een week en had alle mannen die Shannon nodig had. Ze waren wel niet van dezelfde stam als de Leonen, maar dat kon niemand iets schelen. Mannen van allerlei stammen waren als havenarbeiders en dekpersoneel beschikbaar.

Even over tweeën kwam er een kleine sloep van het douanekantoor met achterin een man in uniform. Toen hij aan boord kwam, bleek het de assistent van het hoofd van de douane te zijn, met glimmend witte sokken, geperste korte kaki broek en jasje, glinsterende epauletten en een pet met stijve klep die pal recht stond. Tussen al die opsmuk waren twee knieën zo zwart als ebbehout en een stralend gezicht te onderscheiden. Shannon ging naar hem toe, stelde zich voor als vertegenwoordiger van de maatschappij, schudde hem uitgebreid de hand en nam de douaneman mee naar de kapiteinshut.

De drie flessen whisky en twee sloffen sigaretten stonden al klaar. De ambtenaar wuifde zich koelte toe, slaakte een luide zucht van genoegen over de luchtkoelingsinstallatie en dronk zijn bier. Hij wierp een ongeïnteresseerde blik op het nieuwe manifest, waarin stond dat de *Toscana* in Brindisi machine-onderdelen had opgepikt en deze naar de concessie van de AGIP-oliemaatschappij voor de kust van Cameroun bracht. Over Joegoslavië of Spanje werd met geen woord gerept. Andere lading stond vermeld als motorboten (opblaasbaar), motoren (buitenboord) en tropenkleding (gesorteerd), ook voor de olieboorders. Op de terugweg wilde hij in San Pedro, in Ivoorkust, cacao en wat koffie laden en naar Europa terugkeren. Hij ademde op zijn officiële stempel om het te bevochtigen en plaatste zijn goedkeuring op het manifest. Een uur later was hij met zijn geschenken in zijn tas verdwenen.

Na zessen toen de avond koeler werd, zag Shannon dat het kustbootje van het strand wegvoer. Midscheeps trokken de twee inlanders, die passagiers naar de in de baai liggende schepen vervoerden, aan hun riemen. Achterin zaten zeven andere Afrikanen, die bundeltjes op hun knieën vasthielden. In de boeg zat een eenzame Europeaan. Toen het vaartuigje vaardig langszij de *Toscana* draaide, kwam Jean-Baptiste Langarotti kwiek de ladder op die naar beneden hing.

Een voor een werden de bundeltjes vanaf de op en neer dansende roeiboot naar de railing van het vrachtschip omhooggehaald, waarna de zeven Afrikanen volgden. Hoewel het onvoorzichtig was dit in zicht van het land te doen, begonnen Vlaminck, Dupree en Semmler ze op de rug te kloppen en handen te geven. De Afrikanen, van het ene oor naar het andere grijnzend, leken net zo blij te zijn als de huurlingen. Waldenberg en zijn stuurman keken verbaasd toe. Shannon gaf de kapitein een teken dat hij de *Toscana* naar zee moest varen.

Toen het donker was en ze in groepjes op het hoofddek zaten, waar ze dankbaar de verkoelende bries van zee opsnoven, terwijl de *Toscana* verder doorvoer naar het zuiden, stelde Shannon zijn rekruten aan Waldenberg voor. Zes van de Afrikanen waren jonge mannen en heetten Johnny, Patrick, Jinja, Sunday, Bartholomew en Timothy.

Ze hadden allemaal al eerder met de huurlingen gevochten, ze waren allemaal persoonlijk door een van de Europese soldaten opgeleid, allemaal waren ze al vele malen in de strijd beproefd en getest en ze zouden het volhouden, hoe zwaar het vuurgevecht ook was. En ze waren allemaal trouw aan hun leider. De zevende was een oudere man, die minder glimlachte, zich met zelfbewuste waardigheid gedroeg en door Shannon werd aangesproken als 'Doctor'. Hij was eveneens trouw aan zijn leider en aan zijn volk.

'Hoe staat het thuis?' vroeg Shannon hem.

Doctor Okoye schudde treurig het hoofd. 'Niet best,' zei hij.

'Morgen gaan we aan het werk,' zei Shannon. 'Morgen beginnen we met de voorbereidingen.'

# Deel drie

## De grote slachtpartij

# 20

Gedurende de rest van de zeereis liet Cat Shannon zijn mannen onafgebroken doorwerken. Alleen de Afrikaan van middelbare leeftijd die hij 'doctor' noemde was ervan vrijgesteld. De overigen werden in groepjes verdeeld, ieder met een eigen taak.

Marc Vlaminck en Kurt Semmler braken de vijf groene olievaten open door de schijnbodems er met een hamer uit te slaan, en uit elk vat visten ze het hobbelige pak met de twintig Schmeissers en honderd patroonhouders. De overgebleven smeerolie werd in kleinere blikken gegoten en bewaard om voor het schip te gebruiken.

Met behulp van de zes Afrikaanse soldaten trokken ze beiden de plakstroken van alle honderd machinepistolen en veegden er stuk voor stuk alle olie en vet van af. Toen ze eenmaal klaar waren, hadden de zes Afrikanen al geleerd hoe het mechanisme van de Schmeissers werkte, op een wijze die net zo goed, zo niet beter was dan wanneer ze er een cursus in gevolgd hadden.

Nadat ze de eerste tien kisten met 9 mm munitie opengemaakt hadden, zaten ze met zijn achten patronen in de houders te stoppen, in elk dertig, tot de eerste 15 000 patronen van hun voorraad in de 500 magazijnen zaten die ze ter beschikking hadden. Tachtig Schmeissers werden toen opzij gezet, terwijl Jean-Baptiste Langarotti stellen uniformen klaarmaakte uit de balen die in het ruim lagen opgeslagen. Deze stellen bestonden uit twee T-shirts, twee onderbroeken, een paar sokken, een paar laarzen, een broek, een baret, een gevechtsjack en een slaapzak. Toen deze klaar waren, werd de bundel in elkaar gerold, een Schmeisser met vijf magazijnen werd in een geoliede lap gewikkeld, in een plastic zak gedaan en de hele zaak in de slaapzak gestopt. Zo bevatte elke slaapzak, die aan de bovenkant dichtgebonden werd en als plunjezak behandeld kon worden, de benodigde kleding en bewapening voor één aanstaande soldaat.

Twintig stel uniformen en twintig Schmeissers met vijf patroonhouders per karabijn werden apart gezet. Deze waren voor het aanvalslegertje zelf, hoewel dit slechts elf man telde, met zo nodig reserves voor de bemanning. Langarotti, die in het leger en in de gevangenis had geleerd met draad en naald om te gaan, veranderde en naaide elf stel uniformen voor de leden van de aanvalsgroep, tot iedereen was voorzien.

Dupree en Cipriani, de dekknecht, die zich als een handige timmerman ontpopte, haalden een aantal kratten waarin munitie gezeten had uit elkaar en richtte hun aandacht op de buitenboordmotoren. Het waren alle drie Johnson-motoren van 60 pk. De twee mannen maakten houten kisten die keurig over de bovenkant van de motoren paste en bekleedden de kisten met schuimrubber van de matrassen die ze meegenomen hadden. Nu het uitlaatlawaai van de motoren door de onderwateruitlaten gedempt werd, kon het lawaai van de motoren zelf ook tot een zacht gebrom verminderd worden door de geluiddempende kisten die ze aldus maakten.

Toen Vlaminck en Dupree met deze taken klaar waren, richtten ze hun aandacht op het wapen dat ze in de nacht van de aanval zouden gebruiken. Dupree pakte zijn twee mortieren uit de kratten en maakte zich vertrouwd met het richtmechanisme. Hij had het Joegoslavische model mortier nog nooit gebruikt maar zag tot zijn opluchting dat het doodeenvoudig was. Hij maakte zeventig mortiergranaten gereed, door de afstelling te controleren en ze van een ontsteking te voorzien.

Nadat hij de gereedgemaakte granaten weer in de kisten had gepakt, bevestigde hij twee kistjes boven op elkaar met de klemmen aan het draagstel, dat van de militaire ransels was gemaakt, die hij twee maanden geleden in Londen gekocht had.

Vlaminck verdiepte zich in zijn twee bazooka's, waarvan er in de nacht van de aanval slechts éen zou worden gebruikt. Ook in dit geval was het gewicht bepalend voor wat hij kon meenemen. Alles moest op een mensenrug gedragen worden. Staande op de voorplecht, gebruikte hij de punt van een vlaggestok die boven de achtersteven uitstak als vast punt. Met de richtschijf die aan het uiteinde van de bazooka was geschoven, stelde hij zorgvuldig het vizier van het wapen, tot hij ervan overtuigd was dat hij met niet meer dan twee schoten vanaf tweehonderd meter een vat kon raken. Hij had Patrick al als zijn helper uitgekozen, want ze waren vroeger ook al samen geweest en kenden elkaar goed genoeg om een goed span te vormen. In zijn rugbepakking zou de Afrikaan naast zijn eigen Schmeisser tien bazookaraketten dragen. Vlaminck deed er nog twee raketten bij die hij zelf zou dragen en Cipriani naaide twee zakjes voor hem om aan zijn riem te hangen, waarin hij de extra raketten kon bergen.

Shannon nam de hulpuitrusting voor zijn rekening, inspecteerde de lichtraketten en legde Dupree uit hoe ze werkten. Hij gaf iedere huurling een kompas, beproefde de op een gascilinder aangesloten misthoorn en controleerde de draagbare radiotoestellen.

Omdat hij alle tijd had, liet Shannon de *Toscana* twee dagen lang midden op zee bijdraaien op een plek, waar volgens de scheepsradar binnen een straal van dertig kilometer geen andere schepen waren. Toen het schip vrijwel stil lag en zachtjes op de deining op en neerging, probeerde iedereen zijn eigen Schmeisser uit. De blanken hadden geen moeilijkheden; ze hadden in hun tijd allemaal een stuk of zes verschillende machinepistolen gebruikt en deze wapens verschillen maar weinig van elkaar. De Afrikanen hadden meer tijd nodig om eraan te wennen, want ze hadden hoofdzakelijk ervaring gehad met de 7.92 mm Mausers of het standaard 7.62 halfautomatische NAVO-geweer. Een van de Duitse pistolen weigerde steeds, daarom gooide Shannon het overboord en gaf de man een ander. Iedere Afrikaan vuurde negenhonderd kogels af, tot de Schmeisser goed in zijn hand lag, en ze allemaal van de hinderlijke neiging afgeholpen waren die Afrikaanse soldaten vaak hebben, om hun ogen dicht te doen als ze schieten.

De vijf lege olievaten zonder deksel waren opgeborgen voor later gebruik en deze werden nu achter de *Toscana* in het water geworpen om als schietschijf te dienen. Op honderd meter afstand konden alle mannen, zwart en blank, een vat doorzeven voor ze met hun oefening ophielden. Vier vaten werden op deze wijze kapotgeschoten en zonken en het vijfde werd door Marc Vlaminck gebruikt. Hij liet het tot tweehonderd meter afdrijven, ging vervolgens met gespreide benen stevig op de voorplecht van de *Toscana* staan en zette zich schrap, de bazooka over zijn rechterschouder, het rechteroog voor het vizier. Hij schatte de beweging van het licht op en neer deinende dek, wachtte tot hij zeker van zijn zaak was en vuurde zijn eerste raket af. Deze gierde over de bovenkant van het vat heen en ontplofte met een straal omhoogspattend schuim in de oceaan. Zijn tweede raket raakte het vat in het midden. Er kwam een knal en de dreun van de ontploffing kaatste terug over het water naar de toekijkende huurlingen en bemanning. Vlak bij de plek waar het vat had gelegen, deden stukjes blik het water opspatten en er steeg een gejuich onder de toeschouwers op. Breed grijnzend draaide Vlaminck zich om naar Shannon, trok de bril af die hij had opgezet om zijn ogen te beschermen, en veegde de roetvlekken van zijn gezicht.

'Je zei toch dat je een deur weggehaald moest hebben, Cat?'

'Jazeker, en een verdomd grote houten poort ook, Marc.'

'Nou, je krijgt hem van mij in lucifershoutjes, dat beloof ik je,' zei de Belg.

Omdat ze zo'n lawaai hadden gemaakt, gaf Shannon opdracht

de volgende dag met de *Toscana* door te varen en twee dagen later liet hij voor de tweede keer stilhouden. In de tussentijd hadden de mannen de drie landingsboten te voorschijn gehaald en opgeblazen. Ze lagen naast elkaar op het grote dek. Ze hadden allemaal, hoewel ze donkergrijs van kleur waren, een feloranje neus met de naam van de fabrikant in dezelfde lichtgevende kleur aan beide zijkanten. Deze werden met zwarte verf uit de scheepsvoorraad overgeschilderd.

Toen ze voor de tweede keer waren bijgedraaid, werden ze alle drie getest. Zonder de geluiddempende kisten over de bovenkant van de motoren, maakten de Johnsons vierhonderd meter van de *Toscana* af nog een hoorbaar lawaai. Met de kisten erop en de motoren tot een kwart van het vermogen verminderd, was er op dertig meter afstand nauwelijks iets te horen. Ze hadden de neiging om na twintig minuten draaien op halve kracht oververhit te raken, maar dit kon tot dertig minuten verlengd worden als het vermogen verminderd werd. Shannon ging met een van de boten twee uur varen, en controleerde de afstelling om het beste evenwicht te krijgen tussen snelheid en lawaai. Omdat hij met de sterke buitenboordmotoren een grote reserve had, liet hij ze nooit tot meer dan een derde van het grootste vermogen lopen en hij raadde zijn mensen aan tot minder dan een kwart gas te minderen voor de laatste tweehonderd meter, als ze de plaats van landing van het beoogde doel naderden.

De walkie-talkies werden ook tot zes kilometer afstand getest, en ondanks de zware storingen en het onweer dat in de verstikkende lucht hing, waren de berichten als ze langzaam en duidelijk werden voorgelezen, goed te verstaan. Ze lieten de Afrikanen ook met verschillende snelheden, zowel 's nachts als overdag, tochtjes in de boten maken, om ze aan het idee te laten wennen.

De nachtoefeningen waren het belangrijkste. Eenmaal nam Shannon de vier andere blanken en de zes Afrikanen mee tot vijf kilometer van de *Toscana*, die een klein lichtje boven in de mast had branden. Op de tocht van het schip af waren de mannen geblinddoekt. Toen de doeken waren afgedaan, kregen ze allemaal tien minuten om hun blik aan de duisternis van de lucht en de oceaan te laten wennen voor de terugreis naar het schip begon. Met heel zacht draaiende motoren en onder handhaving van een doodse stilte aan boord, voer de landingsboot stil terug naar het lichtje, waar de *Toscana* lag. Met de helmstok in zijn hand, en de motor gestadig op een derde van het vermogen draaiend, waarna hij het tot minder dan een kwart terugbracht om het laatste stuk af te leggen, kon Shannon de spanning van de mannen die voor hem zaten voelen. Ze wisten dat het zo ging als ze aanvielen en dat er geen tweede kans zou zijn.

Terug aan boord ging Carl Waldenberg naar Shannon toe, terwijl de beide mannen naar de bemanning keken die bij het licht van een lantaarn de boot binnenboord takelden.

'Ik heb vrijwel geen geluid gehoord,' zei hij, 'voor u nog maar op een paar honderd meter afstand was en ik heb scherp geluisterd. Tenzij ze hele oplettende bewakers op wacht hebben staan, moet u op het strand kunnen komen, waar u ook heen gaat. Tussen haakjes, waar gaat u heen? Ik heb nog meer zeekaarten nodig als ik nog veel verder moet varen.'

'Jullie moeten het nu allemaal maar weten,' zei Shannon. 'We besteden de verdere nacht met het doornemen van de instructies.'

Tot de dag aanbrak luisterden de bemanning (met uitzondering van de machinist, die nog steeds bij zijn machines sliep), de zeven Afrikanen en de vier huurlingen naar Shannon in de grote kajuit, terwijl hij het hele aanvalsplan behandelde. Hij had zijn projector en dia's klaargezet, een paar foto's die hij genomen had toen hij in Zangaro was, andere van de plattegronden en zeekaarten die hij gekocht of zelf getekend had.

Toen hij uitgesproken was, hing er in de benauwde kajuit een doodse stilte en de blauwe kringetjes sigaretterook dreven door de open patrijspoort de even klamme nacht buiten in.

Eindelijk zei Waldenberg: '*Gott im Himmel!*' Toen schrokken ze allemaal op. Het duurde een uur voor de vragen beantwoord waren. Waldenberg wilde de verzekering dat als er iets misging, de overlevenden vóor zonsopgang aan boord terug zouden zijn en de *Toscana* een flink eind achter de horizon. Shannon gaf hem die verzekering.

'We hebben alleen uw woord dat ze geen marine en geen kanonneerboten hebben,' zei hij.

'Dan moet mijn woord voldoende zijn,' zei Shannon. 'Die hebben ze niet.'

'Alleen omdat u ze niet gezien hebt . . .'

'Die hebben ze niet,' snauwde Shannon. 'Ik heb urenlang gepraat met mensen die er jaren geweest zijn. Er zijn geen kanonneerboten en geen marine.'

De zes Afrikanen hadden geen vragen. Ieder zou dicht bij de huurling blijven die ze aanvoerde en erop vertrouwen dat hij wist wat hij deed. De zevende, de doctor, vroeg kortaf waar híj dan was en accepteerde het dat hij aan boord van de *Toscana* bleef. De vier huurlingen hadden een paar zuiver technische vragen die Shannon in technische termen beantwoordde.

Toen ze weer aan dek kwamen strekten de Afrikanen zich op hun slaapzakken uit en gingen slapen. Shannon had ze er vaak om benijd dat ze op ieder tijdstip, op elke plek en in vrijwel alle omstandigheden konden slapen. De doctor trok zich in zijn hut terug, evenals Norbiatto, die de volgende wacht zou nemen. Waldenberg verdween in zijn stuurhut en de *Toscana* begon weer in de richting van zijn bestemming te varen, precies drie dagen verder.

De vijf huurlingen gingen op het achterdek achter de bemanningsverblijven bij elkaar zitten en praatten tot de zon hoog aan de hemel stond. Ze keurden allemaal het aanvalsplan goed en namen aan, dat Shannons verkenning juist en nauwkeurig was geweest. Als er sindsdien iets was veranderd, als er onvoorzien iets aan de verdediging van de stad of verbeteringen aan het paleis waren bijgekomen, wisten ze dat ze allemaal dood konden gaan. Ze zouden met heel weinigen, gevaarlijk weinigen zijn voor een dergelijke onderneming en er was geen speling voor als er iets misging. Maar ze accepteerden het feit dat ze in twintig minuten moesten winnen, of dat zij die weg konden komen naar hun boten terug moesten om haastig te vertrekken. Ze wisten dat er niemand naar de gewonden kwam kijken en dat van iemand, die een van zijn collega's zwaar gewond aantrof en hem niet kon vervoeren, verwacht werd, dat hij het laatste voor hem deed wat de ene huurling voor de andere kon doen, hem een snelle, schone dood schenken, die te verkiezen was boven gevangenneming en een langzaam sterven. Het hoorde bij de regels en ze hadden het allemaal al eerder moeten doen.

's Middags om twaalf uur gingen ze uit elkaar om te gaan slapen.

Ze werden op de ochtend van dag Negenennegentig allemaal vroeg wakker. Shannon was de halve nacht al op om met Waldenberg te kijken hoe de kustlijn uit de omtrek van het radarschermpje achter in de stuurhut opdoemde.

'Ik wil dat u ten zuiden van de hoofdstad in het gezicht van de kust komt,' zei hij tegen de kapitein, 'en gedurende de ochtend opstoomt naar het noorden, evenwijdig met de kust, zodat we vanmiddag om twaalf uur hier bij de kust zijn.' Met zijn vinger priemde hij in de zee voor de kust aan de noordkant van Zangaro. In die twintig dagen op zee was hij de Duitse kapitein gaan vertrouwen. Waldenberg, die in de haven van Ploce zijn geld had gekregen, had zich van zijn kant aan de afspraak gehouden en zich volkomen ingezet om de onderneming zo goed mogelijk te doen slagen. Shannon was ervan overtuigd, dat hij zijn schip iets ten zuiden van Clarence, zes kilometer van de kust af, in gereedheid zou houden terwijl het vuurgevecht aan de gang was en dat hij als hij de noodroep op de walkie-talkie hoorde, zou wachten tot de mannen die erin geslaagd waren te ontkomen, in hun speedboten bij de *Toscana* waren, voor hij op volle vaart koers zette naar volle zee. Shannon had niemand over die hij kon achterlaten om hiervoor te zorgen, daarom moest hij op Waldenberg vertrouwen.

Hij had op de scheepsradio de frequentie al gevonden, waarop Endean hem gevraagd had de boodschap over te seinen, en dit zou hij 's middags om twaalf uur doen.

De ochtend ging langzaam voorbij. Shannon zag door de scheepskijker de monding van de rivier de Zangaro voorbijglijden, een lange lage lijn van mangrovebomen aan de horizon. In de loop van de ochtend kon hij de onderbreking in de groene lijn onderscheiden, waar de stad Clarence lag en hij gaf de kijker aan Vlaminck, Langarotti, Dupree en Semmler. Ze bestudeerden om de beurt zwijgend de vaagwitte vlek en overhandigden de kijker aan de volgende. Ze rookten meer dan anders en hingen op het dek rond, gespannen en verveeld van het wachten en wensend, nu ze er zo dichtbij waren, dat ze onmiddellijk tot actie konden overgaan.

Om twaalf uur begon Shannon zijn boodschap uit te zenden. Hij sprak duidelijk in de radioluidspreker. Het was maar één woord, 'Pisang'. Hij gaf het om de tien seconden vijf minuten lang, onderbrak dan vijf minuten en begon opnieuw. Driemaal in een half uur, iedere keer vijf minuten achter elkaar, riep hij het woord om en hoopte, dat Endean het ergens op het vasteland zou horen. Het betekende, dat Shannon en zijn mannen op tijd en op hun plaats waren en dat ze Clarence en het paleis van Kimba in de vroege uren van de volgende ochtend zouden aanvallen.

Drieëndertig kilometer er vandaan, over het water, hoorde Simon Endean het woord op zijn Braun-radio, vouwde de lange antenne op, verliet het hotelbalkon en trok zich in de slaapkamer terug. Toen begon hij langzaam en zorgvuldig aan de oud-kolonel van het Zangarese leger uit te leggen, dat hij, Antoine Bobi, over vierentwintig uur president van Zangaro zou zijn. 's Middags om vier uur sloot de kolonel, grijnzend en gniffelend bij de gedachte aan de vergeldingsmaatregelen die hij tegen hen zou nemen die aan zijn uitzetting hadden meegewerkt, zijn overeenkomst met Endean. Hij tekende het document, waarin aan Bormac Trading Company een tienjarige exclusieve mijnconcessie werd verleend tegen een vast jaarlijks honorarium en een klein winstaandeel voor de Zangarese regering en keek toe, hoe Endean een cheque voor een half miljoen dollar van een Zwitserse bank ten gunste van Antoine Bobi in een envelop deed en verzegelde.

In Clarence werden de hele middag voorbereidingen getroffen voor de onafhankelijkheidsviering van de volgende dag. Zes gevangenen, die murw geslagen in de cellen onder het voormalige koloniale politiebureau lagen, luisterden naar de kreten van Kimba's Vaderlandse Jeugd, die over de straten boven hen marcheerde en wisten, dat ze op het grote plein zouden worden doodgeknuppeld als onderdeel van de feestelijkheden die Kimba had voorbereid. Foto's van de president waren opvallend op alle openbare gebouwen gehangen en de diplomatenvrouwen zorgden alvast dat ze migraine kregen, zodat ze een excuus hadden om de plechtigheid niet te hoeven bijwonen.

In het paleis met de gesloten luiken, omringd door zijn lijfwacht, zat president Jean Kimba alleen aan zijn bureau na te denken over zijn zesde ambtsjaar dat nu inging.

In de loop van de middag wendde de *Toscana* met zijn dodelijke lading de steven en begon langzaam uit het noorden langs de kust terug te varen.

In de stuurhut zat Shannon koffie te drinken en legde hij Waldenberg uit hoe hij de *Toscana* precies moest plaatsen.

'U houdt hem tot zonsondergang even ten noorden van de grens,' zei hij tegen zijn kapitein. 'Vanavond na negen uur begint u weer te varen en koerst schuin naar de kust toe. Tussen zonsondergang en negen uur hebben we de drie landingsboten aan de achterkant van het schip te water gelaten, elk met de voltallige bemanning erin. Dat zal bij lantaarnlicht moeten gebeuren, maar een flink eind van het land af, tenminste vijftien kilometer er vandaan.

Als u omstreeks negen uur begint te varen, dan doet u dat heel langzaam, zodat u hier eindigt, zes kilometer uit de kust en anderhalve kilometer ten noorden van het schiereiland, 's morgens om twee uur. Voor zover ik weet is er geen radar op het schiereiland, tenzij er een schip in de haven ligt.'

'En ook al ligt er wel een, dan moet het geen radar aan hebben,' bromde Waldenberg. Hij stond over zijn kaart van de kust gebogen en mat zijn afstanden met steekpassers en parallelliniaal. 'Hoe laat wordt de eerste boot losgegooid om naar de kust te gaan?'

'Om twee uur. Dat zijn Dupree en zijn mortierbemanning. De twee andere boten worden een uur later losgemaakt om naar het strand te varen. Oké?'

'Oké,' zei Waldenberg, 'ik zal zorgen dat u er bent.'

'Het moet precies kloppen,' hield Shannon vol. 'We zien in Clarence geen lichten, ook al zijn die er wel, voor we om het voorgebergte heen zijn gevaren. Daarom varen we alleen op kompas en door snelheid en koers te berekenen, tot we de omtrek van de kust zien, die misschien niet verder dan honderd meter is. Het hangt van de lucht af; de wolken, maan en sterren.'

Waldenberg knikte. Hij wist de rest. Nadat hij het vuurgevecht hoorde beginnen, moest hij met de *Toscana* langzaam op zes kilometer afstand de riviermond voorbij varen en drie kilometer ten zuiden van Clarence, zes kilometer van de punt van het schiereiland, bijdraaien. Daarna luisterde hij naar de walkie-talkie. Als alles goed ging bleef hij waar hij was tot de zon opging. Als het misging, zou hij de lichten aan de top van de mast, de voor- en achtersteven ontsteken, zodat het terugkerende legertje de weg naar de *Toscana* kon vinden.

Het werd die avond vroeg donker, want de lucht was bedekt en de maan kwam pas tegen de vroege ochtend. De regens waren al begonnen en in de laatste drie dagen waren ze al tweemaal doornat geworden toen er stortbuien uit de hemel kwamen vallen. Het weerbericht, waar ze gretig naar luisterden, zei dat er die nacht verspreide buien langs de kust zouden zijn, maar geen storm en ze konden alleen maar vurig hopen, dat er geen stortregen kwam als de mannen in hun open boten zaten of als het gevecht voor het paleis aan de gang was.

Voor de zon onderging, werden de dekzeilen van de uitrusting afgehaald en in een rij op het grote dek in stapels gelegd en toen de duisternis viel, begonnen Shannon en Norbiatto het vertrek van de landingsboten te organiseren. De eerste die over de zijkant ging, was die van Dupree. Het had geen zin om de laadboom te gebruiken, want de zee was op het laagste punt maar twee en een halve meter onder het dek. De mannen lieten de helemaal opgeblazen boot met de hand in het water zakken, en terwijl hij langs de zijkant van de *Toscana* in de langzame deining op en neer danste, gingen Semmler en Dupree erin.

Ze hesen samen de zware buitenboordmotor over de achtersteven op zijn plaats en schroefden hem stevig tegen de achterplank vast. Voor ze de geluiddemper erop zetten, startte Semmler de Johnson en liet hem twee minuten lopen. De Servische machinist had de motoren alle drie grondig nagekeken en hij liep als een naaimachine. Met de geluiddempende kist erop, bleef er alleen nog een zacht gezoem hoorbaar.

Semmler klom eruit en liet de uitrusting in Dupree's uitgestoken handen zakken. Het waren de grondplaten en het richtmemechanisme voor de twee mortieren, daarna de twee mortierlopen. Dupree nam veertig mortiergranaten mee voor het paleis en twaalf voor de kazerne. Om aan de veilige kant te blijven, nam hij zestig bommen mee, allemaal afgesteld en van een ontsteking voorzien.

Hij nam ook de twee raketlanceerders met de tien lichtraketten, een misthoorn met gascilinder, een walkie-talkie en zijn nachtkijker mee. Zijn eigen Schmeisser hing over zijn schouder en in zijn koppelriem zaten vijf gevulde patroonhouders. De twee Afrikanen die met hem meegingen, Timothy en Sunday, gingen als laatsten in de landingsboot.

Toen alles klaar was, tuurde Shannon naar beneden in de drie gezichten, die in het flauwe lantaarnlicht naar hem opkeken.

'Veel succes,' riep hij zachtjes. Als antwoord stak Dupree een duim op en knikte. Met de vanglijn van de landingsboot in de hand, liep Semmler langs de reling terug, terwijl Dupree beneden de boot afhield. Toen de boot in het stikdonker achter de *Toscana* lag, maakte Semmler de vanglijn aan de achterreling vast en liet de drie mannen op de deining dobberen.

Het te water laten van de tweede boot ging vlugger, omdat de mannen nu de slag te pakken hadden. Marc Vlaminck ging met Semmler naar beneden om de buitenboordmotor op zijn plaats te zetten, want dit was hun boot. Vlaminck nam een bazooka en twaalf raketten mee, twee op zijn eigen lichaam, de andere tien droeg zijn helper, Patrick. Semmler had zijn eigen Schmeisser bij zich en vijf patroonhouders, die allemaal in zakjes om zijn koppelriem hingen waar hij ze zo uit kon halen. Hij had een nachtkijker om zijn hals en de tweede walkie-talkie aan een dijbeen gebonden. Omdat hij de enige was die Duits, Frans en redelijk Engels sprak, kreeg hij tevens de taak van marconist van de hoofdaanvalsgroep. Toen de twee blanken zich in hun boot geïnstalleerd hadden, glipten Patrick en Jinja, die Semmlers helper zou zijn, van de jakobsladder langs de *Toscana* naar beneden en gingen op hun plaats zitten.

De twee werden achter het schip gemeerd en Duprees vanglijn ging naar Semmler, die hem aan zijn eigen boot vastmaakte. De twee opblaasbare boten dobberden nu achter elkaar achter de *Toscana*, gescheiden door het eind touw, maar geen van de inzittenden sprak een woord.

Langarotti en Shannon namen de derde en laatste boot. Ze werden vergezeld door Bartholomew en Johnny. De laatste was een grote, grijnzende vechtersbaas, die op aandringen van Shannon tot kapitein was gepromoveerd toen ze de laatste keer samen vochten, maar die had geweigerd om een eigen compagnie te leiden, waarop zijn nieuwe rang hem recht gaf, omdat hij liever bij Shannon bleef om op hem te passen.

Vlak voor Shannon, die de laatste was die in de boten ging, de ladder afdaalde, kwam de kapitein uit de richting van de brug eraan en trok aan zijn mouw. De Duitser trok de huurling terzijde en mompelde zacht: 'Er is een kleine moeilijkheid.'

Shannon bleef als aan de grond genageld staan bij de gedachte dat iets ernstig mis was.

'Wat dan?' vroeg hij.

'Een schip. Ter hoogte van Clarence, verder uit de kust dan wij.'

'Wanneer hebt u dat gezien?'

'Al een poosje,' zei Waldenberg, 'maar ik dacht dat het langs de kust naar het zuiden voer, net als wij, of naar het noorden ging. Maar dat is niet zo, het ligt stil.'

'Weet u het zeker? Kan er geen twijfel bestaan?'

'Geen enkele. Toen we langs de kust gingen voeren we zo langzaam, dat als de andere in dezelfde richting opstoomde hij nu allang weg was. En als hij naar het noorden ging, had hij ons nu gepasseerd. Het ligt onbeweeglijk.'

'Is er een aanwijzing wat het is of van wie het is?' De Duitser schudde zijn hoofd.

'Het heeft de grootte van een vrachtschip. Er is geen aanwijzing wie het is, tenzij we contact opnemen.'

Shannon dacht even na.

'Als het een vrachtschip is dat de lading naar Zangaro brengt, zou het dan tot morgenochtend voor anker gaan voor het de haven invaart?' vroeg hij.

Waldenberg knikte.

'Best mogelijk. In sommige kleinere havens langs de kust mogen ze 's nachts vaak niet binnenvaren. Waarschijnlijk ligt het tot morgenochtend voor anker, voordat ze toestemming vragen of ze de haven in mogen varen.'

'Als u het gezien hebt, hebben ze u zeker ook gezien?' opperde Shannon.

'Vast,' zei Waldenberg. 'We zitten natuurlijk op hun radar.'

'Kunnen ze de bootjes op hun radar zien?'

'Dat is niet waarschijnlijk,' zei de kapitein, 'die liggen denk ik te laag in het water.'

'We gaan door,' zei Shannon. 'Het is nu al te laat. We moeten aannemen dat het gewoon een vrachtschip is dat de nacht afwacht.'

'Ze zullen het vuurgevecht wel horen,' zei Waldenberg.

'Wat kunnen ze eraan doen?'

De Duitser grinnikte.

'Niet veel. Als het mislukt en we zijn hier niet voor zonsopgang weg, herkennen ze de *Toscana* door een verrekijker.'

'Dan moet het niet mislukken. Ga gewoon door volgens de orders.'

Waldenberg ging weer naar zijn brug. De oudere Afrikaanse dokter, die de gebeurtenissen zwijgend had gadegeslagen, kwam naar hem toe.

'Veel succes, majoor,' zei hij in volmaakt Engels. 'God zij met u.'

Shannon had willen zeggen, dat hij liever een Wombat-geweer zonder terugslag had gehad, maar hield zijn mond. Hij wist, dat deze mensen erg godsdienstig waren. Hij knikte, zei 'dank u' en liet zich over de zijkant zakken.

Toen hij uit de duisternis naar de vage vlek van de achtersteven van de *Toscana* omhoog keek, was het doodstil, op het water na dat tegen de met rubber beklede rompen van de boten klotste. Af en toe klaterde het achter het scheepsroer. Van het land kwam geen geluid, want ze waren een heel eind buiten gehoorsafstand van de kust en als ze dicht genoeg bij kwamen om geschreeuw en gelach te horen, was het al ver na middernacht en zou met wat geluk iedereen slapen. Niet dat er in Clarence veel gelachen werd, maar Shannon begreep hoe ver een enkel scherp geluid 's nachts over het water draagt en had iedereen in zijn gezelschap, in de boten en op de *Toscana* op het hart gedrukt stil te zijn en niet te roken.

Hij keek op zijn horloge. Het was kwart voor negen. Hij ging zitten wachten.

Om negen uur kwam er uit de romp van de *Toscana* een zacht gebrom en het water onder zijn achtersteven begon te bruisen en te borrelen en het lichtende witte kielzog kwam terugstromen en klotste tegen de stompe neus van Shannons boot. Toen waren ze onderweg en door zijn vingers even in het water te dopen kon hij de liefkozing van het langsstromende water voelen. Vijf uur om de achtentwintig zeemijlen af te leggen.

De hemel was nog steeds bewolkt en de lucht was zo verstikkend als in een oude broeikas, maar een gat in het wolkendek liet een zwart sterrenschijnsel door. Achter hem kon hij de boot van Vlaminck en Semmler aan het andere eind van het zes meter lange touw onderscheiden, en ergens daarachter voer Janni Dupree in het kielzog van de *Toscana*.

De vijf uren verstreken als een nachtmerrie. Er was niets anders te doen dan wachten en luisteren, niets anders te zien dan de duisternis en het glinsteren van de zee, niets anders te horen dan het zachte gestamp van de oude zuigers van de *Toscana* die in zijn roestige romp op en neer gingen. Niemand kon slapen ondanks het slaapverwekkende gedein van de lichte bootjes, want in iedereen die aan de operatie meedeed steeg de spanning.

Maar op de een of andere manier verstreken ze. Het was op Shannons horloge vijf over twee toen het geluid van de machines van de *Toscana* wegstierf en hij langzamer voer tot hij in het water stil bleef liggen. Van het achterschip kwam een zacht gefluit door het donker; Waldenberg, die hem liet weten dat ze op de juiste plaats lagen om los te gooien. Shannon draaide zijn hoofd om om Semmler een teken te geven, maar Dupree had het fluitje zeker gehoord, want enkele tellen later hoorden ze zijn motor aanslaan en begon hij op de kust toe te varen. Ze zagen hem helemaal niet weggaan en hoorden alleen het zachte zoemen van de motor onder de geluiddemper in de duisternis verdwijnen.

Aan het roer van zijn landingsboot regelde Grote Janni door middel van de gashendel die hij in zijn rechterhand hield zijn toerental en hield zijn linkerarm met het kompas zo stil mogelijk onder zijn ogen. Hij wist dat hij nog zeven kilometer moest afleggen, in een boog naar de kust varen en aan de buitenkant van de noordelijke arm die in een bocht om de haven van Clarence liep, proberen te landen. Bij deze motorafstelling en op die koers, moest hij de afstand in dertig minuten kunnen afleggen. Na vijfentwintig minuten zou hij de motor bijna helemaal afsluiten en proberen op het oog te landen. Als de anderen hem een uur de tijd gaven om zijn mortieren en lichtraketten op te stellen, dan kwamen ze net tegen de tijd dat hij klaar was om de punt van de pier naar hun eigen landingsplaats op het strand. Maar in dat uur waren hij en zijn twee Afrikanen de enigen op de kust van Zangaro. Dat was een reden temeer om tijdens het opstellen van hun batterij geen enkel geluid te maken.

Tweeëntwintig minuten nadat hij van de *Toscana* vertrokken was, hoorde Dupree een zacht 'pssst' uit de boeg van zijn bootje. Het was Timothy die hij op de uitkijk had gezet. Dupree keek op van zijn kompas en wat hij zag deed hem haastig gas wegnemen. Ze waren al dicht bij een kust, nog geen driehonderd meter, en in het flauwe sterrenlicht uit het gat in de wolken boven hen, zagen ze recht voor zich een donkerder zwarte streep. Dupree tuurde scherp, terwijl hij zachtjes nog tweehonderd meter verder naar de kust voer. Het waren mangroven, hij kon het water tussen de wortels horen kabbelen. Helemaal rechts zag hij dat de lijn van de begroeiing ophield en de enkele lijn van de horizon tussen zee en nachthemel naar de gezichtseinder verdween. Hij was het land genaderd op de noordkust van het schiereiland, vijf kilometer van de punt.

Hij keerde zijn boot om, waarbij hij de motor heel zacht en vrijwel geluidloos liet draaien en zette koers terug naar zee. Hij hield het roer zo, dat hij de kust van het schiereiland op achthonderd meter in het oog bleef houden tot hij het einde van de landtong bereikte, waar de stad Clarence lag, waarna hij weer langzaam kustwaarts voer. Op tweehonderd meter kon hij de lange lage grindstrook zien die hij zocht en in de achtendertigste minuut nadat hij de *Toscana* verlaten had, zette hij de motor af en liet hij de landingsboot op eigen kracht naar de kant drijven. Hij kwam met een zacht schuren van rubber op grind aan de grond.

Dupree stapte voorzichtig door de boot over de stapels uitrusting, zwaaide een been over de boeg en sprong op het zand. Hij tastte naar de vanglijn en hield hem in zijn hand om te voorkomen dat de boot afdreef. Vijf minuten lang hielden de drie mannen zich onbeweeglijk en luisterden naar het geringste geluid uit de stad, die zoals ze wisten achter de lage dijk van grind en struikgewas voor hen vierhonderd meter naar links lag. Maar er was niets te horen. Ze waren aangekomen zonder enige opschudding te veroorzaken.

Toen hij overtuigd was, haalde Dupree een marlpriem uit zijn koppelriem en ramde hem diep in het grind van de kust, waarna hij er stevig de vanglijn aan vastbond. Daarna kwam hij half overeind en rende gebukt vlug het dijkje voor hem op. Dit was bovenaan nauwelijks vier en een halve meter boven zeepeil en begroeid met kniehoog struikgewas dat tegen zijn laarzen ritselde. Het geritsel was niet van belang want het ging verloren in het geklots van de zee op het grind en was veel te zacht om het ginds in de stad te kunnen horen. In elkaar gedoken op de rug van de landstrook die de ene havenarm vormde, keek Dupree er overheen. Links zag hij de landtong in de duisternis verdwijnen en recht voor zich uit ook weer water, het spiegelgladde oppervlak van de beschutte haven. Het uiteinde van de grindstrook was tien meter rechts van hem.

Terugkerend naar de landingsboot fluisterde hij tegen de twee Afrikanen dat ze zonder enig geluid te maken moesten beginnen met het uitladen van de uitrusting. Als de bundels op de kant kwamen nam hij ze op en droeg ze een voor een naar boven op de helling. Alle metalen stukken zaten in zakken zodat ze geen lawaai maakten als ze tegen elkaar stootten.

Toen hij al zijn wapens in elkaar had gezet, begon Dupree ze op te stellen. Hij werkte snel en stil. Helemaal aan het eind van de strook, waar Shannon hem had verteld dat er een platte, ronde plek was, zette hij zijn voornaamste mortier op. Hij wist, dat als Shannons maten klopten, en hij nam aan dat dit het geval was, de afstand van de punt van het land naar het midden van de binnenplaats van het paleis 721 meter was. Met behulp van zijn kompas richtte hij het mortier precies op de peiling die Shannon hem had opgegeven, vanaf het punt waar hij stond naar het presidentiële paleis, en stelde zorgvuldig de elevatie van zijn mortier in om zijn gerichte granaat zo dicht mogelijk bij het midden van het binnenhof van het paleis te laten vallen.

Hij wist dat hij, als de lichtraketten omhooggingen, niet het hele paleis zou zien, maar alleen de bovenste verdieping, zodat hij de granaat niet op de grond kon zien vallen. Maar hij zou de omhooggaande flits van de ontploffing over de rand van het terrein achter de loods aan de overkant van de haven zien en dat was voldoende.

Toen hij met de eerste klaar was, stelde hij de tweede mortier op.

Deze was op de barakken gericht en hij zette de grondplaat tien meter van de eerste af, boven op de helling waar hij stond. Hij kende de afstand en de peiling van deze mortier naar de kazerne en wist dat het niet zo belangrijk was of de tweede mortier wel helemaal accuraat was, omdat hij bestemd was om willekeurig granaten op het terrein van de vroegere politiekazerne te gooien en de Zangarese soldaten door paniek te zaaien te verdrijven. Timothy, die de laatste keer dat ze gevochten hadden, zijn mortiersergeant was geweest, zou de tweede mortier zelf bedienen.

Hij maakte naast de tweede loop een stapel van twaalf mortiergranaten, installeerde Timothy erbij en fluisterde een paar laatste instructies in zijn oor.

Tussen de twee mortieren plaatste hij de twee lichtraketlanceerders en stopte in beide lanceerders een raket, terwijl hij de andere acht bij de hand hield. Elke lichtraket heette een levensduur van twintig seconden te hebben, dus als hij zowel zijn eigen mortier als de verlichting moest bedienen, begreep hij dat hij snel en handig moest werken. Hij had Sunday nodig om hem de mortiergranaten aan te geven van de stapel die hij naast het geschut gemaakt had.

Toen hij klaar was keek hij op zijn horloge. Drie uur tweeëntwintig in de ochtend. Shannon en de twee andere jongens moesten ergens voor de kust op weg naar de haven zijn. Hij pakte zijn walkie-talkie, trok de antenne helemaal uit, zette hem aan en wachtte de voorgeschreven dertig seconden tot hij warm werd. Vanaf dat ogenblik zou hij niet meer worden afgezet. Toen hij klaar was, drukte hij driemaal met tussenpozen van een seconde op de seinknop.

Anderhalve kilometer van de kust af zat Shannon aan het roer van de leidende landingsboot ingespannen in de duisternis voor zich uit te turen. Links van hem hield Semmler de tweede boot in formatie en hij was het die het driemaal zoemen van de walkie-talkie op zijn knie hoorde. Hij stuurde zijn boot voorzichtig naast die van Shannon, zodat de twee ronde zijkanten langs elkaar schuurden. Shannon keek naar de andere boot. Semmler siste en trok zijn boot weer weg om op twee meter ernaast stil te blijven liggen. Shannon was opgelucht. Hij wist dat Semmler het sein van Dupree over het water had gehoord en dat de Zuidafrikaan geïnstalleerd was en op hen wachtte. Twee minuten later ving Shannon duizend meter van de kust af de snelle flits van Dupree's lantaarn op, stevig afgedekt op een speldeknop licht na. Het was aan zijn rechterhand zodat hij wist dat hij te ver naar het noorden voer. Samen draaiden de twee boten naar stuurboord, terwijl Shannon precies de plek probeerde te onthouden waar het licht vandaan was gekomen en naar een punt honderd meter rechts ervan te varen. Daar zou de ingang van de haven zijn. Het licht kwam opnieuw toen Dupree het zachte snorren van de twee buitenboordmotoren opving, toen ze driehonderd meter van het eind van de landstrook waren. Shannon zag het licht en veranderde een paar graden van koers.

Twee minuten later gingen de twee landingsboten, met gas tot op nog geen kwart verminderd zodat het geluid niet uitkwam boven dat van een hommel, langs de uiterste punt op vijftig meter vanwaar Dupree gehurkt zat. De Zuidafrikaan zag het oplichtende kielzog en de bellen van de uitlaten die naar de oppervlakte stegen, daarna waren ze de havenopening ingegaan, dwars over het stille water naar de loods aan de overkant.

Er was nog steeds geen geluid van de kust toen Shannons ingespannen blik de omtrek van de loods tegen de iets lichtere horizon onderscheidde. Hij stuurde naar rechts en landde op de kiezels van het vissersstrand tussen de boomkano's en de visnetten van de inlanders die daar hingen.

Semmler bracht zijn eigen boot een paar meter verder aan de

kant en de twee motoren hielden tegelijk op. Net als Dupree bleven alle mannen een paar minuten roerloos wachten of er alarm geslagen werd. Ze trachtten het verschil te onderscheiden tussen de ronde kielen van de visserskano's en de vorm van een groep die in hinderlaag lag. Er was geen hinderlaag. Shannon en Semmler stapten over de zijkant, ze staken allebei een marlpriem in het zand en bonden de boten eraan vast. De overigen volgden. Met een zacht gemompeld 'Vooruit, we gaan,' ging Shannon voorop over het strand, de helling op van het tweehonderd meter brede plateau tussen de haven en het slapende paleis van president Jean Kimba.

# 21

De acht mannen renden diep gebukt door het struikgewas tegen de helling op en door naar de vlakte. Het was half vier geweest en er brandde geen licht in het paleis. Shannon wist dat zij ongeveer in het midden tussen de top van de heuvel en het paleis tweehonderd meter verderop aan de kustweg kwamen en dat er bij de wegkruising minstens twee paleiswachten stonden. Hij verwachtte dat hij ze niet allebei geruisloos kon overmeesteren en dat ze, nadat er geschoten was, de laatste honderd meter naar de paleismuur moesten kruipen. Dat was juist.

Aan de overkant van het water wachtte Grote Janni Dupree op zijn eenzame post op het schot dat hem tot actie zou brengen. Hij had instructie gekregen, dat ongeacht wie het schot afvuurde of hoeveel het er ook waren, het eerste schot het teken voor hem was. Hij zat bij de lichtraketlanceerder ineengedoken te wachten om de eerste af te schieten. In zijn andere hand had hij zijn eerste mortiergranaat.

Shannon en Langarotti liepen voor de zes anderen uit toen ze de wegkruising voor het paleis bereikten en ze waren allebei al nat van het zweet. Over hun met sepiaverf zwartgemaakte gezichten liepen strepen van de transpiratie. De scheur in de wolken was groter en er schenen meer sterren doorheen, zodat hoewel de maan nog verborgen was, er een flauw licht over het open terrein voor het paleis viel. Op honderd meter afstand kon Shannon het dak tegen de hemel zien afsteken, maar hij merkte de bewakers pas op toen hij over een van hen struikelde. De man zat op de grond te dutten.

Hij was te langzaam en onhandig met het commandomes in zijn rechterhand. Nadat hij gestruikeld was herstelde hij zich weer, maar de Vindoe-wachter stond niet minder vlug op en slaakte een korte gil van verrassing. De kreet trok de aandacht van zijn kameraad, die een paar meter verder ook in het ongemaaide gras verborgen zat. De tweede man stond op, rochelde een paar keer toen het mes van de Corsicaan de halsslagaders in zijn keel openjaapte en viel weer op de grond, stikkend in zijn laatste seconden. De man van Shannon kreeg de steek met het dolkmes in de schouder, slaakte nog een gil en rende weg.

Honderd meter voor hen uit klonk dicht bij de paleispoort een tweede schreeuw en het geluid van een geweer dat gegrendeld werd. Het is nooit duidelijk geworden wie het eerst schoot. Het schot in het duister uit de paleispoort en de rauwe knal van Shannons schot dat de wegrennende man bijna in tweeën spleet, vermengden zich. Van ver achter hen kwam er een gesis en gegil en twee seconden later spatte de hemel boven hen in een verblindend wit licht uit elkaar. Shannon zag even in een flits het paleis voor zich met twee figuren voor de poort, en zijn zes andere mannen die zich rechts en links van hem waaiervormig verspreidden. Toen lagen ze alle acht met het gezicht naar beneden in het gras en kropen naar voren.

Janni Dupree kwam van de lichtraketlanceerder vandaan zodra hij aan het aftrekkoord van de eerste raket had getrokken en schoof zijn mortiergranaat in de loop terwijl de raket gillend de lucht in ging. De klap van de mortiergranaat die in een parabool naar het paleis vertrok vermengde zich met de knal van de lichtraket die landinwaarts ontplofte, boven de plek waar hij hoopte dat zijn collega's waren aangekomen. Hij pakte zijn tweede granaat en even met de ogen knipperend tegen het licht uit het paleis, wachtte hij tot hij de eerste zag vallen. Hij was van plan vier richtschoten af te vuren, bij een schatting van vijftien seconden per granaat in de vlucht. Hij wist dat hij daarna een afvuurtempo van één per twee seconden kon aanhouden, waarbij Sunday hem alleen maar snel en in regelmatig tempo de munitie aangaf.

Zijn eerste richtgranaat trof de rechter kroonlijst van het paleisdak, zo hoog dat hij de inslag kon zien. Hij drong er niet doorheen maar blies boven de goot de pannen van het dak. Zich bukkend draaide hij de knop van het richtmechanisme een fractie naar links en schoof zijn tweede granaat erin, net toen de lichtraket uitsputterde. Hij ging naar de andere raketlanceerder, trok aan het aftrekkoord van de raket, vuurde hem af en stopte een nieuw paar in de twee lanceerders voor hij weer hoefde op te kijken. De tweede lichtraket ontvlamde boven het paleis en vier seconden later kwam de tweede granaat neer. Het was precies in het midden, maar te kort, want hij viel vlak boven de hoofdingang op de dakpannen.

Dupree droop ook van het zweet en de stelschroef kleefde in zijn vingers. Hij stelde de elevatiehoek iets lager, waardoor de neus van de mortier wat dichter bij de grond kwam voor een grotere draagwijdte. Precies andersom als bij normaal geschut moeten mortieren voor een grotere draagwijdte lager gezet worden. Dupree's derde mortiergranaat was al onderweg voordat de lichtraket uitsputterde en hij had een dikke vijftien seconden om de derde raket omhoog te sturen, een eindje de landengte op te hollen om de misthoorn in werking te stellen en op tijd terug te zijn om de granaat te zien ontploffen. Die ging helemaal over het dak van het paleis heen en viel op de binnenplaats erachter. Hij zag een fractie van een seconde een rode gloed en toen was hij weg. Niet dat het er iets toe deed. Hij wist dat hij zijn afstand en richting helemaal goed had. Ze zouden ver genoeg vallen om zijn eigen mensen vóor het paleis niet in gevaar te brengen.

Shannon en zijn mannen lagen met het gezicht naar beneden in het gras terwijl de drie lichtraketten het schouwspel om hen heen verlichtten en Janni's proefschoten insloegen. Niemand had zin om zijn hoofd op te tillen voor de Afrikaner de granaten over het dak van het paleis heen op de achterplaats zond.

Tussen de tweede en derde ontploffing waagde Shannon het zijn hoofd op te heffen. Hij wist dat hij vijftien seconden had voor de derde mortiergranaat doel trof. Hij zag het paleis in de gloed van de derde lichtraket en in de kamers boven waren twee lampen aangegaan. Nadat de trillingen van de tweede mortiergranaat waren weggeëbd, hoorde hij binnen in de vesting allerlei gegil en geschreeuw. Dit waren de eerste en de laatste geluiden die de verdedigers maakten, voordat het geraas van explosieven al het andere overstemde.

Vijf seconden later was de misthoorn aangegaan, de lange helse janktoon, die vanaf de havenarm over het water loeide en de Afrikaanse nacht vulde met een geweeklaag als van duizend losgelaten geesten. De knal van de mortiergranaat die op de binnenplaats van het paleis insloeg werd er bijna door gesmoord en hij hoorde geen geschreeuw meer. Toen hij zijn hoofd weer ophief, kon hij verder geen schade aan de voorkant van het paleis meer zien en hij nam aan dat Janni de bom over het dak heen had laten vallen. Volgens afspraak zou Janni na de eerste die doel had getroffen, geen richtschoten meer afvuren maar meteen tot het snellere tempo overgaan. Van de zee af achter zich hoorde Shannon de mortieren beginnen te dreunen, een regelmatig kloppen in de oren als een hartslag, nu ondersteund door het eentonige gejank van de misthoorn die op zijn cilinder een werkingsduur van zeventig seconden had.

Om van zijn veertig granaten af te komen had Janni tachtig seconden nodig en er was afgesproken, dat als er na de helft ergens een pauze van tien seconden ontstond, hij met het bombardement zou stoppen, om te voorkomen dan zijn collega's naar voren renden en door een laatkomer werden opgeblazen. Shannon twijfelde er geen moment aan dat Janni het er goed af zou brengen.

Toen het grote spervuur op het paleis losbrandde, vijftien seconden nadat ze het gedreun van het afvuren hadden gehoord, konden de acht mannen in het gras zich alles vlak voor hun ogen zien afspelen. Lichtraketten waren er niet meer nodig; de mortiergranaten die met donderend geraas op de betegelde binnenplaats achter het paleis insloegen, deden om de twee seconden rode vonken opspatten. Alleen Kleine Marc Vlaminck had iets te doen.

Hij stond helemaal links van de rij mannen, bijna precies voor de hoofdingang. Pal voor het paleis richtte hij zorgvuldig en vuurde zijn eerste raket af. Er slingerde een zes meter lange vlammende tong uit de achterkant van de bazooka en de raketkop ter grootte van een ananas vloog naar de poort. Hij ontplofte in de rechter bovenhoek van de dubbele deur, waar hij een scharnier uit het metselwerk losrukte en een gat van een meter in het vierkant achterliet.

Patrick, die naast hem geknield lag, haalde de raketten uit zijn rugbepakking die op de grond lag en gaf ze naar boven door. De tweede raket begon midden in de lucht te kantelen en ontplofte tegen de stenen van de poort boven de deur. De derde raakte het slot in het midden. De twee deuren leken onder de klap omhoog te springen, waarna ze op de verborgen scharnieren inzakten, uit elkaar vielen en naar binnen draaiden.

Janni Dupree was halverwege door zijn spervuur en er was nu een constante rode gloed achter het dak van het paleis. Er brandde iets op het binnenplein en Shannon nam aan dat het de wachthuisjes waren. Toen de deuren openzwaaiden, konden de mannen die in het gras gedoken zaten, de rode gloed door de poortopening zien en twee figuren ervoor die waggelden en op de grond vielen voor ze eruit konden komen.

Marc schoot nog vier raketten recht door de open deuren in de oven achter de poort, die blijkbaar een doorgang was naar de binnenplaats erachter. Het was Shannons eerste blik op wat er achter de ingang lag.

De huurlingenleider schreeuwde naar Vlaminck dat hij moest ophouden met vuren, want hij had al zeven van zijn twaalf raketten verbruikt en Shannon wist niet of er, ondanks Gomez' woorden, niet ergens in de stad een pantserwagen was. Maar de Belg had de smaak te pakken. Hij schoot nog vier andere raketten door de voorgevel van het paleis, op de begane grond en de eerste verdieping, en stond tenslotte opgetogen met zijn bazooka en zijn laatste raket naar het paleis voor hem te zwaaien, terwijl Dupree's mortieren over zijn hoofd suisden.

Op dat ogenblik stierf het gejank van de misthoorn weg tot gefluister en hield op. Zonder op Vlaminck te letten, schreeuwde Shannon tegen de anderen, dat ze naar voren moesten gaan en hij, Semmler en Langarotti, begonnen diep voorover gebogen, met naar voren gerichte Schmeissers, door het gras te rennen, de veiligheidspal los en de vinger aan de trekker. Ze werden gevolgd door Johnny, Jinja, Bartholomew en Patrick die, nu hij geen bazookaraketten meer hoefde te dragen, zijn machinepistool van zijn schouder haalde en met de anderen meeging.

Op twintig meter afstand gekomen bleef Shannon staan en wachtte tot de laatste granaten van Dupree vielen. Hij was de tel kwijtgeraakt hoeveel er nog moesten volgen, maar de plotselinge stilte nadat de laatste bom gevallen was, zei hem dat het was afgelopen. Enkele seconden was de stilte zelf oorverdovend. Na de misthoorn, de mortieren en het geraas en geknal van Marc's bazookaraketten, was de afwezigheid van geluid bijna griezelig en wel zozeer, dat men bijna onmogelijk kon beseffen dat de hele operatie nog geen vijf minuten had geduurd.

Hij vroeg zich een ogenblik af, of Timothy zijn twaalf mortiergranaten op de legerkazerne had gegooid, of de soldaten verdreven waren zoals hij had aangenomen en wat de andere burgers van de stad hadden gevonden van het helse lawaai, dat ze bijna doof moest hebben gemaakt.

Hij kwam met een schok tot zichzelf toen twee lichtraketten boven hem na elkaar opgloeiden en zonder langer te wachten sprong hij overeind, schreeuwde 'Vooruit!' en rende de laatste twintig meter naar de smeulende hoofdingang.

Hij liep er schietend doorheen en voelde meer dan hij zag de figuur van Jean-Baptiste Langarotti links van hem en Kurt Semmler die rechts van hem naast hem bleef. Achter de deuren en in de overwelfde poort was het schouwspel voldoende om iemand aan de grond te nagelen. De poort liep dwars door het hoofdgebouw naar de binnenplaats. Boven de binnenplaats brandden nog met een felle gloed de lichtraketten, die het toneel achter het paleis verlichtte als een scène uit de hel.

Kimba's lijfwachten waren in hun slaap overvallen door de eerste richtschoten, die ze uit hun barakken naar het midden van de geplaveide binnenplaats deden rennen. Daar hadden het derde schot en de volgende veertig granaten die achter elkaar neerregenden, ze getroffen. Er stond een ladder tegen de ene muur op en vier verminkte mannen hingen aan de sporten, in de rug getroffen toen ze probeerden naar de bovenkant van de omringende muur te rennen. De overigen hadden de volle lading van de mortieren gekregen, die op de stenen tegels ontploften en naar alle kanten dodelijke scherven staal verspreidden.

Overal lagen lichamen, waarvan sommige nog leefden, maar de meesten waren morsdood. Twee legertrucks en drie luxewagens, waaronder de presidentiële Mercedes, stonden dwars doormidden gereten tegen de achtermuur. Een aantal paleisbedienden, die de gruwelen aan de achterzijde wilden ontvluchten, hadden zich blijkbaar achter de hoofdingang verzameld, toen Vlaminck's mortieren er doorheen kwamen. Ze lagen overal in de overwelfde gang verspreid.

Rechts en links waren ook poorten, die allebei naar een trap naar de bovenverdiepingen schenen te leiden. Zonder op een uitnodiging te wachten, nam Semmler de rechtertrap en Langarotti de linker. Al spoedig barstte er van beide kanten machinegeweervuur los toen de twee huurlingen de bovenverdieping schoonveegden.

Vlak achter de trappen naar de bovenverdieping waren deuren op de begane grond, aan weerskanten twee. Schreeuwend om zich boven het gegil van de gewonde Vindoe en het geratel van Semmlers Schmeisser boven verstaanbaar te maken, gaf Shannon de vier Afrikanen bevel de benedenverdieping te nemen. Hij hoefde ze niet te vertellen, dat ze op alles moesten schieten wat bewoog. Ze stonden al klaar, met rollende ogen en hijgende borst.

Langzaam en voorzichtig liep Shannon door de poort heen naar de drempel van de binnenplaats aan de achterkant. Als er nog enige tegenstand van de paleiswachten was overgebleven, kwam het daar vandaan. Toen hij naar buiten liep, stormde er iemand met een geweer van links op hem af. Het kon een door paniek bevangen Vindoe zijn die zich in veiligheid wilde brengen, maar er was geen tijd om dat na te gaan. Shannon draaide zich vliegensvlug om en schoot, de man klapte dubbel en spuwde een golf van bloed uit een reeds dode mond op de voorkant van Shannons jack. De hele omgeving en het paleis stonk naar bloed en angst, zweet en dood en boven alles uit de voor huurlingen meest bedwelmende stank ter wereld, de stank van cordiet.

Hij voelde achter zich het geschuifel van voetstappen in de poort, meer dan dat hij het hoorde, en draaide zich om. Uit een van de zijdeuren, waar Johnny in was gerend om de laatste levende Vindoe in het paleis op te ruimen, was een man gekomen. Wat er gebeurd was, toen hij midden op de tegels onder de poort kwam, kon Shannon zich pas later herinneren, als de beelden van een kaleidoscoop. De man zag Shannon op hetzelfde ogenblik als Shannon hem zag, en vuurde een schot af uit het pistool dat hij op heuphoogte in zijn rechterhand vasthield.

Shannon voelde de kogel zachtjes tegen zijn wang blazen toen hij langsvloog. Hij vuurde een halve seconde later, maar de man was behendig. Nadat hij gevuurd had liet hij zich op de grond vallen en rolde om en kwam voor de tweede keer in de schiethouding. Shannon had vijf schoten met zijn Schmeisser gelost, maar ze gingen over het lichaam van de man tegen de tegels en toen was de patroonhouder leeg. Voordat de man in de gang opnieuw een schot kon lossen, deed Shannon een paar passen opzij uit het gezicht achter een stenen pilaar, haalde de oude houder eruit en stopte er een nieuwe in. Toen kwam hij schietend de hoek om. De man was weg. Daarna drong het pas goed tot hem door, dat de gewapende man, naakt tot het middel en blootsvoets, geen Afrikaan was geweest. De huid van zijn lichaam was zelfs in het flauwe licht onder de gewelfde poort blank geweest en hij had donker, steil haar.

Shannon vloekte en rende terug naar de deuren die op hun scharnieren in de as hingen. Het was te laat.

Terwijl de gewapende man uit het vernielde paleis rende, kwam Kleine Marc Vlaminck naar de poort toe lopen. Hij hield zijn bazooka als een baby in zijn beide handen voor de borst met de laatste raket in het uiteinde gestoken. De gewapende man stond geen moment stil. Steeds in volle vaart doorrennend loste hij twee snelle schoten waarmee zijn magazijn leeg was. Ze vonden het pistool later terug in het hoge gras. Het was een 9 mm Makarov en het was leeg.

De Belg kreeg de beide schoten in de borst en een ervan drong in de longen. Toen was de gewapende bandiet hem voorbij en stormde door het gras om zich buiten het bereik van de lichtraketten, die Dupree nog steeds omhoog zond, in veiligheid te brengen. Shannon zag hoe Vlaminck, zich bewegend als in een langzame opname, zich omdraaide, zijn bazooka optilde en hem zorgvuldig over zijn rechterschouder legde, vast mikte en vuurde.

Men ziet niet vaak dat een bazooka ter grootte van de raketkop van de Joegoslavische RPG-7 iemand in het achterwerk treft. Naderhand konden ze niets anders meer vinden dan een paar stukjes stof van zijn broek.

Shannon had zich weer plat op de grond moeten werpen om niet door de terugslaande vlam van het laatste schot van de Belg geroosterd te worden. Hij lag nog op de grond, acht meter van hem af, toen Kleine Marc zijn wapen liet vallen en met uitgespreide armen voorover op de harde aarde voor de poort neerstortte.

Toen doofde de laatste lichtraket uit.

Grote Janni Dupree richtte zich op nadat hij de laatste van zijn tien lichtraketten had afgeschoten en gilde: 'Sunday!'

Hij moest driemaal schreeuwen voor de Afrikaan die tien meter verder stond hem kon horen. De mannen waren alle drie half doof van het lawaai dat hun oren van het mortiervuur en de misthoorn te verduren hadden gehad. Hij schreeuwde tegen Sunday dat hij achter moest blijven om op de mortieren en de boot te passen en met een teken aan Timothy om hem te volgen, begon hij door de struiken en bosjes op de landtong van zand naar het vasteland te zwoegen. Hoewel hij meer projectielen verschoten had dan de andere vier huurlingen tezamen, zag hij geen reden waarom hij van alle actie verstoken zou moeten blijven.

En bovendien was het zijn taak nog de legerkazernes onschadelijk te maken en hij wist van de kaarten aan boord van de *Toscana* uit zijn hoofd nog ongeveer waar het was. Het kostte het tweetal tien minuten om de weg te bereiken, die aan het eind van het schiereiland van de ene kant naar de andere liep en in plaats van rechtsaf te slaan naar het paleis, ging Dupree voorop linksaf naar de kazernes. Janni en Timothy waren iets langzamer gaan lopen, elk aan een kant van de onverharde weg, met hun Schmeissers naar voren gericht, klaar om te schieten zodra er moeilijkheden opdoken.

Die moeilijkheden lagen om de eerste bocht van de weg. Twintig minuten tevoren uit elkaar gejaagd door de eerste mortiergranaat van Timothy, die tussen de barakken terecht was gekomen waaruit de kazerne bestond, waren de tweehonderd aldaar gelegerde mannen van Kimba's leger de nacht in gevlucht. Maar een stuk of twaalf van hen hadden zich in de duisternis gehergroepeerd en stonden aan de kant van de weg zachtjes met elkaar te fluisteren. Als ze niet zo doof waren geweest dan hadden Dupree en Timothy ze wel eerder gehoord. Maar nu zaten ze bijna boven op de groep voor ze hen zagen, schaduwen in de schaduwen van de palmbomen. Tien mannen waren naakt, omdat ze uit hun slaap waren gewekt. De andere twee hadden wacht gehad en waren gekleed en gewapend.

Door de stortregens van de vorige nacht was de bodem zo zacht geworden, dat het grootste deel van Timothy's twaalf mortierbommen te diep in de aarde waren gedrongen om de volle bedoelde uitwerking te hebben. De Vindoe-soldaten die ze daar om die bocht aantroffen, hadden nog enigszins hun hersens bij elkaar. Een van hen had ook een handgranaat.

Door de plotselinge beroering van de soldaten toen ze het witte glimmende gezicht van Dupree zagen, waar de verf al lang met zijn zweet was afgedropen, werd de Zuidafrikaan opgeschrikt. Hij schreeuwde 'Vuur!' en opende het vuur op de groep. Vier van hen werden door de kogelregen uit de Schmeisser aan flarden geschoten. De andere acht renden weg, van wie er nog twee vielen toen Duprees vuur ze in de bomen achtervolgde. Onder het rennen draaide de een zich om en slingerde het ding dat hij in zijn hand hield weg. Hij had er nog nooit een gebruikt en ook nog nooit een zien gebruiken. Maar het was zijn trots en vreugde en hij had altijd gehoopt het eens te gebruiken.

De granaat verdween hoog in de lucht uit het gezicht en toen hij viel, trof hij Timothy midden op de borst. Met een instinctieve reactie greep de Afrikaanse veteraan naar het voorwerp toen hij achterover viel en op de grond gezeten herkende hij het. Hij zag ook dat de idioot die hem geworpen had, vergeten had de pin eruit te trekken. Timothy had eenmaal een huurling een granaat zien opvangen. Hij had gezien hoe de man hem recht naar de vijand terugslingerde. Overeind komend trok Timothy de pin uit de granaat en wierp hem zo ver hij kon achter de wegvluchtende Vindoe-soldaten.

Hij ging voor de tweede keer hoog de lucht in, maar nu raakte hij een boom. Er klonk een doffe klap en de granaat kwam een heel eind voor de plek terecht waar hij bedoeld was. Op dat ogenblik zette Janni Dupree met een nieuwe patroonhouder in zijn pistool de achtervolging in. Timothy schreeuwde een waarschuwing, maar Dupree dacht blijkbaar dat het een schreeuw van opgetogenheid was. Hij rende acht stappen voorwaarts tussen de bomen, nog steeds vanuit de heup vurend, en was twee meter van de granaat af toen deze ontplofte.

Hij herinnerde zich verder niet veel. Hij herinnerde zich de flits en de knal, het gevoel van te worden opgepakt en opzij geworpen als een lappenpop. Toen moest hij bewusteloos zijn geraakt. Hij kwam bij, liggend op de roodaarden weg en er knielde iemand op die weg naast hem, die zijn hoofd vasthield. Hij voelde dat zijn keel erg warm was, zoals die keer toen hij nog klein was en koorts had, een behaaglijk, dommelig gevoel, half wakker, half slapend. Hij kon een stem horen, die almaar dringend iets herhaalde, maar hij kon de woorden niet onderscheiden: 'Het spijt me zo, Janni, het spijt me zo vreselijk . . .'

Hij kon zijn eigen naam verstaan, maar dat was alles. Deze taal was anders, niet zijn eigen taal, maar iets anders. Hij draaide zijn ogen naar de man die hem vasthield en onderscheidde een donker gezicht in het halfduister onder de bomen. Hij glimlachte en zei heel duidelijk in het Afrikaans: 'Dag Pieter.'

Hij staarde omhoog naar het gat tussen de palmbladeren toen de wolken eindelijk naar één kant schoven en de maan te voorschijn kwam. Hij zag er enorm groot uit, zoals hij altijd doet in Afrika, helwit en stralend. Hij kon de regen in de begroeiing langs de weg ruiken en de maan zien, die daar heel hoog scheen, glanzend als een reusachtige parel, zoals de Paarlrots na de regen. Het was goed om weer thuis te zijn, dacht hij. Janni Dupree was heel tevreden toen hij zijn ogen weer sloot en stierf.

Het was half zes toen er zoveel natuurlijk daglicht over de horizon doordrong dat de mannen in het paleis hun lantaarns konden uitdoen. Niet dat het toneel op de binnenplaats er bij daglicht plezieriger uitzag. Maar het karwei was geklaard.

Ze hadden het lijk van Vlaminck binnengebracht en legden het languit in een van de kamers aan de gang op de benedenverdieping. Naast hem lag Janni Dupree, die door drie Afrikanen van de weg langs de kust was binnengebracht. Johnny was ook dood, kennelijk verrast en doodgeschoten door de blanke lijfwacht, die een paar seconden later Vlamincks laatste bazookaraket had tegengehouden. Ze lagen met z'n drieën naast elkaar.

Semmler had Shannon naar de grote slaapkamer op de eerste verdieping geroepen, en liet hem bij het licht van een lantaarn de figuur zien die hij had neergeschoten toen hij bezig was het raam uit te klimmen.

'Dat is hem,' zei Shannon.

Er waren zes overlevenden van het huispersoneel van de dode president. Men had ze in elkaar gehurkt in een van de kelders gevonden, die ze meer uit instinct dan uit inzicht de beste beveiliging tegen de vuurregen uit de lucht hadden gevonden. Ze werden als dwangarbeiders gebruikt om de boel op te ruimen. Alle kamers in de voornaamste afdeling van het paleis werden geïnspecteerd en de lijken van alle andere vrienden van Kimba en de paleisbedienden, die in de kamers in het rond lagen, werden naar beneden gedragen en aan de achterzijde van de binnenplaats gelegd. Wat er van de deur over was gebleven kon er niet meer in, daarom hingen ze een groot tapijt uit een van de staatsiezalen voor de ingang, om wat erachter was aan het gezicht te onttrekken.

Om vijf uur was Semmler in een van de landingsboten naar de *Toscana* teruggegaan en sleepte de twee andere boten achter zich aan. Voor hij vertrok had hij via zijn walkie-talkie met de *Toscana* contact gemaakt om het codewoord op te geven, dat betekende dat alles in orde was.

Hij was om half zeven met de Afrikaanse doctor en dezelfde

drie boten terug, die nu geladen waren met voorraden, de mortiergranaten die nog over waren, de tachtig bundels met de overige Schmeissers erin en bijna een ton 9 mm munitie.

Om zes uur was de *Toscana*, overeenkomstig een instructiebrief die Shannon aan kapitein Waldenberg had gestuurd, begonnen drie woorden uit te zenden op de frequentie waar Endean naar luisterde. De woorden, Papaya, Cassave en Mango, betekenden respectievelijk: De onderneming is volgens plan verlopen, hij is volkomen geslaagd, en Kimba is dood.

Toen de Afrikaanse dokter het toneel van de slachting in ogenschouw nam, zuchtte hij en zei: 'Ik veronderstel dat het niet anders kon.'

'Het kon niet anders,' bevestigde Shannon en hij vroeg de oudere man aan de taak te beginnen waarvoor hij gekomen was.

Om negen uur had niemand zich in de stad verroerd en was het schoonmaakproces bijna voltooid. De begrafenis van de Vindoe moest later plaatsvinden. Twee landingsboten waren bij de *Toscana* terug, aan boord gehesen en beneden geborgen, terwijl de derde niet ver van de haven beschut in een kreek lag. Alle sporen van de mortieren op de punt waren verwijderd, de lopen en basisplaten naar binnen gebracht en de raketlanceerders en pakkisten in zee gegooid. Alles en iedereen was in het paleis gebracht, dat al was het van binnen helemaal kapotgeschoten, slechts op twee plaatsen verbrijzelde dakpannen, drie kapotte ramen aan de voorkant en de vernielde deur vertoonde, waaraan te zien was dat er huisgehouden was.

Om tien uur kwamen Semmler en Langarotti bij Shannon in de grote eetzaal, waar de huurlingenleider de laatste resten brood en jam opat, die hij in de presidentiële keuken gevonden had. De twee mannen brachten verslag uit van hun inspectie. Semmler vertelde Shannon, dat de radiokamer intact was, afgezien van een aantal kogelgaten in de muur, maar de zender werkte nog. Kimba's privé-kelder in het souterrain was tenslotte voor de aandrang van een aantal patroonhouders met munitie bezweken. De nationale schatkist zat blijkbaar in een kluis achter in de kelder en het nationale wapenarsenaal stond langs de muren opgestapeld – voldoende vuurwapens en munitie om een leger van twee- tot driehonderd man verscheidene maanden in actie te houden.

'En wat nu?' vroeg Semmler, toen Shannon naar het verslag geluisterd had.

'En nu wachten we,' zei Shannon.

'Waarop?'

Shannon peuterde met een afgebrande lucifer in zijn kiezen.

Hij dacht aan Janni Dupree en Kleine Marc die beneden op de vloer lagen en aan Johnny, die voor zijn avondeten geen boer meer van zijn geit zou af helpen. Langarotti sleep langzaam zijn mes op de leren riem om zijn linkervuist.

'We wachten op de nieuwe regering,' zei Shannon.

De éentonstruck van Amerikaanse makelij waar Simon Endean mee kwam, arriveerde 's middags na enen. Er zat nog een andere Europeaan aan het stuur, en Endean zat naast hem met een groot kaliber jachtgeweer in zijn handen. Shannon hoorde het geraas van de motor toen de truck de kustweg verliet en langzaam naar de voorkant van het paleis reed, waar het tapijt roerloos in de vochtige lucht hing en het gapende gat bedekte van wat de hoofdingang was geweest.

Hij zag uit een bovenraam hoe Endean argwanend uitstapte, naar het tapijt en de gehavende voorgevel van het gebouw keek en de acht zwarte wachters opnam die voor de ingang in de houding stonden.

Endeans reis was niet geheel zonder incidenten verlopen. Nadat hij 's morgens het radiobericht van de *Toscana* gehoord had, had hij twee uur lang moeite gedaan om kolonel Bobi ervan te doordringen, dat hij een paar uur na de staatsgreep werkelijk naar zijn eigen land terugging. De man had kennelijk zijn rang van kolonel niet wegens persoonlijke moed gekregen. Endean zelf had zijn eigen reden voor zijn dapperheid, de pot met goud die hem wachtte, als over een maand of twee, drie, het platina in de Kristalberg werd 'ontdekt'.

Ze waren om half tien uit de naburige hoofdstad op de honderdvijftig kilometer lange reis naar Clarence vertrokken. In Europa doet men over die afstand misschien twee uur; in Afrika langer. Ze bereikten in de loop van de ochtend de grens en daar begon het gepingel over de grootte van de omkoopsom om ze door te laten met de Vindoe-soldaten, die nog niets hadden gehoord over de staatsgreep die 's nachts had plaatsgevonden. Kolonel Bobi, die zich achter een grote, hele donkere zonnebril verborg en gekleed was in een wit loshangend gewaad dat op een nachthemd leek, ging door voor hun autojongen, een privé-bediende, die in Afrika geen papieren hoeft te hebben om een grens te passeren. Endeans papieren waren in orde, evenals die van de man die hij bij zich had, een logge mannetjesputter uit het East End van Londen, die men Endean had aanbevolen als een van de meest gevreesde beschermers van Whitechapel.

Ernie Locke kreeg een schitterend honorarium om ervoor te

zorgen dat Endean gezond en in leven bleef, en had onder zijn hemd een vuurwapen, dat hij via de goede zorgen van ManCon Mining Company in de republiek gekregen had. Aangelokt door het aangeboden geld had hij net als Endean reeds de denkfout gemaakt, dat iemand die in East End keihard is in Afrika automatisch ook keihard is.

Na de grens te zijn overgestoken, had de truck een goede tijd gemaakt, tot hij vijftien kilometer voor Clarence een lekke band kreeg. Terwijl Endean met zijn geweer de wacht hield en Bobi achter onder het zeil gedoken zat had Locke de band verwisseld. Toen begonnen de moeilijkheden. Een handjevol Vindoe-troepen die uit Clarence waren gevlucht, had ze in de gaten gekregen en een stuk of zes schoten gelost. Ze misten allemaal op één na, die de band raakte die Locke net verwisseld had. De reis eindigde in de eerste versnelling met een lege band.

Shannon hing uit het raam en riep naar Endean beneden. Deze keek op.

'Is het goed gegaan?' vroeg hij.

'Natuurlijk,' zei Shannon. 'Maar laat je niet te veel zien. Niemand schijnt nog in beweging te zijn gekomen, maar er komt vast gauw iemand poolshoogte nemen.'

Endean ging kolonel Bobi en Locke voor door het gordijn en ze liepen de trap op naar de eerste verdieping waar Shannon op ze zat te wachten. Toen ze in de presidentiële eetzaal zaten, vroeg Endean om een volledig verslag van de strijd van de afgelopen nacht. Shannon vertelde alles.

'En de paleiswacht van Kimba?' vroeg Endean.

Als antwoord nam Shannon hem mee naar het achterraam, waarvan de luiken gesloten waren, duwde er een open en wees naar het binnenplein beneden, waaruit een woest gezoem van vliegen opsteeg. Endean keek naar buiten en trok zich terug.

'Allemaal?' vroeg hij.

'Allemaal,' zei Shannon. 'Vernietigd.'

'En het leger?'

'Twintig doden, de rest verdreven. Ze hebben allemaal hun wapens achtergelaten, behalve misschien een man of vijfentwintig die Mausers hebben. Geen probleem. De wapens zijn verzameld en binnengebracht.'

'Het presidentiële arsenaal?'

'In de kelder, in ons beheer.'

'En de nationale radiozender?'

'Die is op de benedenverdieping, intact. We hebben de stroom nog niet geprobeerd, maar de radio schijnt een aparte dieselgenerator te hebben.'

Endean knikte tevreden.

'Dan moet er nog maar één ding gebeuren en dat is, dat de nieuwe president aankondigt, dat zijn staatsgreep vannacht geslaagd is, dat er een nieuwe regering gevormd zal worden en dat hij de leiding op zich neemt,' zei hij.

'Hoe staat het met de veiligheid?' vroeg Shannon. 'Er is geen compleet leger meer tot ze langzamerhand weer terugkomen, en misschien willen niet alle Vindoe onder de nieuwe man dienen.'

Endean grinnikte.

'Ze komen terug als het bekend wordt dat de nieuwe man de macht in handen heeft, en ze zullen onder hem dienen zolang ze weten wie de leiding heeft. En dat zullen ze weten. Intussen is de groep die je blijkbaar gerekruteerd hebt, voldoende. Ze zijn tenslotte zwart en de Europese diplomaten hier zien waarschijnlijk toch niet het verschil tussen de ene zwarte en de andere.'

'Jij wel?' vroeg Shannon.

Endean haalde zijn schouders op.

'Nee,' zei hij, 'maar dat geeft niet. Tussen haakjes, mag ik je de nieuwe president van Zangaro voorstellen.'

Hij maakte een gebaar naar de Zangarese kolonel, die met een brede grijns op zijn gezicht de zaal die hij zo goed kende had zitten opnemen.

'De voormalige commandant van het Zangarese leger, die voor zover de wereld bekend is met succes een staatsgreep heeft uitgevoerd, en de nieuwe president van Zangaro, kolonel Antoine Bobi.'

Shannon stond op, ging tegenover kolonel Bobi staan en boog. Bobi's grijns werd nog breder. Shannon wees naar de deur aan de eind van de eetzaal.

'Misschien wil de president het presidentiële bureau in ogenschouw nemen,' zei hij. Endean vertaalde het.

Bobi knikte en liep met zware stappen over de betegelde vloer naar de deur. Deze sloot zich achter hem. Vijf seconden later kwam de knal van een enkel schot.

Nadat Shannon weer verschenen was, bleef Endean hem een ogenblik aanstaren.

'Wat was dat?' vroeg hij overbodig.

'Een schot,' zei Shannon.

Endean sprong op, liep de zaal door en stond in de open deur naar de werkkamer. Hij draaide zich met een asgrauw gezicht om, bijna niet in staat een woord uit te brengen.

'Je hebt hem neergeschoten,' fluisterde hij. 'Je bent gek, Shannon, jij bent hartstikke idioot.'

Hij begon steeds harder te schreeuwen, van woede en teleurstelling.

'Je weet niet wat je gedaan hebt, stomme, waanzinnige idioot, ellendige huurling die je bent...'

Shannon zat achterover in de leuningstoel achter de eettafel zonder veel belangstelling naar Endean te kijken. Uit zijn ooghoek zag hij de hand van de lijfwacht onder zijn flodderige hemd bewegen. De tweede knal leek Endean luider, want hij was dichterbij. Ernie Locke viel uit zijn stoel waarbij hij compleet over de kop rolde en op de tegels sloeg, waar hij het patroon van het oude koloniale inlegwerk versierde met een dun straaltje bloed dat uit zijn middenrif kwam. Hij was morsdood, want de zachte kogel was er dwars doorheen gegaan en had zijn ruggegraat verbrijzeld. Shannon haalde zijn hand onder de eikehouten tafel vandaan en legde de automatisch 9 mm Makarov op tafel. Er kringelde een blauw rooksliertje uit de loop.

Endean liet zijn schouders hangen, alsof hij bij de wetenschap, dat hij naar zijn persoonlijke fortuin, dat door sir James Manson beloofd was als Bobi was geïnstalleerd, wel kon fluiten, plotseling ook besefte dat Shannon de allergevaarlijkste man was die hij ooit gezien had. Maar daar was het nu wel een beetje laat voor.

Semmler verscheen in de deuropening van de studeerkamer achter Endean en Langarotti sloop zachtjes door de deur van de eetzaal vanuit de gang. Ze hielden allebei een schietklare Schmeisser onafgebroken op Endean gericht. Shannon stond op.

'Vooruit,' zei hij. 'Ik zal je terugbrengen naar de grens. Daar vandaan kun je verder wel lopen.'

Ze hadden de enige band van de twee Zangarese vrachtwagens op de binnenplaats die niet lek was, op het voertuig gezet waarmee Endean het land binnen was gekomen. Het dekzeil achter de cabine was weggehaald en er zaten drie Afrikaanse soldaten met machinegeweren achterin. Twintig anderen, compleet in uniform en met uitrusting, werden voor het paleis in een rij opgesteld.

In de gang bij de vernielde deur kwamen ze een oudere Afrikaan in burger tegen. Shannon knikte hem toe en ze wisselden enkele woorden.

'Alles in orde, doctor?'

'Voorlopig wel, ja. Ik heb met mijn mensen afgesproken dat ze honderd vrijwilligers sturen om op te ruimen. Vanmiddag komen hier nog vijftig man om voor kleding en uitrusting te zorgen. Er zijn zeven vooraanstaande Zangarezen thuis bezocht en ze hebben hun diensten aangeboden. Ze zullen vanavond vergaderen.'

'Mooi. Dan kunt u nu misschien een paar uur de tijd nemen om het eerste bulletin van de nieuwe regering op te stellen. Dat moet zo gauw mogelijk worden uitgezonden. Vraagt u maar aan meneer Semmler of hij ervoor wil zorgen dat de radio werkt. Als het niet gaat, kunnen we het schip gebruiken. Verder nog iets?'

'Dit nog,' zei de doctor. 'Meneer Semmler maakt bekend, dat het schip dat voor de kust ligt een Russisch schip is, de *Komarov*, die herhaaldelijk om toestemming verzocht heeft de haven binnen te komen.'

Shannon dacht even na.

'Vraagt u meneer Semmler maar, of hij van de kust naar de *Komarov* het volgende wil seinen: "VERZOEK AFGEWEZEN STOP ONBEPAALDE TIJD STOP",' zei hij.

Ze gingen uit elkaar en Shannon bracht Endean terug naar zijn vrachtwagen. Hij ging zelf achter het stuur zitten en draaide de auto de weg op naar het binnenland en de grens.

'Wie was dat?' vroeg Endean nors, terwijl de vrachtwagen over het schiereiland reed, langs de huttenwijken van de immigrantenarbeiders, waar alles drukte en bedrijvigheid leek. Verbaasd merkte Endean op dat er bij elke wegkruising een gewapende soldaat met een machinegeweer op wacht stond.

'Die man in de gang?' vroeg Shannon.

'Ja.'

'Dat was doctor Okoye.'

'Een toverdokter zeker.'

'Hij is doctor in de filosofie, van Oxford.'

'Een vriend van je?'

'Ja.'

Ze spraken niet meer voor ze op de grote weg naar het noorden waren.

'Enfin,' zei Endean tenslotte. 'Weet je wat je gedaan hebt? Je hebt een staatsgreep verpest die een van de grootste goudmijnen had kunnen zijn. Dat kun je natuurlijk niet weten. Daar ben je te stom voor. Maar wat ik me afvraag is, waarom? Waarom in godsnaam?'

Shannon dacht even na en hield intussen de vrachtwagen stevig op de hobbelige weg die in een onverhard pad was overgegaan.

'Je hebt twee fouten gemaakt, Endean,' zei hij voorzichtig. Endean schrok bij het horen van zijn eigen naam.

'Je hebt, omdat ik een huurling ben, aangenomen dat ik ook automatisch dom ben. Het schijnt nog nooit bij je te zijn opgekomen, dat wij allebei huurlingen zijn, evenals sir James Manson en bijna alle mensen die macht hebben in deze wereld. De tweede fout is, dat je hebt aangenomen, dat alle zwarte mensen hetzelfde waren, omdat ze voor jou allemaal op elkaar lijken.'

'Ik kan je niet volgen.'

'Je hebt een heleboel onderzoek over Zangaro gedaan en je hebt zelfs ontdekt, dat er tienduizenden immigranten-arbeiders zijn, die de boel hier praktisch draaiende houden. Het is nooit bij je opgekomen, dat die arbeiders een eigen gemeenschap vormen. Zij zijn een derde stam, de intelligentste en hardst werkende in dit land. Als ze maar even de kans krijgen, kunnen ze een rol spelen in het politieke leven van het land. En bovendien is het niet bij je opgekomen, dat het nieuwe leger van Zangaro en dus de macht in het land uit die derde gemeenschap gerekruteerd kan worden. Dat is dan ook zojuist gebeurd. De soldaten die je gezien hebt, waren geen Vindoe en ook geen Caja. Er waren er vijftig in uniform en gewapend toen je in het paleis was en vanavond komen er vijftig bij. Over vijf dagen zijn er in Clarence meer dan vierhonderd nieuwe soldaten, weliswaar zonder opleiding, maar ze zien er bekwaam genoeg uit om orde en gezag te kunnen handhaven. Zij vormen van nu af aan de eigenlijke macht in dit land. Er heeft vannacht inderdaad een staatsgreep plaatsgevonden, maar die is niet voor of ten behoeve van kolonel Bobi uitgevoerd.'

'Voor wie dan?'

'Voor de generaal.'

'Welke generaal?'

Shannon noemde de naam. Endean keek hem vol afschuw met open mond aan.

'Díe? Hij is verslagen en verbannen.'

'Op het ogenblik wel, ja. Maar daarom nog niet voorgoed. Die immigranten-arbeiders zijn zijn volk. Ze noemen ze de joden van Afrika. Er wonen er zo'n anderhalf miljoen over het hele werelddeel verspreid. In veel gebieden doen ze het meeste werk en hebben ze de meeste hersens. Hier in Zangaro wonen ze in de huttenwijk achter Clarence.'

'Die stomme grote idealistische zak ...'

'Pas op,' waarschuwde Shannon.

'Waarom?'

Shannon maakte even een hoofdbeweging over zijn schouder. 'Dat zijn ook soldaten van de generaal.'

Endean draaide zich om en keek in de drie onaandoenlijke gezichten boven de drie Schmeisser-lopen.

'Spreken ze dan zo goed Engels?'

'Die ene in het midden,' zei Shannon geduldig, 'was vroeger

drogist. Toen is hij soldaat geworden en later zijn zijn vrouw en vier kinderen door een Saladin-pantserwagen afgemaakt. Die worden namelijk door Alvis in Coventry gefabriceerd. Hij is niet zo gesteld op die mensen die daarachter zaten.'

Endean zweeg weer.

'Wat gebeurt er nu?' vroeg hij.

'De Nationale Verzoeningscommissie neemt de leiding,' zei Shannon. 'Vier Vindoe-leden, vier Caja en twee uit de groep van immigranten. Maar het leger zal gevormd worden door de mensen achter je, en dit land zal als basis en hoofdkwartier dienen. Van hieruit gaan de nieuw opgeleide mannen eens terug om zich te wreken voor wat ze is aangedaan. Misschien komt de generaal zich hier wel vestigen, om in feite de regering op zich te nemen.'

'Verwacht je dat je dat zal lukken?'

'Jij verwachtte dat het je zou lukken om ze die zeikerd van een Bobi op te dringen. De nieuwe regering is tenminste betrekkelijk rechtvaardig. Die minerale laag, die ergens in de Kristalberg opgesloten ligt en waarvan ik toevallig weet dat het platina is, zal de nieuwe regering ongetwijfeld uiteindelijk vinden, en dan wordt hij ongetwijfeld geëxploiteerd. Maar als je hem hebben wilt, zul je ervoor moeten betalen. Een eerlijke prijs, een marktprijs. Zeg dat maar tegen sir James als je thuis bent.'

Om de bocht konden ze de grenspost zien liggen. Nieuws verbreidt zich in Afrika snel, ook zonder telefoons, en de Vindoe-soldaten bij de grenspost waren weg. Shannon zette de truck stil en wees vooruit.

'Je kunt verder wel lopen,' zei hij.

Endean stapte uit. Hij keek met onvermengde haat naar Shannon in de cabine.

'Je hebt nog steeds niet verklaard waarom,' zei hij. 'Je hebt wel verklaard wat en hoe, maar niet waarom.'

Shannon staarde voor zich uit op de weg.

'Bijna twee jaar,' zei hij peinzend, 'heb ik tussen een half miljoen en een miljoen kleine kinderen van honger zien omkomen, om wille van mensen zoals jij en Manson. Dit is in wezen gebeurd om jou en jouw slag in staat te stellen grotere winsten te maken door middel van een smerige, volkomen corrupte dictatuur, en het is gebeurd onder het mom van gezag en orde, wet en gerechtigheid. Ik mag dan een vechter en misschien zelfs een moordenaar zijn, maar ik ben geen schofterige sadist. Ik heb alleen voor mezelf uitgemaakt hoe het gebeurde, waarom het gebeurde en wie er achter de schermen zaten. Schijnbaar, voor het oog, waren het een stelletje politici en mensen van het ministerie van Buitenlandse Zaken, maar dat zijn alleen maar een troep ijdele apen in een kooi, die niet verder kunnen kijken dan hun eigen onderlinge ruzietjes en hun herverkiezing. Achter hen verscholen zich profiteurs zoals je dierbare James Manson. Daarom heb ik het gedaan. Zeg dat maar tegen Manson als je weer thuis bent. Ik wil dat hij dat weet. Persoonlijk, van mij. En ga nu maar lopen.'

Tien meter verder draaide Endean zich om.

'Zorg maar dat je nooit meer in Londen komt, Shannon,' riep hij. 'Wij weten wel raad met mensen zoals jij.'

'Vast niet,' gilde Shannon. En hij mompelde bij zichzelf: 'Dat hoef ik ook nooit meer.' Toen keerde hij de vrachtwagen en reed in de richting van het schiereiland, van Clarence.

# Epiloog

De nieuwe regering werd behoorlijk geïnstalleerd en regeerde toen het erop aankwam menselijk en bekwaam. Er werd in de Europese kranten nauwelijks melding gemaakt van de staatsgreep, op een kort stukje in *Le Monde* na, dat de afgescheiden eenheden van het Zangarese leger aan de vooravond van Onafhankelijkheidsdag de president hadden afgezet en dat de regering in afwachting van nationale verkiezingen was overgenomen door een regeringsraad. Maar de krant deed nergens verslag van het feit, dat de Sovjet-mijnexploratieploeg geen toestemming kreeg om in de republiek te landen en dat er te zijner tijd nieuwe overeenkomsten voor exploratie van het gebied zouden worden gemaakt.

Grote Janni Dupree en Kleine Marc Vlaminck werden onder de palmen op de punt begraven, waar de wind uit de Golf waait. Op verzoek van Shannon kregen de graven geen grafteken. Het lijk van Johnny werd door zijn eigen familie meegenomen, die over hem weeklaagden en hem volgens hun eigen gebruiken begroeven.

Simon Endean en sir James zwegen over hun aandeel in de zaak. Ze konden er in het openbaar totaal niets over zeggen.

Shannon gaf Jean-Baptiste Langarotti £ 5000, die hij in zijn geldbuidel aan zijn riem van het budget van de onderneming over had gehouden en de Corsicaan ging naar Europa terug. Het laatste wat ze van hem hoorden was, dat hij op weg was naar Burundi, waar hij de Hutu-opstandelingen wilde opleiden, die tegen de door de Tutsi beheerste dictatuur van Micombero verzet trachtten te bieden. Zoals hij tegen Shannon zei, toen ze op de kust afscheid namen: 'Het gaat eigenlijk niet om het geld. Het is nooit om het geld gegaan.'

Shannon schreef brieven aan signor Ponti in Genua uit naam van Keith Brown, met de opdracht de aandelen aan toonder, die recht gaven op het bezit van de *Toscana*, in gelijke delen aan kapitein Waldenberg en Kurt Semmler te overhandigen. Een jaar later verkocht Semmler zijn aandeel aan Waldenberg, die een hypotheek opnam om het te kunnen betalen. Daarna vertrok hij naar een andere oorlog. Hij kwam om in Zuid-Soedan, toen hij met Ron Gregory en Rip Kirby een mijn aan het leggen was, om een Soedanese Saladin-pantserauto te vernietigen. De mijn ontplofte, waarbij Kirby op slag werd gedood en Semmler en Gregory zwaar werden gewond. Gregory ging via de Britse ambassade in Ethiopië naar huis, maar Semmler stierf in het oerwoud.

Het laatste wat Shannon deed was via Langarotti brieven sturen aan zijn bank in Zwitserland, met opdracht om aan de ouders van Janni Dupree in Paarl, in Kaapprovincie, £ 5000 over te maken, en nog eens hetzelfde bedrag aan een vrouw, Anna geheten, die een bar had in de Kleinstraat in de warme buurt van Oostende.

Hij stierf een maand na de staatsgreep, op de manier zoals hij tegen Julie gezegd had dat hij dood wilde gaan, met een pistool in zijn hand en bloed in zijn mond en een kogel in zijn borst. Maar het waren zijn eigen pistool en zijn eigen kogel. Het waren niet de risico's of het gevaar of het gevecht, die hem velden, maar de kleine, witte staafjes met filter. Dat had hij van dokter Dunois in de spreekkamer in Parijs vernomen. Nog een jaar als hij kalm aan deed, nog geen zes maanden als hij zich druk maakte, en de laatste maand zou beroerd zijn. Daarom ging hij alleen uit toen het hoesten verergerde en liep het oerwoud in met zijn pistool en een dikke envelop vol getypte vellen, die een paar weken later naar een vriend in Londen werden gestuurd.

De inlanders, die hem alleen zagen lopen en hem later naar de stad terugbrachten om hem te begraven, zeiden dat hij onderweg floot. Omdat het eenvoudige boeren waren, die yam en cassave kweekten, wisten ze niet wat hij floot. Het was een liedje, dat *Spanish Harlem* heette.

*Lees ook van A.W. Bruna Uitgevers B.V.*

**Frederick Forsyth**

# Icoon

Het is 1999 en Rusland staat aan de rand van de afgrond. Elke vorm van maatschappelijke orde is zoek, op sociaal en moreel gebied is de chaos compleet, het dagelijks leven wordt geterroriseerd door de nieuwe mafia. In het Westen doet men of z'n neus bloedt — op een handjevol politieke waarnemers na, die beseffen dat een Russisch debâcle ook buiten de landsgrenzen vernietigende consequenties kan hebben, waarbij de huidige Balkan-conflicten te verwaarlozen zijn.

Dan klinkt er een nieuw geluid. De stem van Igor Komarov, een charismatisch volksmenner die de massa ervan weet te overtuigen dat alleen hij in staat is het oude Rusland in al zijn glorie weer een vooraanstaande plaats op de wereldkaart te geven. Het gefrustreerde Russische volk vreet zijn woorden en Komarov lijkt de verkiezingsoverwinning al op zak te hebben. Totdat een geheim document belandt op het bureau van de Britse ambassadeur in Moskou: Komarovs geheime agenda, getiteld *Het Zwarte Manifest*, met daarin zwart op wit zijn wérkelijke streven, namelijk de stichting van een nieuw Derde Rijk, met niemand anders dan Igor Komarov als de nieuwe Führer...

Een dergelijke macabere omwenteling is voor het Westerse Bondgenootschap natuurlijk volstrekt on acceptabel. Een geheime commissie ontwerpt terstond een tegenscenario: een ingenieus plan dat een even riskante als sensationele éénmansactie behelst. In de persoon van Jason Monk, ex-CIA, wordt een agent het land binnengesmokkeld, die de bedrieger op zijn eigen terrein zal moeten verslaan...

ISBN 90 229 8306 4

*Lees ook van A.W. Bruna Uitgevers B.V.*

**Frederick Forsyth**

# De Vuist van God

De Westerse inlichtingendiensten hebben er in de loop der jaren alles aan gedaan om te voorkomen dat Irak de beschikking zou kunnen krijgen over wereldbedreigende wapens. Talloze malen werden verdachte transporten onderschept. Maar nu zijn er steeds meer aanwijzingen dat Saddam Hoessein desondanks een ultiem vernietigingswapen heeft weten te ontwikkelen.
Als in Brussel dr. Gerry Bull wordt vermoord, hebben de geheime inlichtingendiensten van zowel Amerika als Engeland en Israël het overtuigende bewijs in handen. Dr. Bull was niet alleen een briljante wetenschapper, maar tevens 's werelds beste wapenexpert, van wie algemeen bekend was dat hij voor Irak werkte.
De conclusie wordt pijnlijk snel duidelijk: Saddam Hoessein beschikt over een verschrikkelijk wapen, dat wordt aangeduid met *Qubth-ut-Allah*, De Vuist van God. De wereld staat aan de vooravond van een niet meer af te wenden, allesvernietigende oorlog...

Mike Martin, officier in dienst van de Britse Special Air Service, bracht zijn jeugd door in het Midden-Oosten. Hij spreekt de taal vloeiend, kent het gebied en beschikt over een onmiskenbaar Arabisch uiterlijk.
Hij wordt met een uiterst geheime missie als undercover richting Koeweit gestuurd, maar al snel wordt hij naar een andere bestemming gedirigeerd. En dat is nu net de enige plek op de hele wereld waar zijn ogenschijnlijk briljante dekmantel hem geen bescherming kan bieden...

ISBN 90 229 8160 6